KB129460

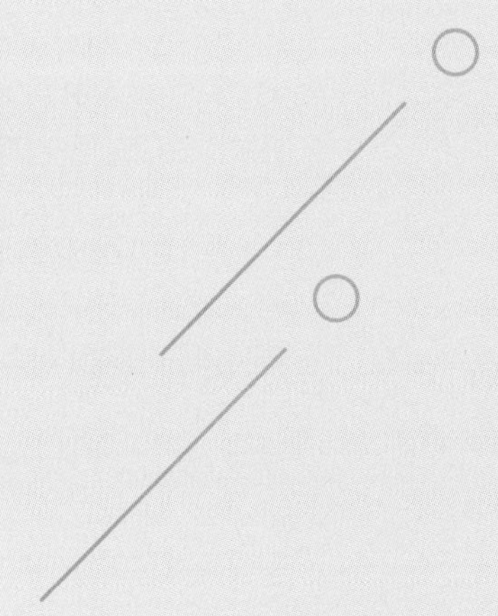

세상이 변해도 배움의 즐거움은 변함없도록

시대는 빠르게 변해도
배움의 즐거움은
변함없어야 하기에

어제의 비상은
남다른 교재부터
결이 다른 콘텐츠
전에 없던 교육 플랫폼까지

변함없는 혁신으로
교육 문화 환경의 새로운 전형을
실현해왔습니다.

비상은 오늘, 다시 한번
새로운 교육 문화 환경을 실현하기 위한
또 하나의 혁신을 시작합니다.

오늘의 내가 어제의 나를 초월하고
오늘의 교육이 어제의 교육을 초월하여
배움의 즐거움을 지속하는 혁신,

바로, 메타인지 기반 완전 학습을.

상상을 실현하는 교육 문화 기업 비상

메타인지 기반 완전 학습

초월을 뜻하는 meta와 생각을 뜻하는 인지가 결합한 메타인지는
자신이 알고 모르는 것을 스스로 구분하고 학습계획을 세우도록 하는
궁극의 학습 능력입니다. 비상의 메타인지 기반 완전 학습 시스템은
잠들어 있는 메타인지를 깨워 공부를 100% 내 것으로 만들도록 합니다.

빠르고 쉽게 익히는 교과서 개념 완성 프로젝트

교과서 개념 잡기

중등수학

3·2

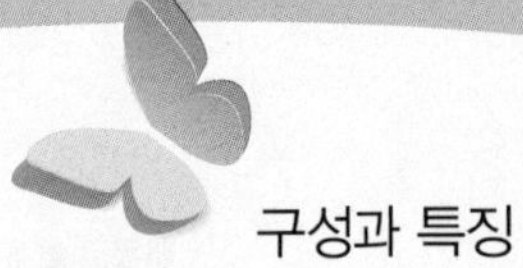

구성과 특징

Structure

개념 설명은?

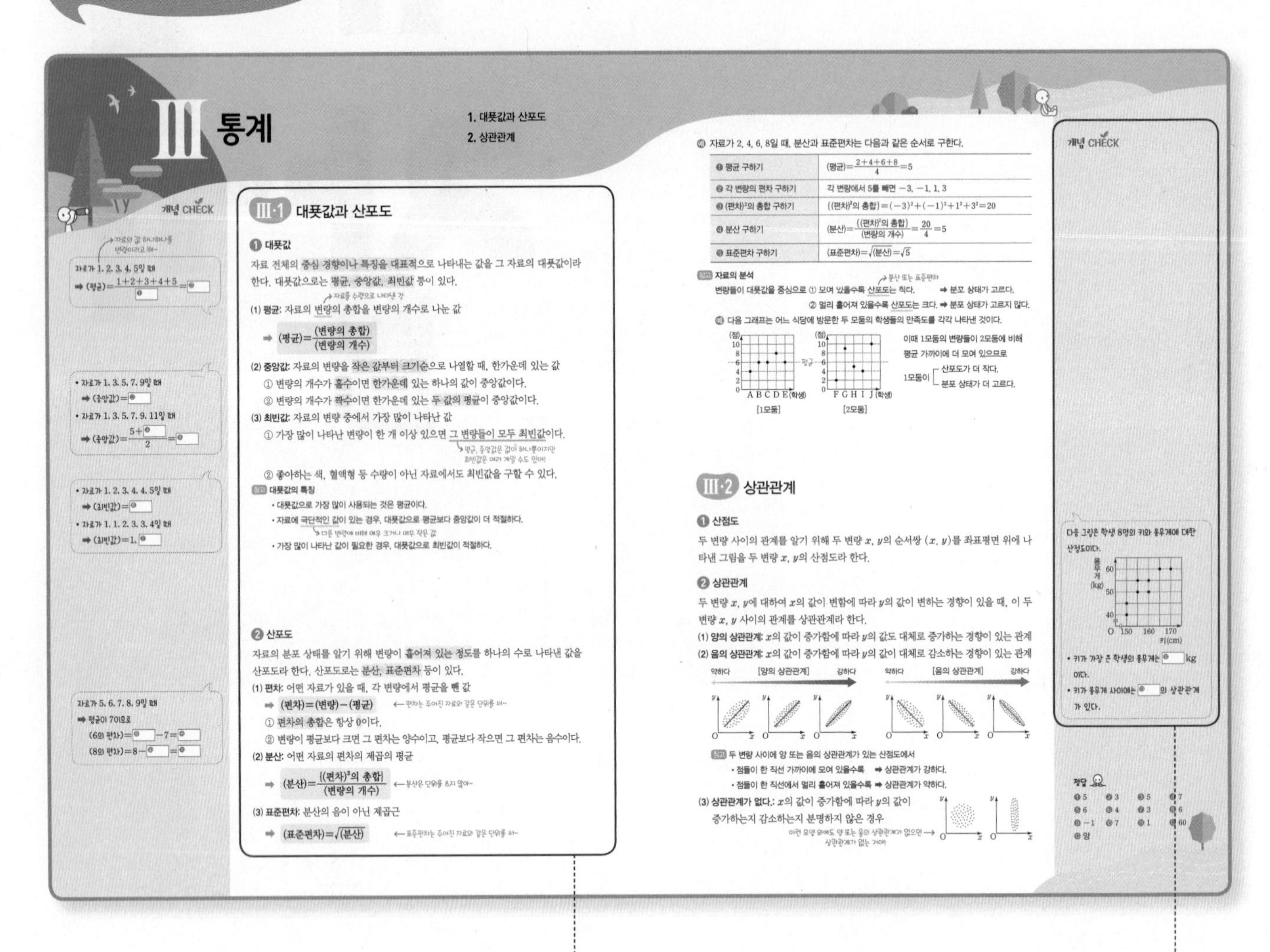

Ⅲ 통계

1. 대푯값과 산포도
2. 상관관계

Ⅲ-1 대푯값과 산포도

❶ 대푯값

자료 전체의 중심 경향이나 특징을 대표적으로 나타내는 값을 그 자료의 대푯값이라 한다. 대푯값으로는 평균, 중앙값, 최빈값 등이 있다.

(1) **평균:** 자료의 변량의 총합을 변량의 개수로 나눈 값 (자료를 수량으로 나타낸 것)

➡ $(\text{평균})=\dfrac{(\text{변량의 총합})}{(\text{변량의 개수})}$

(2) **중앙값:** 자료의 변량을 작은 값부터 크기순으로 나열할 때, 한가운데 있는 값

① 변량의 개수가 홀수이면 한가운데 있는 하나의 값이 중앙값이다.

② 변량의 개수가 짝수이면 한가운데 있는 두 값의 평균이 중앙값이다.

(3) **최빈값:** 자료의 변량 중에서 가장 많이 나타난 값

① 가장 많이 나타난 변량이 한 개 이상 있으면 그 변량들이 모두 최빈값이다. (평균, 중앙값은 값이 하나뿐이지만 최빈값은 여러 개일 수도 있어!)

② 좋아하는 색, 혈액형 등 수량이 아닌 자료에서도 최빈값을 구할 수 있다.

참고 **대푯값의 특징**

- 대푯값으로 가장 많이 사용되는 것은 평균이다.
- 자료에 극단적인 값이 있는 경우, 대푯값으로 평균보다 중앙값이 더 적절하다. (다른 변량에 비해 매우 크거나 매우 작은 값)
- 가장 많이 나타난 값이 필요한 경우, 대푯값으로 최빈값이 적절하다.

❷ 산포도

자료의 분포 상태를 알기 위해 변량이 흩어져 있는 정도를 하나의 수로 나타낸 값을 산포도라 한다. 산포도로는 분산, 표준편차 등이 있다.

(1) **편차:** 어떤 자료가 있을 때, 각 변량에서 평균을 뺀 값

➡ $(\text{편차})=(\text{변량})-(\text{평균})$ ← 편차는 주어진 자료와 같은 단위를 써~

① 편차의 총합은 항상 0이다.

② 변량이 평균보다 크면 그 편차는 양수이고, 평균보다 작으면 그 편차는 음수이다.

(2) **분산:** 어떤 자료의 편차의 제곱의 평균

➡ $(\text{분산})=\dfrac{\{(\text{편차})^2\text{의 총합}\}}{(\text{변량의 개수})}$ ← 분산은 단위를 쓰지 않아~

(3) **표준편차:** 분산의 음이 아닌 제곱근

➡ $(\text{표준편차})=\sqrt{(\text{분산})}$ ← 표준편차는 주어진 자료와 같은 단위를 써~

예 자료가 2, 4, 6, 8일 때, 분산과 표준편차는 다음과 같은 순서로 구한다.

❶ 평균 구하기	$(\text{평균})=\dfrac{2+4+6+8}{4}=5$
❷ 각 변량의 편차 구하기	각 변량에서 5를 빼면 $-3, -1, 1, 3$
❸ $(\text{편차})^2$의 총합 구하기	$\{(\text{편차})^2\text{의 총합}\}=(-3)^2+(-1)^2+1^2+3^2=20$
❹ 분산 구하기	$(\text{분산})=\dfrac{\{(\text{편차})^2\text{의 총합}\}}{(\text{변량의 개수})}=\dfrac{20}{4}=5$
❺ 표준편차 구하기	$(\text{표준편차})=\sqrt{(\text{분산})}=\sqrt{5}$

참고 **자료의 분석**

변량들이 대푯값을 중심으로 ① 모여 있을수록 산포도는 작다. ➡ 분포 상태가 고르다.
② 멀리 흩어져 있을수록 산포도는 크다. ➡ 분포 상태가 고르지 않다. (산포도: 분산 또는 표준편차)

예 다음 그래프는 어느 식당에 방문한 두 모둠의 학생들의 만족도를 각각 나타낸 것이다.

[1모둠] [2모둠]

이때 1모둠의 변량들이 2모둠에 비해 평균 가까이에 더 모여 있으므로 1모둠이 산포도가 더 작다. 분포 상태가 더 고르다.

Ⅲ-2 상관관계

❶ 산점도

두 변량 사이의 관계를 알기 위해 두 변량 x, y의 순서쌍 (x, y)를 좌표평면 위에 나타낸 그림을 두 변량 x, y의 산점도라 한다.

❷ 상관관계

두 변량 x, y에 대하여 x의 값이 변함에 따라 y의 값이 변하는 경향이 있을 때, 이 두 변량 x, y 사이의 관계를 상관관계라 한다.

(1) **양의 상관관계:** x의 값이 증가함에 따라 y의 값도 대체로 증가하는 경향이 있는 관계

(2) **음의 상관관계:** x의 값이 증가함에 따라 y의 값이 대체로 감소하는 경향이 있는 관계

약하다 [양의 상관관계] 강하다 약하다 [음의 상관관계] 강하다

참고 두 변량 사이에 양 또는 음의 상관관계가 있는 산점도에서

- 점들이 한 직선 가까이에 모여 있을수록 ➡ 상관관계가 강하다.
- 점들이 한 직선에서 멀리 흩어져 있을수록 ➡ 상관관계가 약하다.

(3) **상관관계가 없다.:** x의 값이 증가함에 따라 y의 값이 증가하는지 감소하는지 분명하지 않은 경우 (이런 모양 외에도 양 또는 음의 상관관계가 없으면 상관관계가 없는 거야)

개념 CHECK

자료가 1, 2, 3, 4, 5일 때 ➡ $(\text{평균})=\dfrac{1+2+3+4+5}{❶}=❷$ (자료의 값 하나하나를 변량이라고 해~)

- 자료가 1, 3, 5, 7, 9일 때 ➡ (중앙값)=❸
- 자료가 1, 3, 5, 7, 9, 11일 때 ➡ $(\text{중앙값})=\dfrac{5+❹}{2}=❺$
- 자료가 1, 2, 3, 4, 4, 5일 때 ➡ (최빈값)=❻
- 자료가 1, 1, 2, 3, 3, 4일 때 ➡ (최빈값)=1, ❼

자료가 5, 6, 7, 8, 9일 때 ➡ 평균이 7이므로 (6의 편차)=❽−7=❾, (8의 편차)=8−❿=⓫

다음 그림은 학생 8명의 키와 몸무게에 대한 산점도이다.

- 키가 가장 큰 학생의 몸무게는 ⓬ kg이다.
- 키와 몸무게 사이에는 ⓭의 상관관계가 있다.

정답 ❶ 5 ❷ 3 ❸ 5 ❹ 7 ❺ 6 ❻ 4 ❼ 3 ❽ 6 ❾ −1 ❿ 7 ⓫ 1 ⓬ 60 ⓭ 양

단원별 중요 개념만을 **모아 모아!**
알기 쉽게 설명했어요.

바로바로 풀리는 **개념 CHECK**로
개념을 확실히 잡을 수 있어요.

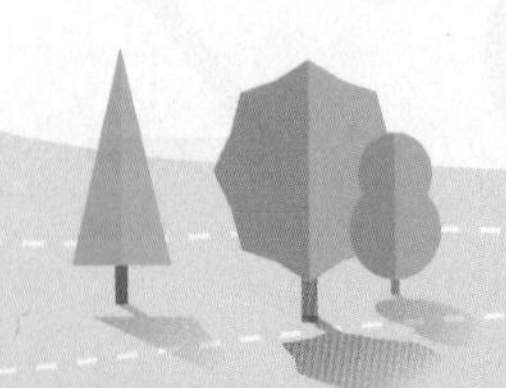

교과서 개념을 **꼼꼼하게** 학습할 수 있어요!

기초 문제로 **쉽게** 공부할 수 있어요!

3주 안에 **빠르게** 끝낼 수 있어요!

개념 익히기는?

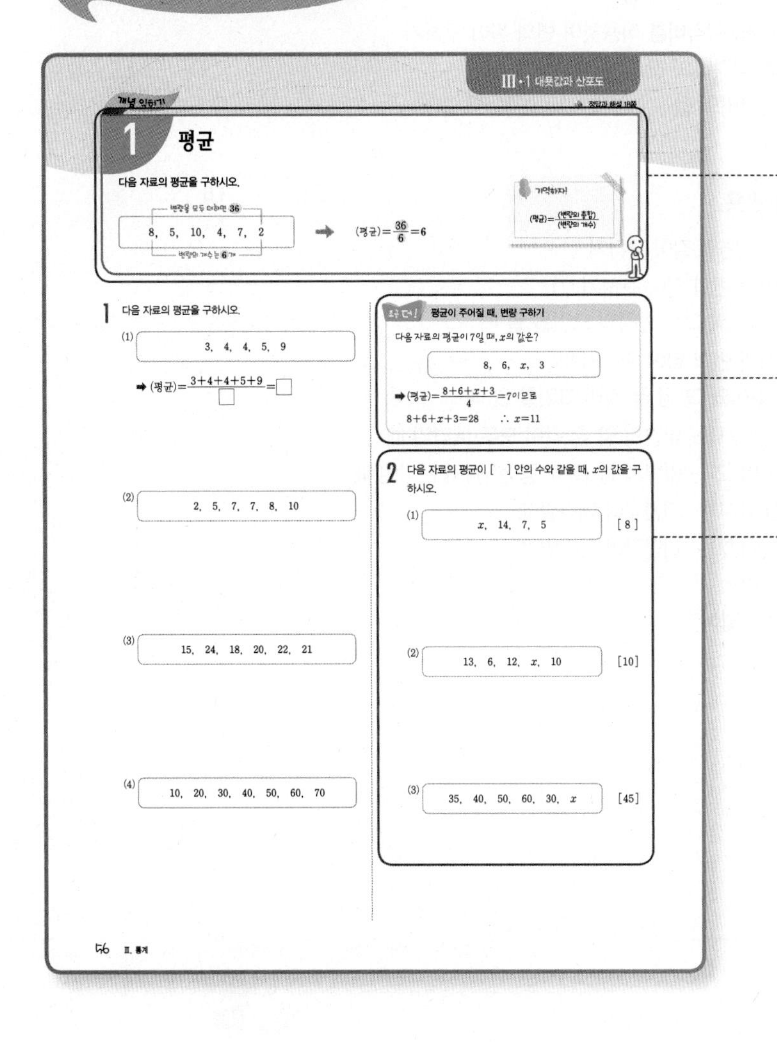
III-1 대푯값과 산포도

개념 익히기

정답과 해설 10쪽

1 평균

다음 자료의 평균을 구하시오.

변량을 모두 더하면 36

8, 5, 10, 4, 7, 2

변량의 개수는 6개

➡ (평균)$=\frac{36}{6}=6$

기억하자!

(평균)$=\frac{(변량의 총합)}{(변량의 개수)}$

1 다음 자료의 평균을 구하시오.

(1) 3, 4, 4, 5, 9

➡ (평균)$=\frac{3+4+4+5+9}{\square}=\square$

(2) 2, 5, 7, 7, 8, 10

(3) 15, 24, 18, 20, 22, 21

(4) 10, 20, 30, 40, 50, 60, 70

조금 더! 평균이 주어질 때, 변량 구하기

다음 자료의 평균이 7일 때, x의 값은?

8, 6, x, 3

➡ (평균)$=\frac{8+6+x+3}{4}=7$이므로

$8+6+x+3=28$ $\therefore x=11$

2 다음 자료의 평균이 [ ] 안의 수와 같을 때, x의 값을 구하시오.

(1) x, 14, 7, 5 [8]

(2) 13, 6, 12, x, 10 [10]

(3) 35, 40, 50, 60, 30, x [45]

56 III. 통계

기본 문제로 개념 이해 쏙쏙!
중요 개념은 기억하자! 로
콕! 짚어 놨어요.

개념 설명이 필요한 문제는
조금 더! 에 핵심 개념을 넣었어요.

유사 문제를 **풀고! 풀고!**
반복 학습을 할 수 있어요.

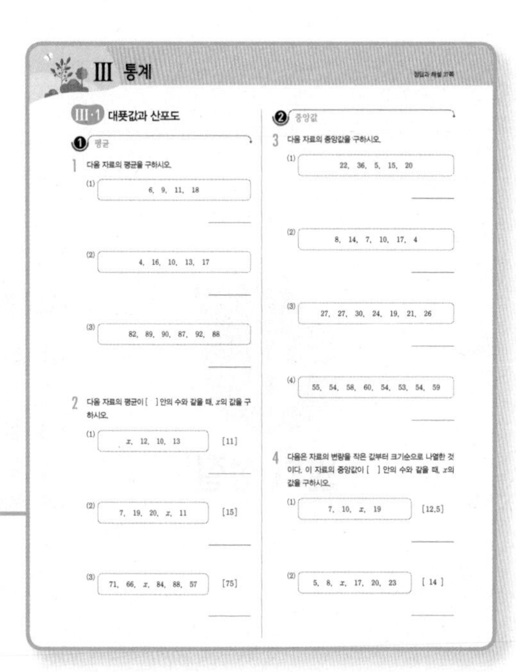
III 통계

III-1 대푯값과 산포도

❶ 평균

1 다음 자료의 평균을 구하시오.

(1) 6, 9, 11, 18

(2) 4, 16, 10, 13, 17

(3) 82, 89, 90, 87, 92, 88

2 다음 자료의 평균이 [ ] 안의 수와 같을 때, x의 값을 구하시오.

(1) x, 12, 10, 13 [11]

(2) 7, 19, 20, x, 11 [15]

(3) 71, 66, x, 84, 88, 57 [75]

❷ 중앙값

3 다음 자료의 중앙값을 구하시오.

(1) 22, 36, 5, 15, 20

(2) 8, 14, 7, 10, 17, 4

(3) 27, 27, 30, 24, 19, 21, 26

(4) 55, 54, 58, 60, 54, 53, 54, 59

4 다음은 자료의 변량을 작은 값부터 크기순으로 나열한 것이다. 이 자료의 중앙값이 [ ] 안의 수와 같을 때, x의 값을 구하시오.

(1) 7, 10, x, 19 [12.5]

(2) 5, 8, x, 17, 20, 23 [14]

익힘북

개념 익히기의 문제를
한 번 더 확인해요.

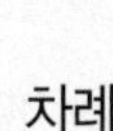

차례
Contents

삼각비

I-1 삼각비 08

01 삼각비의 값 구하기
02 한 변의 길이와 삼각비의 값이 주어질 때, 다른 변의 길이 구하기
03 한 삼각비의 값이 주어질 때, 다른 삼각비의 값 구하기
04 30°, 45°, 60°의 삼각비의 값
05 30°, 45°, 60°의 삼각비를 이용하여 변의 길이 구하기
06 예각에 대한 삼각비의 값
07 0°, 90°의 삼각비의 값
08 삼각비의 표

I-2 삼각비의 활용 18

09 직각삼각형의 변의 길이 구하기
10 일반 삼각형의 변의 길이 구하기 (1)
– 두 변의 길이와 그 끼인각의 크기를 알 때
11 일반 삼각형의 변의 길이 구하기 (2)
– 한 변의 길이와 그 양 끝 각의 크기를 알 때
12 삼각형의 높이 (1) – 밑변의 양 끝 각이 모두 예각일 때
13 삼각형의 높이 (2) – 밑변의 양 끝 각 중 한 각이 둔각일 때
14 삼각형의 넓이 (1) – 끼인각이 예각일 때
15 삼각형의 넓이 (2) – 끼인각이 둔각일 때
16 다각형의 넓이
17 평행사변형의 넓이

원의 성질

II-1 원과 직선 34

01 현의 수직이등분선
02 현의 길이
03 접선의 길이
04 삼각형의 내접원
05 원에 외접하는 사각형의 성질

Ⅱ-2 **원주각** 43

06 원주각과 중심각의 크기
07 원주각의 성질 (1)
08 원주각의 성질 (2)
09 원주각의 크기와 호의 길이 (1)
10 원주각의 크기와 호의 길이 (2)
11 네 점이 한 원 위에 있을 조건
12 원에 내접하는 사각형의 성질
13 사각형이 원에 내접하기 위한 조건
14 접선과 현이 이루는 각

통계

Ⅲ-1 **대푯값과 산포도** 56

01 평균
02 중앙값
03 최빈값
04 편차
05 분산과 표준편차
06 자료의 분석
07 대푯값과 산포도의 이해

Ⅲ-2 **상관관계** 66

08 산점도
09 산점도의 분석
10 상관관계

I 삼각비

1. 삼각비
2. 삼각비의 활용

개념 CHECK

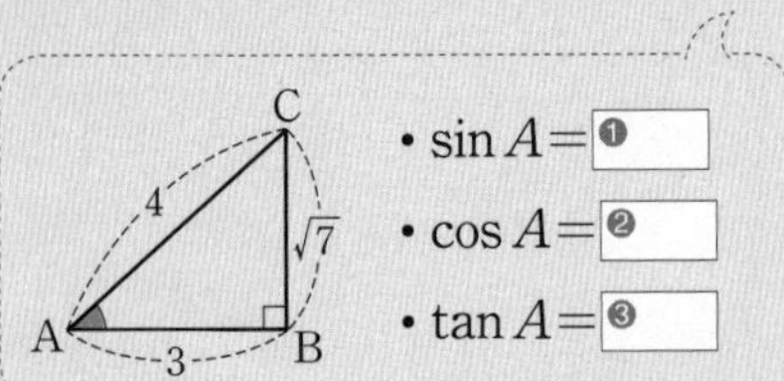

- $\sin A=$ ❶
- $\cos A=$ ❷
- $\tan A=$ ❸

I-1 삼각비

① 삼각비의 뜻

삼각비는 꼭 직각삼각형에서 생각하자!

$\angle B=90^\circ$인 직각삼각형 ABC에서 $\angle A$, $\angle B$, $\angle C$의 대변의 길이를 각각 a, b, c라 하면

(1) ($\angle A$의 사인)$=\dfrac{(\text{높이})}{(\text{빗변의 길이})}$ ➡ $\sin A=\dfrac{a}{b}$

(2) ($\angle A$의 코사인)$=\dfrac{(\text{밑변의 길이})}{(\text{빗변의 길이})}$ ➡ $\cos A=\dfrac{c}{b}$

(3) ($\angle A$의 탄젠트)$=\dfrac{(\text{높이})}{(\text{밑변의 길이})}$ ➡ $\tan A=\dfrac{a}{c}$

위의 $\sin A$, $\cos A$, $\tan A$를 통틀어 $\angle A$의 삼각비라 한다.

$\angle A$의 크기를 A라고 써~

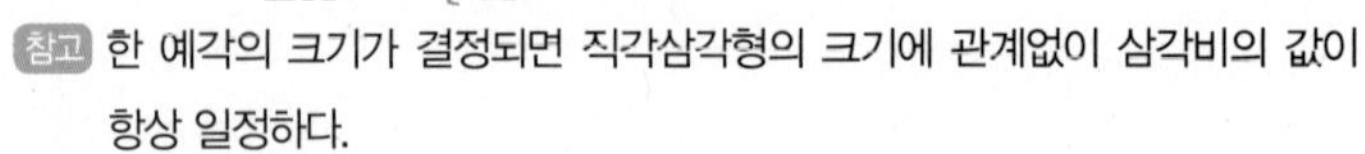

참고 한 예각의 크기가 결정되면 직각삼각형의 크기에 관계없이 삼각비의 값이 항상 일정하다.

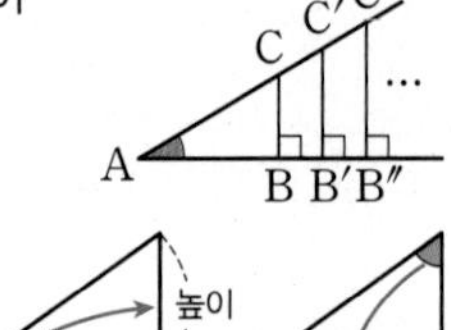

주의 삼각비의 값을 구할 때, 기준이 되는 각에 따라 높이와 밑변이 바뀐다.

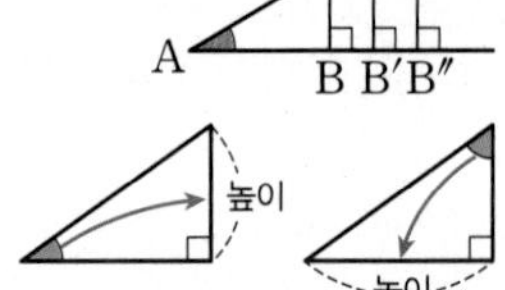

② 30°, 45°, 60°의 삼각비의 값

다음 그림의 두 직각삼각형을 이용하여 30°, 45°, 60°의 삼각비의 값을 구할 수 있다.

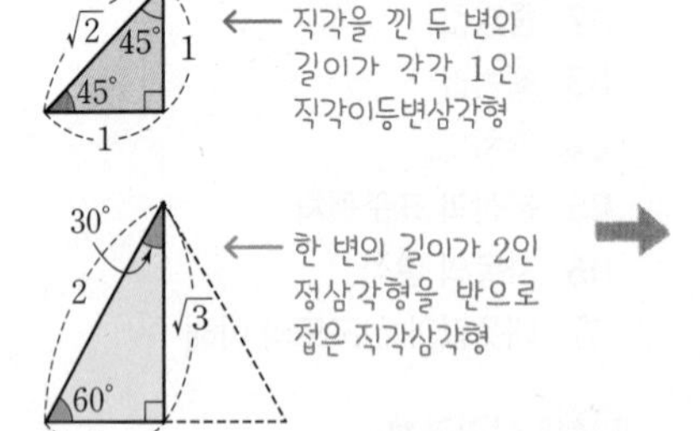

삼각비 \ a	30°	45°	60°	
$\sin a$	$\dfrac{1}{2}$	$\dfrac{\sqrt{2}}{2}$	$\dfrac{\sqrt{3}}{2}$	커진다.
$\cos a$	$\dfrac{\sqrt{3}}{2}$	$\dfrac{\sqrt{2}}{2}$	$\dfrac{1}{2}$	작아진다.
$\tan a$	$\dfrac{\sqrt{3}}{3}$	1	$\sqrt{3}$	커진다.

- $\sin 45^\circ+\cos 45^\circ$ $=$ ❹ $+\dfrac{\sqrt{2}}{2}=$ ❺
- $\sin 60^\circ\times\tan 60^\circ$ $=\dfrac{\sqrt{3}}{2}\times$ ❻ $=$ ❼

③ 예각에 대한 삼각비의 값

반지름의 길이가 1인 사분원에서 한 예각 a에 대하여

(1) $\sin a=\dfrac{\overline{AB}}{\overline{OA}}=\dfrac{\overline{AB}}{1}=\overline{AB}$

(2) $\cos a=\dfrac{\overline{OB}}{\overline{OA}}=\dfrac{\overline{OB}}{1}=\overline{OB}$

△AOB에서 구해.

(3) $\tan a=\dfrac{\overline{CD}}{\overline{OD}}=\dfrac{\overline{CD}}{1}=\overline{CD}$ ← △COD에서 구해.

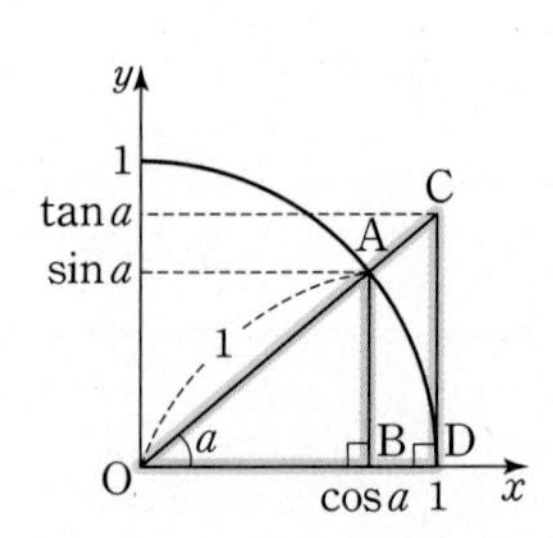

❹ 0°, 90°의 삼각비의 값

반지름의 길이가 1인 사분원을 이용하여 0°, 90°의 삼각비의 값을 구할 수 있다.

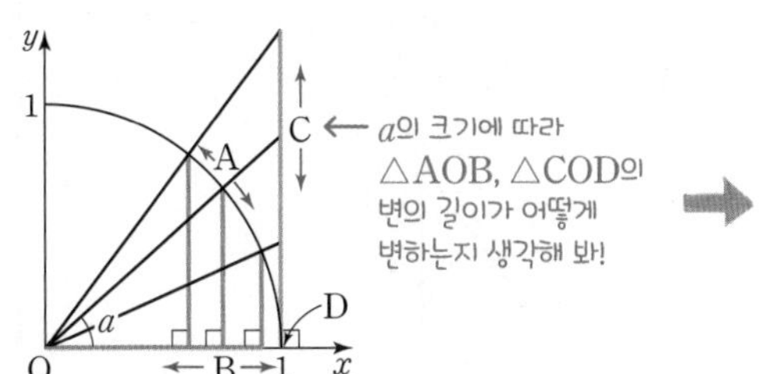

a의 크기에 따라 △AOB, △COD의 변의 길이가 어떻게 변하는지 생각해 봐!

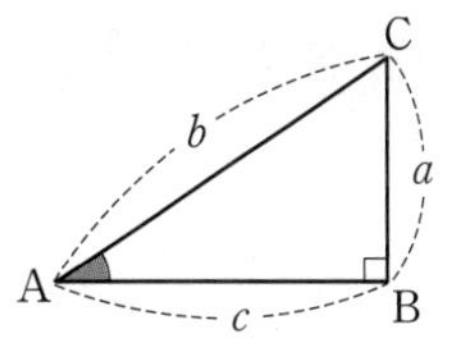

삼각비 \ a	0°	90°
$\sin a$	0	1
$\cos a$	1	0
$\tan a$	0	정할 수 없다.

I·2 삼각비의 활용

❶ 길이 구하기

$\angle B=90°$인 직각삼각형 ABC에서

(1) $\angle A$의 크기와 빗변의 길이 b를 알 때

➡ $a=b\sin A$, $c=b\cos A$ ← $\sin A=\frac{a}{b}$, $\cos A=\frac{c}{b}$

(2) $\angle A$의 크기와 밑변의 길이 c를 알 때

➡ $a=c\tan A$, $b=\frac{c}{\cos A}$ ← $\tan A=\frac{a}{c}$, $\cos A=\frac{c}{b}$

(3) $\angle A$의 크기와 높이 a를 알 때

➡ $b=\frac{a}{\sin A}$, $c=\frac{a}{\tan A}$ ← $\sin A=\frac{a}{b}$, $\tan A=\frac{a}{c}$

❷ 넓이 구하기

(1) 삼각형의 넓이

△ABC에서 두 변의 길이 a, c와 그 끼인각 $\angle B$의 크기를 알 때

① $\angle B$가 예각인 경우 ② $\angle B$가 둔각인 경우

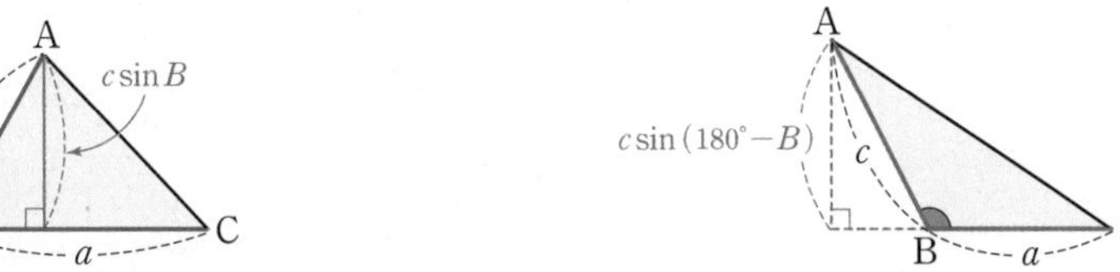

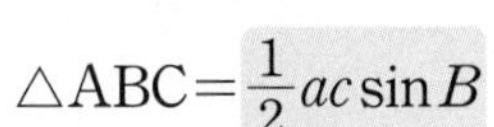

$\triangle ABC=\frac{1}{2}ac\sin B$

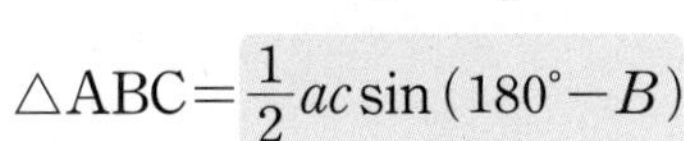

$\triangle ABC=\frac{1}{2}ac\sin(180°-B)$

(2) 평행사변형의 넓이

평행사변형 ABCD에서 이웃하는 두 변의 길이 a, b와 그 끼인각 $\angle B$의 크기를 알 때

① $\angle B$가 예각인 경우 ② $\angle B$가 둔각인 경우

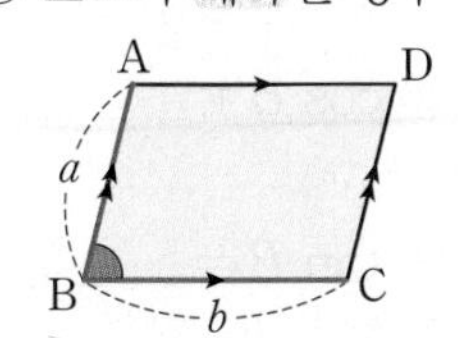

□ABCD$=ab\sin B$

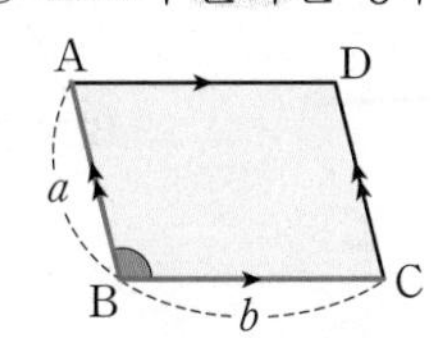

□ABCD$=ab\sin(180°-B)$

개념 CHECK

• $\cos 90°+\tan 0°$
$=0+$ ❽ $=$ ❾

• $\sin 90°-\cos 0°$
$=$ ❿ $-1=$ ⓫

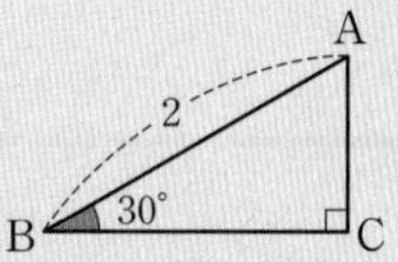

(삼각형 ABC: AB=2, ∠B=30°, ∠C=90°)

• $\overline{AC}=2\times\sin$ ⓬ $°=$ ⓭

• $\overline{BC}=$ ⓮ $\times\cos 30°=$ ⓯

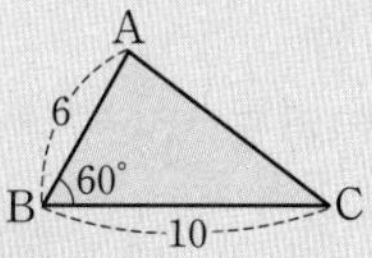

• (삼각형 ABC: AB=6, BC=10, ∠B=60°)

(넓이)
$=\frac{1}{2}\times 10\times$ ⓰ $\times\sin$ ⓱ $°$
$=$ ⓲

• (삼각형 ABC: AB=4, BC=8, ∠B=135°)

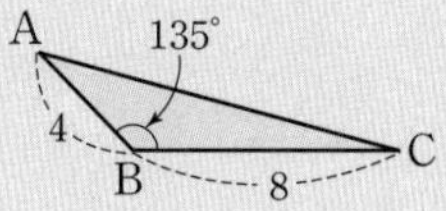

(넓이)$=\frac{1}{2}\times$ ⓳ $\times 4$
$\times\sin(180°-$ ⓴ $°)$
$=$ ㉑

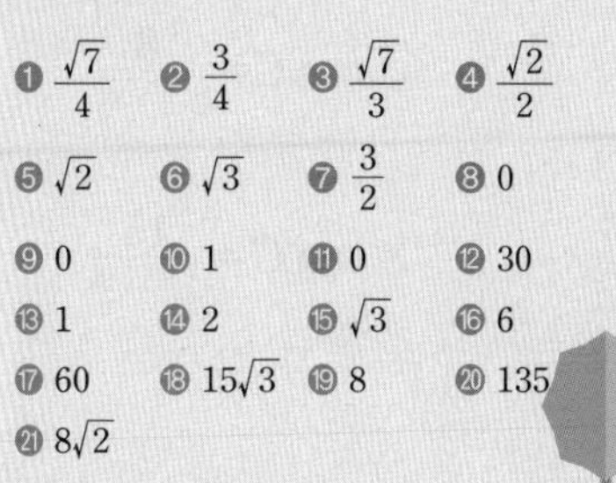

정답

❶ $\frac{\sqrt{7}}{4}$ ❷ $\frac{3}{4}$ ❸ $\frac{\sqrt{7}}{3}$ ❹ $\frac{\sqrt{2}}{2}$
❺ $\sqrt{2}$ ❻ $\sqrt{3}$ ❼ $\frac{3}{2}$ ❽ 0
❾ 0 ❿ 1 ⓫ 0 ⓬ 30
⓭ 1 ⓮ 2 ⓯ $\sqrt{3}$ ⓰ 6
⓱ 60 ⓲ $15\sqrt{3}$ ⓳ 8 ⓴ 135
㉑ $8\sqrt{2}$

개념 익히기

정답과 해설 2쪽

1 삼각비의 값 구하기

다음 그림과 같이 ∠B=90°인 직각삼각형 ABC에서 ∠A의 삼각비의 값을 구하시오.

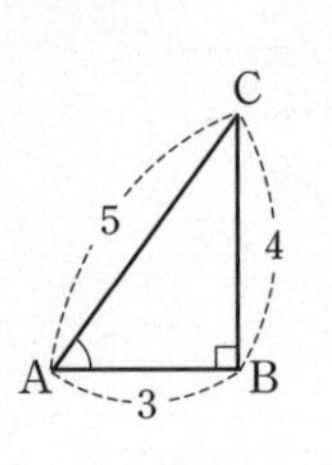

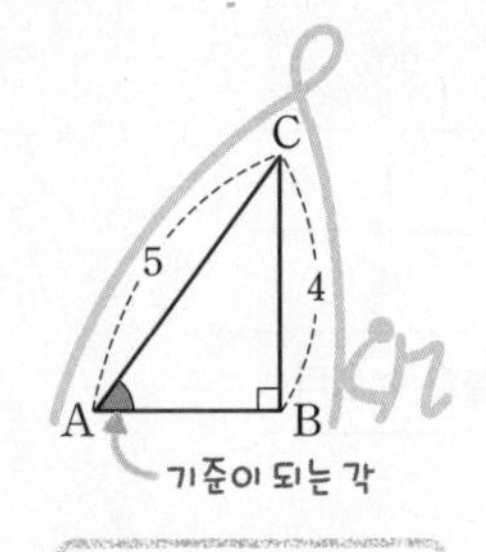

$\sin A=\frac{4}{5}$

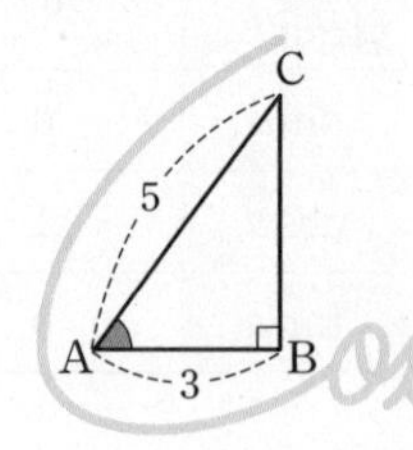

$\cos A=\frac{3}{5}$

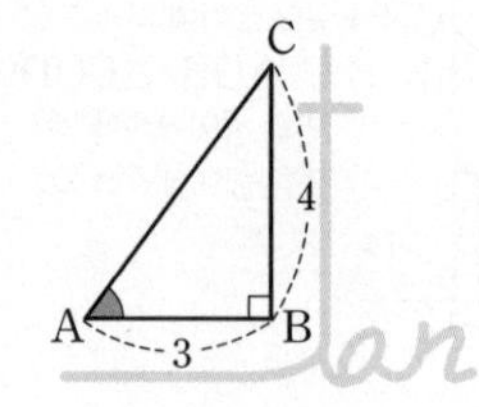

$\tan A=\frac{4}{3}$

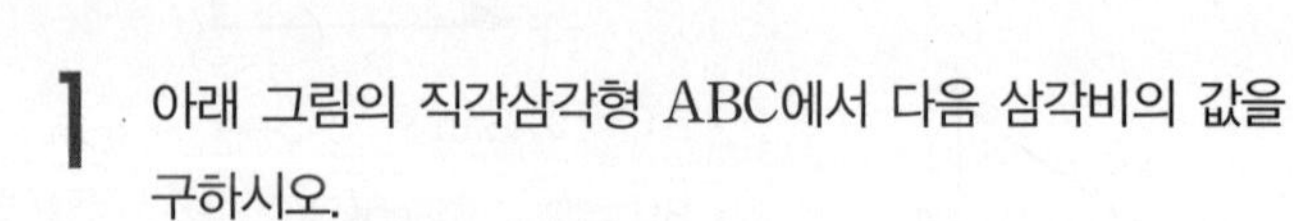

1 아래 그림의 직각삼각형 ABC에서 다음 삼각비의 값을 구하시오.

(1)

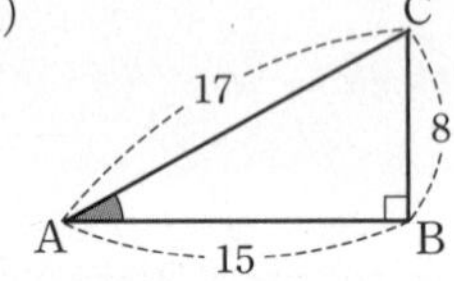

① $\sin A=\frac{\square}{17}$

② $\cos A=\frac{15}{\square}$

③ $\tan A=\frac{8}{\square}$

(2)

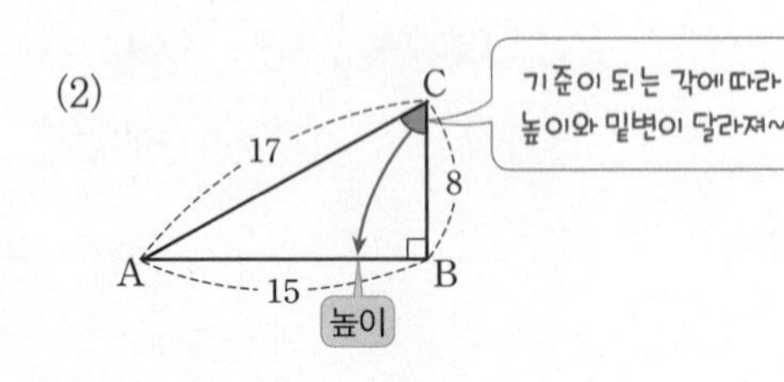

① $\sin C=\frac{\square}{17}$

② $\cos C=\frac{8}{\square}$

③ $\tan C=\frac{15}{\square}$

(3)

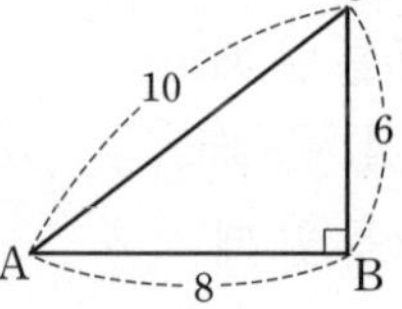

① $\sin A=$ ________

② $\cos A=$ ________

③ $\tan A=$ ________

(4)

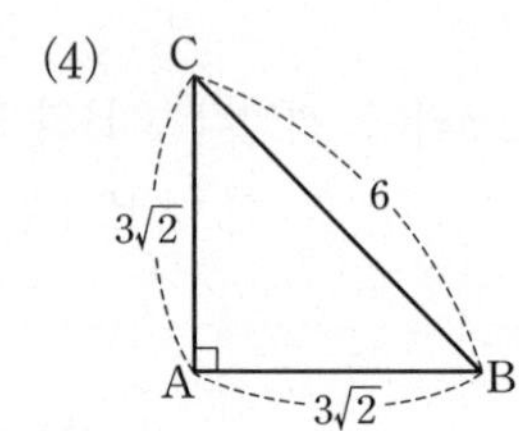

① $\sin C=$ ________

② $\cos C=$ ________

③ $\tan C=$ ________

(5)

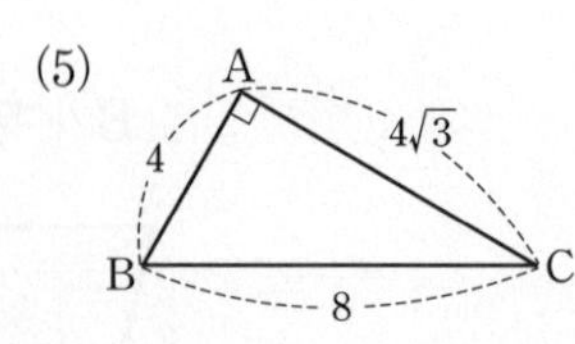

① $\sin B=$ ________

② $\cos B=$ ________

③ $\tan B=$ ________

2 아래 그림의 직각삼각형 ABC에서 다음 삼각비의 값을 구하시오.

(1)

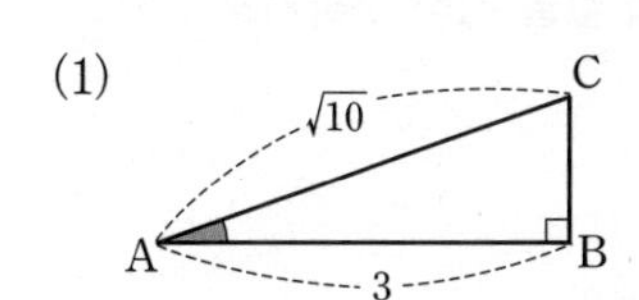

➡ $\overline{BC}=\sqrt{(\sqrt{10})^2-\square^2}=\square$ ← 피타고라스 정리

① $\sin A=\dfrac{\square}{\sqrt{10}}=\dfrac{\square}{10}$

② $\cos A=\dfrac{3}{\square}=\square$

③ $\tan A=\dfrac{\square}{3}$

(2)

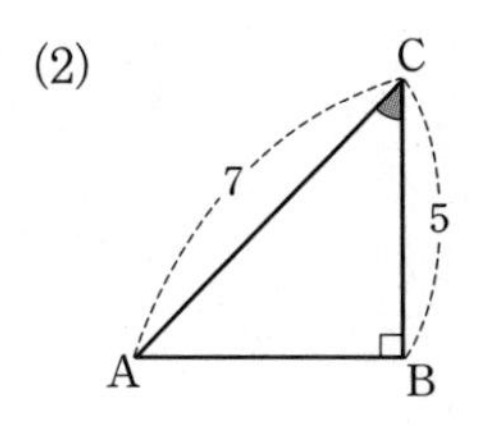

➡ $\overline{AB}=\sqrt{\square^2-5^2}=\square$

① $\sin C=\dfrac{\square}{7}$

② $\cos C=\dfrac{5}{\square}$

③ $\tan C=\dfrac{\square}{5}$

(3)

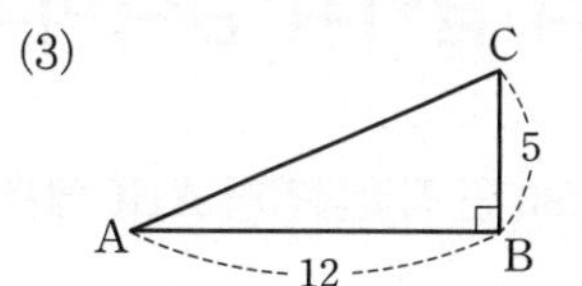

① $\sin A=$________

② $\cos A=$________

③ $\tan A=$________

(4) C, 6, A, 4, B

① $\sin B=$________

② $\cos B=$________

③ $\tan B=$________

(5)

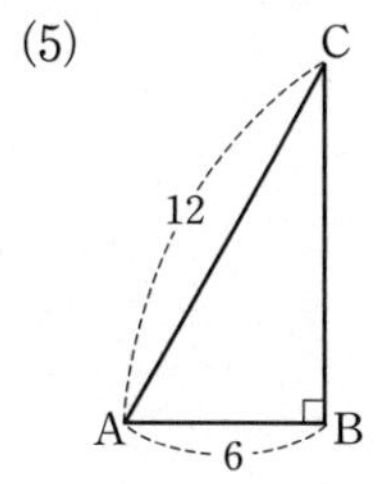

① $\sin C=$________

② $\cos C=$________

③ $\tan C=$________

(6)

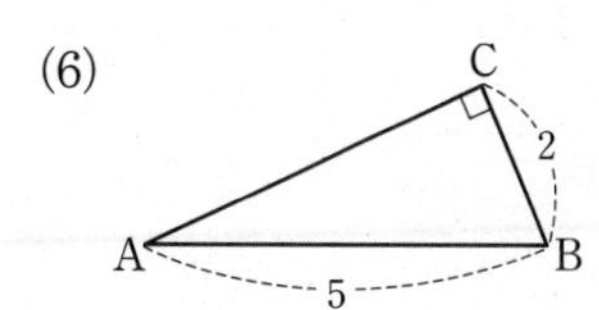

① $\sin B=$________

② $\cos B=$________

③ $\tan B=$________

정답과 해설 2쪽

개념 익히기

2 한 변의 길이와 삼각비의 값이 주어질 때, 다른 변의 길이 구하기

다음 그림과 같이 $\angle B=90^\circ$인 직각삼각형 ABC에서 $\overline{AC}=15$이고 $\sin A=\frac{4}{5}$일 때, x, y의 값을 각각 구하시오.

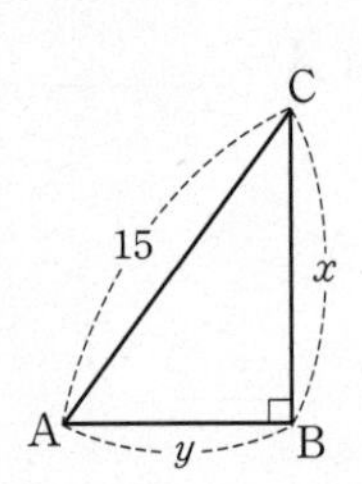

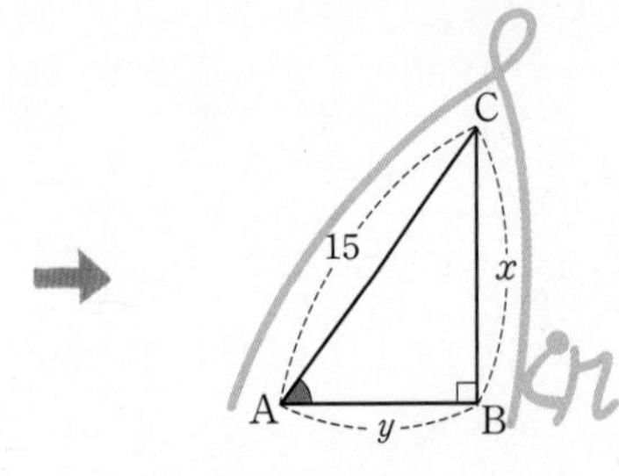

① $\sin A=\frac{x}{15}=\frac{4}{5}$이므로 $x=12$

② 피타고라스 정리에 의해

$y=\sqrt{15^2-x^2}=\sqrt{15^2-12^2}=9$

1 다음 그림의 직각삼각형 ABC에서 주어진 변의 길이와 삼각비의 값을 이용하여 x, y의 값을 각각 구하시오.

(1) $\cos A=\frac{1}{2}$일 때

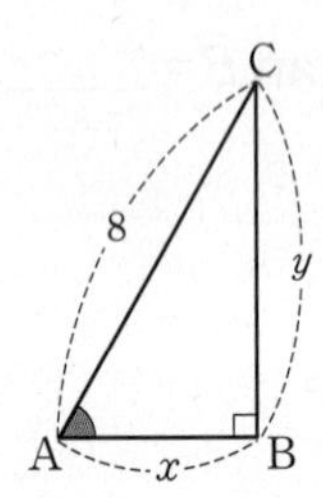

① $\cos A=\frac{x}{\square}=\frac{1}{2}$이므로 $x=\square$

② $y=\sqrt{8^2-\square^2}=\square$

(2) $\tan C=\frac{3}{2}$일 때

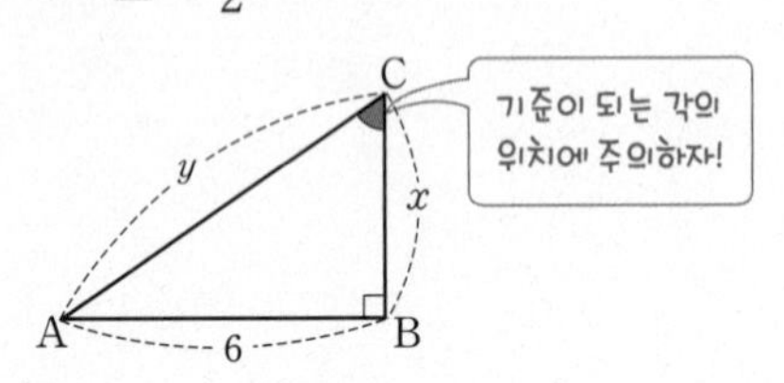

① $\tan C=\frac{\square}{x}=\frac{3}{2}$이므로 $x=\square$

② $y=\sqrt{6^2+\square^2}=\square$

(3) $\sin A=\frac{\sqrt{5}}{3}$일 때

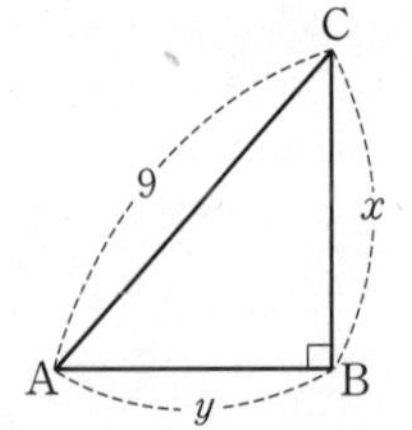

① $x=$________

② $y=$________

(4) $\cos C=\frac{5}{6}$일 때

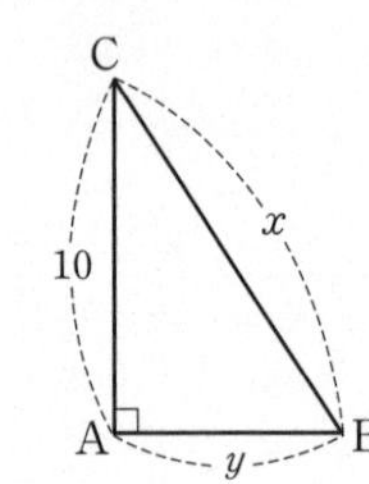

① $x=$________

② $y=$________

(5) $\tan C=\sqrt{3}$일 때

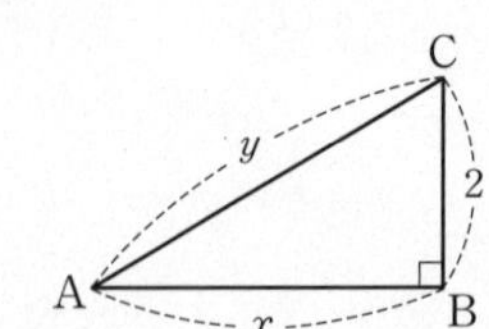

① $x=$________

② $y=$________

정답과 해설 3쪽

3 한 삼각비의 값이 주어질 때, 다른 삼각비의 값 구하기

∠B=90°인 직각삼각형 ABC가 $\cos A=\frac{5}{6}$를 만족시킬 때, 가장 간단한 직각삼각형 ABC를 그리고, $\sin A$의 값을 구하시오.

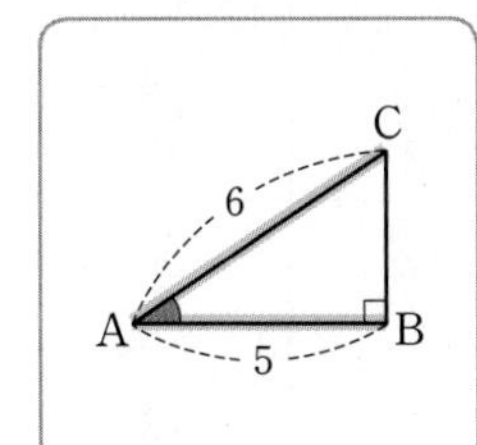

피타고라스 정리에 의해

$\overline{BC}=\sqrt{6^2-5^2}=\sqrt{11}$

$\therefore \sin A=\frac{\sqrt{11}}{6}$

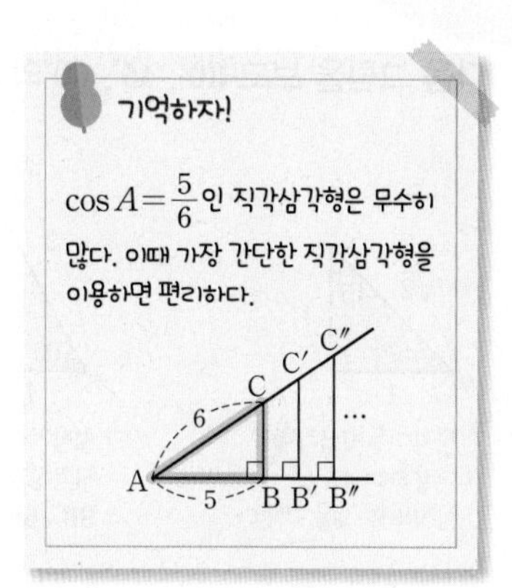

기억하자!
cos A=5/6인 직각삼각형은 무수히 많다. 이때 가장 간단한 직각삼각형을 이용하면 편리하다.
C″
C′
C
6
…
A
5
B B′ B″

1 ∠B=90°인 직각삼각형 ABC가 주어진 삼각비의 값을 만족시킬 때, 가장 간단한 직각삼각형 ABC를 그리고, 다음 삼각비의 값을 구하시오.

(1) $\sin A=\frac{4}{5}$일 때

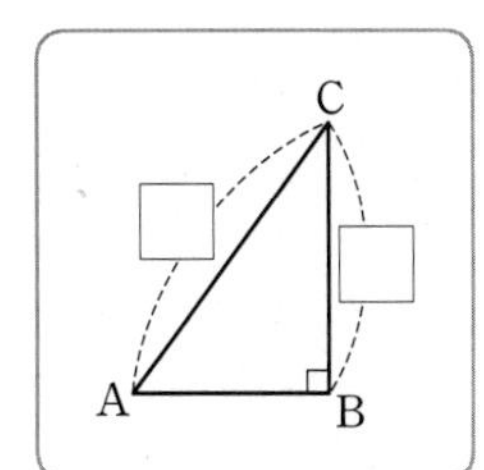

➡ $\overline{AB}=\sqrt{5^2-\square^2}$

$=\square$

① $\cos A=\square$

② $\tan A=\square$

(2) $\tan A=\frac{\sqrt{3}}{2}$일 때

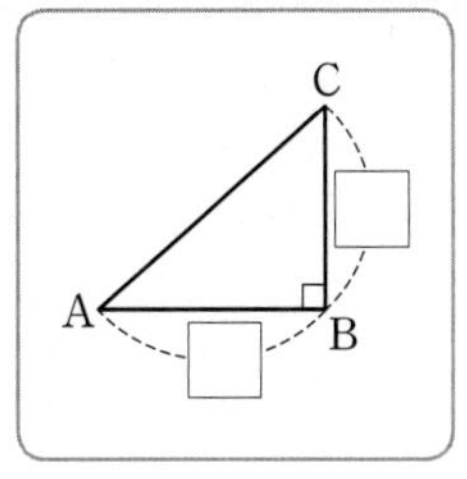

➡ $\overline{AC}=\sqrt{\square^2+(\sqrt{3})^2}$

$=\square$

① $\sin A=\square$

② $\cos A=\square$

(3) $\sin A=\frac{8}{17}$일 때

① $\cos A=$ ______

② $\tan A=$ ______

(4) $\cos A=\frac{7}{9}$일 때

① $\sin A=$ ______

② $\tan A=$ ______

(5) $\tan A=2$일 때

① $\sin C=$ ______

② $\cos C=$ ______

기준이 되는 각의 위치에 주의하자!

개념 익히기

정답과 해설 3쪽

4 30°, 45°, 60°의 삼각비의 값

다음 그림을 보고 30°, 45°, 60°의 삼각비의 값을 각각 구하시오.

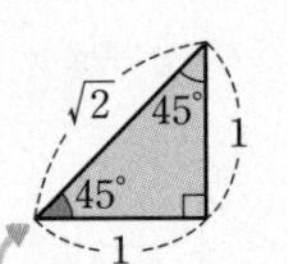

직각이등변삼각형을 이용하여 45°의 삼각비의 값을 구한다.

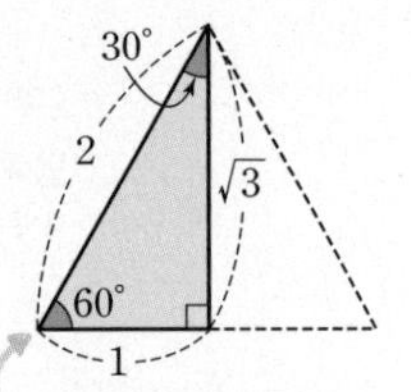

정삼각형을 이등분한 직각삼각형을 이용하여 30°, 60°의 삼각비의 값을 구한다.

삼각비 \ A	30°	45°	60°
$\sin A$	$\frac{1}{2}$	$\frac{\sqrt{2}}{2}$	$\frac{\sqrt{3}}{2}$
$\cos A$	$\frac{\sqrt{3}}{2}$	$\frac{\sqrt{2}}{2}$	$\frac{1}{2}$
$\tan A$	$\frac{\sqrt{3}}{3}$	1	$\sqrt{3}$

1 다음을 계산하시오.

(1) $\sin 30° + \cos 60°$ ________

(2) $\cos 30° - \tan 60°$ ________

(3) $\sin 60° \times \tan 45°$ ________

(4) $\tan 30° \div \cos 45°$ ________

(5) $\sin 45° \times \sqrt{3} \tan 60°$ ________

(6) $\tan 45° - 4\sin 30°$ ________

(7) $6\cos 60° \div \tan 30°$ ________

(8) $\sin 60° \times \cos 30° + \tan 45°$ ________

(9) $\tan 60° - \sin 45° \div \cos 45°$ ________

(10) $\cos 60° \times \sin 30° - \tan 30° \times \sin 60°$ ________

개념 익히기

정답과 해설 3쪽

5 30°, 45°, 60°의 삼각비를 이용하여 변의 길이 구하기

다음 그림의 직각삼각형에서 x, y의 값을 각각 구하시오.

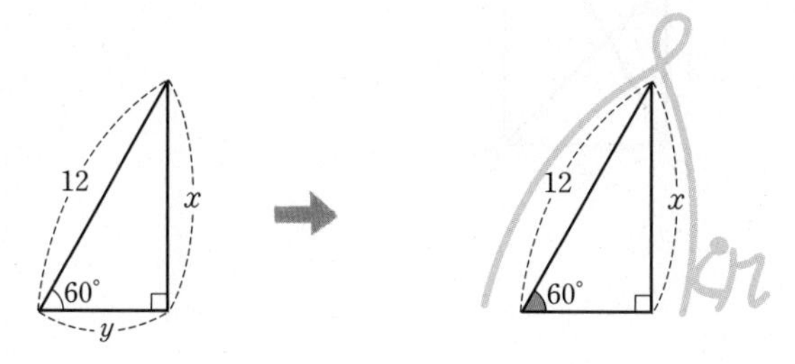

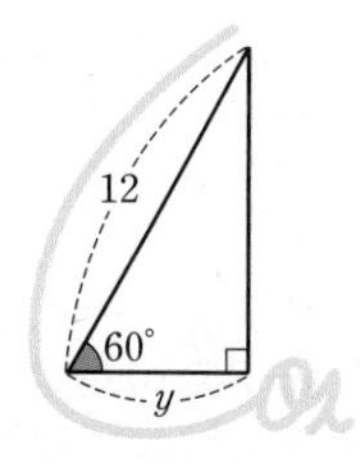

$\sin 60° = \dfrac{x}{12} = \dfrac{\sqrt{3}}{2}$이므로

$x = 6\sqrt{3}$

$\cos 60° = \dfrac{y}{12} = \dfrac{1}{2}$이므로

$y = 6$

1 다음 그림의 직각삼각형에서 x, y의 값을 각각 구하시오.

(1)

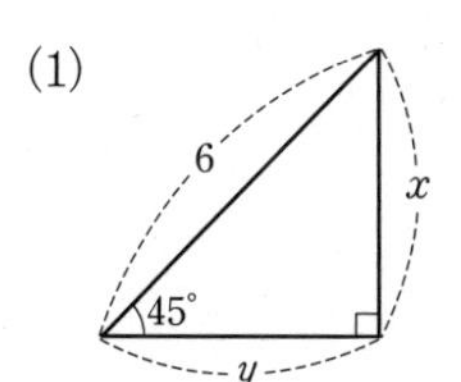

① $\sin 45° = \dfrac{x}{\square} = \dfrac{\square}{2}$ $\therefore x = \square$

② $\cos 45° = \dfrac{y}{\square} = \dfrac{\square}{2}$ $\therefore y = \square$

(2)

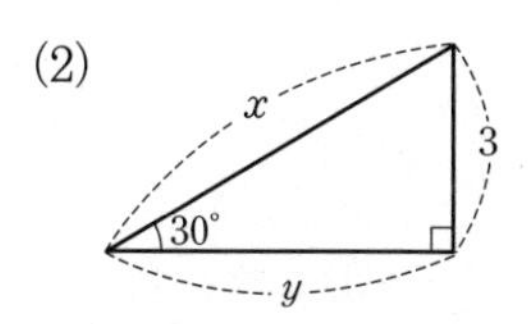

① $\sin 30° = \dfrac{\square}{x} = \dfrac{\square}{2}$ $\therefore x = \square$

② $\tan 30° = \dfrac{\square}{y} = \dfrac{\square}{3}$ $\therefore y = \square$

(3)

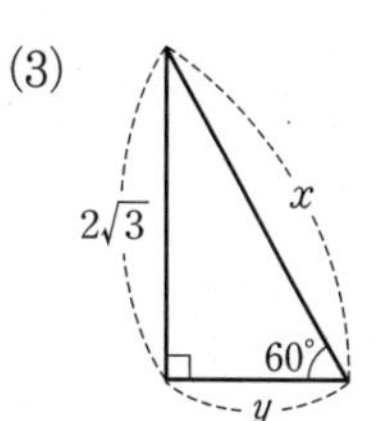

① $x=$ ________

② $y=$ ________

(4)

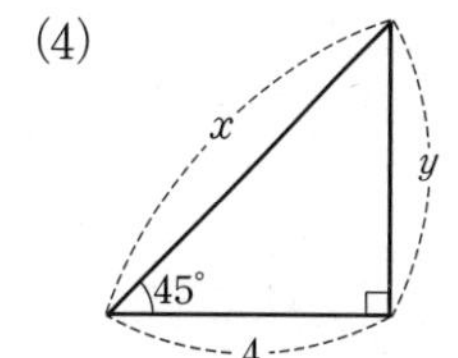

① $x=$ ________

② $y=$ ________

(5)

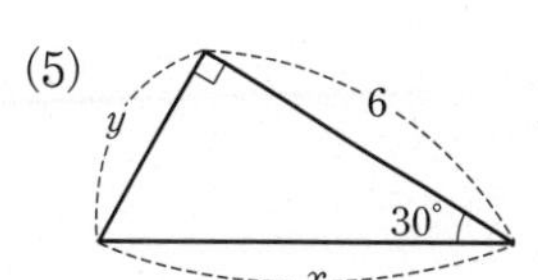

① $x=$ ________

② $y=$ ________

2 다음 그림의 두 직각삼각형에서 x, y의 값을 각각 구하시오.

(1)

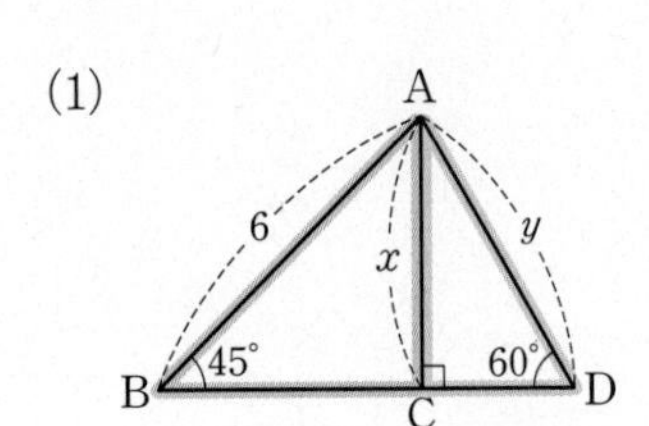

① △ABC에서 $\sin 45^\circ = \dfrac{x}{\square} = \dfrac{\sqrt{2}}{2}$이므로

$x = \square$

② △ACD에서 $\sin 60^\circ = \dfrac{x}{y} = \dfrac{\sqrt{3}}{2}$이므로

$y = \square$

(2)

① $x=$ ________

② $y=$ ________

(3)

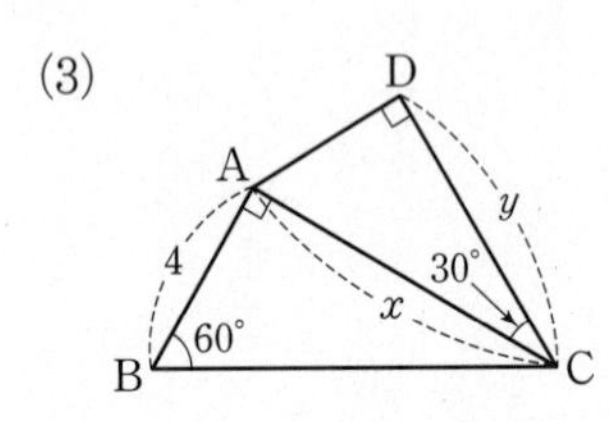

① $x=$ ________

② $y=$ ________

(4)

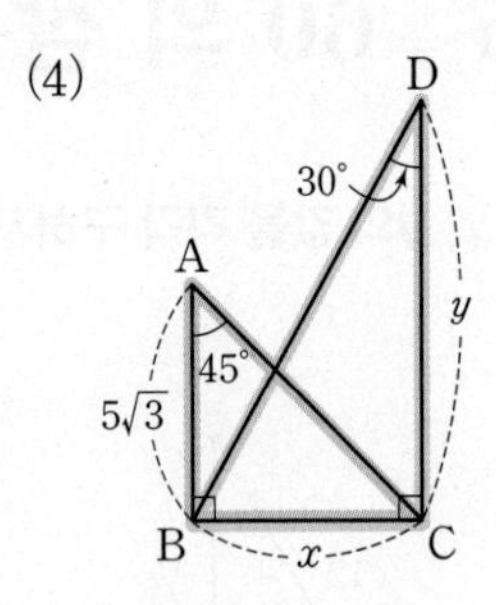

① $x=$ ________

② $y=$ ________

(5)

① $x=$ ________

② $y=$ ________

(6)

① $x=$ ________

② $y=$ ________

(7)

① $x=$ ________

② $y=$ ________

정답과 해설 4쪽

6 예각에 대한 삼각비의 값

다음 그림과 같이 반지름의 길이가 1인 사분원을 이용하여 $40°$의 삼각비의 값을 구하시오.

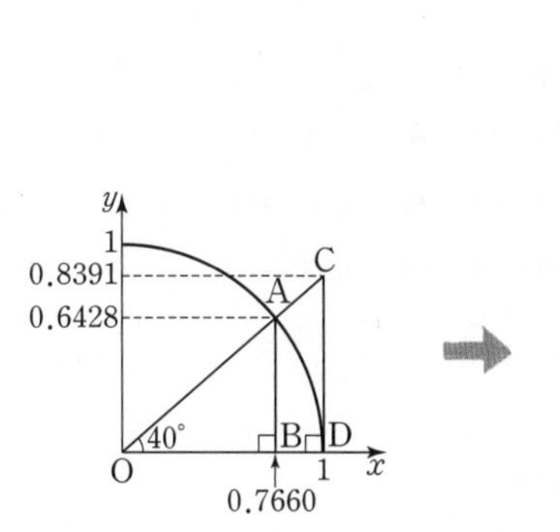

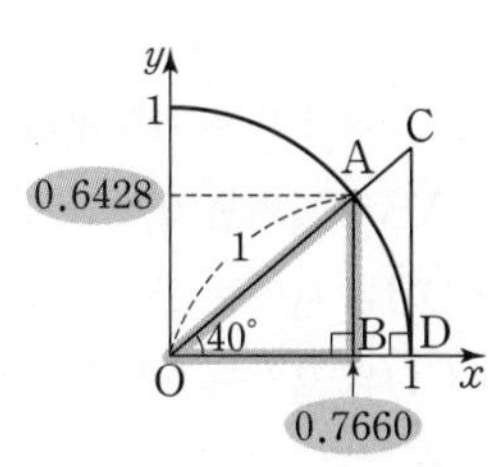

$\triangle$AOB에서

- $\sin 40° = \dfrac{\overline{AB}}{\overline{OA}} = \overline{AB} = 0.6428$
- $\cos 40° = \dfrac{\overline{OB}}{\overline{OA}} = \overline{OB} = 0.7660$

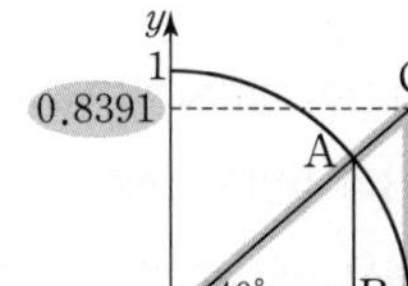

$\triangle$COD에서

- $\tan 40° = \dfrac{\overline{CD}}{\overline{OD}} = \overline{CD} = 0.8391$

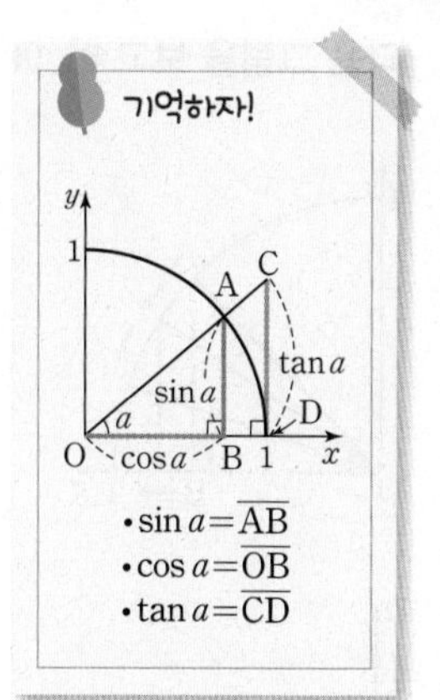

1 오른쪽 그림과 같이 반지름의 길이가 1인 사분원에서 다음 삼각비의 값과 길이가 같은 선분을 구하시오.

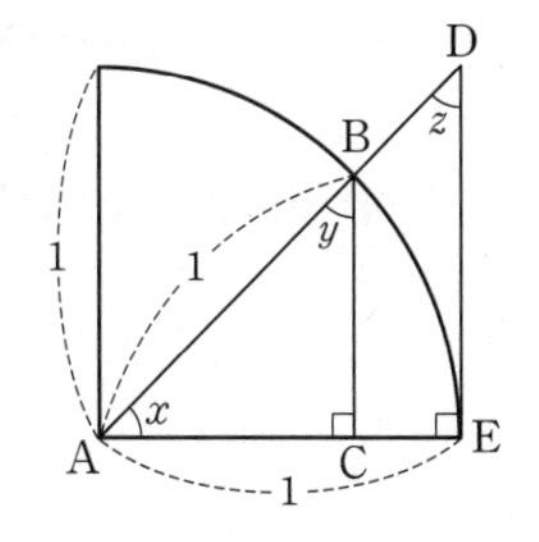

(1) $\sin x = \dfrac{\square}{\overline{AB}} = \square$

↳ 길이가 1인 선분을 이용하자!

(2) $\cos x$ ________

(3) $\tan x$ ________

(4) $\sin y$ ________

(5) $\cos y$ ________

(6) $\sin z = \sin \square = \square$

↳ $\overline{BC} /\!/ \overline{DE}$이니까 동위각을 찾아 봐!

(7) $\cos z$ ________

2 오른쪽 그림과 같이 반지름의 길이가 1인 사분원을 이용하여 다음 삼각비의 값을 구하시오.

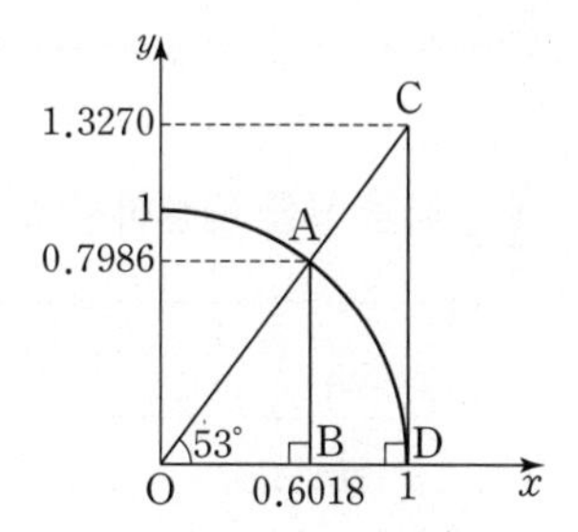

(1) $\sin 53° = \dfrac{\square}{\overline{OA}} = \square$

(2) $\cos 53°$ ________

(3) $\tan 53°$ ________

(4) $\sin 37° = \sin(\angle OAB) = \dfrac{\square}{\overline{OA}} = \square$

↳ $\triangle$AOB에서 생각해 봐!

(5) $\cos 37°$ ________

7 0°, 90°의 삼각비의 값

다음 그림을 보고 0°, 90°의 삼각비의 값을 각각 구하시오.

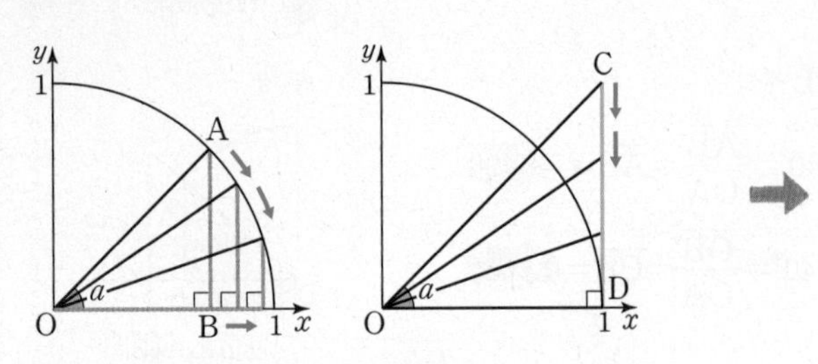

a의 크기가 0°에 가까워지면

- $\overline{AB}$의 길이는 0에 가까워진다. ➡ $\sin 0°=0$
- $\overline{OB}$의 길이는 1에 가까워진다. ➡ $\cos 0°=1$
- $\overline{CD}$의 길이는 0에 가까워진다. ➡ $\tan 0°=0$

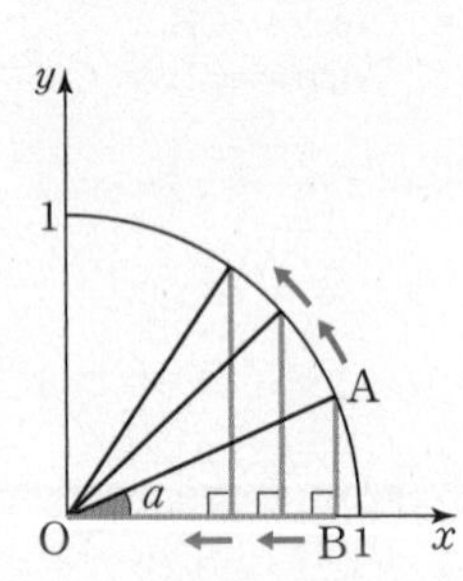

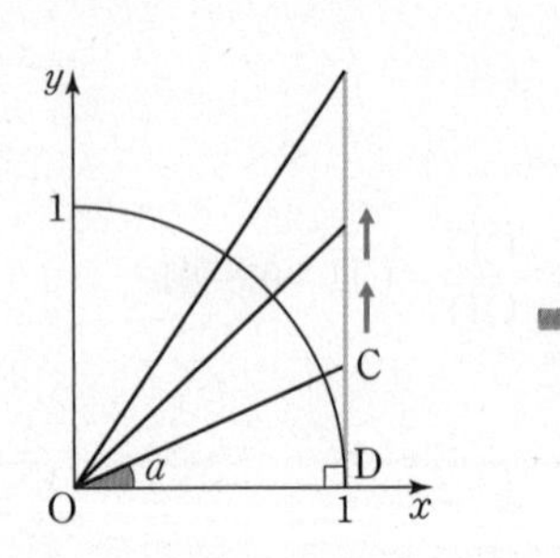

a의 크기가 90°에 가까워지면

- $\overline{AB}$의 길이는 1에 가까워진다. ➡ $\sin 90°=1$
- $\overline{OB}$의 길이는 0에 가까워진다. ➡ $\cos 90°=0$
- $\overline{CD}$의 길이는 한없이 길어진다. ➡ $\tan 90°$의 값은 정할 수 없다.

1 다음 표를 완성하시오.

삼각비 \ A	0°	90°
$\sin A$		
$\cos A$		
$\tan A$		

2 다음을 계산하시오.

(1) $\sin 90°+\cos 0°$

(2) $\sin 0°-\cos 90°+\tan 0°$

(3) $\cos 0°\div\sin 90°-\tan 0°\times\cos 0°$

(4) $\sin 30°+\cos 0°-\tan 45°$

(5) $\cos 90°+\tan 0°\times\sin 60°$

(6) $\sqrt{2}\sin 45°-\sqrt{3}\tan 60°+\cos 0°$

(7) $\cos 30°\times 2\sin 90°+\tan 30°\times 3\cos 0°$

(8) $\tan 45°\times\sqrt{2}\cos 45°-\sin 90°\times\cos 60°$

8 삼각비의 표

다음 삼각비의 표를 이용하여 **sin 26°, cos 27°, tan 28°의 값을 각각 구하시오.**

각도	사인(sin)	코사인(cos)	탄젠트(tan)
26°	0.4384	0.8988	0.4877
27°	0.4540	0.8910	0.5095
28°	0.4695	0.8829	0.5317

➡ $\sin 26° = 0.4384$

$\cos 27° = 0.8910$

$\tan 28° = 0.5317$

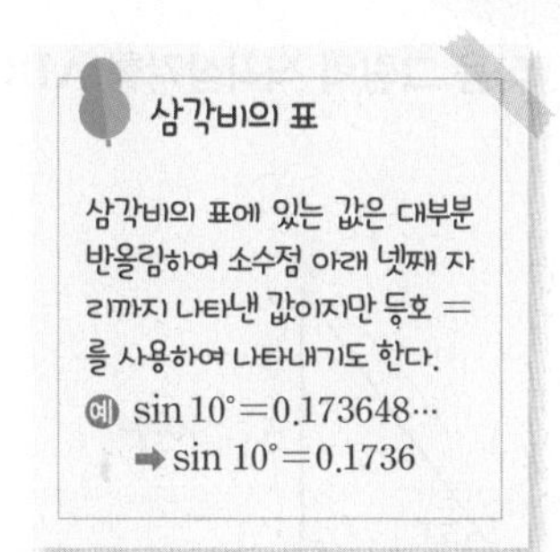

삼각비의 표
삼각비의 표에 있는 값은 대부분 반올림하여 소수점 아래 넷째 자리까지 나타낸 값이지만 등호 =를 사용하여 나타내기도 한다.
예 sin 10°=0.173648…
➡ sin 10°=0.1736

1 아래 삼각비의 표를 이용하여 다음 삼각비의 값을 구하시오.

각도	사인(sin)	코사인(cos)	탄젠트(tan)
37°	0.6018	0.7986	0.7536
38°	0.6157	0.7880	0.7813
39°	0.6293	0.7771	0.8098
40°	0.6428	0.7660	0.8391

(1) $\sin 38°$ ________

(2) $\sin 40°$ ________

(3) $\cos 37°$ ________

(4) $\cos 39°$ ________

(5) $\tan 38°$ ________

(6) $\tan 39°$ ________

2 아래 삼각비의 표를 이용하여 다음을 만족시키는 x의 크기를 구하시오.

각도	사인(sin)	코사인(cos)	탄젠트(tan)
15°	0.2588	0.9659	0.2679
16°	0.2756	0.9613	0.2867
17°	0.2924	0.9563	0.3057
18°	0.3090	0.9511	0.3249

(1) $\sin x = 0.2756$ ________

(2) $\sin x = 0.2924$ ________

(3) $\cos x = 0.9659$ ________

(4) $\cos x = 0.9511$ ________

(5) $\tan x = 0.2679$ ________

(6) $\tan x = 0.3057$ ________

개념 익히기

정답과 해설 5쪽

9 직각삼각형의 변의 길이 구하기

다음 그림의 직각삼각형 ABC에서 x, y의 값을 각각 구하시오.
(단, $\cos 53° = 0.6$, $\tan 53° = 1.33$으로 계산한다.)

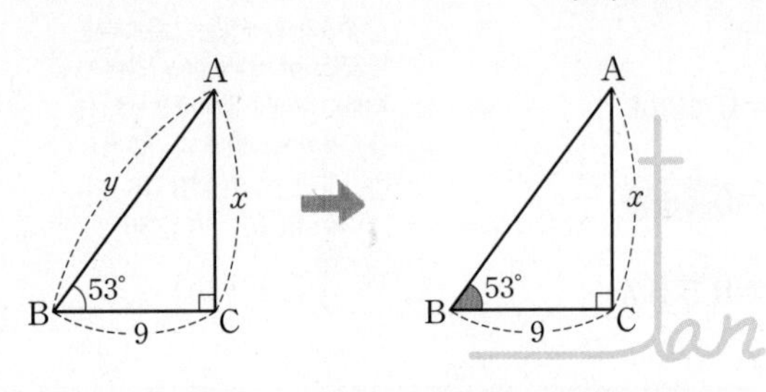

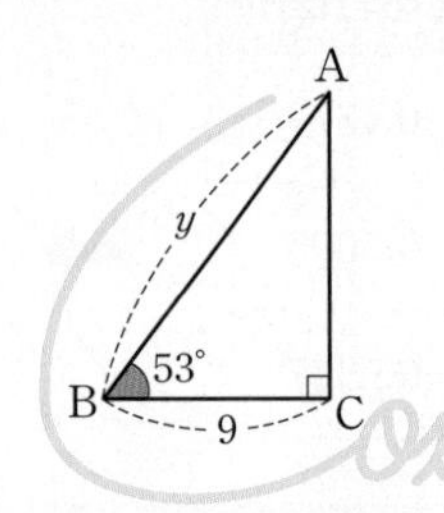

$x = 9\tan 53°$
$= 9 \times 1.33 = 11.97$

$y = \dfrac{9}{\cos 53°} = \dfrac{9}{0.6} = 15$

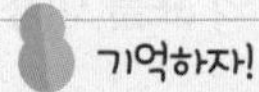

기억하자!

기준이 되는 각에 대하여
주어진 변과 구하는 변이
- 빗변, 높이이면 ➡ sin 이용
- 빗변, 밑변이면 ➡ cos 이용
- 밑변, 높이이면 ➡ tan 이용

1 다음 그림의 직각삼각형 ABC에서 x, y의 값을 각각 ∠B의 삼각비를 이용하여 나타내시오.

(1)

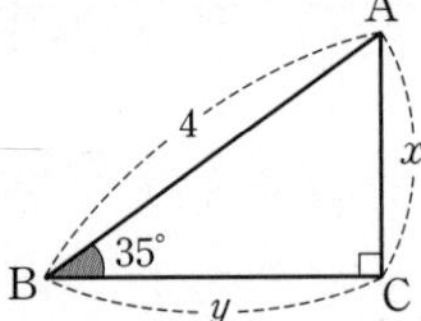

① $x = 4\sin 35°$

② $y =$ ______

(2)

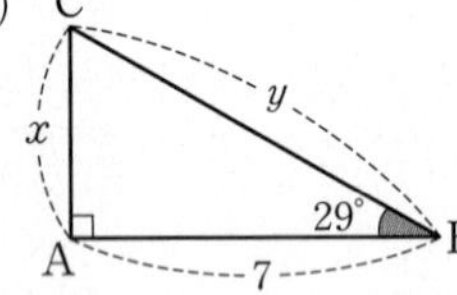

① $x =$ ______

② $y =$ ______

(3)

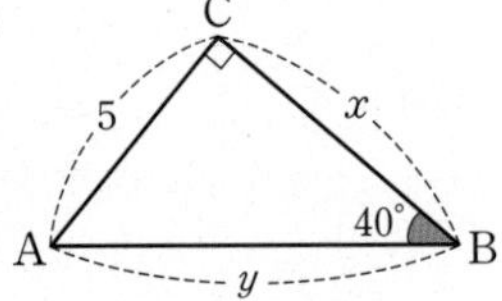

① $x =$ ______

② $y =$ ______

2 다음 그림과 같이 길이가 13 m인 사다리를 건물의 꼭대기에 걸쳐 놓았다. $\angle A = 63°$일 때, 건물의 높이 $\overline{BC}$를 구하시오. (단, $\sin 63° = 0.89$로 계산한다.)

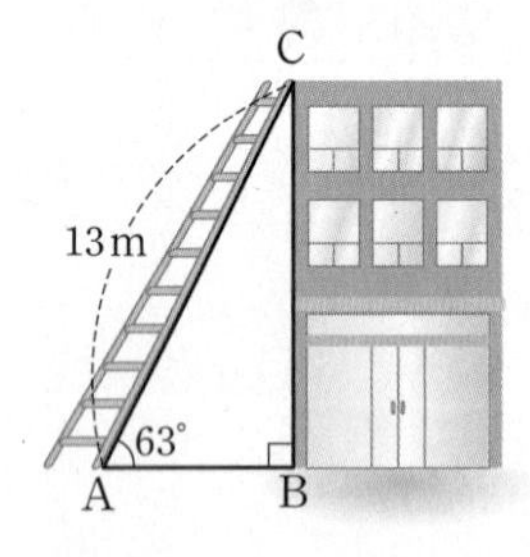

______

3 다음 그림과 같이 연못의 두 지점 A, B 사이의 거리를 구하기 위해 $\angle B = 90°$, $\overline{AC} = 200$ m가 되도록 지점 C를 잡았다. $\angle A = 30°$일 때, 두 지점 A, B 사이의 거리를 구하시오.

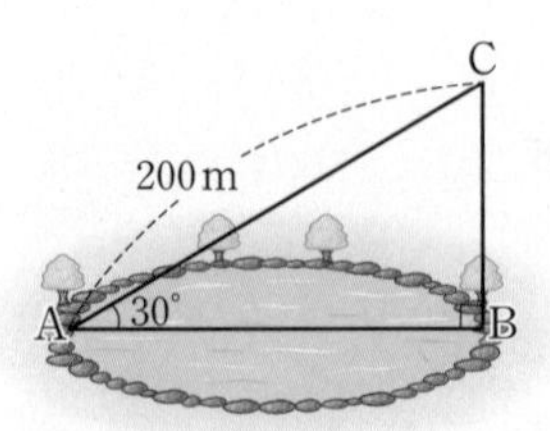

______

4 아래 그림과 같이 나무에서 10 m 떨어진 지점에서 지연이가 나무의 끝 지점을 올려다본 각의 크기가 43°이었다. 지연이의 눈높이가 1.6 m일 때, 나무의 높이를 구하려고 한다. 다음을 구하시오. (단, $\tan 43° = 0.93$으로 계산한다.)

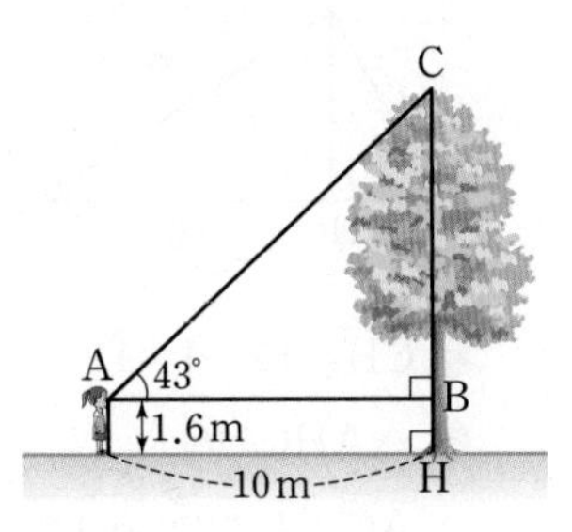

(1) $\overline{BH}$의 길이 ________

(2) $\overline{BC}$의 길이 ________

(3) 나무의 높이

➡ $\overline{BH}+\overline{BC}=$ □ $+$ □ $=$ □ (m)

5 다음 그림과 같이 민재의 손의 위치를 A, 연의 위치를 C라 할 때, $\overline{AC}=50$ m가 되도록 연을 띄웠더니 지점 A에서 연을 올려다본 각의 크기가 33°이었다. 지면으로부터 손까지의 높이가 1.5m일 때, 지면으로부터 연까지의 높이를 구하시오. (단, $\sin 33° = 0.54$로 계산한다.)

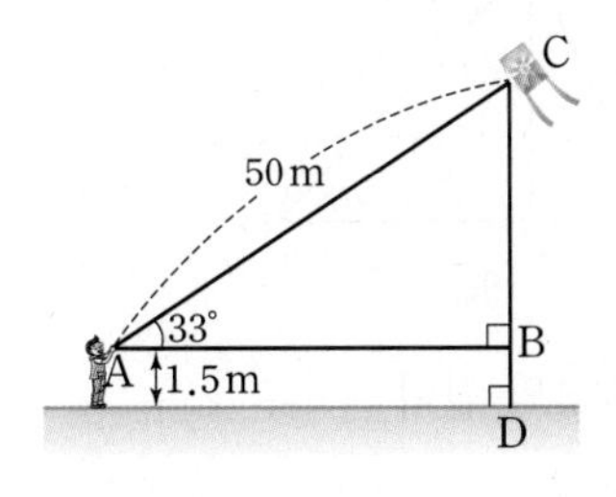

____

6 지면에 수직으로 서 있던 나무가 바람에 부러져서 아래 그림과 같이 꼭대기 부분이 지면에 닿아 있다. $\overline{BC}=9$ m, $\angle C=30°$일 때, 부러지기 전 나무의 높이를 구하려고 한다. 다음을 구하시오.

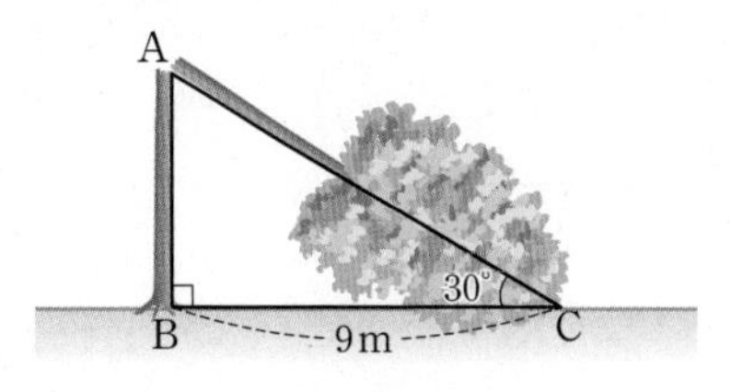

(1) $\overline{AB}$의 길이 ← 나무의 아랫부분 ________

(2) $\overline{AC}$의 길이 ← 나무의 윗부분 ________

(3) 부러지기 전 나무의 높이

➡ $\overline{AB}+\overline{AC}=$ □ $+$ □ $=$ □ (m)

7 지면에 수직으로 서 있던 전봇대가 태풍에 부러져서 다음 그림과 같이 꼭대기 부분이 지면에 닿아 있다. $\overline{BC}=8$ m, $\angle C=37°$일 때, 부러지기 전 전봇대의 높이를 구하시오.

(단, $\cos 37° = 0.8$, $\tan 37° = 0.75$로 계산한다.)

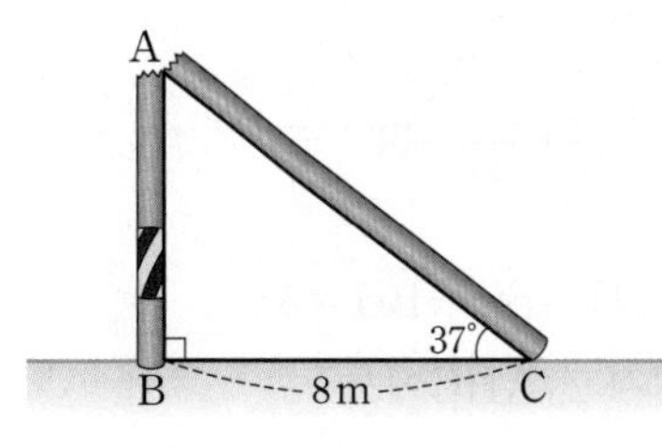

____

10 일반 삼각형의 변의 길이 구하기 (1) - 두 변의 길이와 그 끼인각의 크기를 알 때

다음 그림의 $\triangle ABC$에서 $\overline{AB}=8$, $\overline{BC}=15$이고 $\angle B=60°$일 때, $\overline{AC}$의 길이를 구하시오.

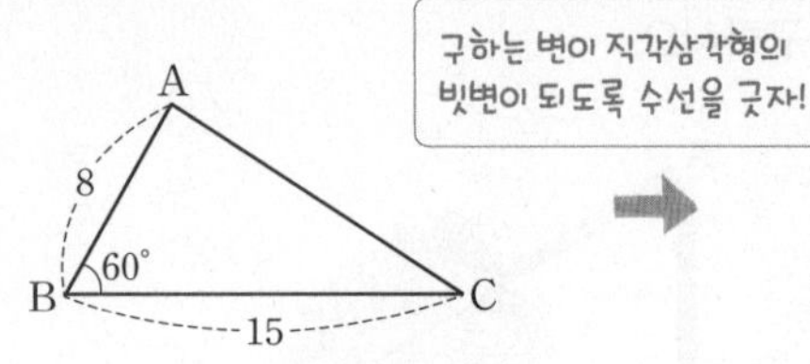

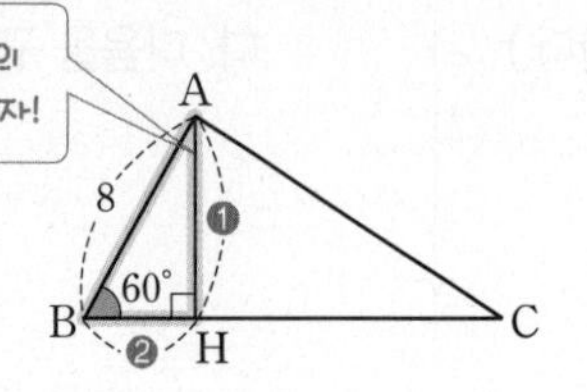

구하는 변이 직각삼각형의
빗변이 되도록 수선을 긋자!

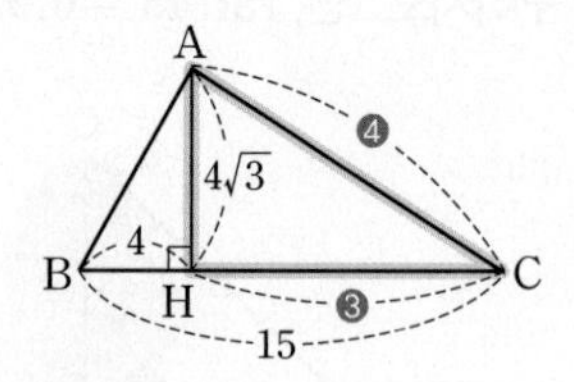

$\triangle ABH$에서

❶ $\overline{AH}=8\sin 60°=4\sqrt{3}$

❷ $\overline{BH}=8\cos 60°=4$

❸ $\overline{CH}=15-4=11$

❹ $\triangle AHC$에서

$\overline{AC}=\sqrt{(4\sqrt{3})^2+11^2}=13$

피타고라스 정리

1 다음은 오른쪽 그림의 $\triangle ABC$에서 $\overline{AC}$의 길이를 구하는 과정이다. □ 안에 알맞은 것을 쓰시오.

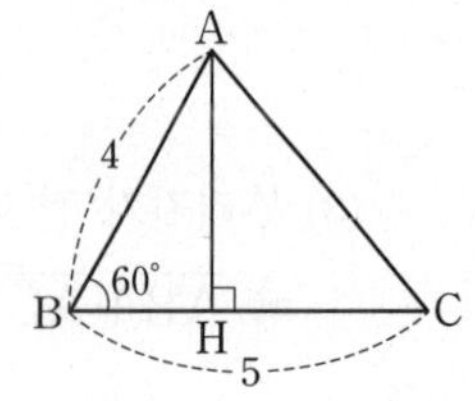

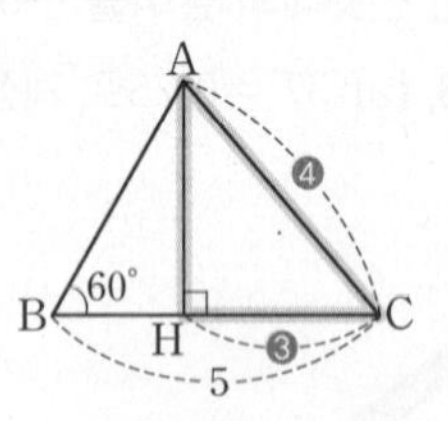

$\triangle ABH$에서

$\overline{AH}=\square\times\sin 60°=\square$

$\overline{BH}=4\times\square=\square$

$\therefore\ \overline{CH}=\overline{BC}-\overline{BH}=5-\square=\square$

따라서 $\triangle AHC$에서

$\overline{AC}=\sqrt{\overline{AH}^2+\overline{CH}^2}$

$=\sqrt{(\square)^2+\square^2}=\square$

2 아래 그림의 $\triangle ABC$에서 x의 값을 구하려고 할 때, 다음을 구하시오.

(1)

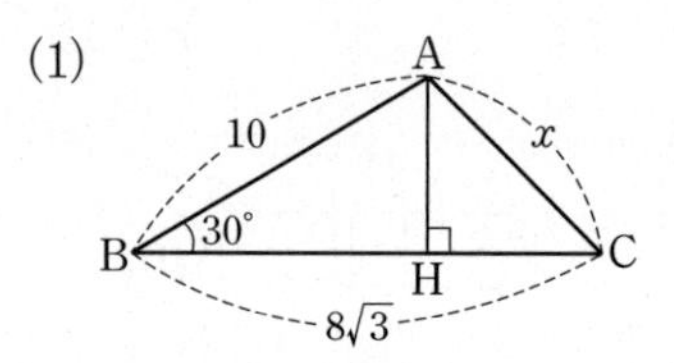

① $\overline{AH}$의 길이 ______

② $\overline{BH}$의 길이 ______

③ $\overline{CH}$의 길이 ______

④ x의 값 ______

(2)

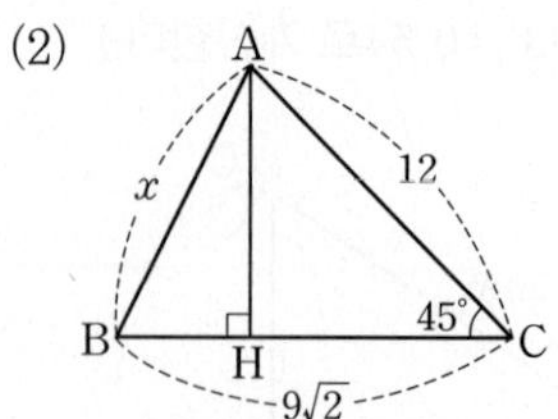

① $\overline{AH}$의 길이 ______

② $\overline{CH}$의 길이 ______

③ $\overline{BH}$의 길이 ______

④ x의 값 ______

3 다음 그림의 $\triangle ABC$에서 x의 값을 구하시오.

(1)

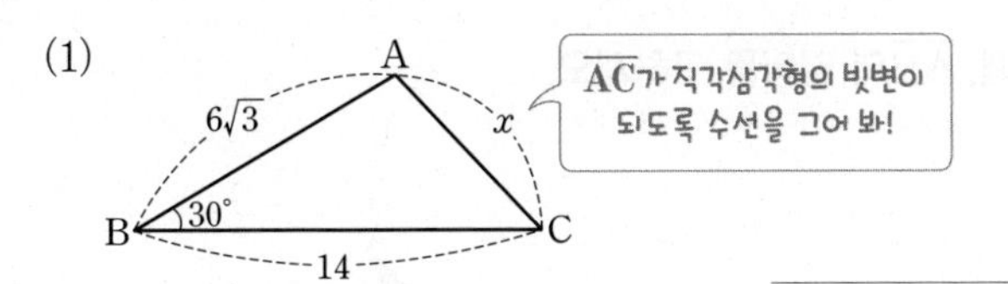

(2)

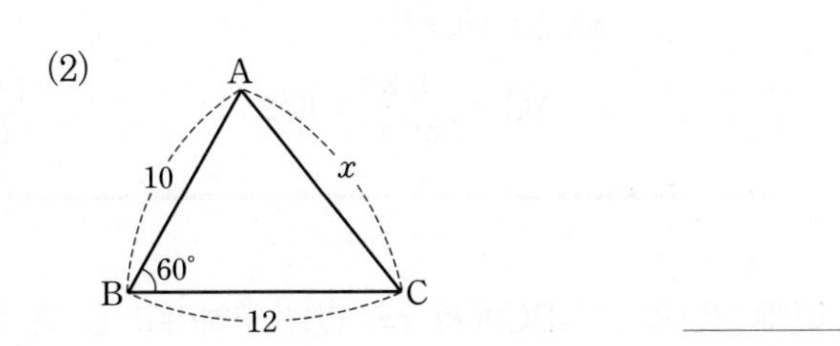

(3)

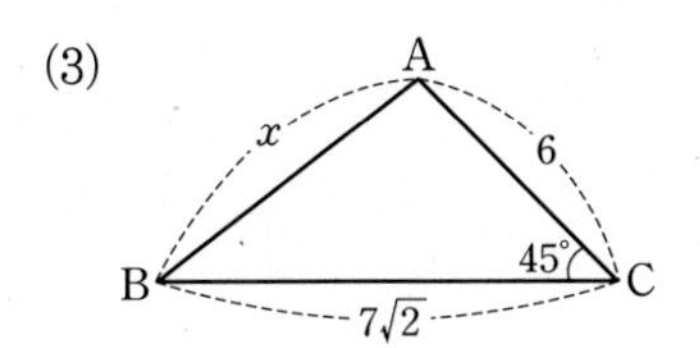

(4)

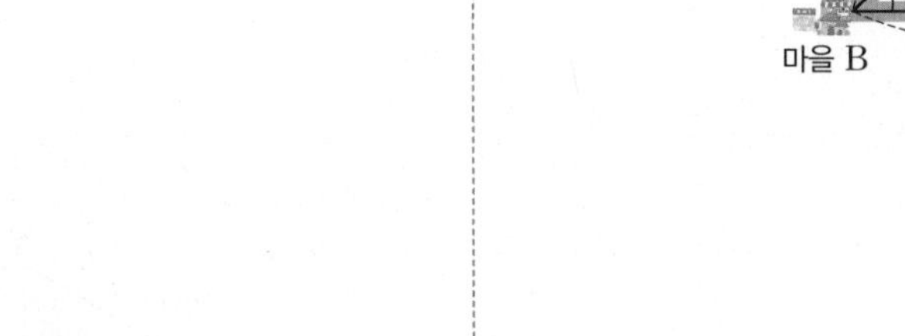

4 다음 그림과 같이 연못의 두 지점 A, B 사이의 거리를 구하기 위해 $\overline{AC}=18\,m$, $\overline{BC}=24\,m$가 되도록 지점 C를 잡았다. $\angle C=60°$일 때, 두 지점 A, B 사이의 거리를 구하시오.

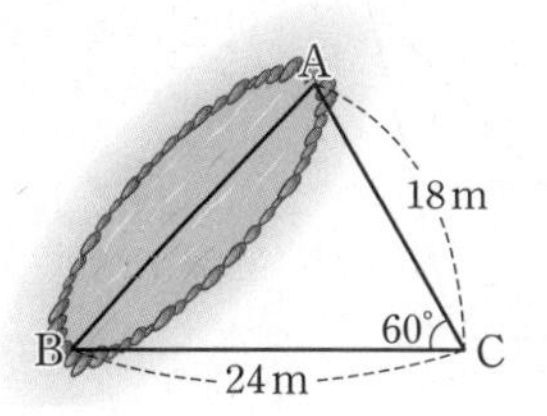

5 다음 그림과 같이 두 마을 A, B 사이의 거리는 $3\sqrt{2}\,km$이고, 두 마을 B, C 사이의 거리는 $8\,km$이다. $\angle B=45°$일 때, 두 마을 A, C 사이의 거리를 구하시오.

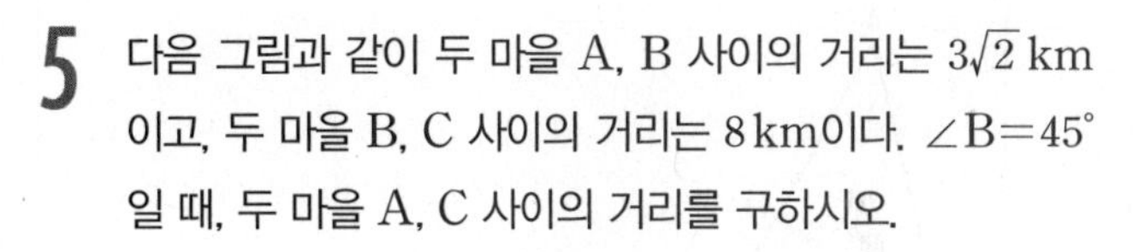

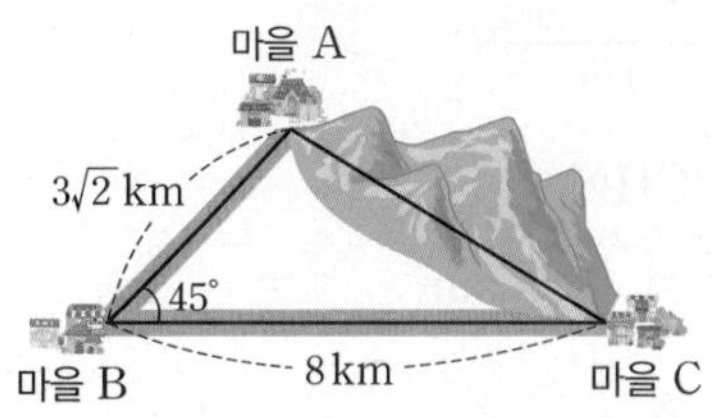

정답과 해설 6쪽

11 일반 삼각형의 변의 길이 구하기 (2) - 한 변의 길이와 그 양 끝 각의 크기를 알 때

다음 그림의 △ABC에서 $\overline{BC}=6$이고 $\angle B=45°$, $\angle C=105°$일 때, $\overline{AC}$의 길이를 구하시오.

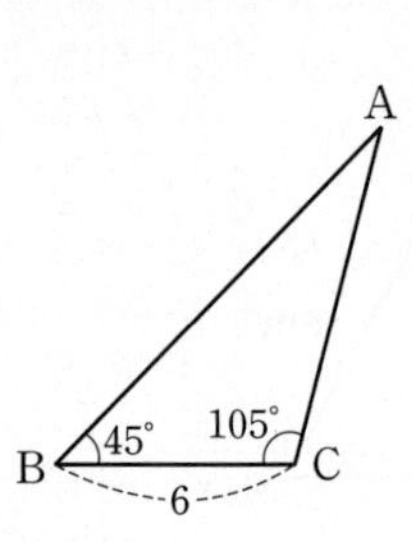

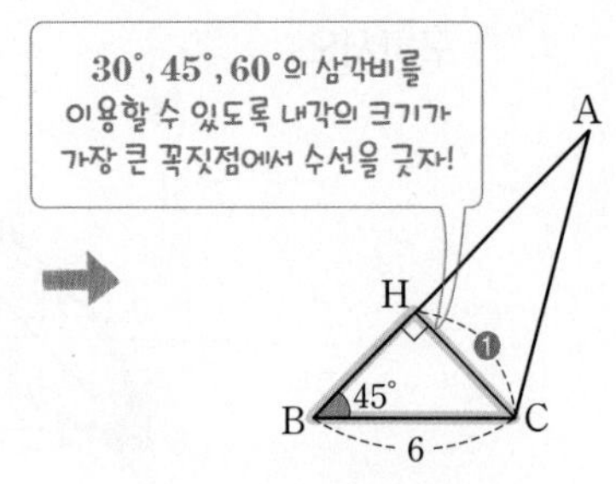

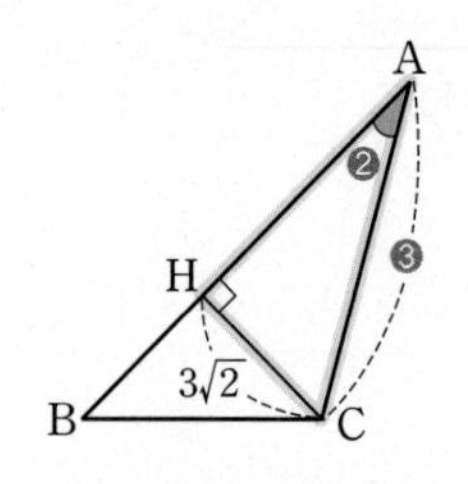

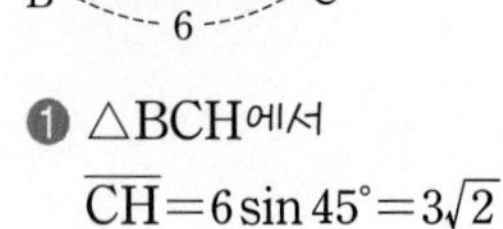

❶ △BCH에서
$\overline{CH}=6\sin 45°=3\sqrt{2}$

❷ $\angle A=180°-(45°+105°)=30°$

❸ △AHC에서
$\overline{AC}=\dfrac{3\sqrt{2}}{\sin 30°}=6\sqrt{2}$

1

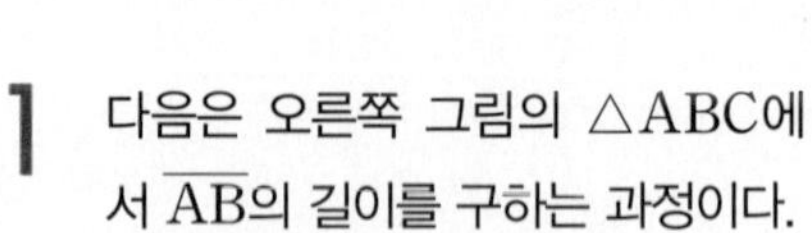

다음은 오른쪽 그림의 △ABC에서 $\overline{AB}$의 길이를 구하는 과정이다. □ 안에 알맞은 것을 쓰시오.

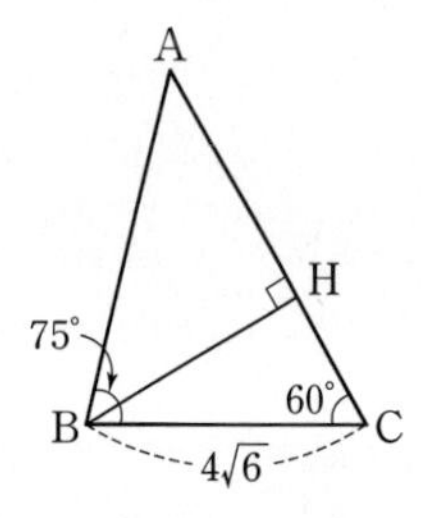

△BCH에서
$\overline{BH}=\square\times\sin\square°=\square$

$\angle A=180°-(60°+\square°)=\square°$이므로
△ABH에서

$\overline{AB}=\dfrac{\overline{BH}}{\sin A}=\dfrac{\square}{\sin\square°}=\square$

2

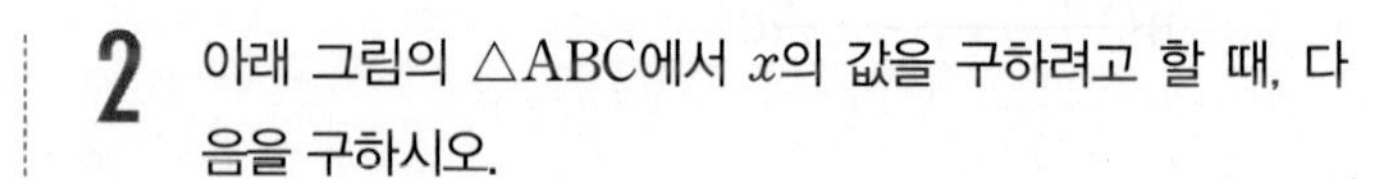

아래 그림의 △ABC에서 x의 값을 구하려고 할 때, 다음을 구하시오.

(1)

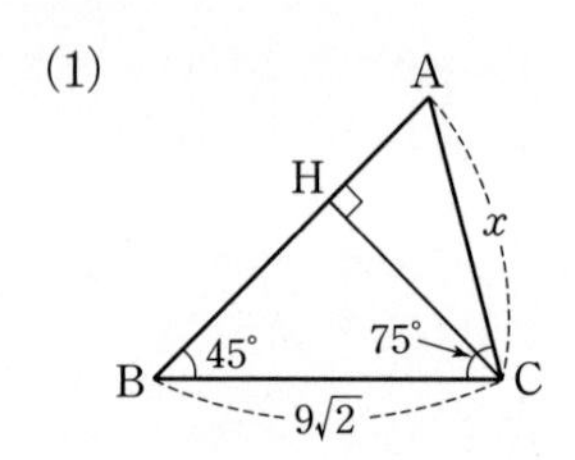

① $\overline{CH}$의 길이 ______

② $\angle A$의 크기 ______

③ x의 값 ______

(2)

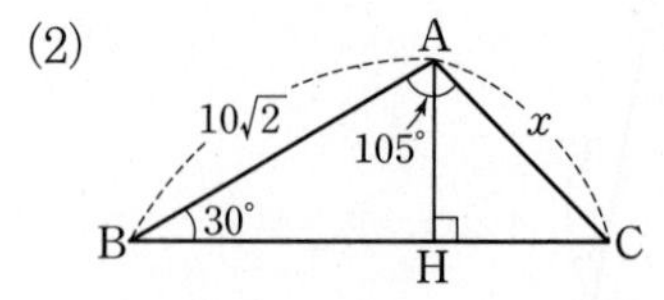

① $\overline{AH}$의 길이 ______

② $\angle C$의 크기 ______

③ x의 값 ______

3 다음 그림의 △ABC에서 x의 값을 구하시오.

(1)

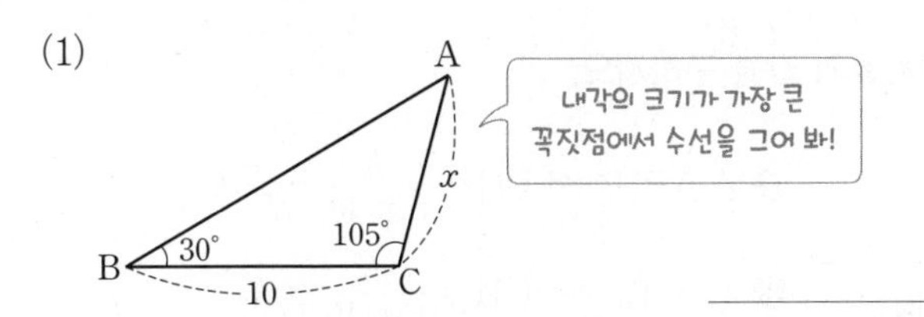

(2)

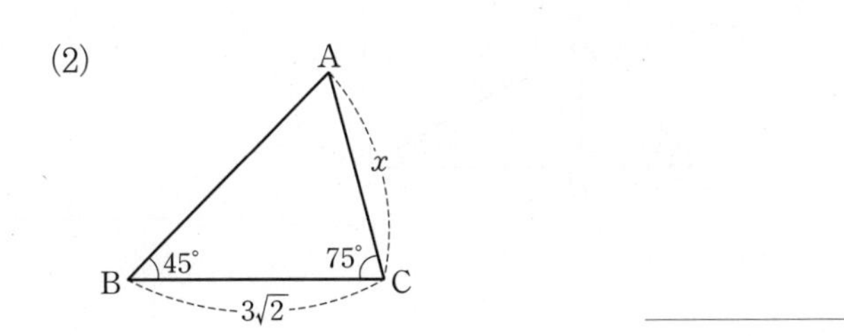

(3)

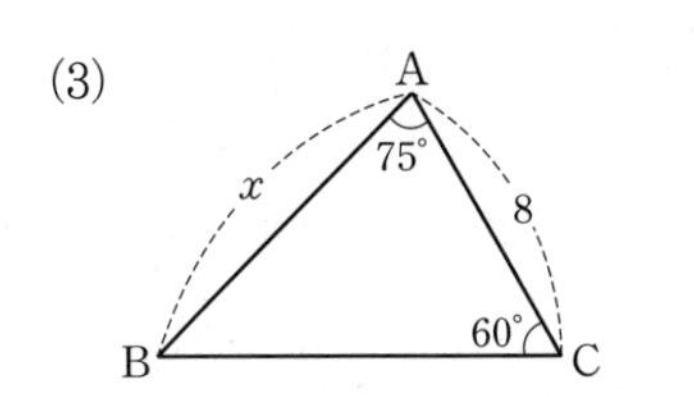

(4)

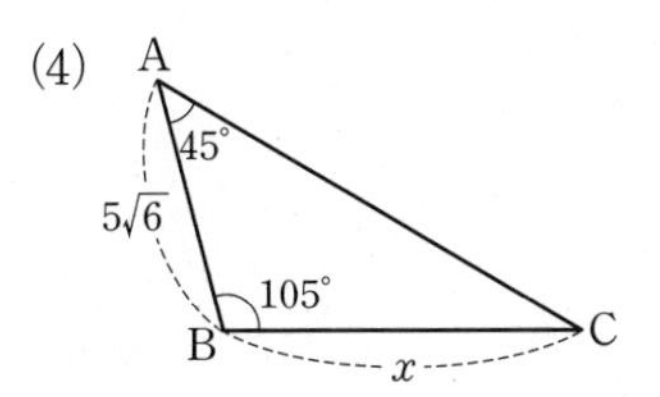

4 다음 그림과 같이 바닷가의 두 지점 A, B 사이의 거리는 200 m이다. 두 지점 A, B에서 배 C를 바라본 각의 크기가 각각 75°, 60°일 때, 지점 A에서 배 C까지의 거리를 구하시오.

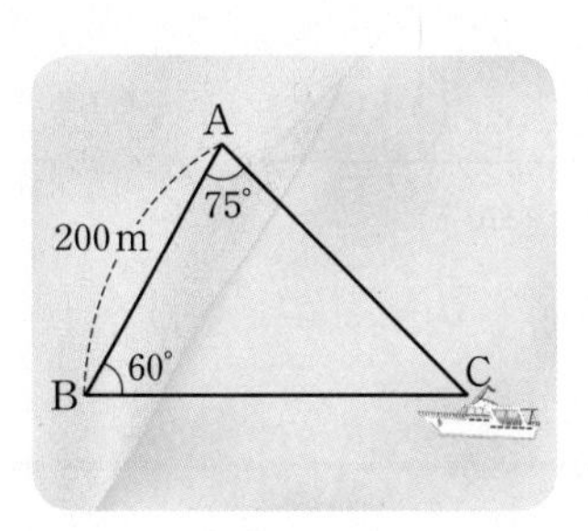

5 다음 그림과 같이 두 지점 A, B 사이에 다리를 건설하려고 한다. 두 지점 A, C 사이의 거리가 100 m이고, $\angle A = 105°$, $\angle C = 45°$일 때, 건설하려는 다리의 길이를 구하시오.

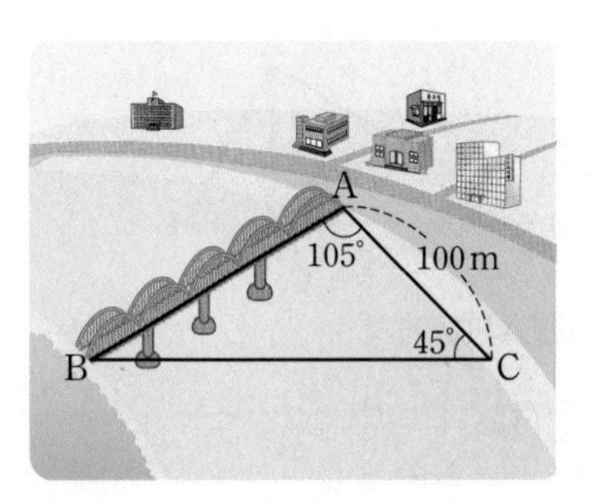

정답과 해설 7쪽

12 삼각형의 높이 (1) - 밑변의 양 끝 각이 모두 예각일 때

다음 그림의 $\triangle ABC$에서 $\overline{BC}=10$이고 $\angle B=30°$, $\angle C=45°$일 때, h의 값을 구하시오.

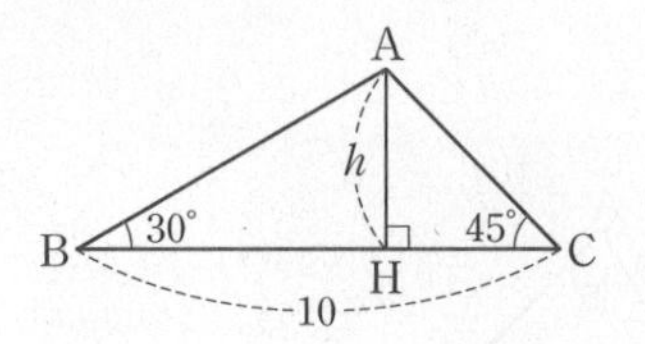

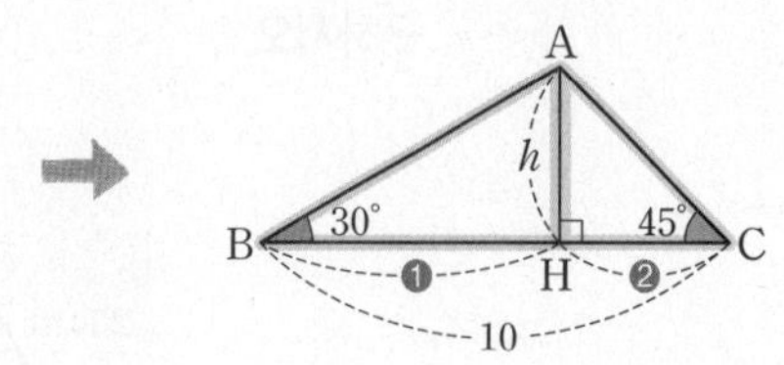

❶ $\triangle ABH$에서 $\overline{BH}=\dfrac{h}{\tan 30°}=\sqrt{3}h$

❷ $\triangle AHC$에서 $\overline{CH}=\dfrac{h}{\tan 45°}=h$

➡ $\overline{BC}=$❶+❷$=10$이므로

$\sqrt{3}h+h=10$

$(\sqrt{3}+1)h=10$ $\quad\therefore h=5(\sqrt{3}-1)$

1 다음 그림의 $\triangle ABC$에서 h의 값을 구하시오.

(1)

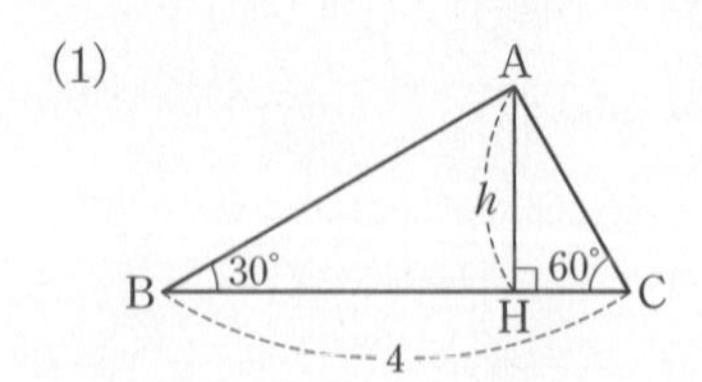

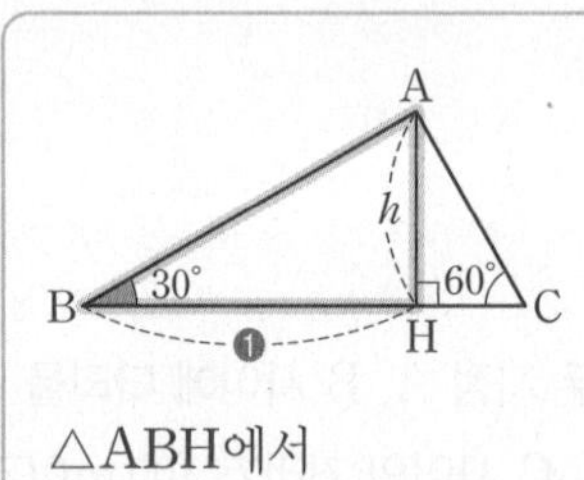

$\triangle ABH$에서

$\overline{BH}=\dfrac{h}{\tan \square°}=\square$

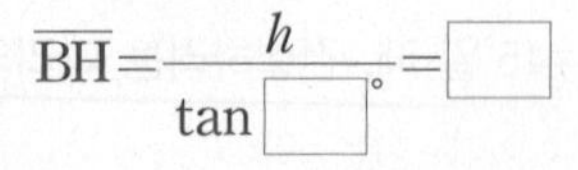

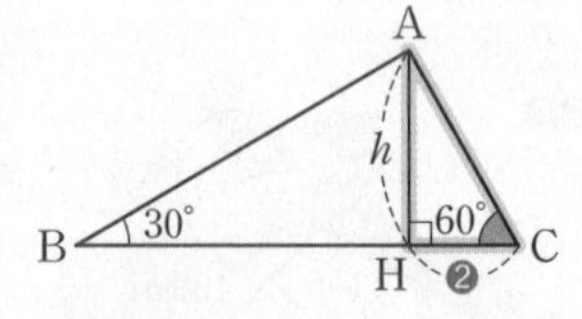

$\triangle AHC$에서

$\overline{CH}=\dfrac{h}{\tan \square°}=\square$

➡ $\overline{BC}=$❶+❷$=4$이므로

$\square h=4$

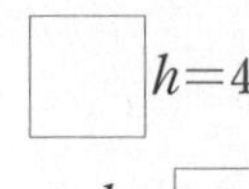

$\therefore h=\square$

(2)

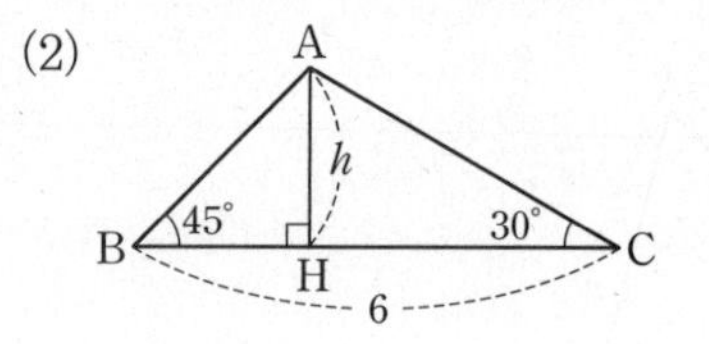

(3)

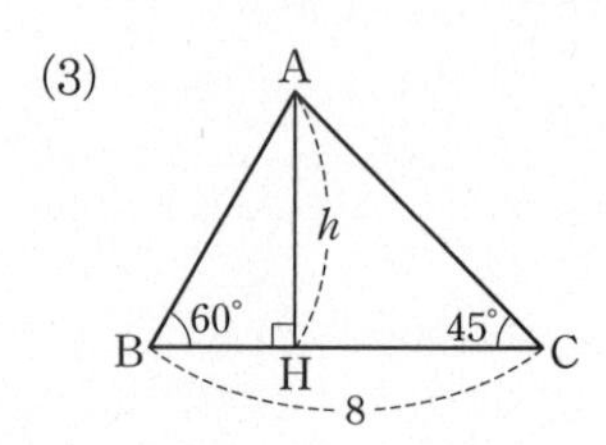

개념 익히기

정답과 해설 8쪽

13 삼각형의 높이 (2) - 밑변의 양 끝 각 중 한 각이 둔각일 때

다음 그림의 △ABC에서 $\overline{BC}=6$이고 $\angle B=30°$, $\angle C=120°$일 때, h의 값을 구하시오.

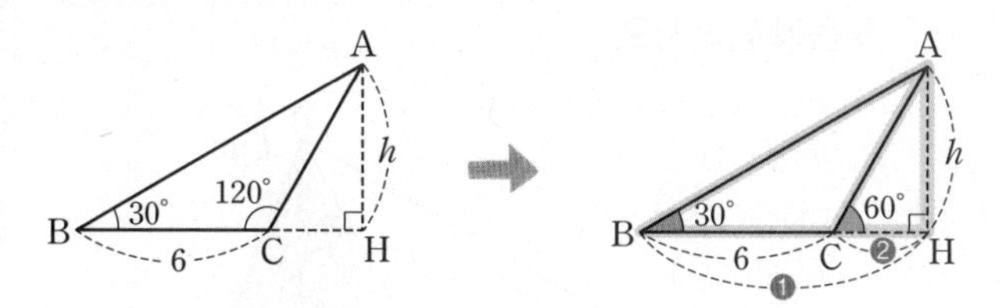

❶ △ABH에서

$\overline{BH}=\dfrac{h}{\tan 30°}=\sqrt{3}h$

❷ △ACH에서

$\overline{CH}=\dfrac{h}{\tan 60°}=\dfrac{\sqrt{3}}{3}h$

➡ $\overline{BC}=$❶$-$❷$=6$이므로

$\sqrt{3}h-\dfrac{\sqrt{3}}{3}h=6$

$\dfrac{2\sqrt{3}}{3}h=6 \qquad \therefore h=3\sqrt{3}$

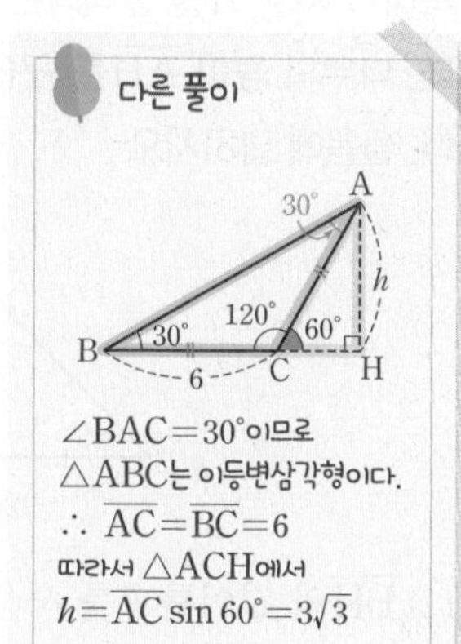

1 다음 그림의 △ABC에서 h의 값을 구하시오.

(1)

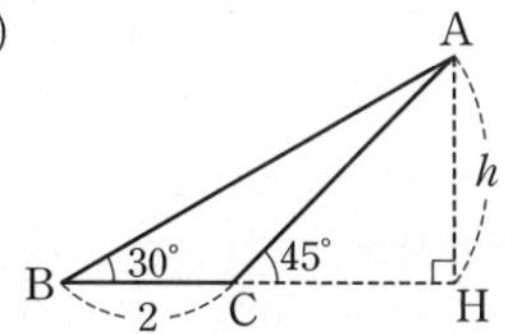

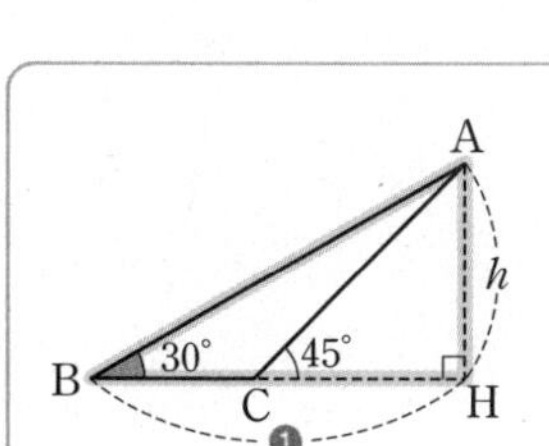

△ABH에서

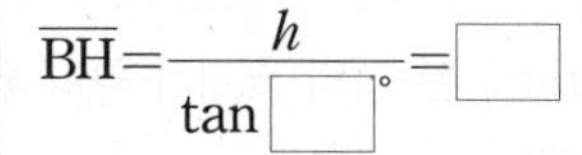

$\overline{BH}=\dfrac{h}{\tan \square°}=\square$

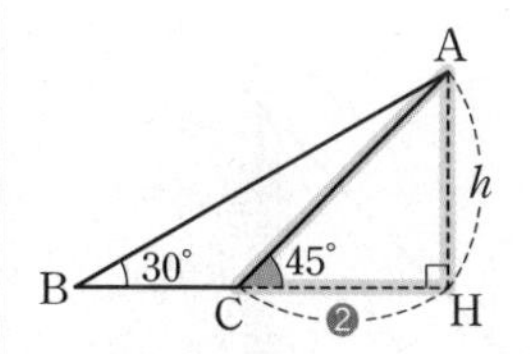

△ACH에서

$\overline{CH}=\dfrac{h}{\tan \square°}=\square$

➡ $\overline{BC}=$❶$-$❷$=2$이므로

$(\square)h=2$

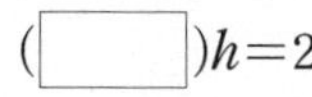

$\therefore h=\square$

(2)

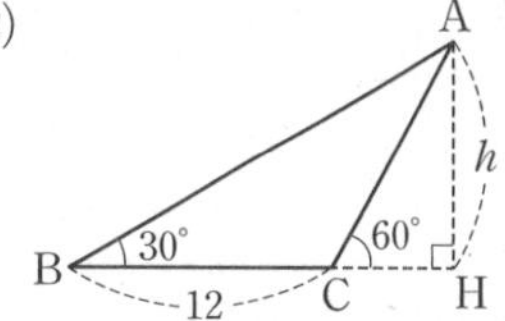

(3)

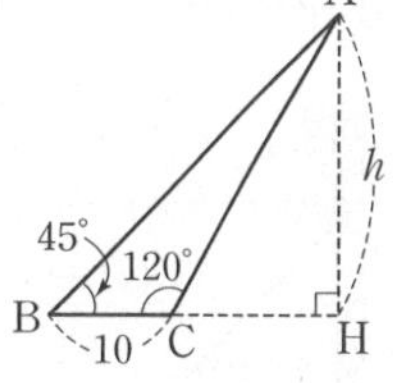

밑변의 양 끝 각이 모두 예각일 때

2 다음 그림과 같이 20 m 떨어진 두 지점 B, C에서 나무의 꼭대기 지점 A를 올려다본 각의 크기가 각각 45°, 60°일 때, 나무의 높이 $\overline{AH}$를 구하려고 한다. $\overline{AH}=h$ m라 할 때, 물음에 답하시오.

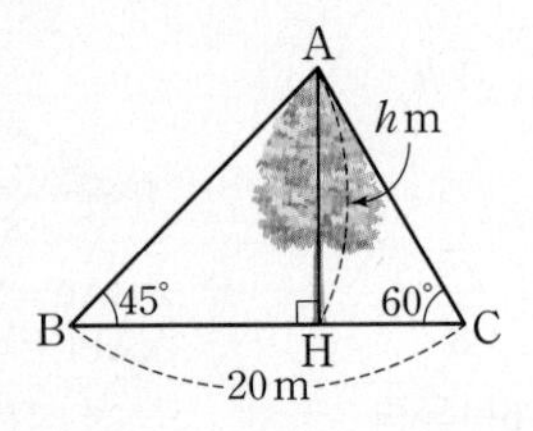

(1) $\overline{BH}$의 길이를 h를 사용하여 나타내시오.

(2) $\overline{CH}$의 길이를 h를 사용하여 나타내시오.

(3) 나무의 높이 $\overline{AH}$를 구하시오.

3 다음 그림과 같이 300 m 떨어진 두 지점 B, C에서 열기구 A를 올려다본 각의 크기가 각각 30°, 45°일 때, 지면으로부터 열기구의 높이 $\overline{AH}$를 구하시오.

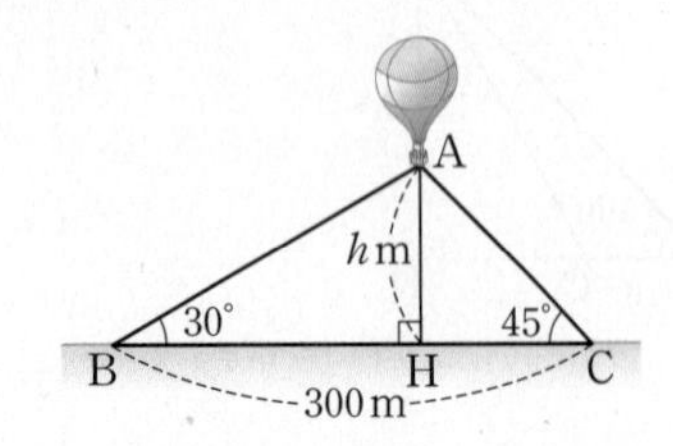

밑변의 양 끝 각 중 한 각이 둔각일 때

4 다음 그림과 같이 400 m 떨어진 두 지점 B, C에서 산의 꼭대기 지점 A를 올려다본 각의 크기가 각각 30°, 60°일 때, 산의 높이 $\overline{AH}$를 구하려고 한다. $\overline{AH}=h$ m라 할 때, 물음에 답하시오.

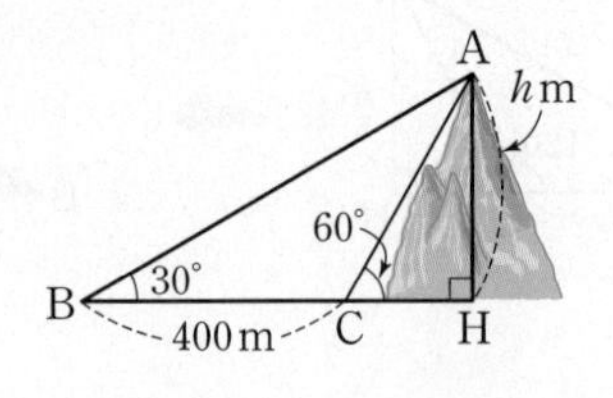

(1) $\overline{BH}$의 길이를 h를 사용하여 나타내시오.

(2) $\overline{CH}$의 길이를 h를 사용하여 나타내시오.

(3) 산의 높이 $\overline{AH}$를 구하시오.

5 다음 그림과 같이 50 m 떨어진 두 지점 B, C에서 타워의 꼭대기 지점 A를 올려다본 각의 크기가 각각 45°, 60°일 때, 타워의 높이 $\overline{AH}$를 구하시오.

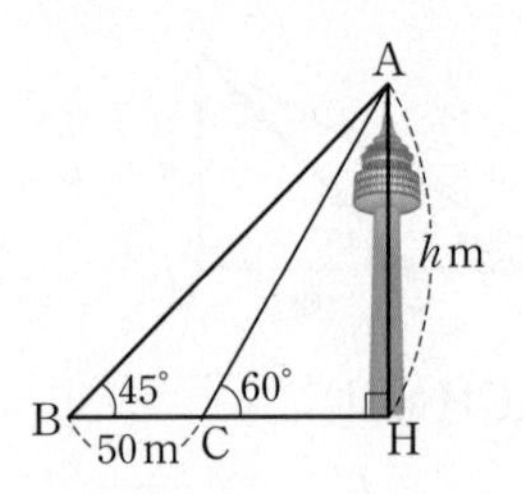

개념 익히기

정답과 해설 9쪽

14 삼각형의 넓이 (1) - 끼인각이 예각일 때

다음 그림과 같은 △ABC의 넓이를 구하시오.

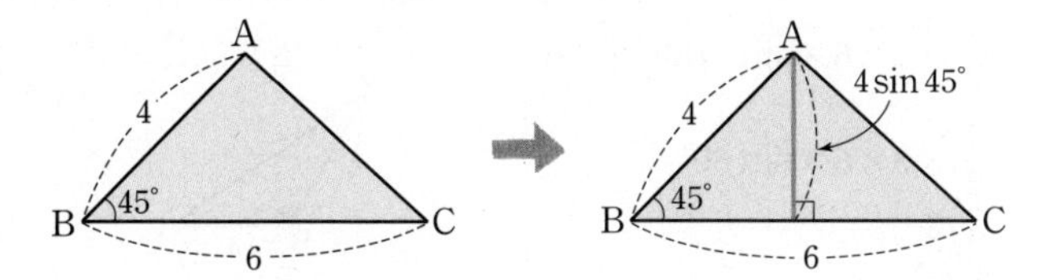

$\triangle ABC = \frac{1}{2} \times 6 \times 4 \times \sin 45° = 6\sqrt{2}$

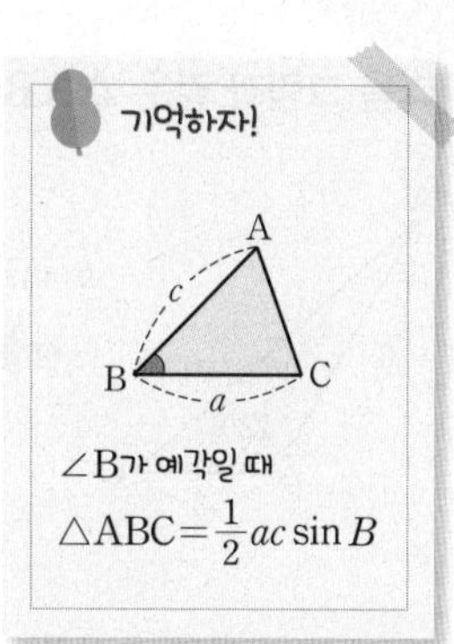

1 다음 그림과 같은 △ABC의 넓이를 구하시오.

(1)

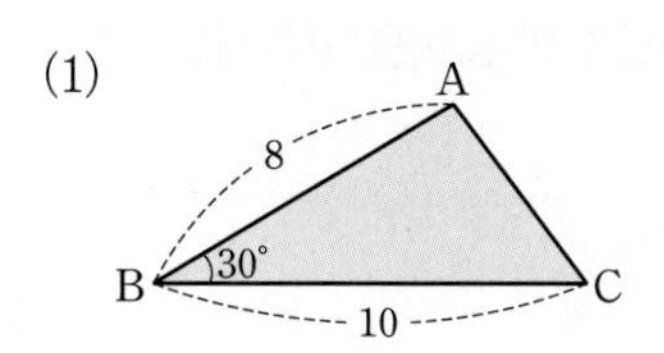

➡ $\triangle ABC = \frac{1}{2} \times 10 \times \square \times \sin \square° = \square$

(2)

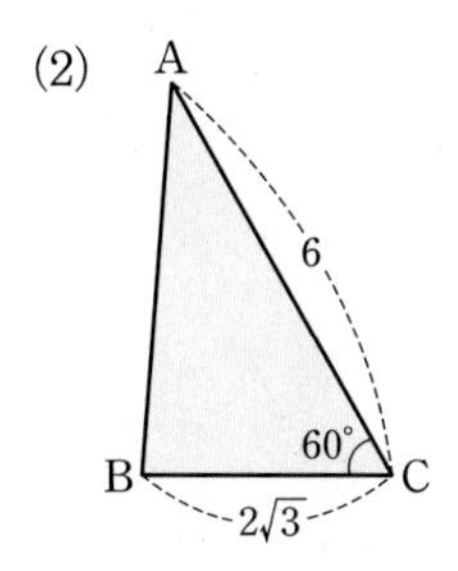

______

(3)

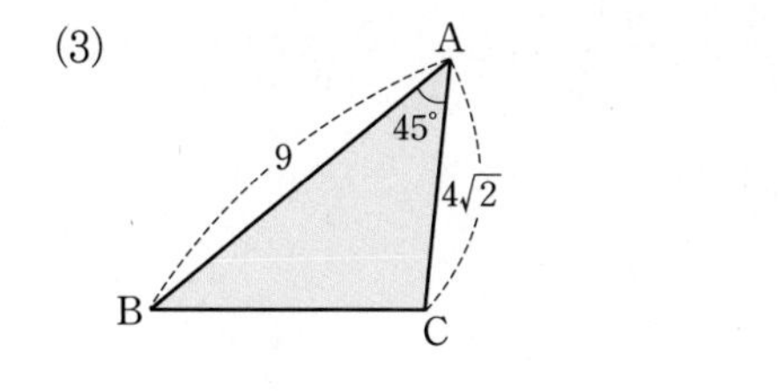

______

2 다음 그림과 같은 △ABC의 넓이를 구하시오.

(1)

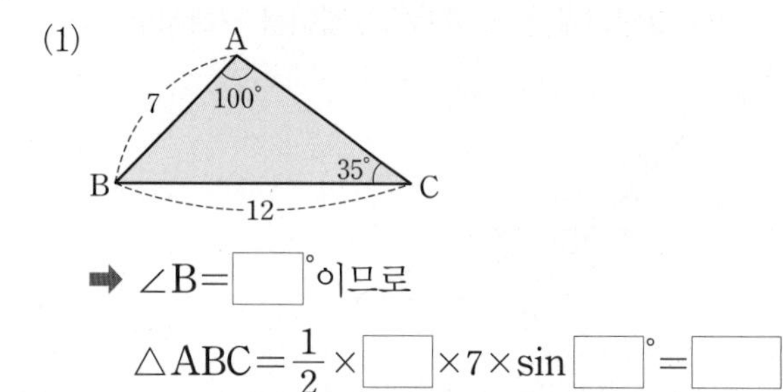

➡ $\angle B = \square°$이므로

$\triangle ABC = \frac{1}{2} \times \square \times 7 \times \sin \square° = \square$

(2)

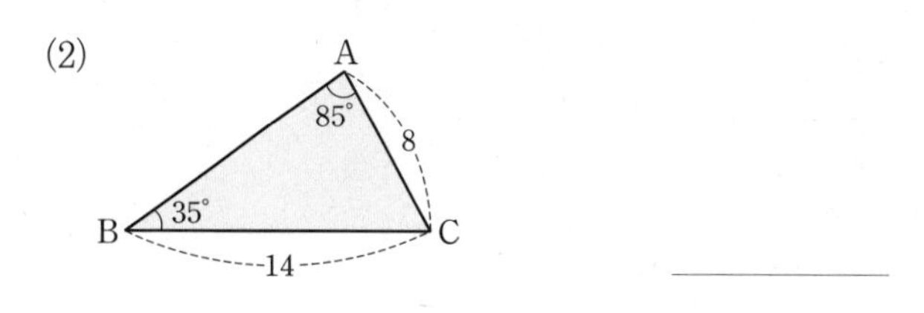

______

(3)

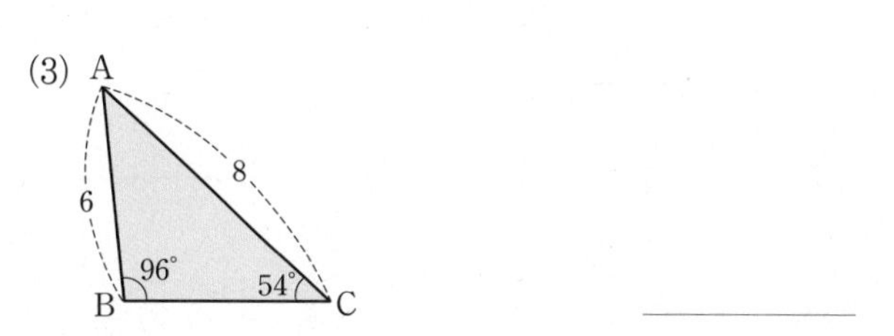

______

(4)

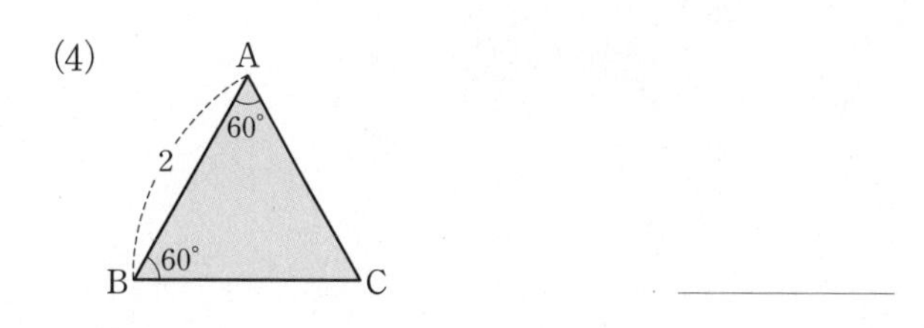

______

15 삼각형의 넓이 (2) - 끼인각이 둔각일 때

다음 그림과 같은 $\triangle ABC$의 넓이를 구하시오.

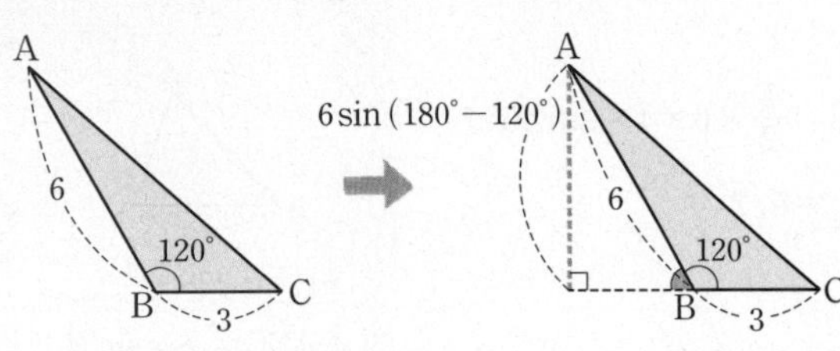

$\triangle ABC=\frac{1}{2}\times3\times6\times\sin(180^\circ-120^\circ)$

$=\frac{1}{2}\times3\times6\times\sin60^\circ$

$=\frac{9\sqrt{3}}{2}$

기억하자!

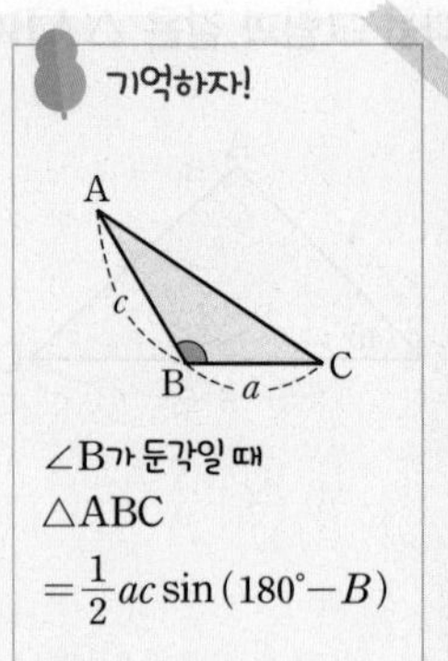

$\angle B$가 둔각일 때

$\triangle ABC$

$=\frac{1}{2}ac\sin(180^\circ-B)$

1 다음 그림과 같은 $\triangle ABC$의 넓이를 구하시오.

(1)

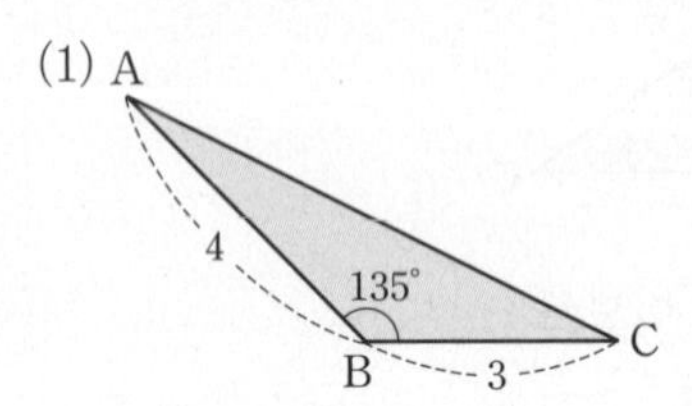

➡ $\triangle ABC=\frac{1}{2}\times\square\times4\times\sin(\square^\circ-135^\circ)$

$=\frac{1}{2}\times\square\times4\times\sin\square^\circ$

$=\square$

(2)

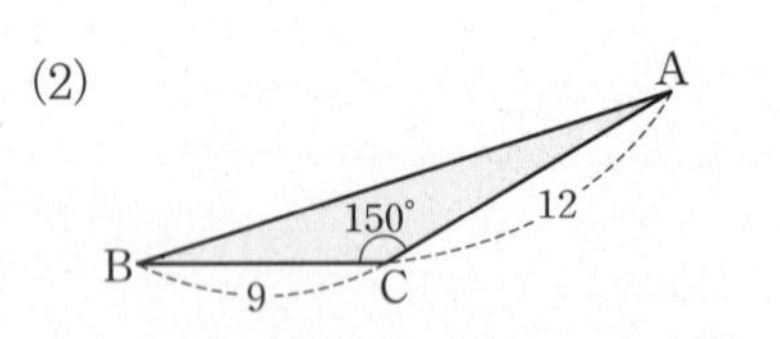

(3)

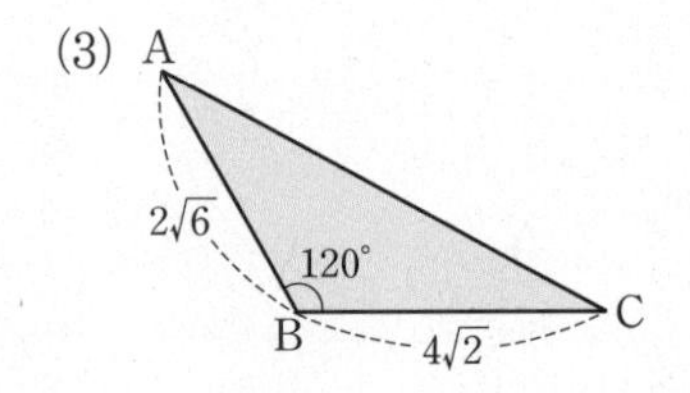

2 다음 그림과 같은 $\triangle ABC$의 넓이를 구하시오.

(1)

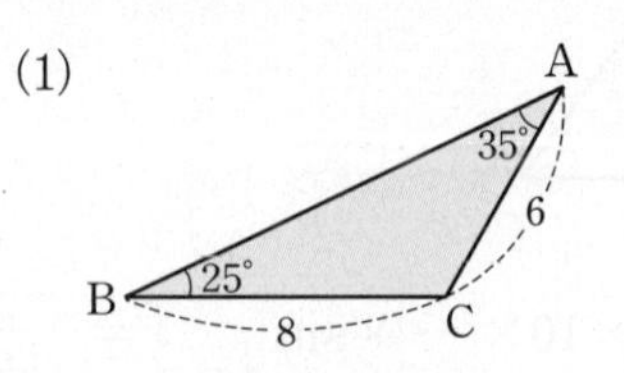

(2)

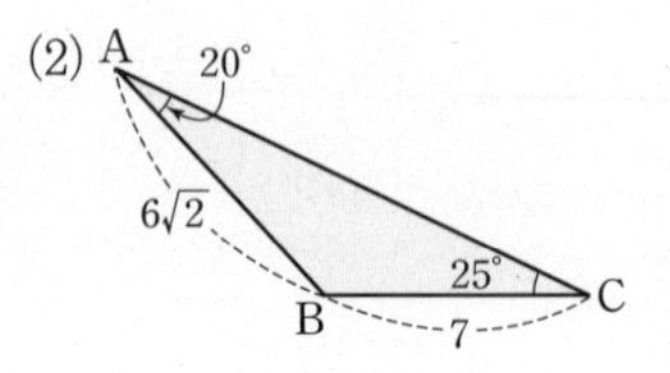

(3)

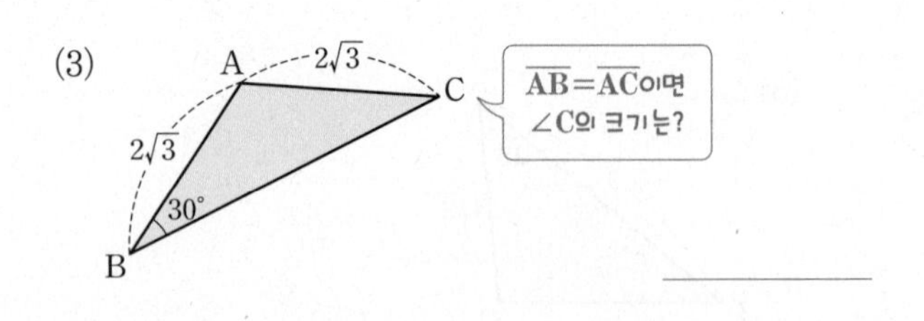

개념 익히기

16 다각형의 넓이

다음 그림과 같은 □ABCD의 넓이를 구하시오.

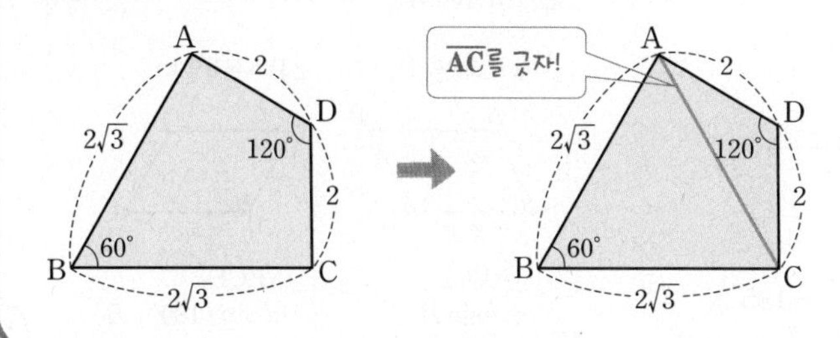

❶ $\triangle ABC=\frac{1}{2}\times2\sqrt{3}\times2\sqrt{3}\times\sin 60°=3\sqrt{3}$

❷ $\triangle ACD=\frac{1}{2}\times2\times2\times\sin(180°-120°)=\sqrt{3}$

➡ $\square ABCD=$ ❶ $+$ ❷ $=3\sqrt{3}+\sqrt{3}=4\sqrt{3}$

1 아래 그림의 □ABCD에서 다음 도형의 넓이를 구하시오.

(1)

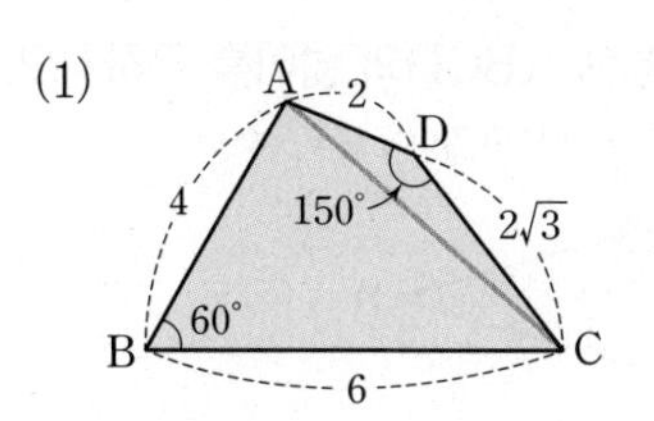

① △ABC

② △ACD

③ □ABCD

(2)

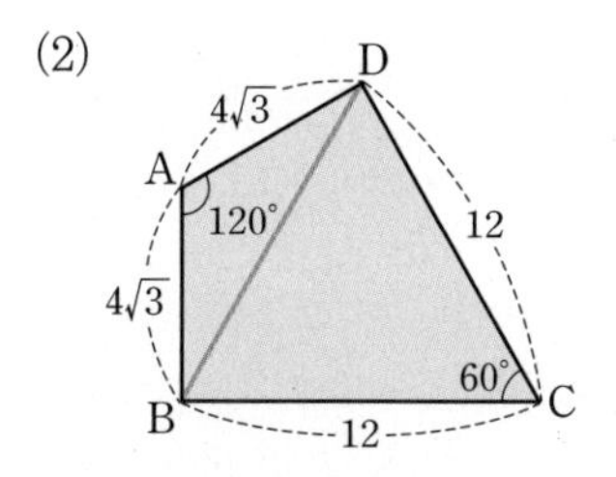

① △ABD

② △BCD

③ □ABCD

2 다음 그림과 같은 □ABCD의 넓이를 구하시오.

(1)

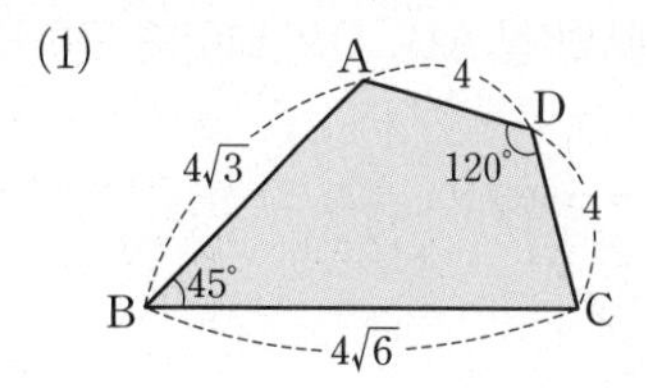

(2)

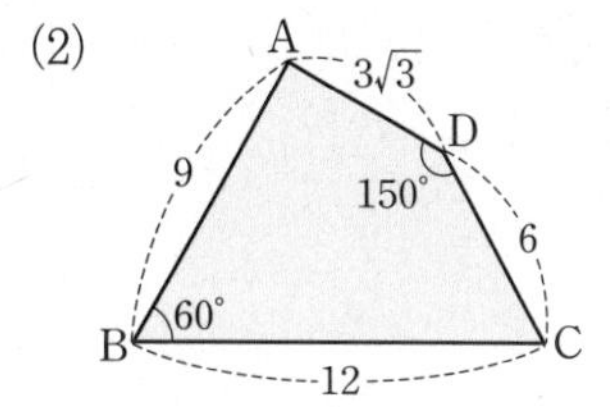

(3)

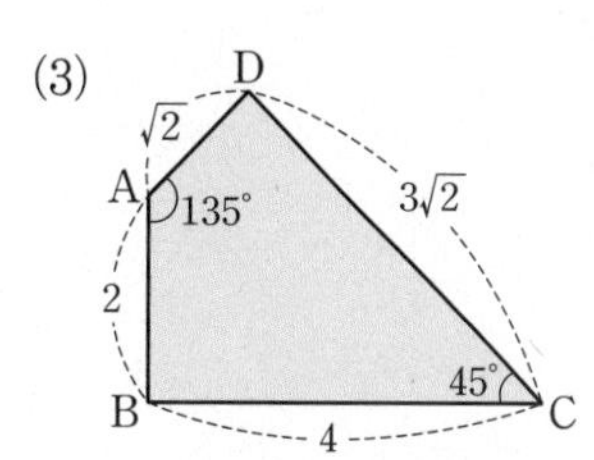

정답과 해설 10쪽

17 평행사변형의 넓이

다음 그림과 같은 평행사변형 ABCD의 넓이를 구하시오.

(1)

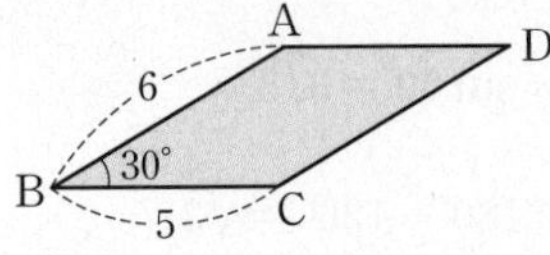

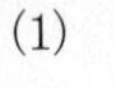

$\square ABCD = 6 \times 5 \times \sin 30° = 15$

(2)

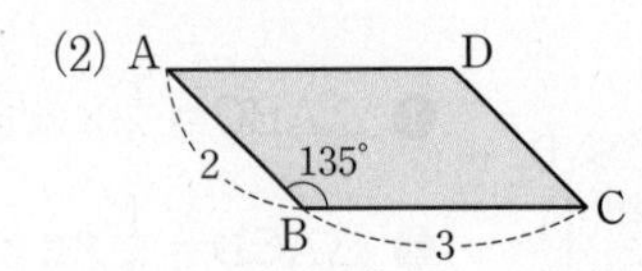

$\square ABCD = 2 \times 3 \times \sin(180° - 135°) = 3\sqrt{2}$

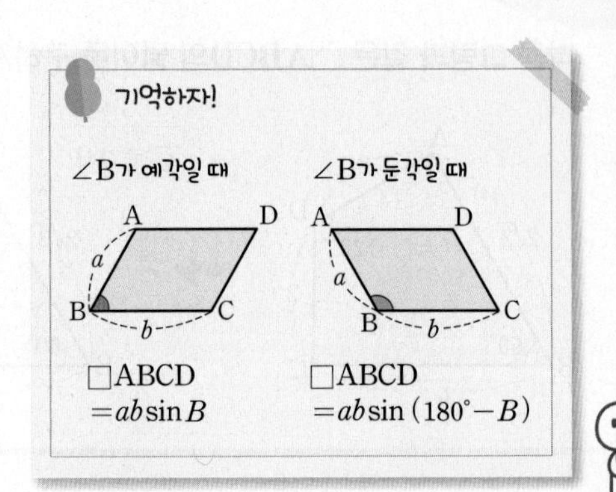

기억하자!
∠B가 예각일 때
∠B가 둔각일 때
□ABCD =absinB
□ABCD =absin(180°−B)

1 다음 그림과 같은 평행사변형 ABCD의 넓이를 구하시오.

(1)

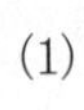

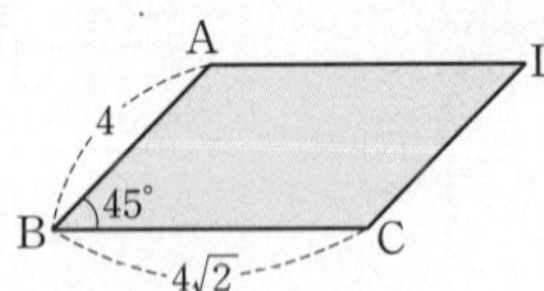

(2)

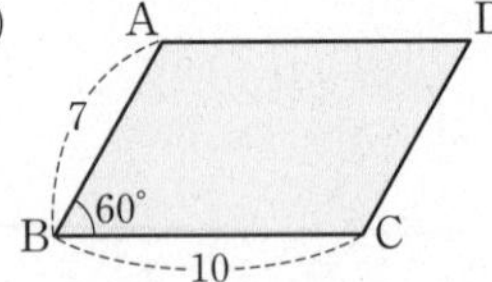

(3)

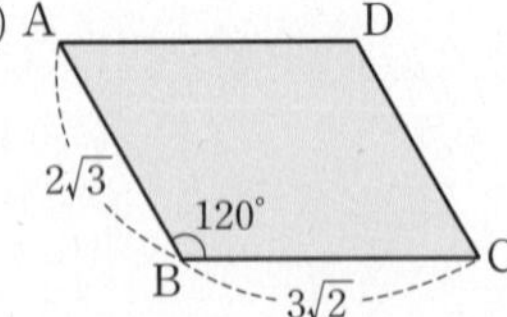

(4)

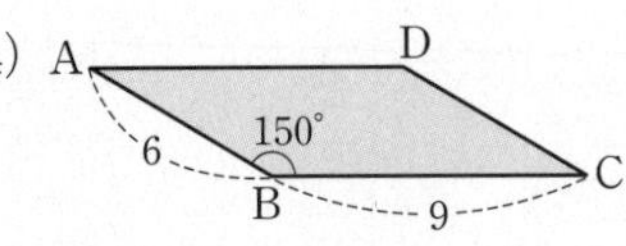

2 다음 그림과 같은 마름모 ABCD의 넓이를 구하시오.

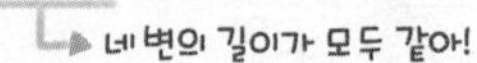

(1)

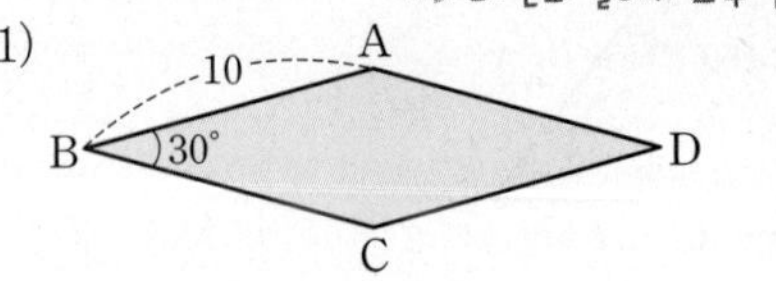

(2)

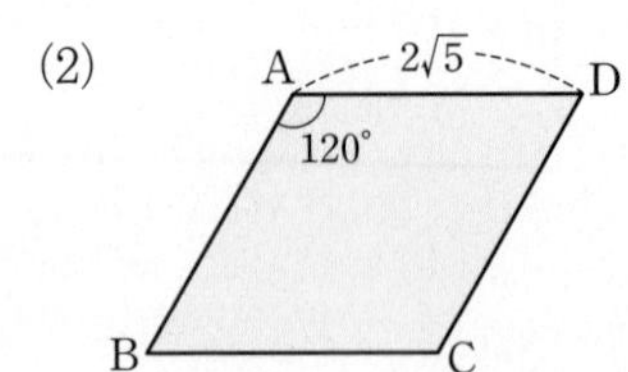

(3)

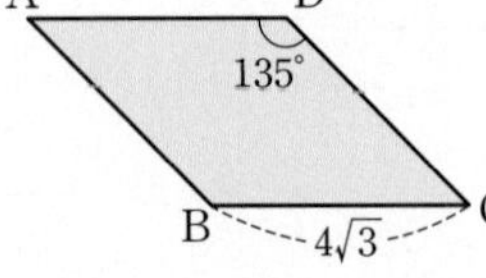

눈의 피로를 풀어 주는 버튼은 어디에?

열심히 공부하다 보면 눈이 막 침침하고 피곤하지?
우리 몸에는 혈액 순환을 도와서 눈을 밝게 해 주는 버튼이 여기저기에 숨어 있대.
이 버튼들을 찾아서 1분 동안 누르는 걸 반복하면 눈도, 마음도, 기분도 확 밝아질 거야!

1. 가슴의 한가운데

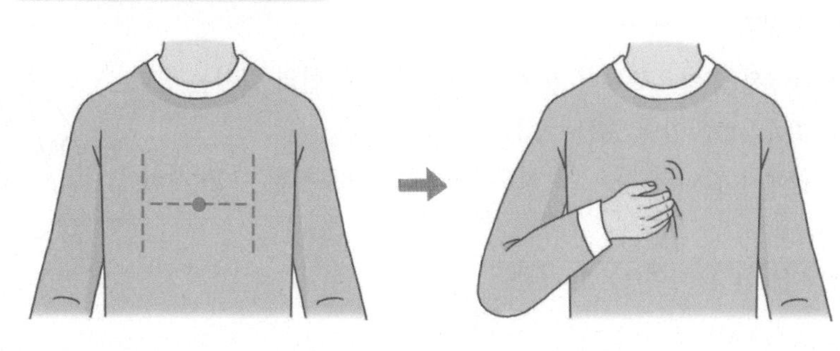

가슴의 한가운데 쪽을 손으로 눌러 보면
유난히 아픈 곳이 있을 거야.
그곳을 5초간 꾹~ 눌렀다 뗐다 해 봐!

2. 관자놀이

눈 옆에 움푹 들어간 곳을 관자놀이라고 해.
그곳을 네 손가락으로 10초간 꾹~
눌렀다 뗐다 해 봐!

3. 눈 밑

눈 바로 밑에 다크서클이 있는 곳 알지?
그곳을 검지, 중지, 약지 세 손가락으로
누른 상태로 5초간 좌우로 흔들어 봐!

II 원의 성질

1. 원과 직선
2. 원주각

개념 CHECK

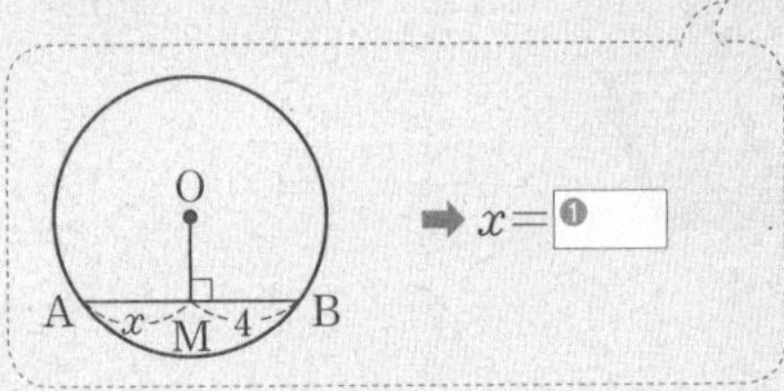

II·1 원과 직선

❶ 현의 수직이등분선

(1) 원에서 현의 수직이등분선은 그 원의 중심을 지난다.

(2) 원의 중심에서 현에 내린 수선은 그 현을 수직이등분한다.

$\Rightarrow$ $\overline{AB}\perp\overline{OM}$이면 $\overline{AM}=\overline{BM}$

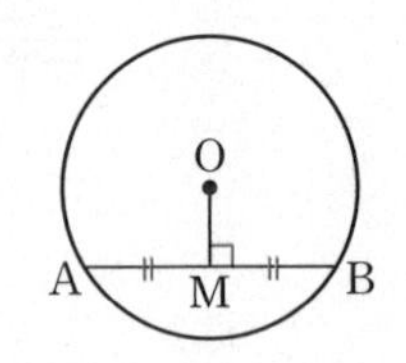

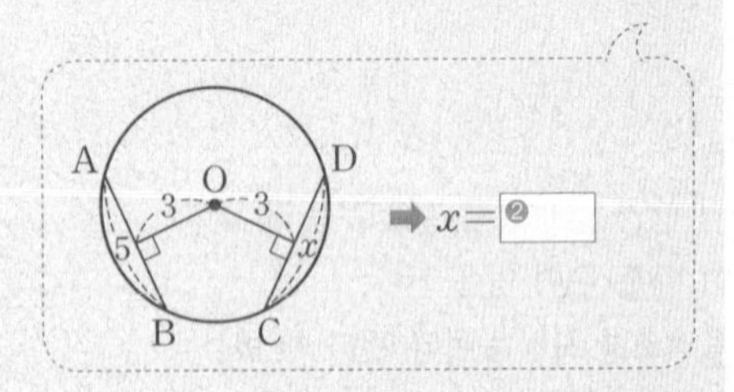

❷ 현의 길이

(1) 한 원에서 중심으로부터 같은 거리에 있는 두 현의 길이는 같다.

$\Rightarrow$ $\overline{OM}=\overline{ON}$이면 $\overline{AB}=\overline{CD}$

(2) 한 원에서 길이가 같은 두 현은 원의 중심으로부터 같은 거리에 있다.

$\Rightarrow$ $\overline{AB}=\overline{CD}$이면 $\overline{OM}=\overline{ON}$

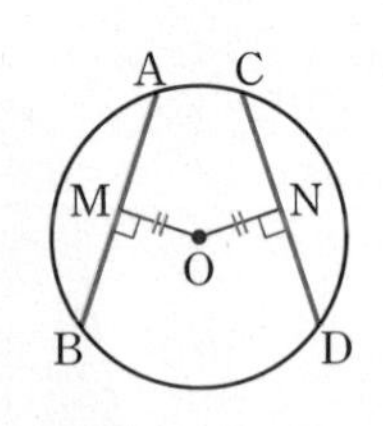

두 점 A, B가 원 O의 접점일 때

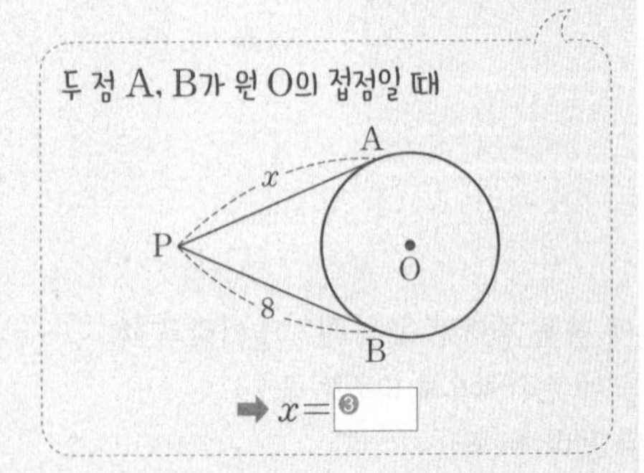

❸ 접선의 길이

(1) 원 O 밖의 한 점 P에서 원 O에 그을 수 있는 접선은 2개이다. 이때 점 P에서 접점까지의 거리를 점 P에서 원 O에 그은 접선의 길이라 한다.

(2) 원 밖의 한 점에서 그 원에 그은 두 접선의 길이는 같다.

$\Rightarrow$ $\overline{PA}=\overline{PB}$

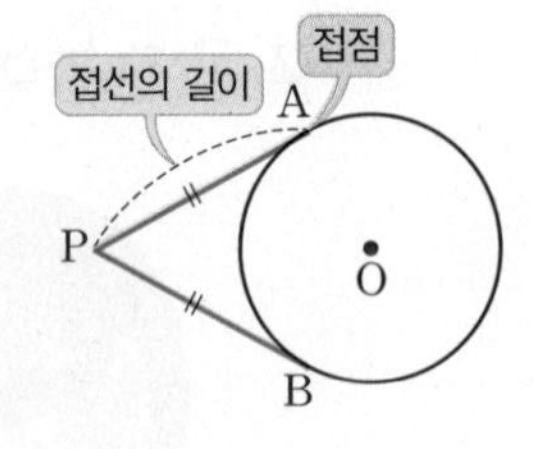

참고 $\triangle$PAO와 $\triangle$PBO에서

$\angle PAO=\angle PBO=90°$, $\overline{PO}$는 공통, $\overline{OA}=\overline{OB}$이므로

$\triangle PAO\equiv\triangle PBO$ (RHS 합동)

$\therefore\ \overline{PA}=\overline{PB}$

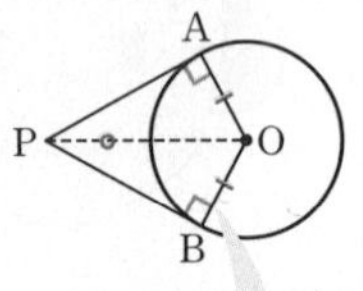

중2 원의 접선은 그 접점을 지나는 반지름에 수직이다.

II·2 원주각

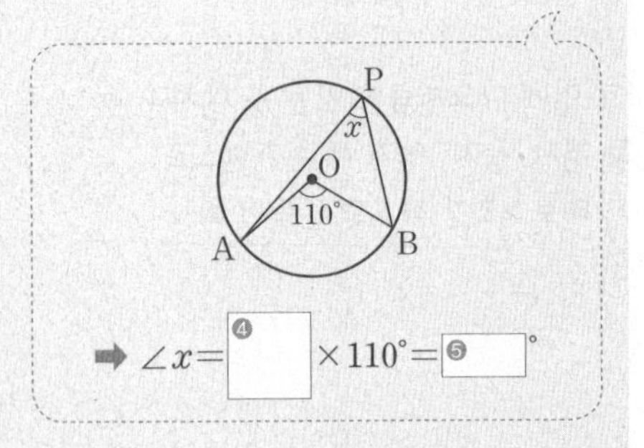

❶ 원주각과 중심각의 크기

(1) 원 O에서 $\widehat{AB}$ 위에 있지 않은 점 P에 대하여 $\angle APB$를 $\widehat{AB}$에 대한 원주각이라 하고, $\widehat{AB}$를 원주각 $\angle APB$에 대한 호라 한다.

(2) 원에서 한 호에 대한 원주각의 크기는 그 호에 대한 중심각의 크기의 $\frac{1}{2}$이다.

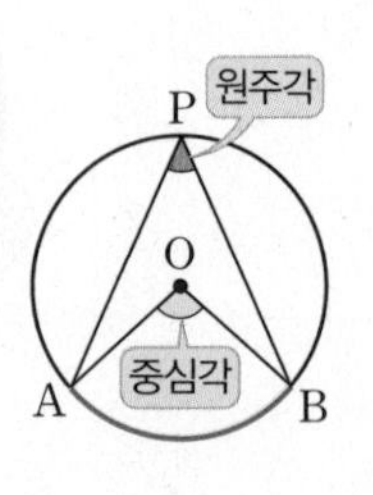

참고 한 호에 대한 중심각은 하나뿐이지만 그 원주각은 무수히 많다.

❷ 원주각의 성질

(1) 원에서 한 호에 대한 원주각의 크기는 모두 같다.

(2) 원에서 반원에 대한 원주각의 크기는 90°이다.

↘ 호가 반원이면 그 중심각의 크기는 180°야.

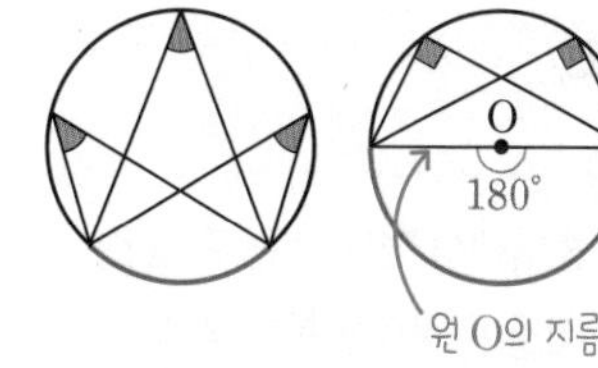

개념 CHECK

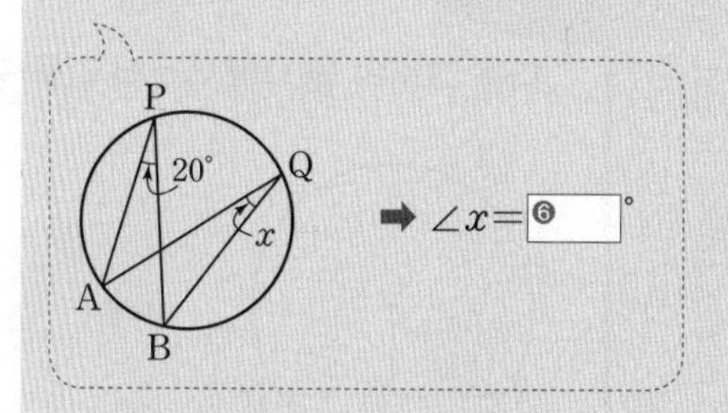

➡ $\angle x=$ ❻ °

❸ 원주각의 크기와 호의 길이

한 원 또는 합동인 두 원에서

(1) 길이가 같은 호에 대한 원주각의 크기는 같다.

➡ $\widehat{AB}=\widehat{CD}$이면 $\angle APB=\angle CQD$

(2) 크기가 같은 원주각에 대한 호의 길이는 같다.

➡ $\angle APB=\angle CQD$이면 $\widehat{AB}=\widehat{CD}$

(3) 호의 길이는 그 호에 대한 원주각의 크기에 정비례한다. ← 호의 길이와 중심각의 크기도 정비례해!

➡ $\angle APB : \angle CQD=\widehat{AB} : \widehat{CD}$

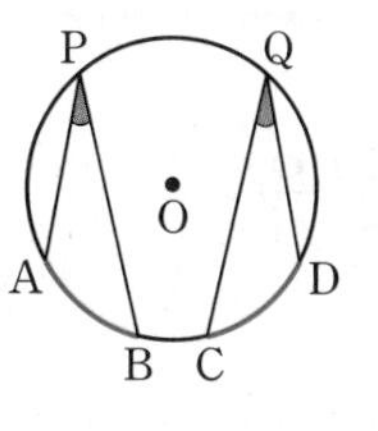

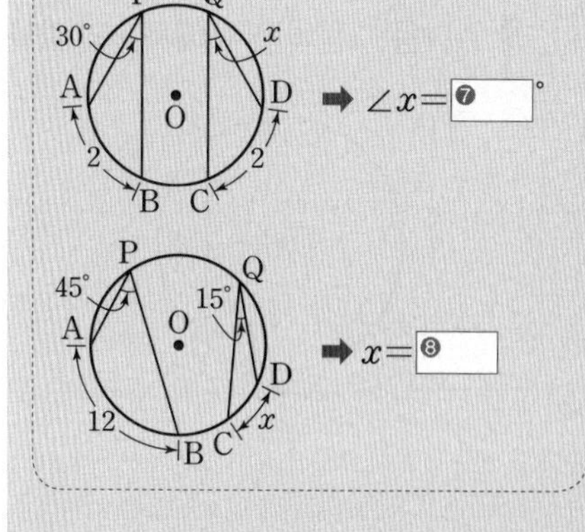

➡ $\angle x=$ ❼ °

➡ $x=$ ❽

❹ 네 점이 한 원 위에 있을 조건

두 점 C, D가 직선 AB에 대하여 같은 쪽에 있을 때,

$\angle ACB=\angle ADB$이면 네 점 A, B, C, D는 한 원 위에 있다.

↘ 한 원에서 한 호에 대한 원주각의 크기는 모두 같음을 이용한 거야!

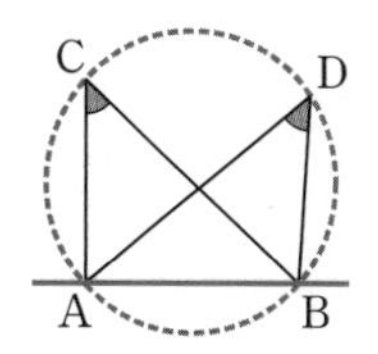

다음 그림에서 □ABCD가 원에 내접하면

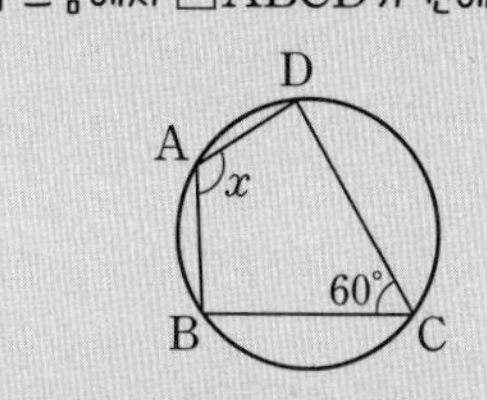

➡ $\angle x+60°=$ ❾ °이므로

$\angle x=$ ❿ °

❺ 원에 내접하는 사각형의 성질

원에 내접하는 사각형에서

(1) 마주 보는 두 각의 크기의 합은 180°이다.

➡ $\angle A+\angle C=180°$, $\angle B+\angle D=180°$

(2) 한 외각의 크기는 그 외각과 이웃한 내각에 대한 대각의 크기와 같다.

➡ $\angle DCE=\angle A$

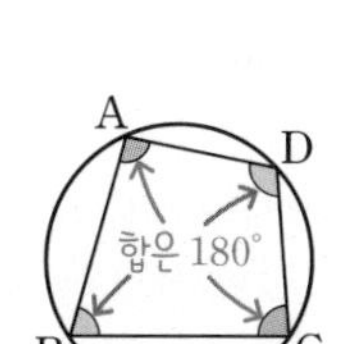

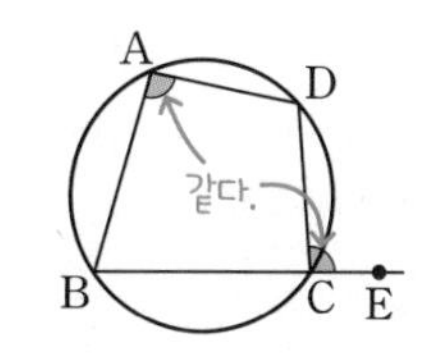

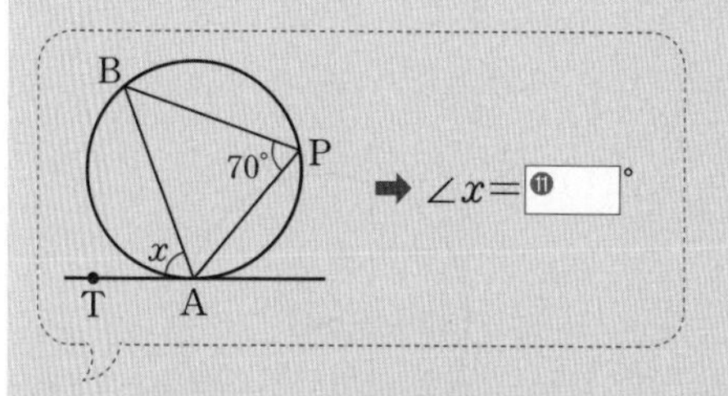

➡ $\angle x=$ ⓫ °

❻ 접선과 현이 이루는 각

원의 접선과 그 접점을 지나는 현이 이루는 각의 크기는 그 각의 내부에 있는 호에 대한 원주각의 크기와 같다.

➡ $\angle BAT=\angle BPA$ ← 접선과 각을 이루는 현의 대각을 찾자!

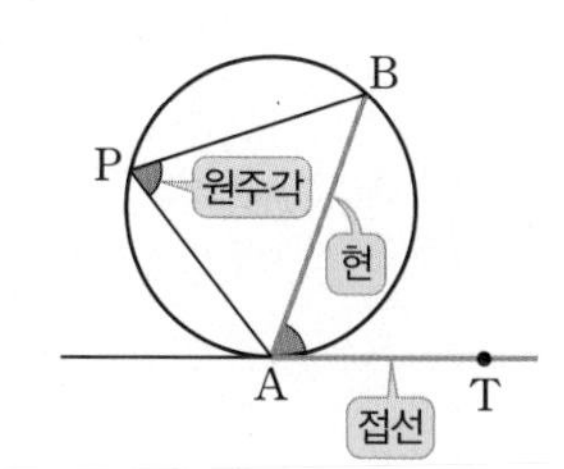

정답

❶ 4 ❷ 5 ❸ 8 ❹ $\frac{1}{2}$

❺ 55 ❻ 20 ❼ 30 ❽ 4

❾ 180 ❿ 120 ⓫ 70

정답과 해설 11쪽

개념 익히기

1 현의 수직이등분선

다음 그림의 원 O에서 x의 값을 구하시오.

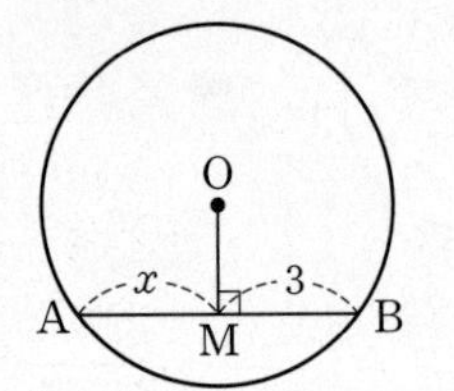

원의 중심에서 현에 내린 수선은
그 현을 수직이등분하므로
$\overline{AM}=\overline{BM}$
$\therefore x=3$

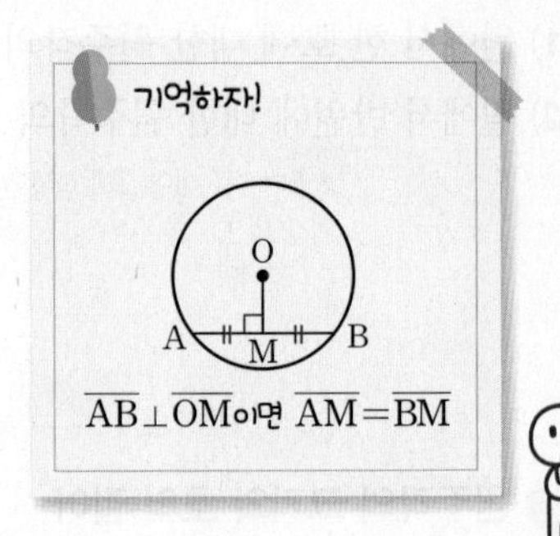

기억하자!
O
A
M
B
$\overline{AB}\perp\overline{OM}$이면 $\overline{AM}=\overline{BM}$

1 다음 그림의 원 O에서 x의 값을 구하시오.

(1)

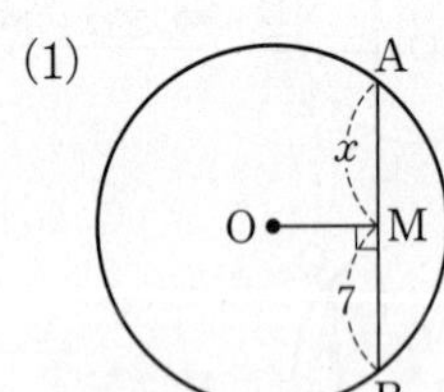

(2)

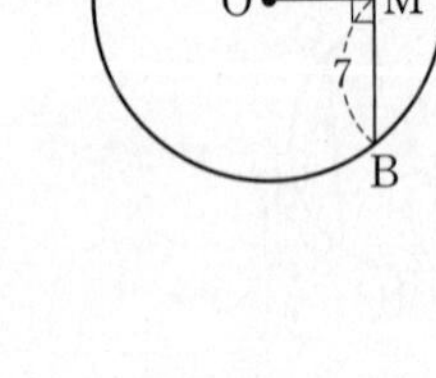

(3)

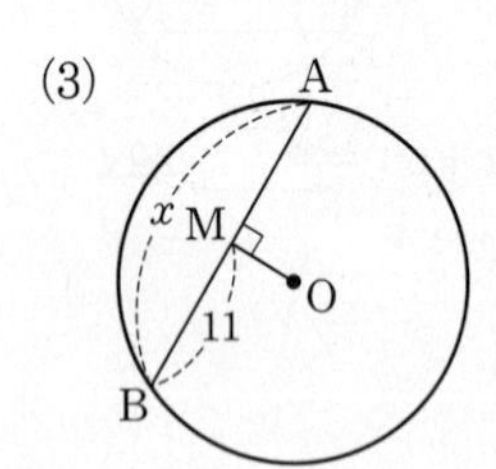

(4)

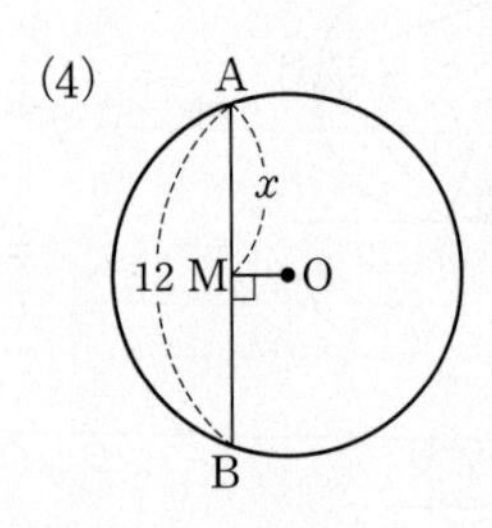

2 다음 그림의 원 O에서 x의 값을 구하시오.

(1)

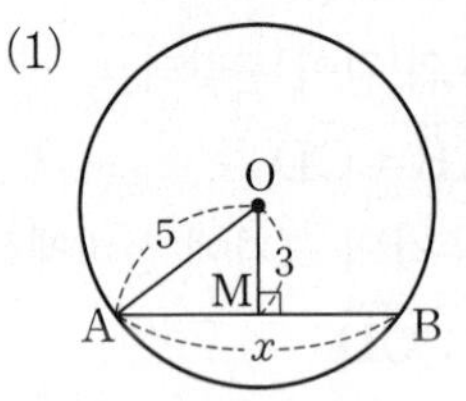

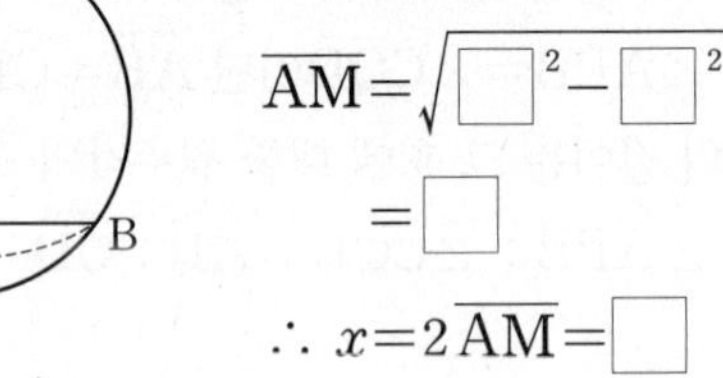

➡ △OAM에서

$\overline{AM}=\sqrt{\square^2-\square^2}$

$=\square$

$\therefore x=2\overline{AM}=\square$

(2)

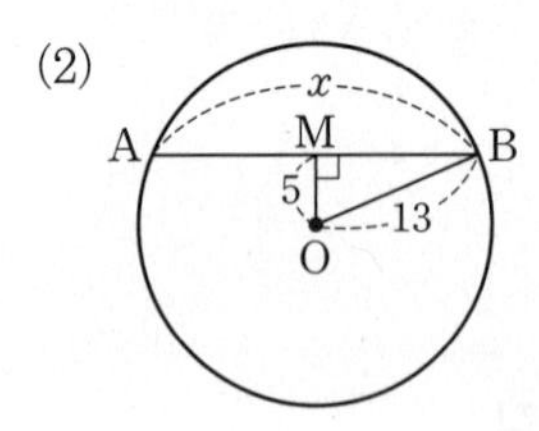

(3)

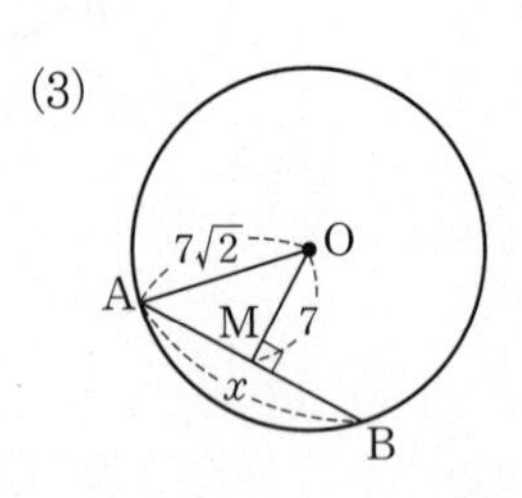

(4) 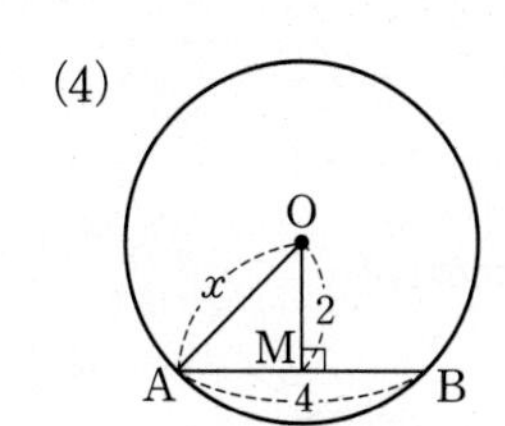

➡ $\overline{AM}=\frac{1}{2}\overline{AB}=$ ☐

따라서 △OAM에서

$x=$ ☐

(5) 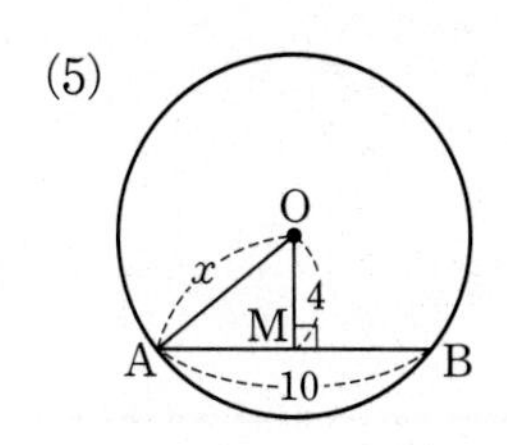

(6) 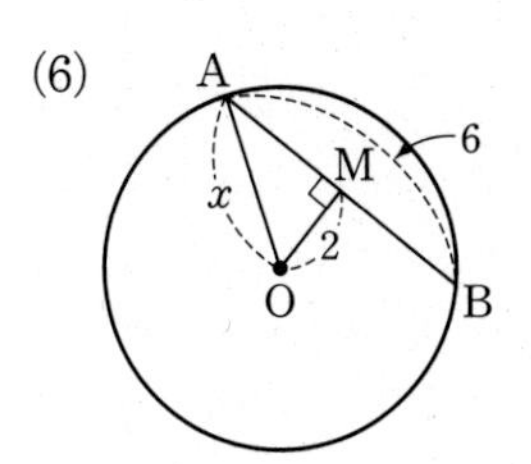

(7) 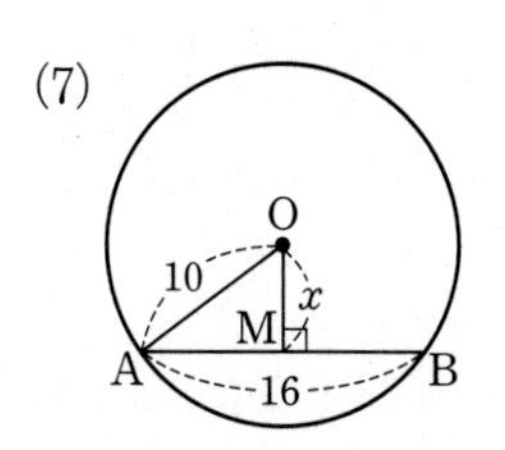

(8) 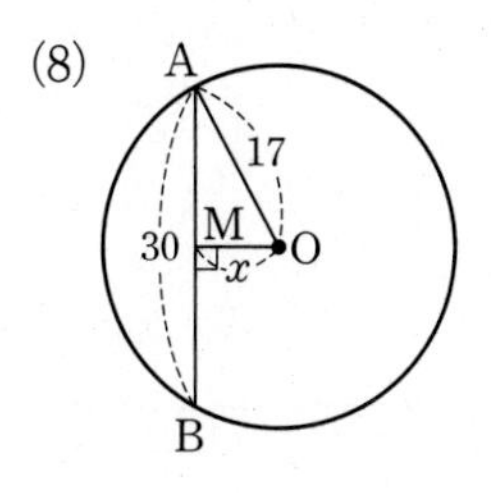

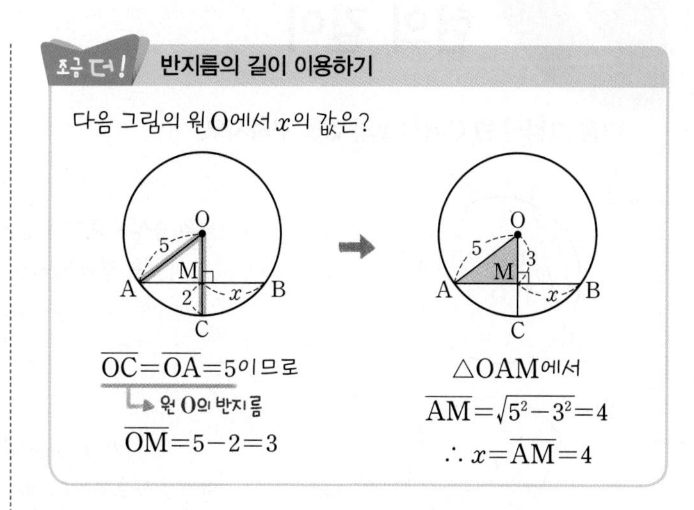

조금 더!
반지름의 길이 이용하기
다음 그림의 원 O에서 x의 값은?
O
5
M
A
2
x
B
C
O
5
3
M
A
x
B
C
OC=OA=5이므로
원 O의 반지름
OM=5−2=3
△OAM에서
AM=√(5²−3²)=4
∴ x=AM=4

3 다음 그림의 원 O에서 x의 값을 구하시오.

(1) 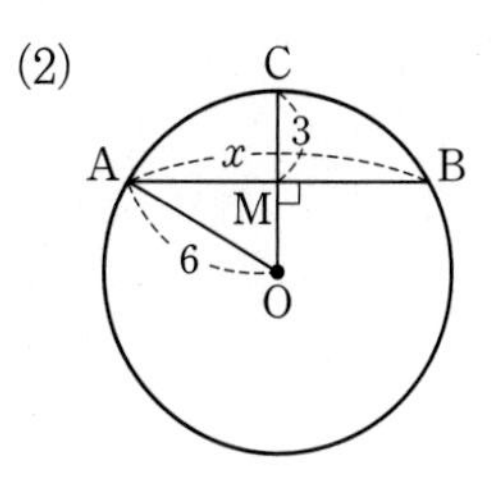

➡ $\overline{OM}=$ ☐ 이므로

△OAM에서

$\overline{AM}=$ ☐

$\therefore x=$ ☐

(2) 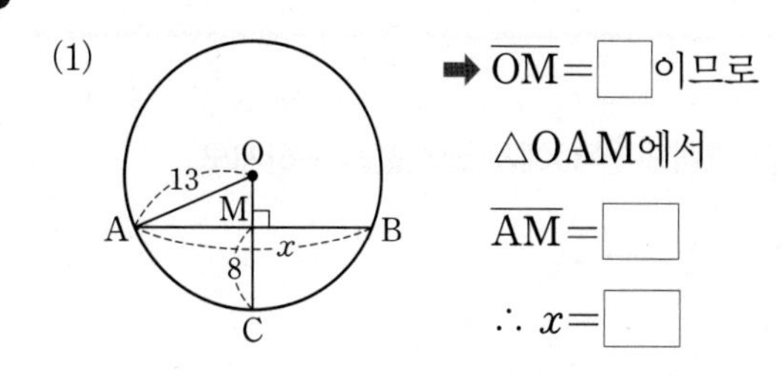

(3) 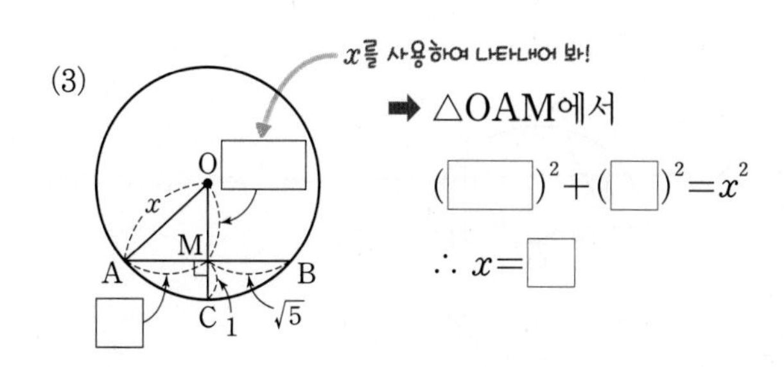

(4) 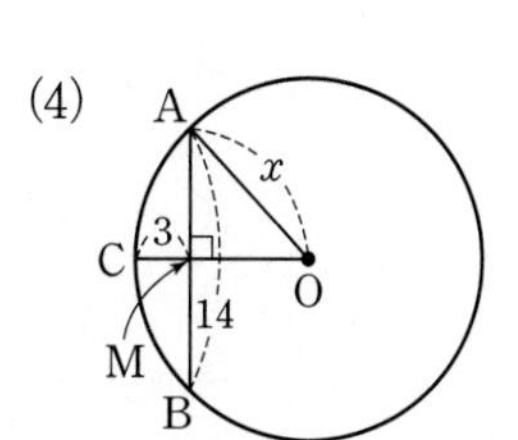

정답과 해설 11쪽

2 현의 길이

다음 그림의 원 O에서 x의 값을 구하시오.

(1)

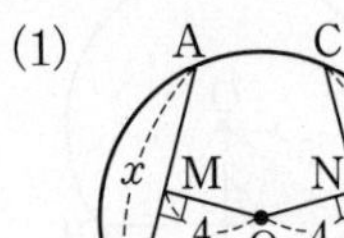

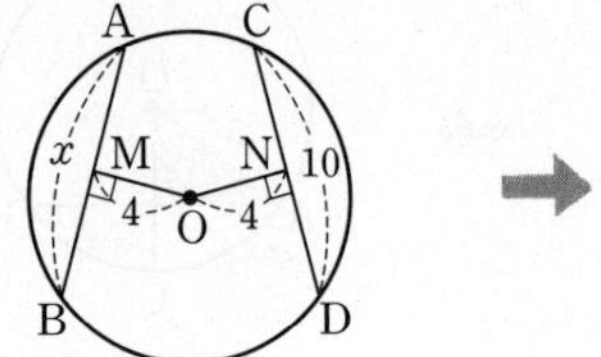

원의 중심으로부터 같은 거리에 있는 두 현의 길이는 같다.

$\therefore x=10$

(2)

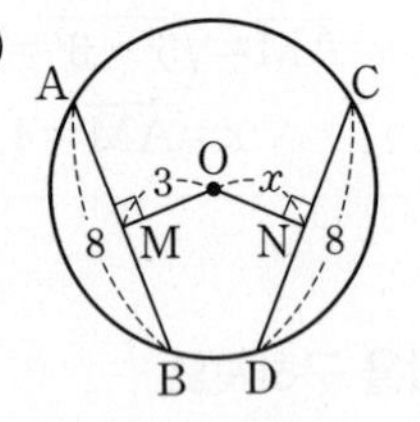

길이가 같은 두 현은 원의 중심으로부터 같은 거리에 있다.

$\therefore x=3$

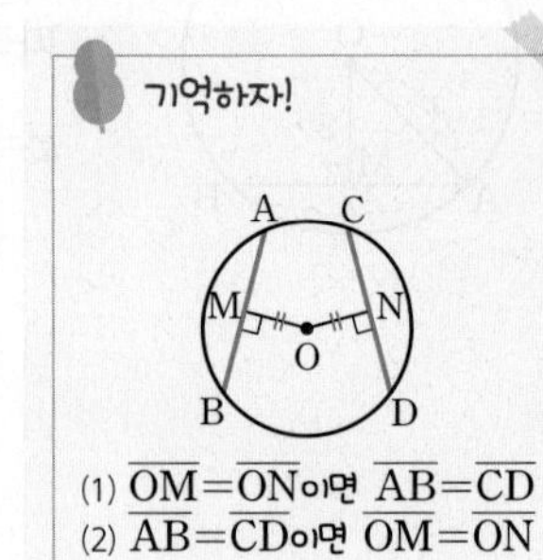

(1) $\overline{OM}=\overline{ON}$이면 $\overline{AB}=\overline{CD}$

(2) $\overline{AB}=\overline{CD}$이면 $\overline{OM}=\overline{ON}$

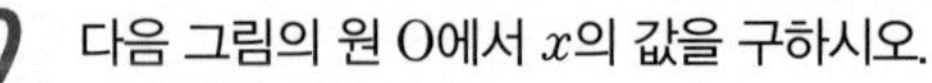

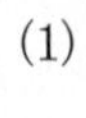

1 다음 그림의 원 O에서 x의 값을 구하시오.

(1)

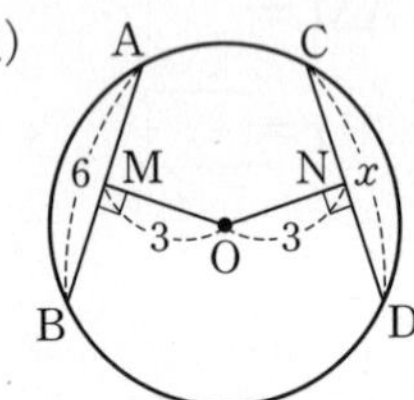

(2)

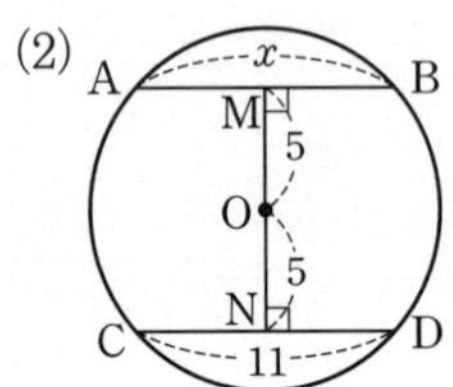

(3)

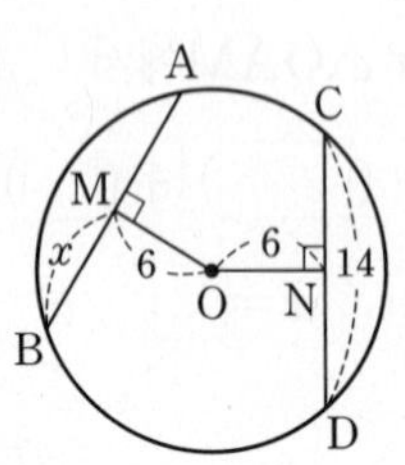

(4)

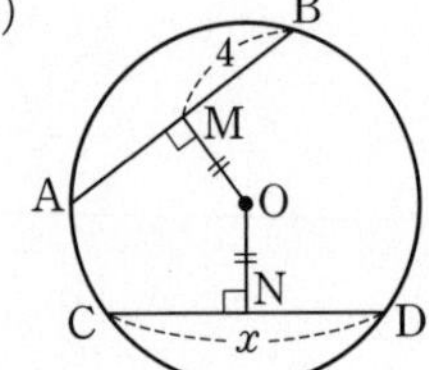

2 다음 그림의 원 O에서 x의 값을 구하시오.

(1)

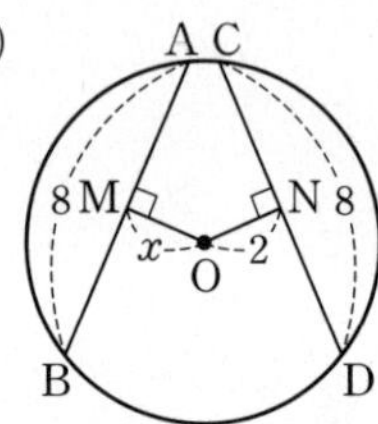

(2)

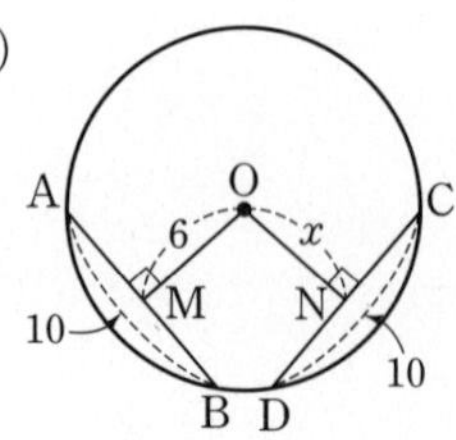

(3)

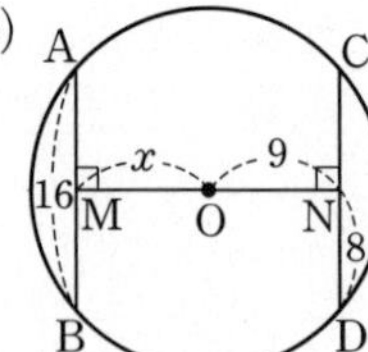

(4)

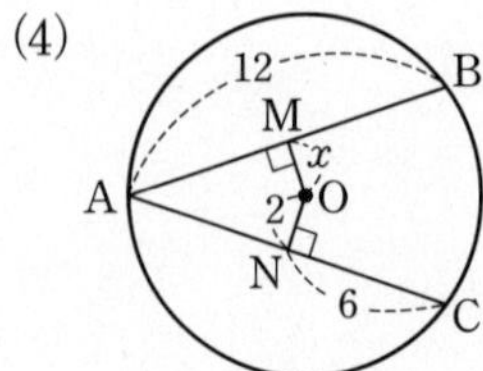

3 다음 그림의 원 O에서 x의 값을 구하시오.

(1)

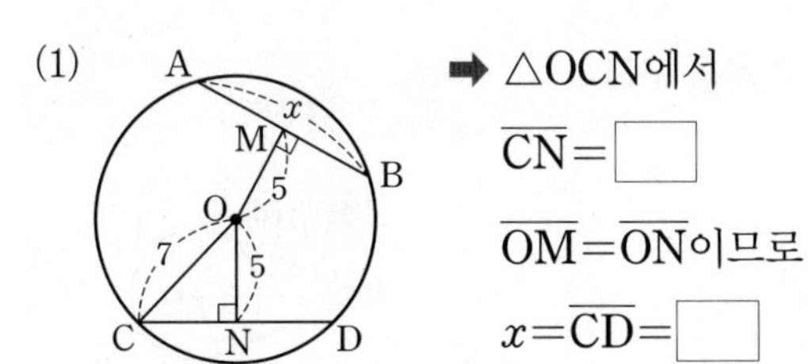

➡ $\triangle$OCN에서

$\overline{CN}=$ ☐

$\overline{OM}=\overline{ON}$이므로

$x=\overline{CD}=$ ☐

(2)

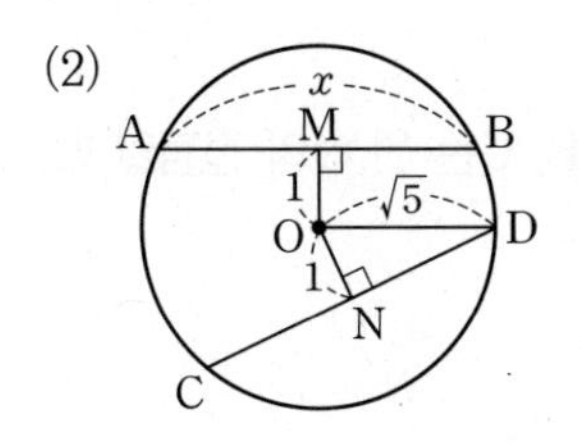

(3)

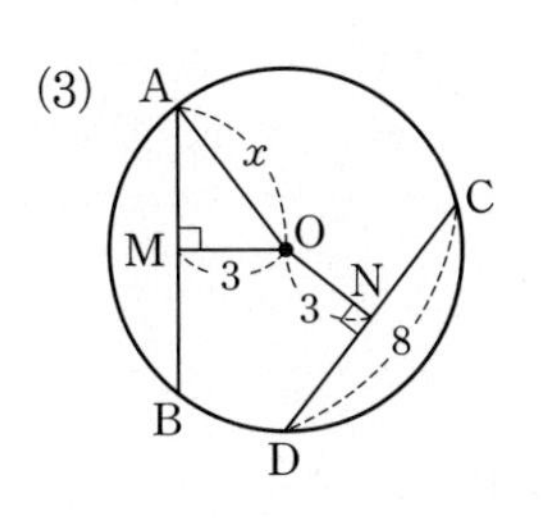

(4)

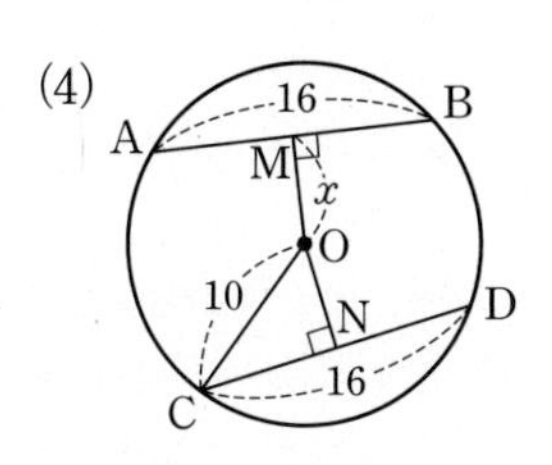

(5)

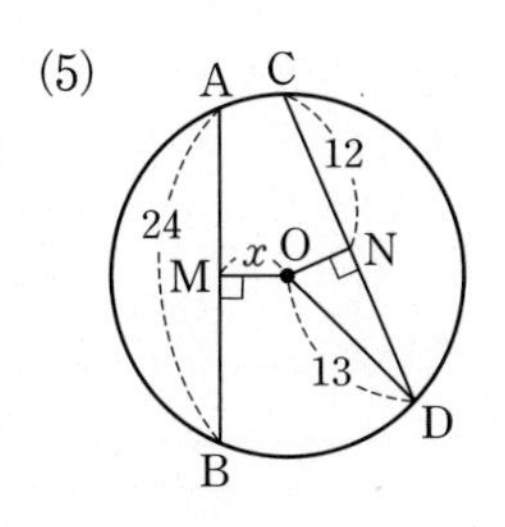

조금 더! 이등변삼각형의 성질 이용하기

다음 그림의 원 O에서 $\overline{OM}=\overline{ON}$일 때, $\angle x$의 크기는?

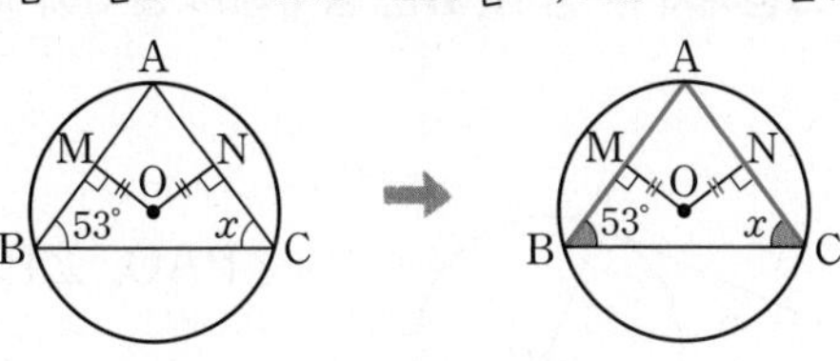

$\overline{AB}=\overline{AC}$이므로 $\triangle$ABC는 이등변삼각형

$\therefore \angle x=\angle B=53°$

4 다음 그림의 원 O에서 $\overline{OM}=\overline{ON}$일 때, $\angle x$의 크기를 구하시오.

(1)

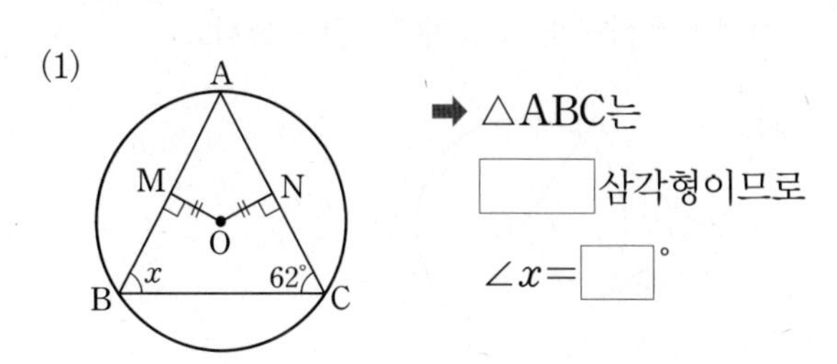

➡ $\triangle$ABC는

☐ 삼각형이므로

$\angle x=$ ☐°

(2)

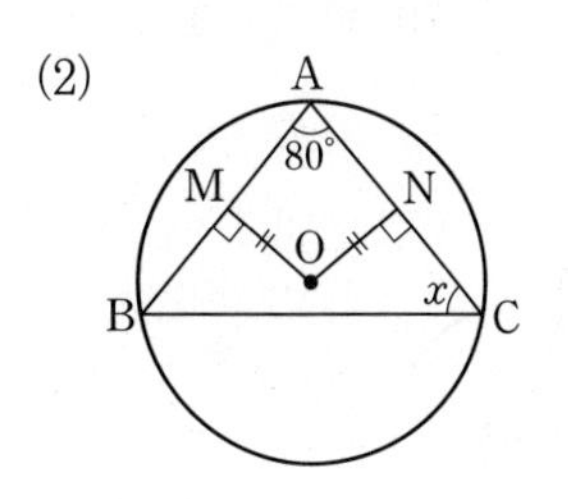

(3)

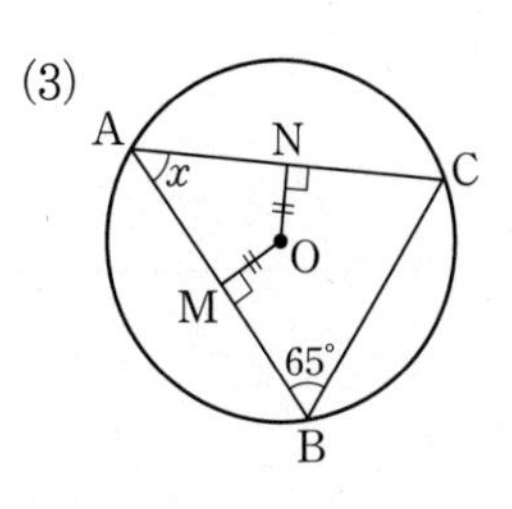

(4)

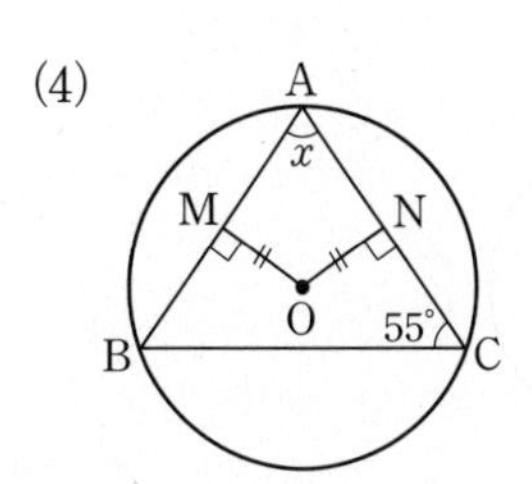

개념 익히기

정답과 해설 12쪽

3 접선의 길이

아래 그림에서 두 점 A, B는 점 P에서 원 O에 그은 두 접선의 접점일 때, 다음을 구하시오.

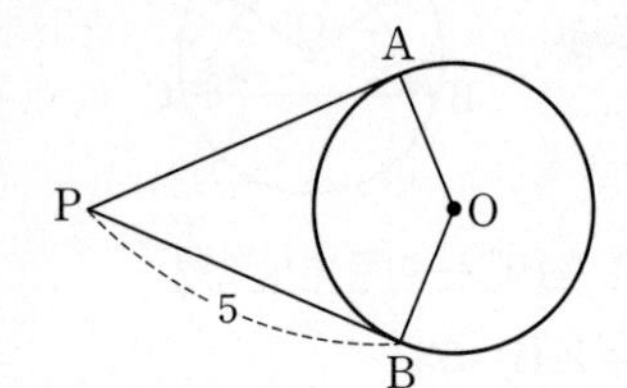

(1) $\angle PAO$, $\angle PBO$의 크기 ➡ $90°$

(2) $\overline{PA}$의 길이 ➡ $\overline{PA}=\overline{PB}=5$

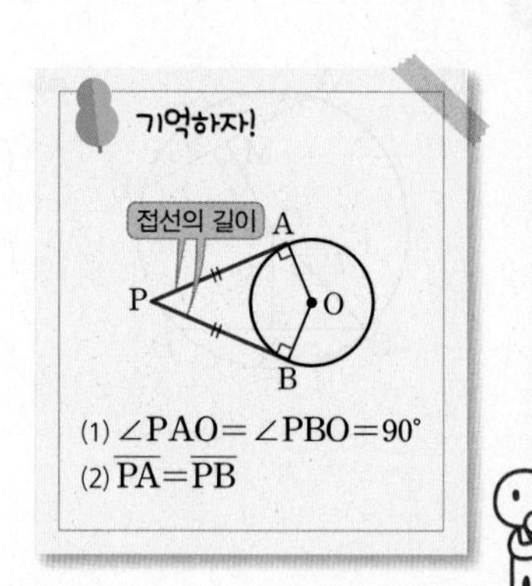

1 다음 그림에서 두 점 A, B는 점 P에서 원 O에 그은 두 접선의 접점일 때, $\angle x$의 크기를 구하시오.

(1)

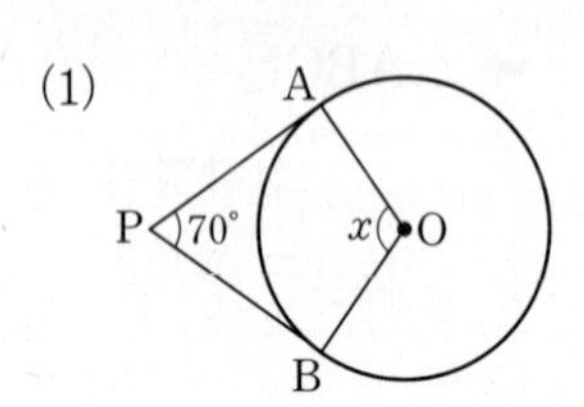

➡ $\angle PAO=\angle PBO=\square°$이므로

$\angle x=360°-(\square°+70°+\square°)=\square°$

(2)

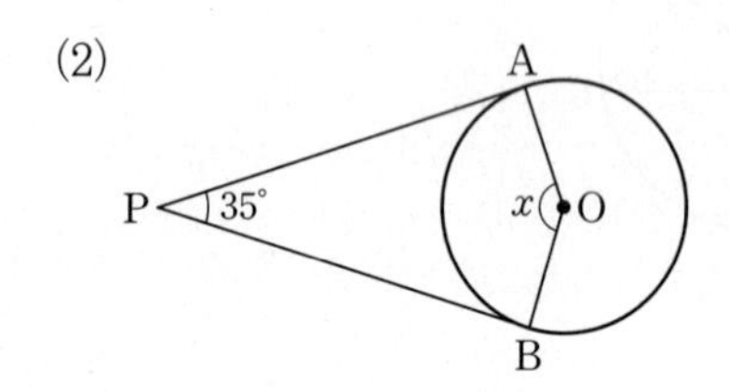

______

(3) $\angle x$ (P), $120°$ (O), A, B

______

(4)

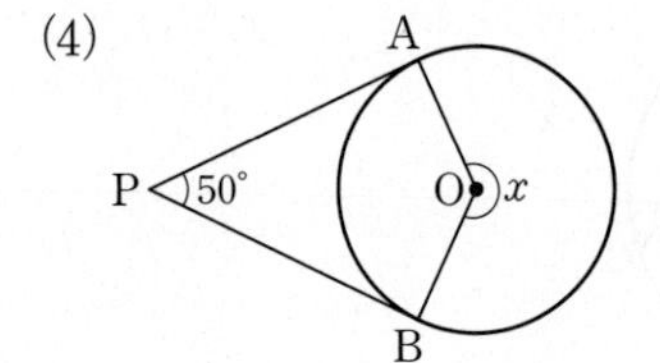

______

2 다음 그림에서 세 점 A, B, C는 원 O의 접점일 때, x의 값을 구하시오.

(1)

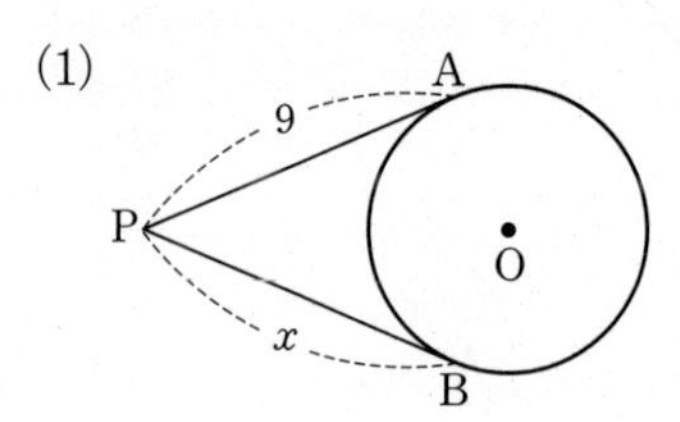

______

(2)

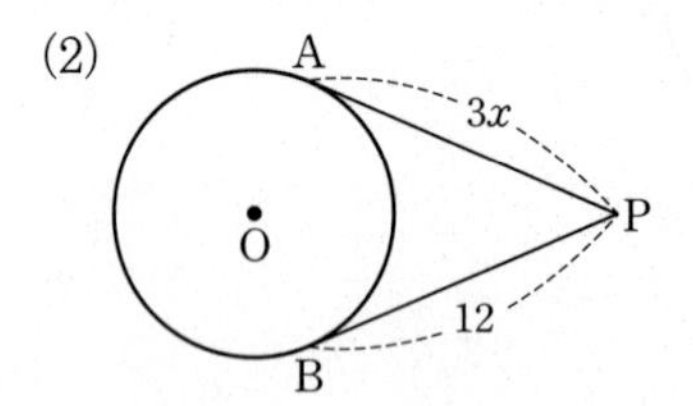

______

(3)

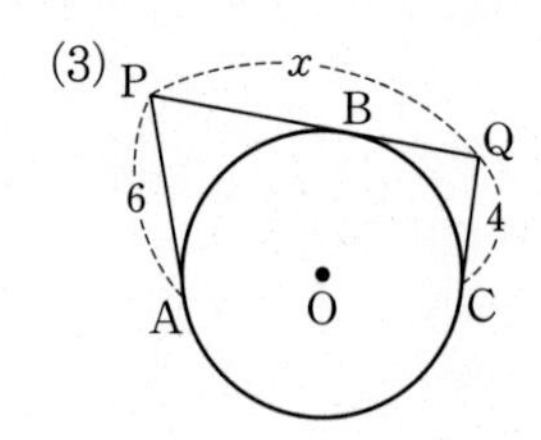

______

(4)

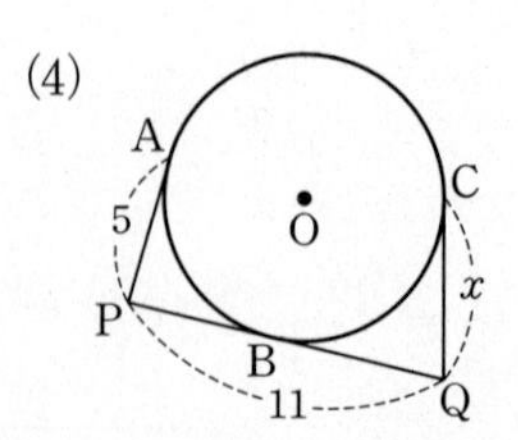

______

3 다음 그림에서 두 점 A, B는 점 P에서 원 O에 그은 두 접선의 접점일 때, $\angle x$의 크기를 구하시오.

(1)

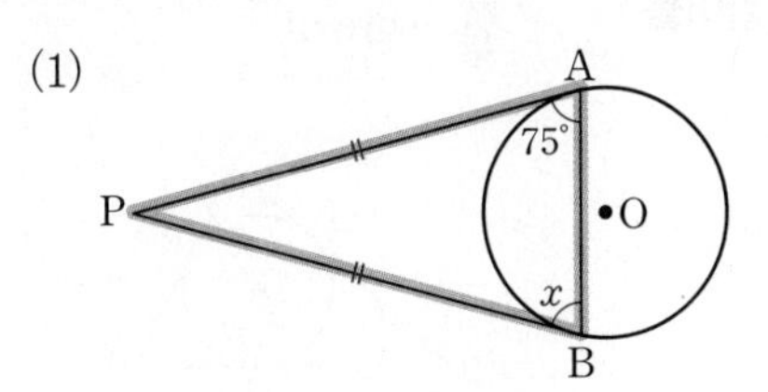

➡ △PBA는 [　　] 삼각형이므로

$\angle x=$ [　　]°

(2)

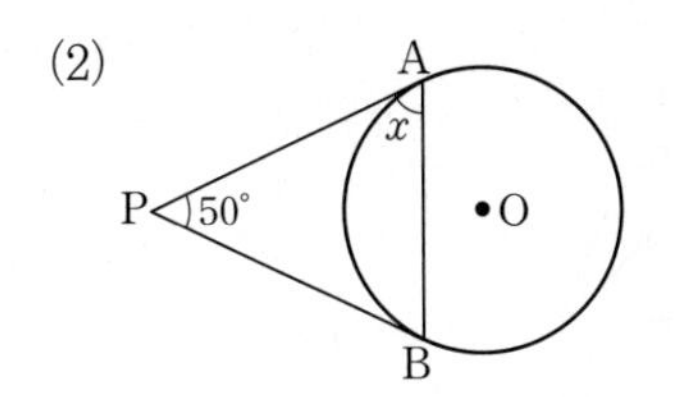

(3)

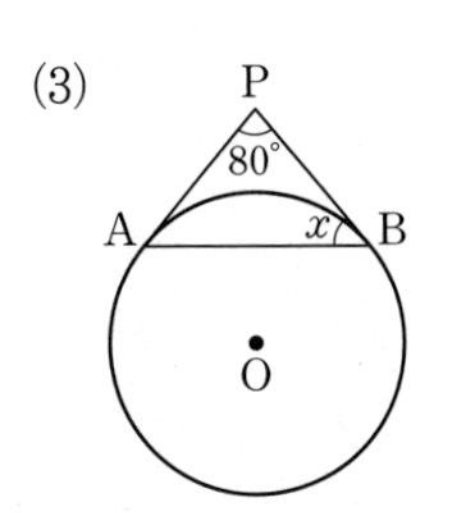

(4)

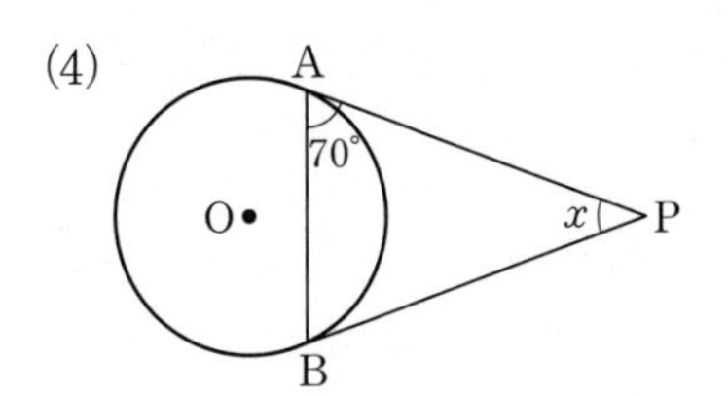

tip 직각삼각형 이용하기

다음 그림에서 두 점 A, B는 점 P에서 원 O에 그은 두 접선의 접점일 때

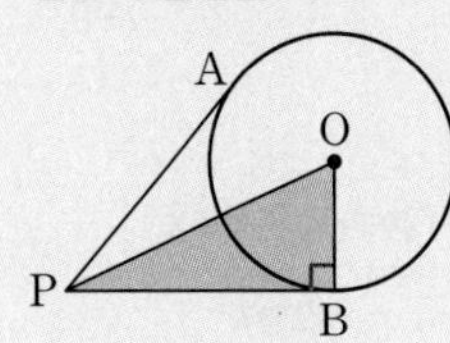

$\angle PBO=90°$이므로

△PBO는 직각삼각형

$\therefore \overline{PA}=\overline{PB}$

$=\sqrt{\overline{OP}^2-\overline{OB}^2}$

4 다음 그림에서 두 점 A, B는 점 P에서 원 O에 그은 두 접선의 접점일 때, x의 값을 구하시오.

(1)

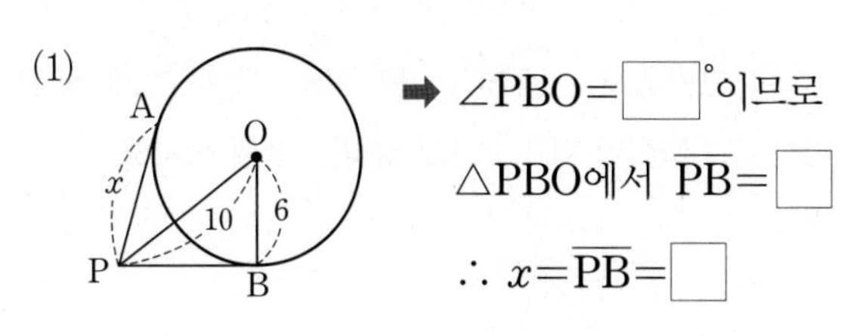

➡ $\angle PBO=$ [　　]°이므로

△PBO에서 $\overline{PB}=$ [　　]

$\therefore x=\overline{PB}=$ [　　]

(2)

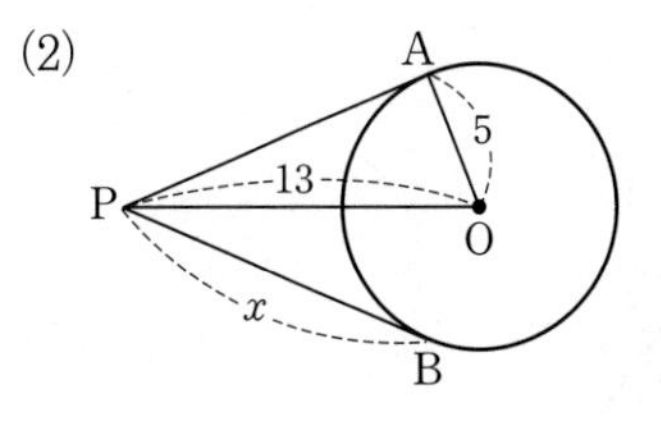

(3)

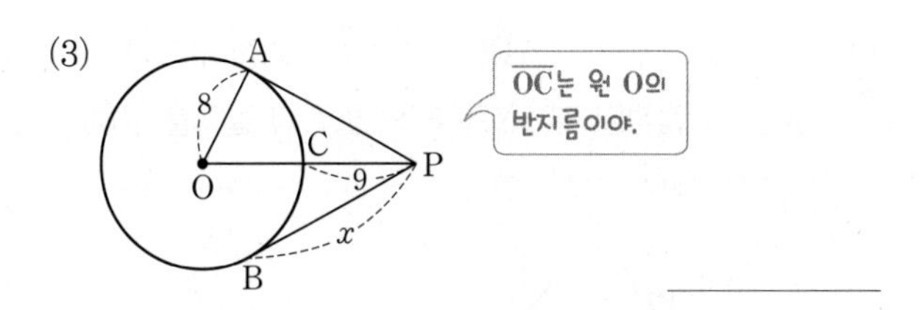

(4)

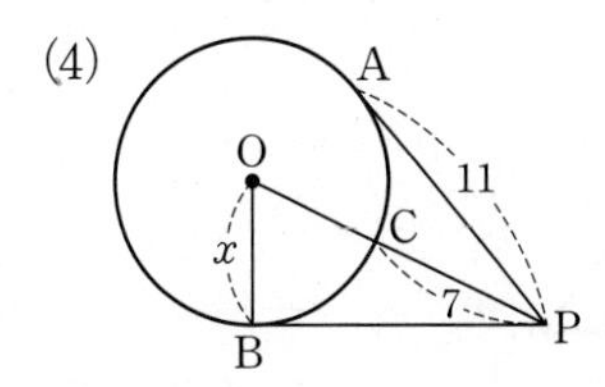

4 삼각형의 내접원

다음 그림에서 △ABC는 원 O에 외접하고 세 점 P, Q, R는 그 접점일 때, $\overline{BC}$의 길이를 구하시오.

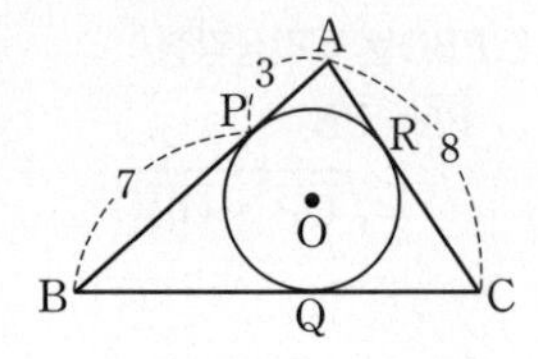

길이가 같은 선분을 찾으면?

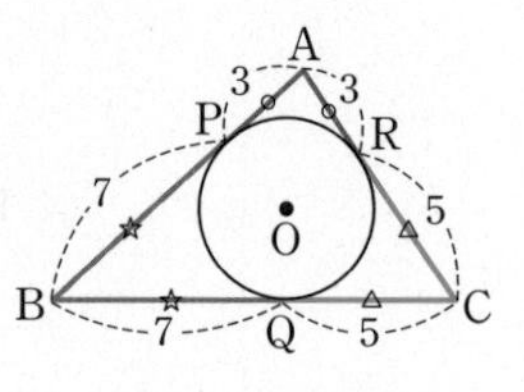

$\therefore \overline{BC}=7+5=12$

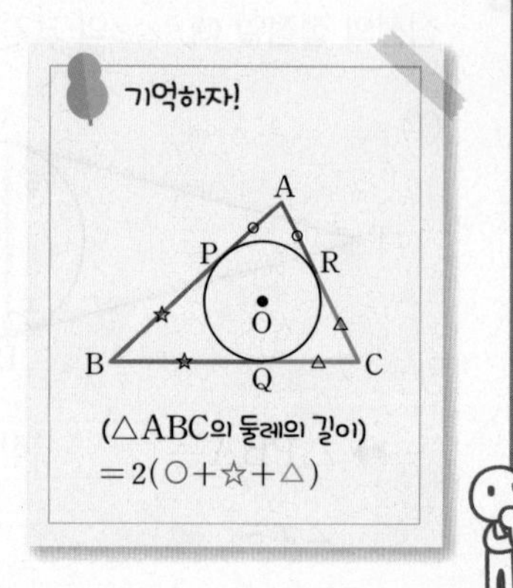

기억하자!
A
P
R
O
B
Q
C
(△ABC의 둘레의 길이)
=2(○+☆+△)

1 다음 그림에서 △ABC는 원 O에 외접하고 세 점 P, Q, R는 그 접점일 때, □ 안에 알맞은 수를 쓰시오.

(1)

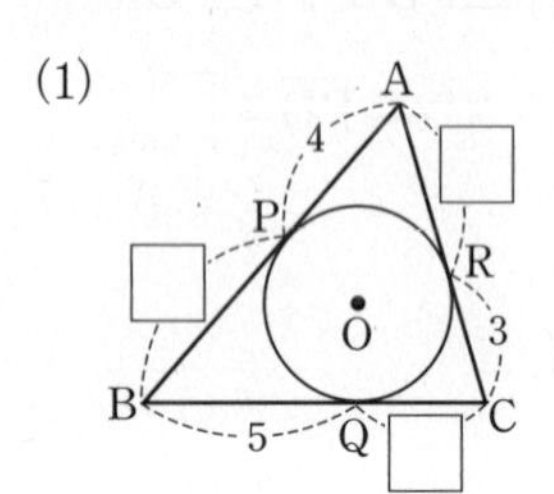

(2)

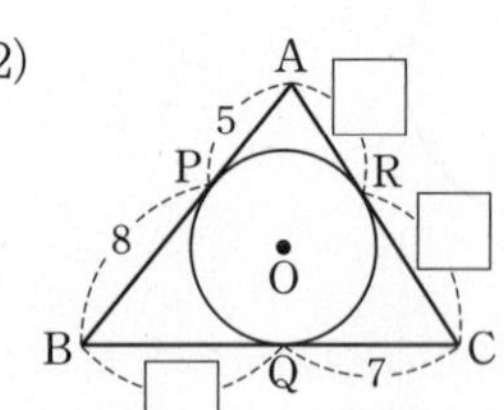
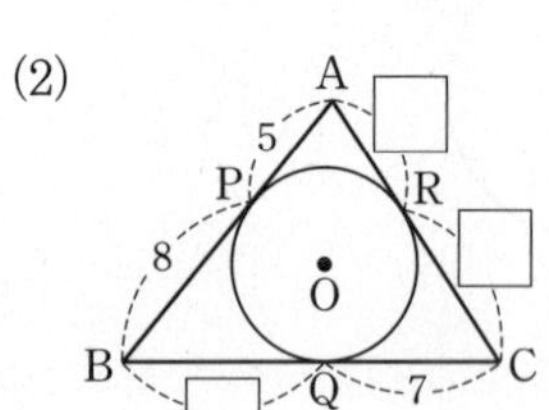

2 다음 그림에서 △ABC는 원 O에 외접하고 세 점 P, Q, R는 그 접점일 때, △ABC의 둘레의 길이를 구하시오.

(1)

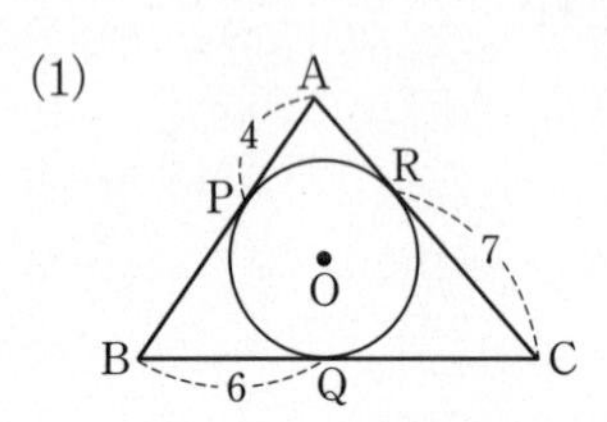

(2)

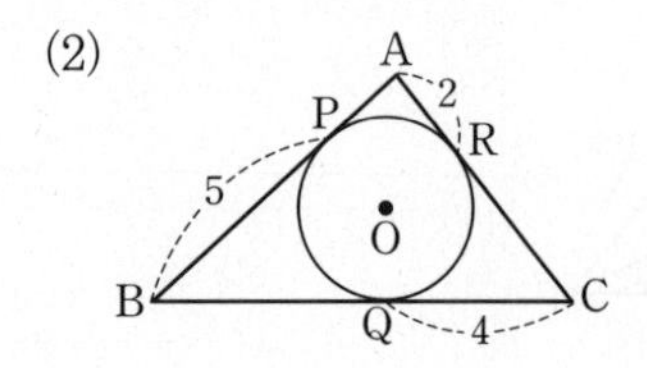

3 다음 그림에서 △ABC는 원 O에 외접하고 세 점 P, Q, R는 그 접점일 때, x의 값을 구하시오.

(1)

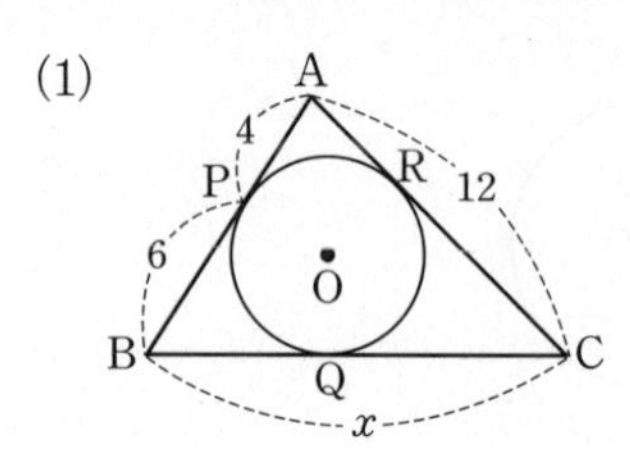

(2)

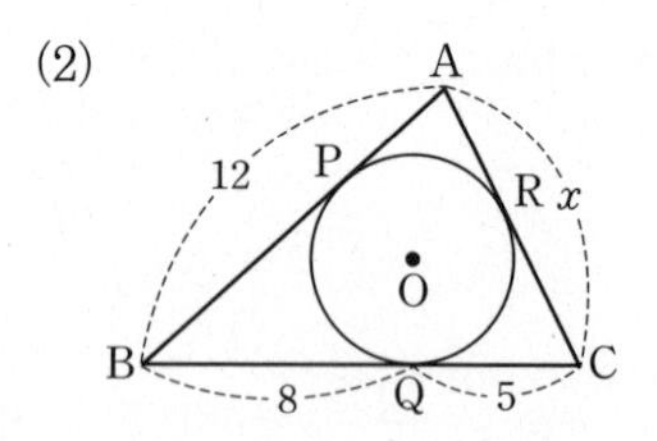

(3)

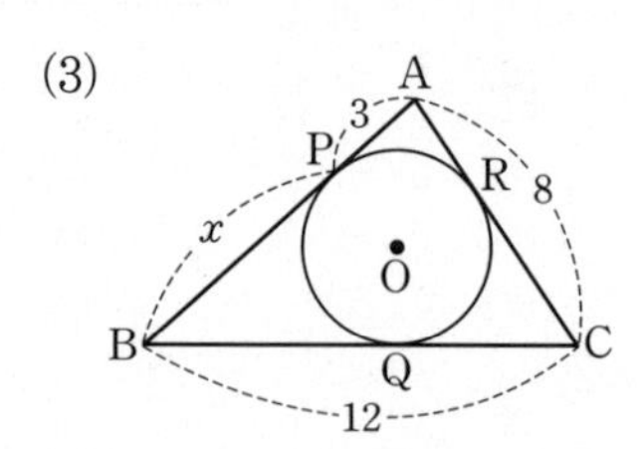

(4)

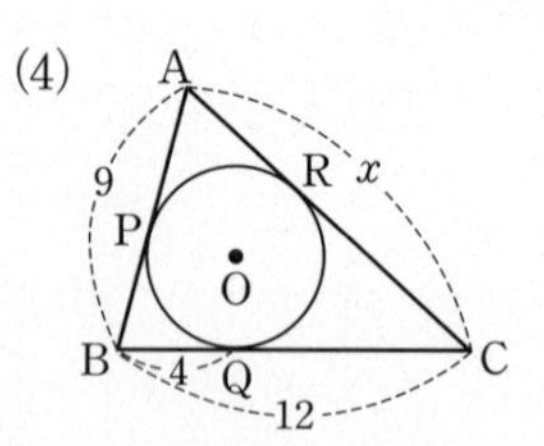

4 다음 그림에서 △ABC는 원 O에 외접하고 세 점 P, Q, R는 그 접점일 때, x의 값을 구하시오.

(1)

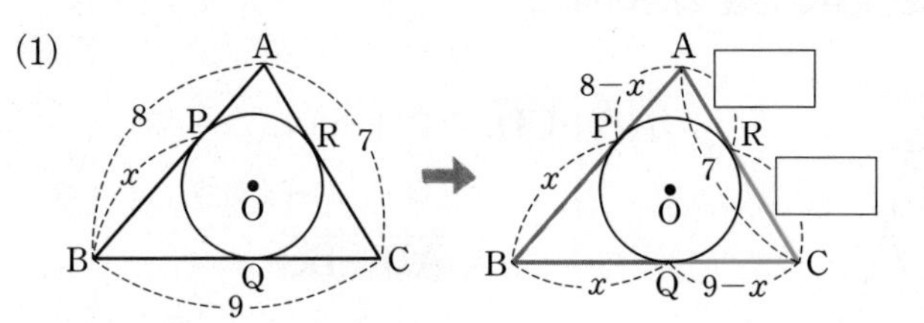

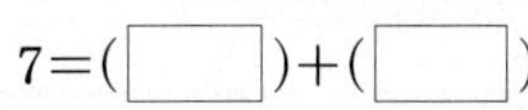

$\overline{AC}=\overline{AR}+\overline{CR}$이므로

$7=(\square)+(\square)$ $\therefore x=\square$

(2)

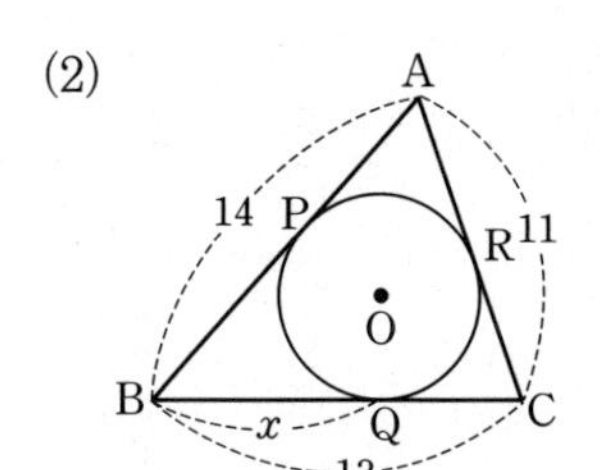

(3)

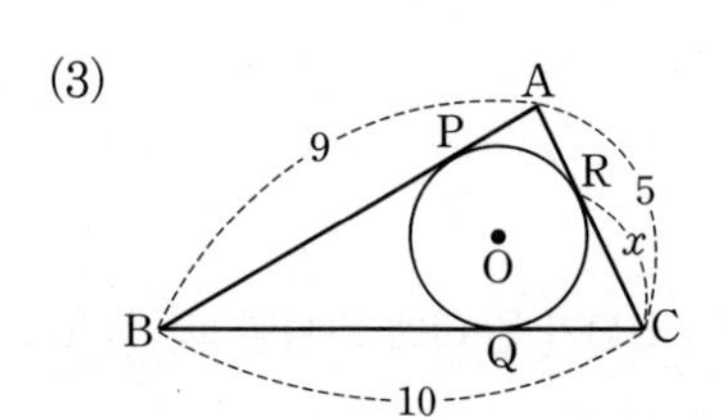

(4)

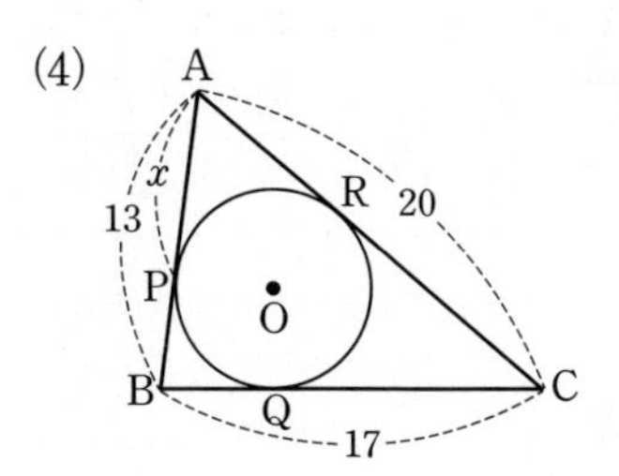

조금 더! 직각삼각형의 내접원

원 O는 직각삼각형 ABC의 내접원이고 세 점 P, Q, R는 그 접점일 때

➡ □OQCR는 정사각형

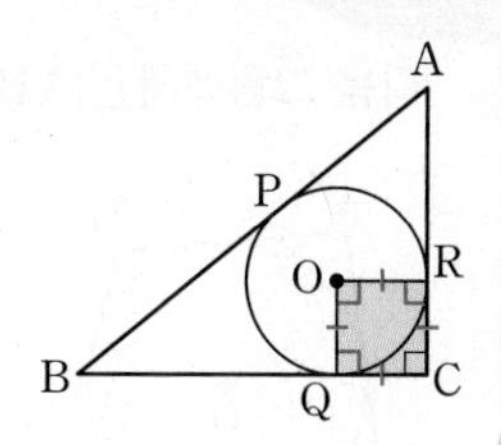

5 다음 그림에서 직각삼각형 ABC는 원 O에 외접하고 세 점 P, Q, R는 그 접점일 때, r의 값을 구하시오.

(1)

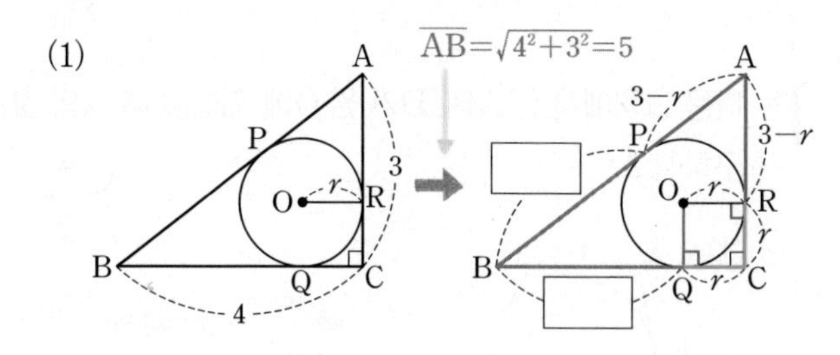

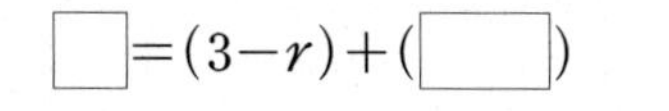

$\overline{AB}=\overline{AP}+\overline{BP}$이므로

$\square=(3-r)+(\square)$ $\therefore r=\square$

(2)

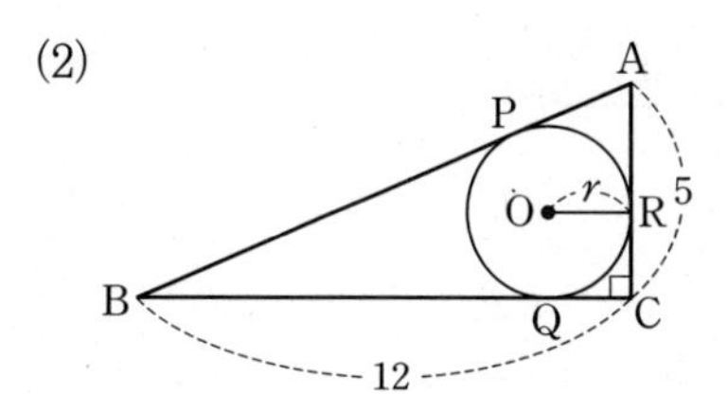

(3)

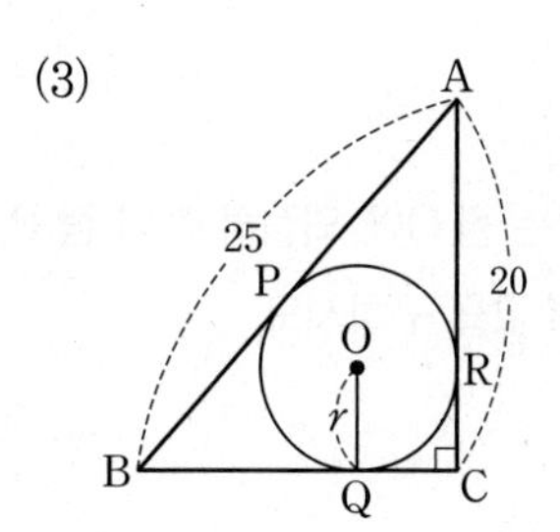

개념 익히기

정답과 해설 14쪽

5 원에 외접하는 사각형의 성질

다음 그림에서 □ABCD가 원 O에 외접할 때, $\overline{AB}+\overline{CD}=\overline{AD}+\overline{BC}$ 임을 설명하시오.

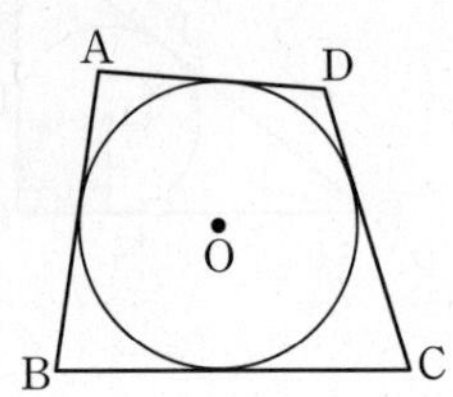

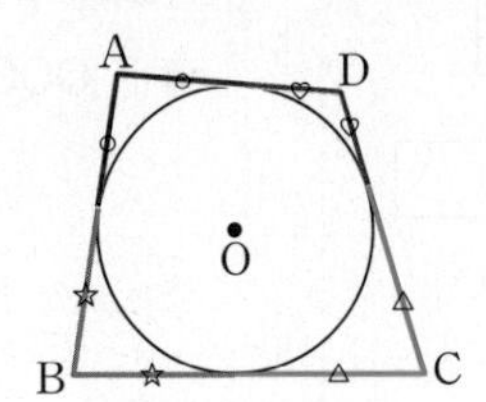

길이가 같은 선분을
찾으면?

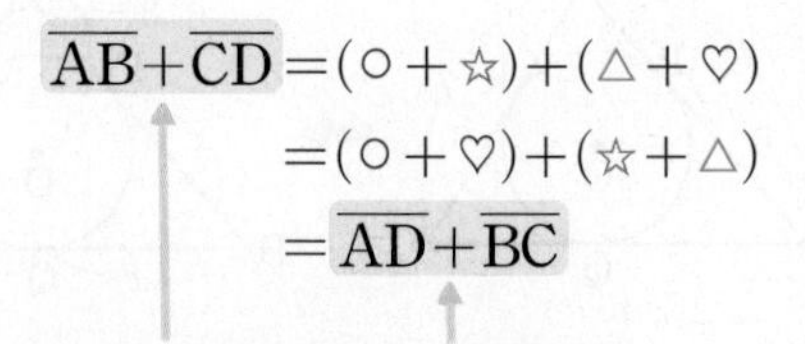

$\overline{AB}+\overline{CD}=(○+☆)+(△+♡)$
$=(○+♡)+(☆+△)$
$=\overline{AD}+\overline{BC}$
원에 외접하는 사각형에서
두 쌍의 대변의 길이의 합은 서로 같다.

1 다음 그림에서 □ABCD가 원 O에 외접할 때, x의 값을 구하시오.

(1)

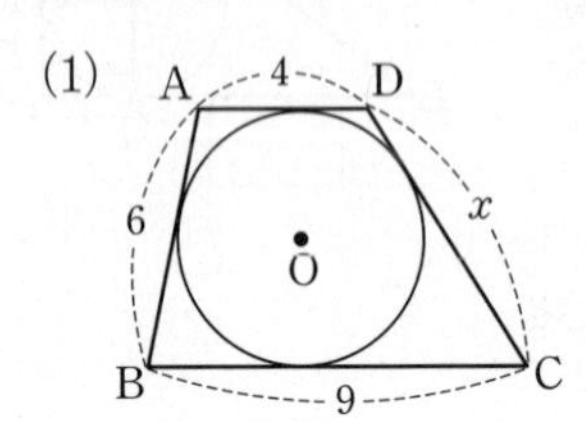

➡ □$+x=4+$□

$\therefore\ x=$□

(2)

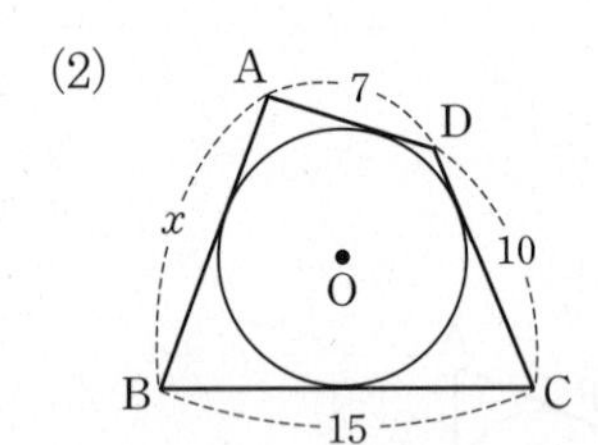

(3)

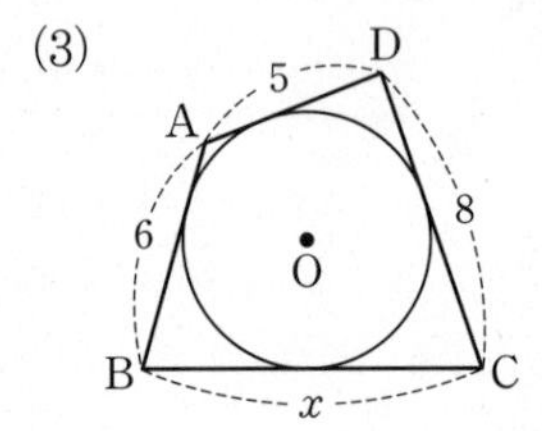

2 다음 그림에서 □ABCD는 원 O에 외접하고 네 점 P, Q, R, S는 그 접점일 때, x의 값을 구하시오.

(1)

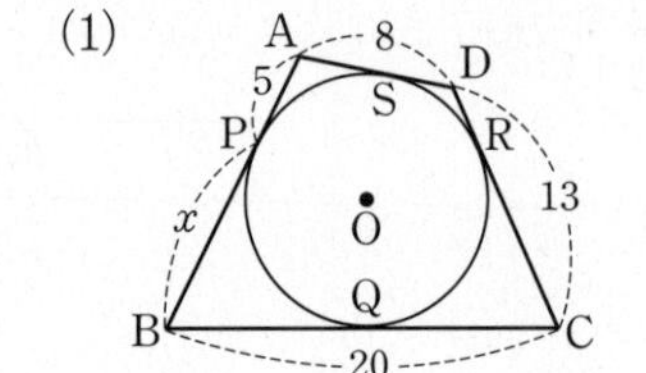

(2)

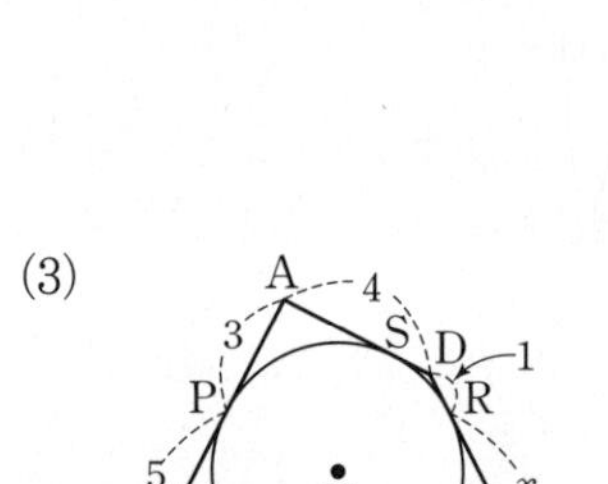

(3)

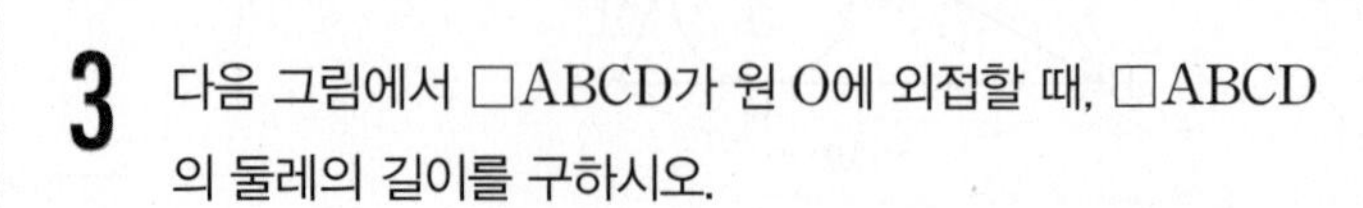

3 다음 그림에서 □ABCD가 원 O에 외접할 때, □ABCD의 둘레의 길이를 구하시오.

(1)

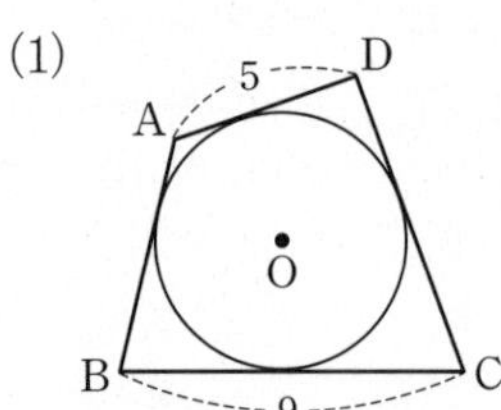

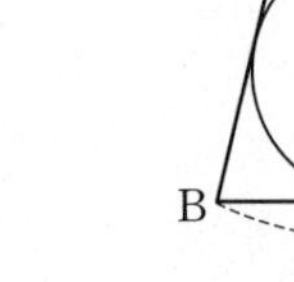

(2)

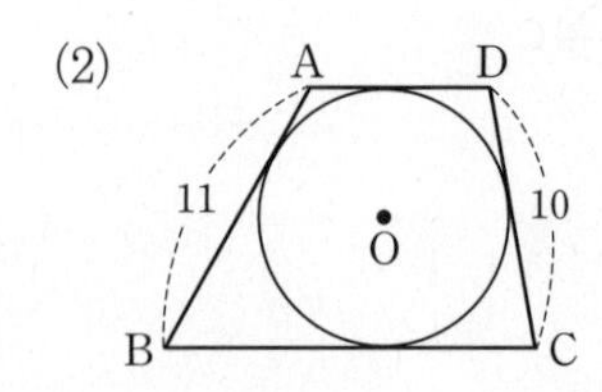

정답과 해설 14쪽

개념 익히기

6 원주각과 중심각의 크기

다음 그림의 원 O에서 $\angle x$의 크기를 구하시오.

(1)

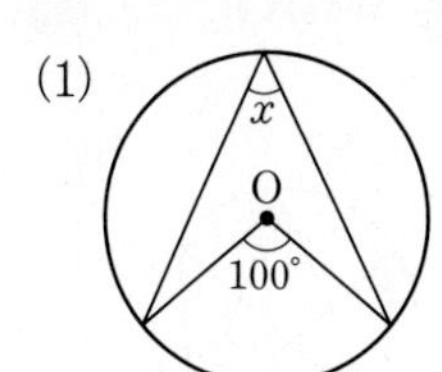

(원주각의 크기)$=\frac{1}{2}\times$(중심각의 크기)

$\angle x=\frac{1}{2}\times 100°=50°$

(2)

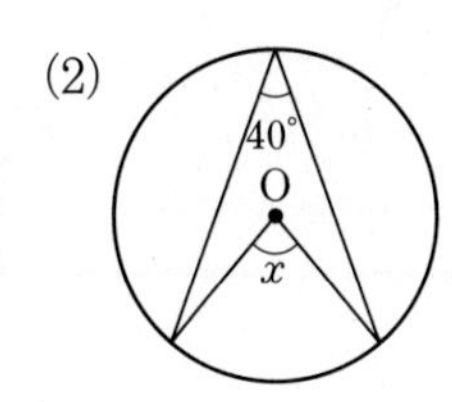

(중심각의 크기)$=2\times$(원주각의 크기)

$\angle x=2\times 40°=80°$

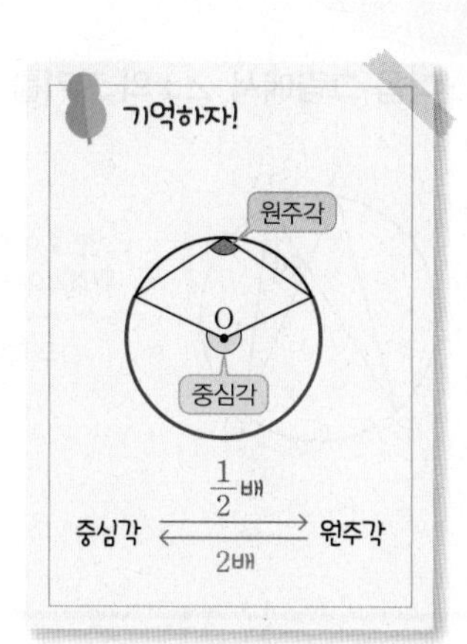

기억하자!
원주각
O
중심각
1/2배
중심각
원주각
2배

1 다음 그림의 원 O에서 $\angle x$의 크기를 구하시오.

(1)

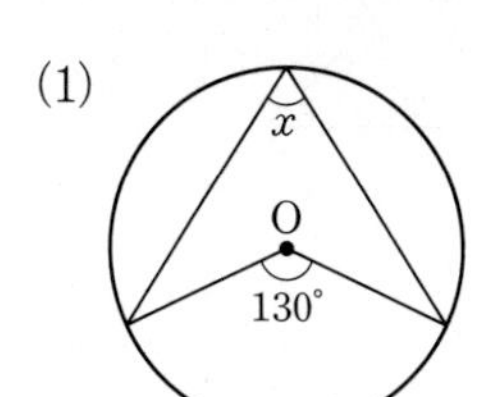

(2)

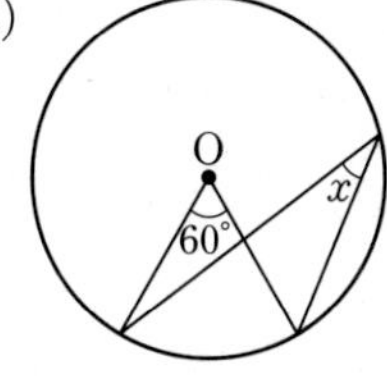

(3)

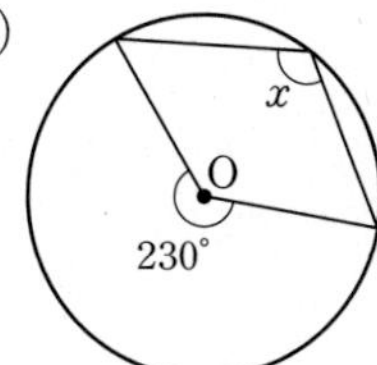

(4)

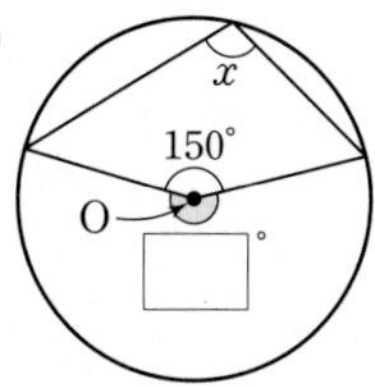

➡ $\angle x=\frac{1}{2}\times$ ☐$°$

$=$ ☐$°$

(5)

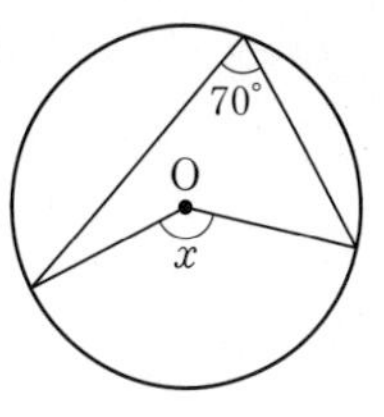

(6)

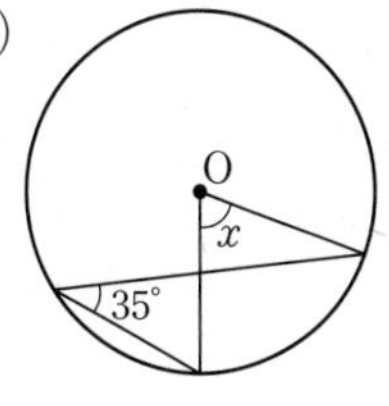

(7)

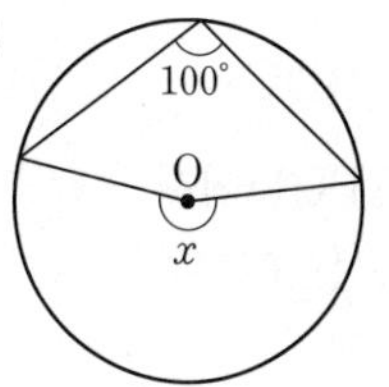

(8)

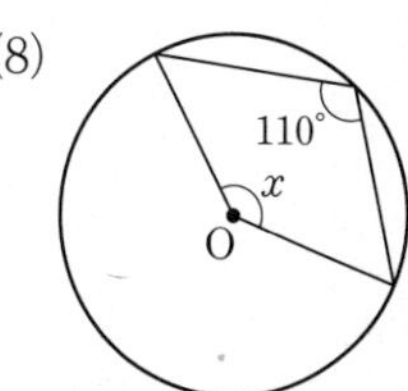

7 원주각의 성질 (1)

다음 그림에서 $\angle x$의 크기를 구하시오.

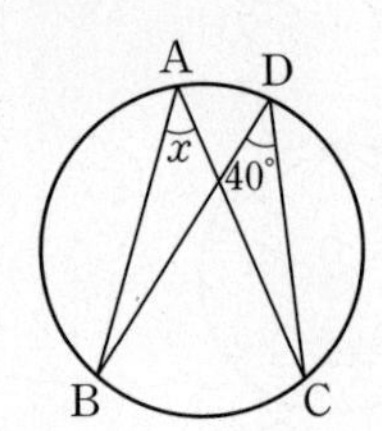

한 호에 대한 원주각의 크기는 모두 같다.

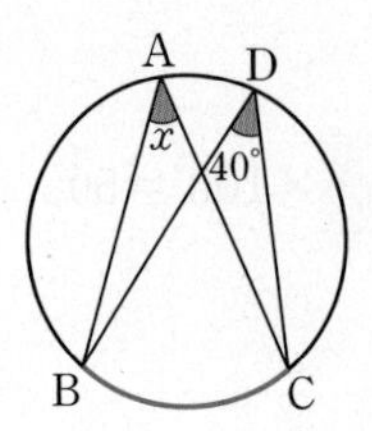

$\angle x = \angle \text{BDC} = 40°$

$\overset{\frown}{\text{BC}}$에 대한 원주각

1 다음 그림에서 $\angle x$의 크기를 구하시오.

(1)

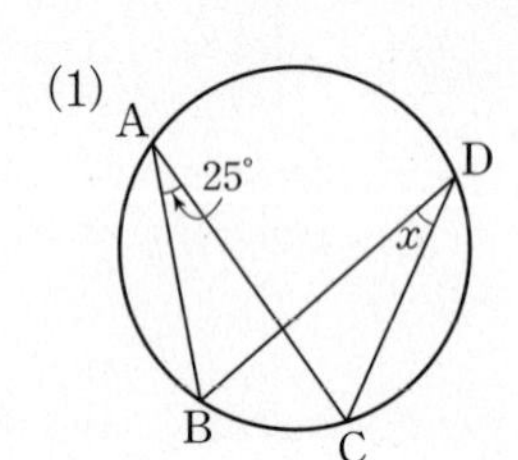

(2)

A, D, B, C, x, 38°

(3)

A, D, P, 55°, x, 30°, B, C

➡ $\angle \text{BDC} = \square°$이므로

$\triangle \text{PCD}$에서

$\angle x = \square°$

(4)

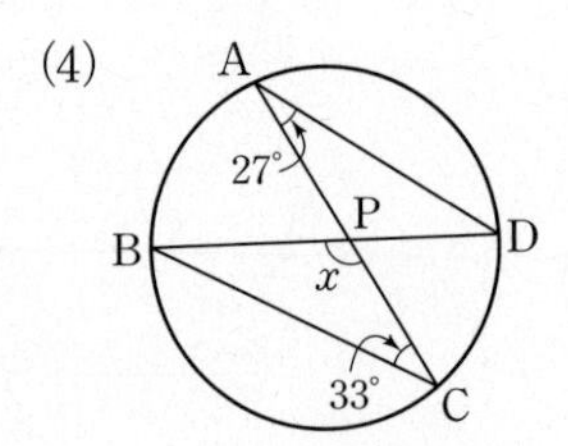

2 다음 그림에서 $\angle x$, $\angle y$의 크기를 각각 구하시오.

(1)

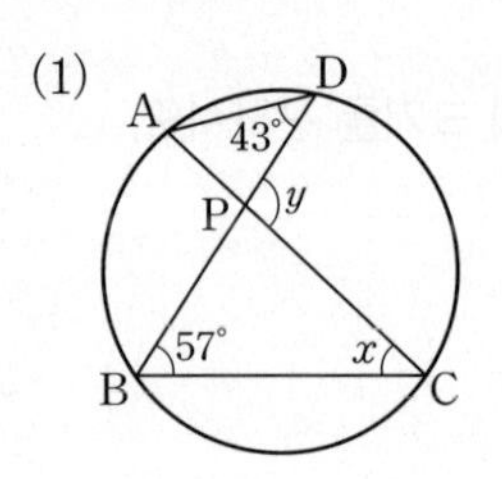

삼각형의 외각의 크기

●+▲

(2)

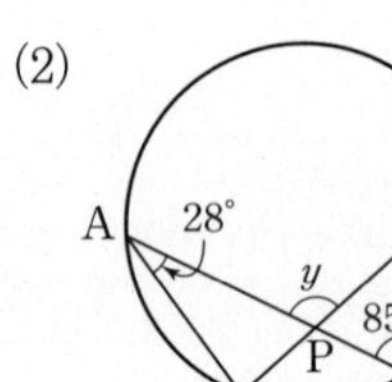

(3)

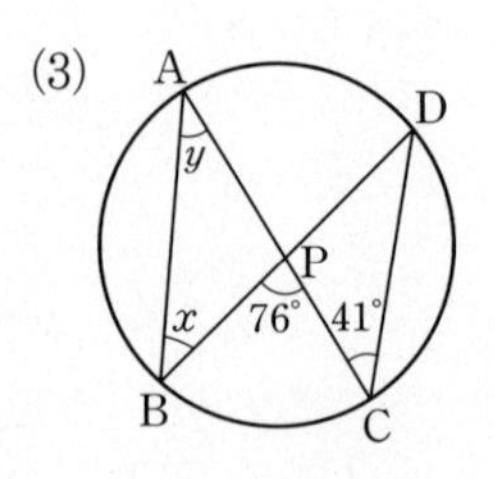

개념 익히기

➔ 정답과 해설 15쪽

8 원주각의 성질 (2)

다음 그림에서 $\overline{AB}$는 원 O의 지름일 때, $\angle x$의 크기를 구하시오.

↳ $\widehat{AB}$는 반원

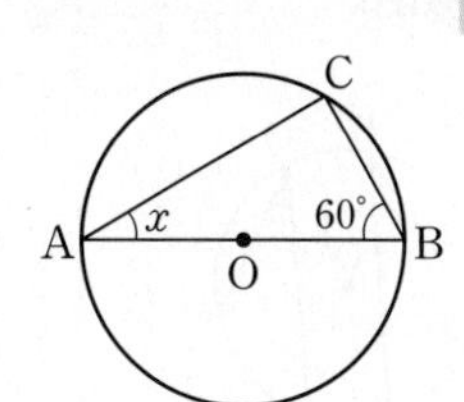

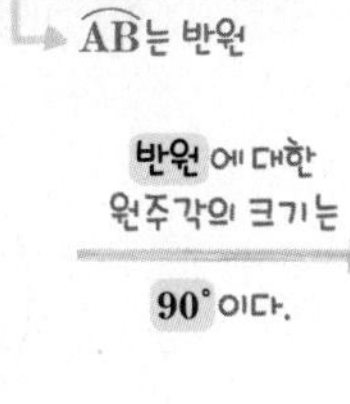

반원에 대한
원주각의 크기는
90°이다.

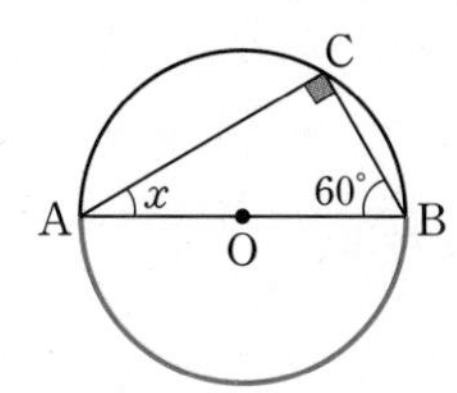

$\angle x=180^\circ-(90^\circ+60^\circ)$
$=30^\circ$

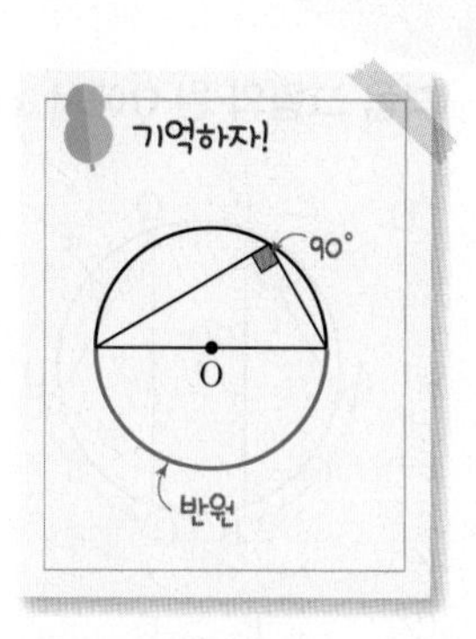

1 다음 그림에서 $\overline{AB}$는 원 O의 지름일 때, $\angle x$의 크기를 구하시오.

(1)

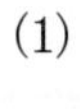

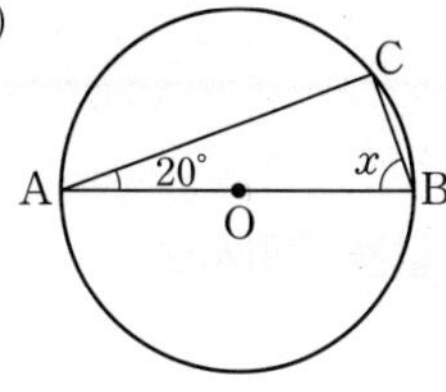

____

(2)

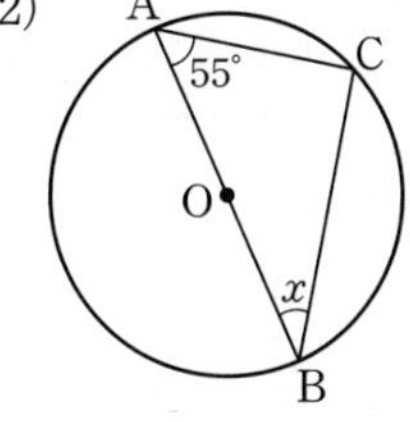

____

(3)

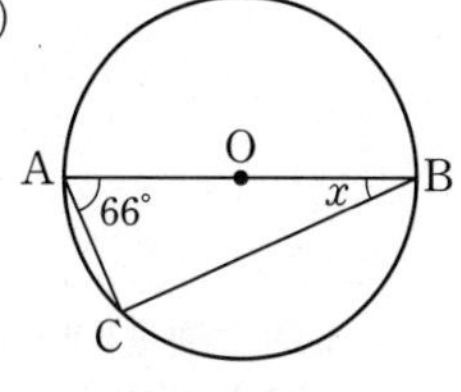

____

2 다음 그림에서 $\overline{AB}$는 원 O의 지름일 때, $\angle x$의 크기를 구하시오.

(1)

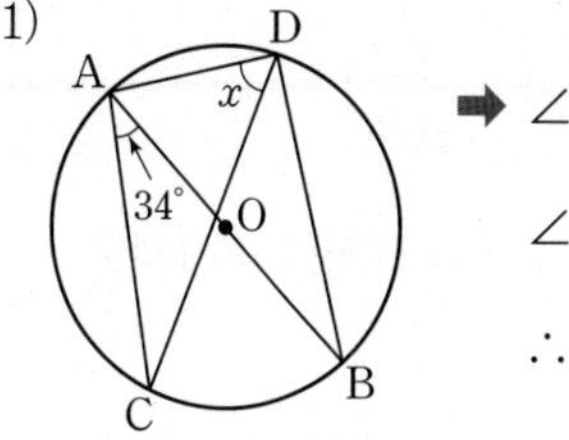

➡ $\angle ADB=$ ☐ °

$\angle CDB=$ ☐ °

$\therefore \angle x=$ ☐ °

(2)

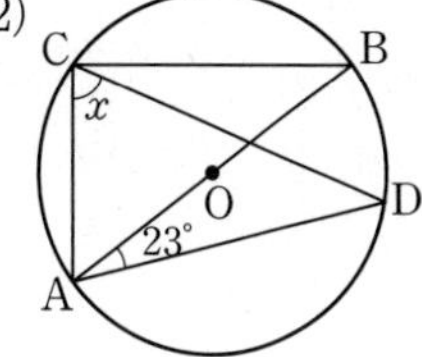

____

(3)

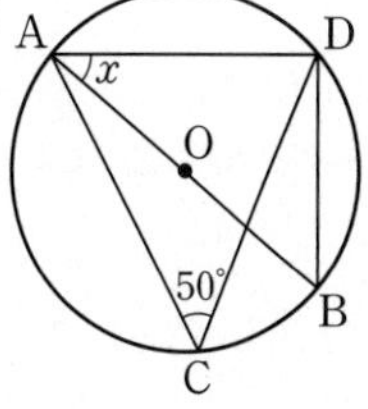

____

(4)

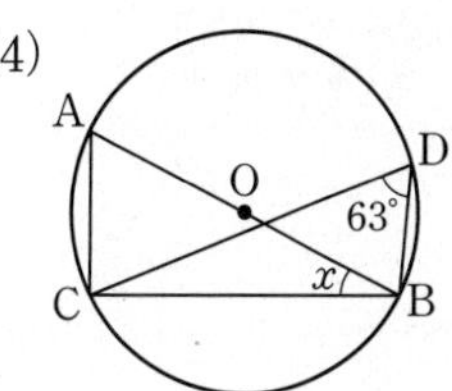

____

정답과 해설 15쪽

9 원주각의 크기와 호의 길이 (1)

다음 그림의 원 O에서 x의 값을 구하시오.

(1)

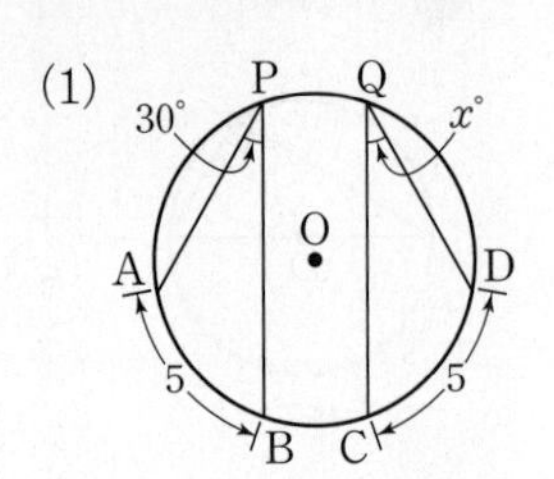

호의 길이가 같으면 원주각의 크기가 같다! → $x=30$

(2)

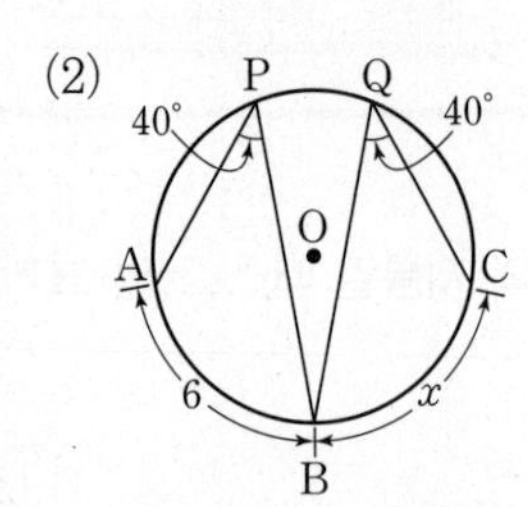

원주각의 크기가 같으면 호의 길이가 같다! → $x=6$

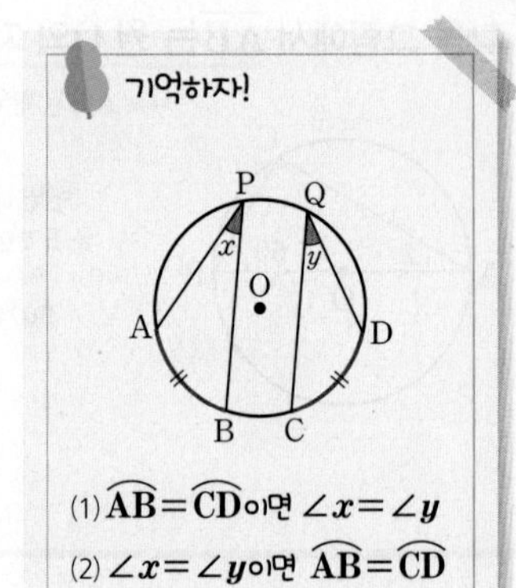

1 다음 그림의 원 O에서 $\angle x$의 크기를 구하시오.

(1)

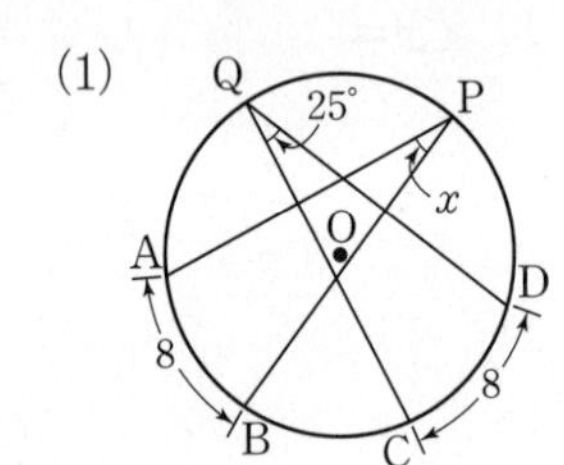

(2)

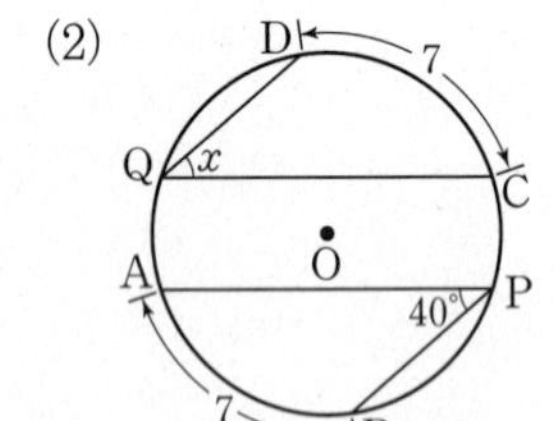

(3)

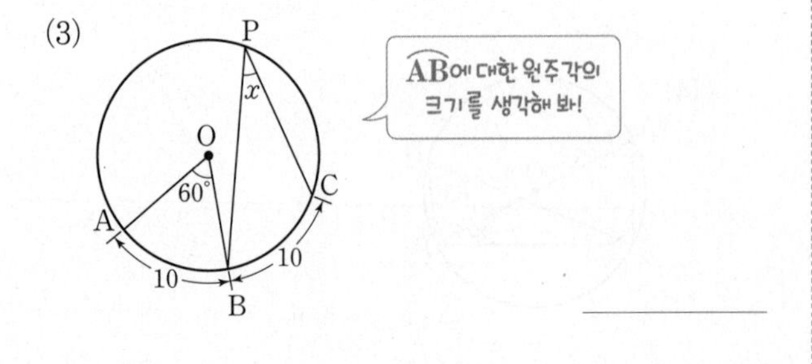

2 다음 그림의 원 O에서 x의 값을 구하시오.

(1)

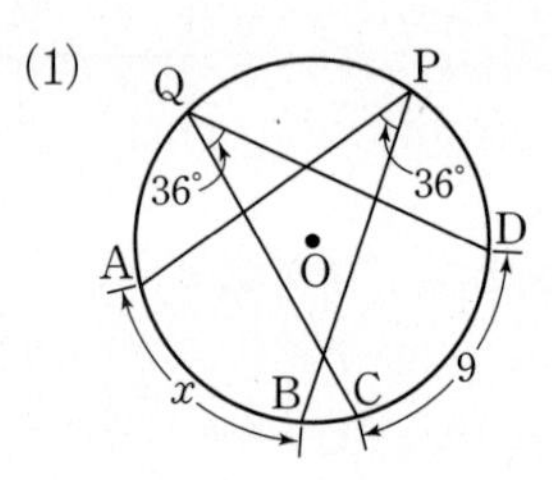

(2)

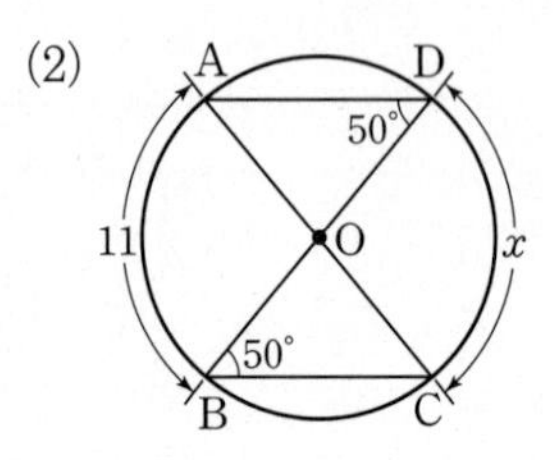

(3)

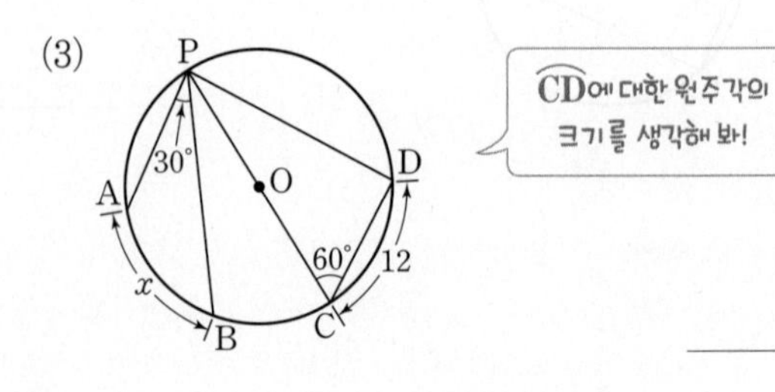

정답과 해설 15쪽

10 원주각의 크기와 호의 길이 (2)

다음 그림의 원 O에서 x의 값을 구하시오.

(1)

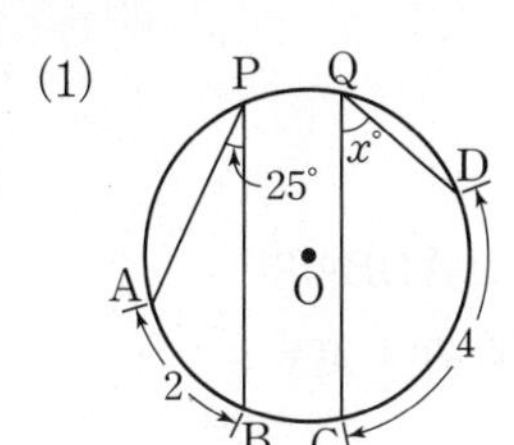

원주각의 크기는 호의 길이에 정비례!

$25° : x° = 2 : 4$

$\therefore x = 50$

(2)

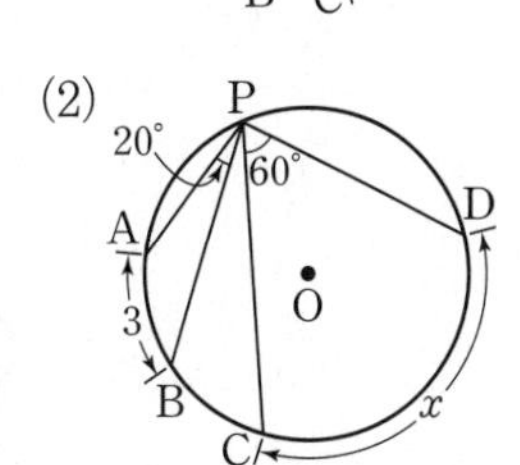

호의 길이는 원주각의 크기에 정비례!

$3 : x = 20° : 60°$

$\therefore x = 9$

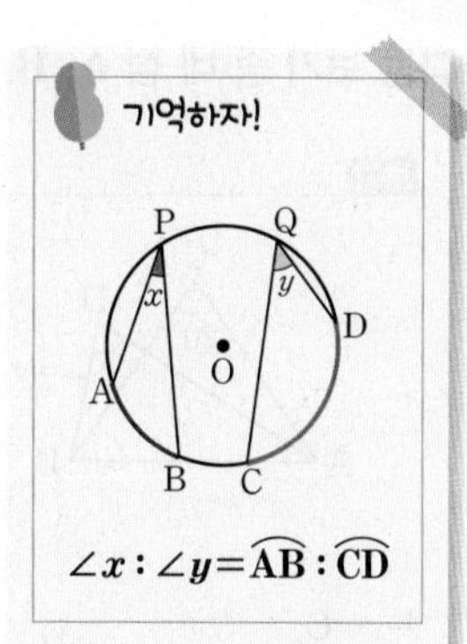

1 다음 그림의 원 O에서 $\angle x$의 크기를 구하시오.

(1)

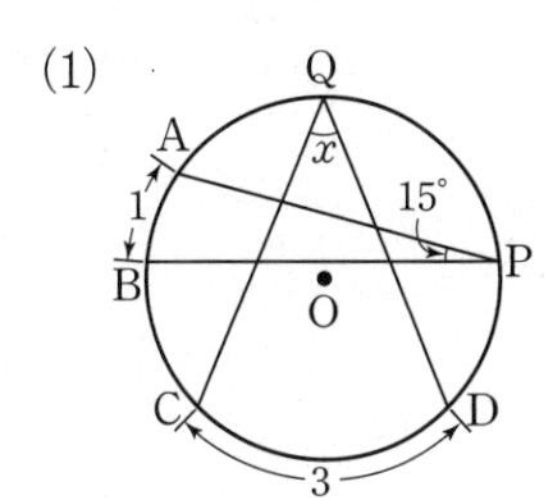

(2)

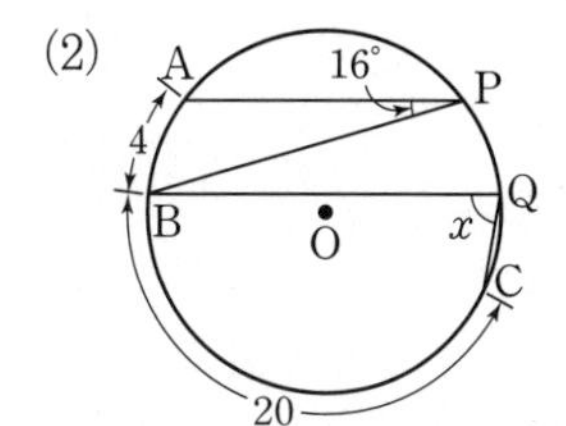

(3)

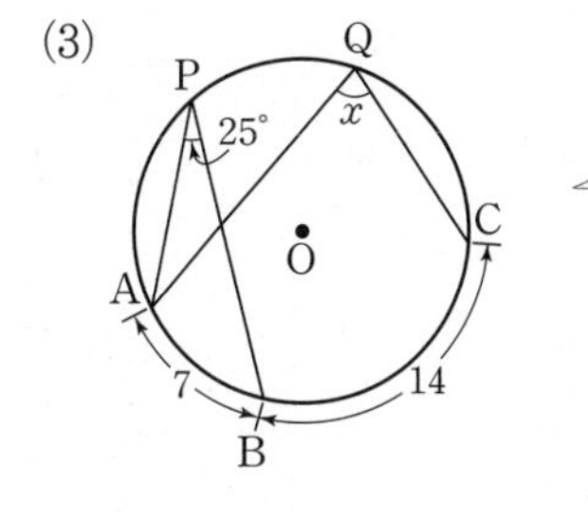

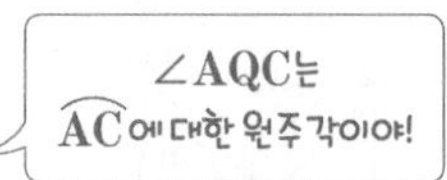

2 다음 그림의 원 O에서 x의 값을 구하시오.

(1)

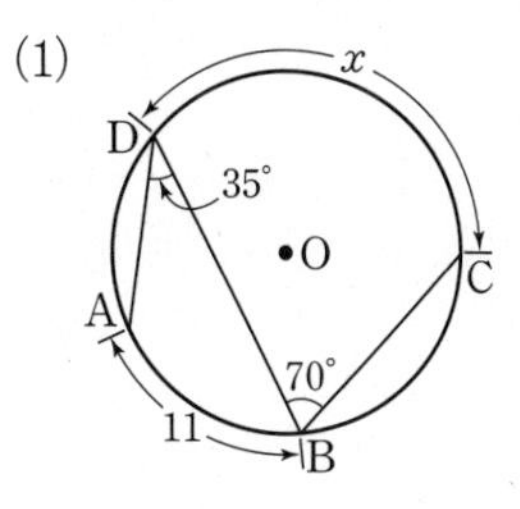

(2)

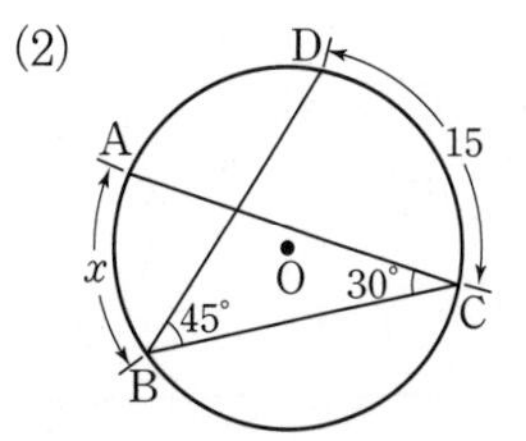

(3)

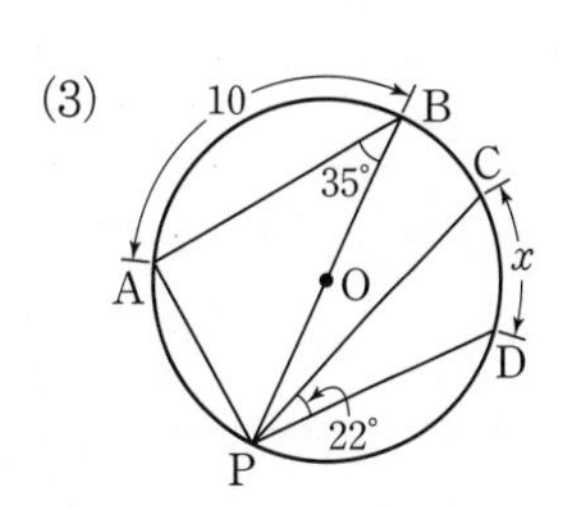

정답과 해설 16쪽

11 네 점이 한 원 위에 있을 조건

다음 보기 중 네 점 A, B, C, D가 한 원 위에 있는 것을 찾으시오.

보기

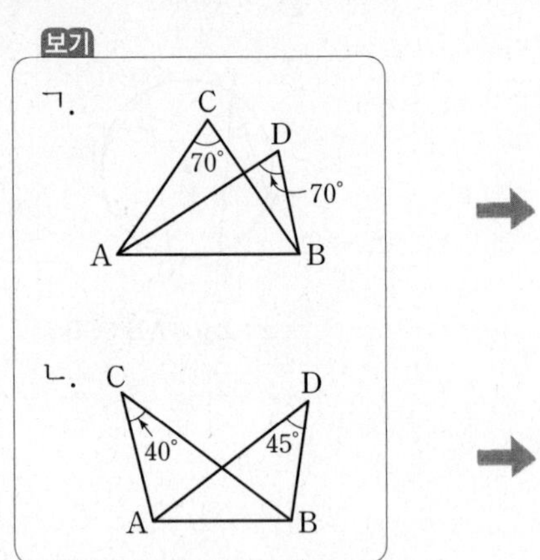

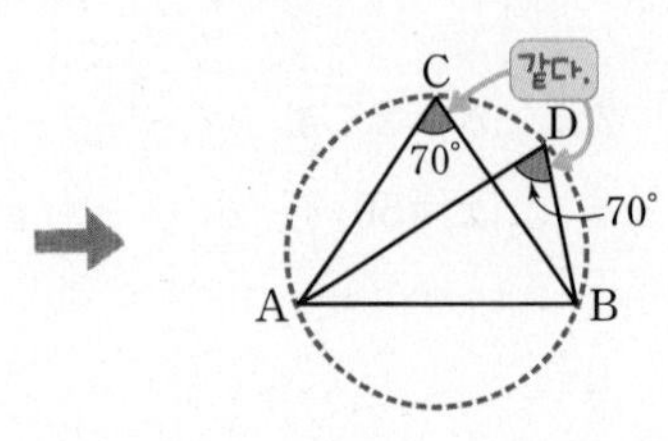

$\overline{AB}$에 대하여 $\angle ACB = \angle ADB$이면 네 점 A, B, C, D는 한 원 위에 있다.

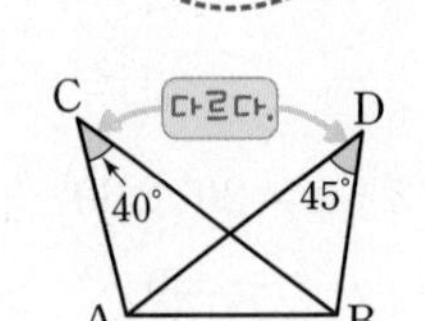

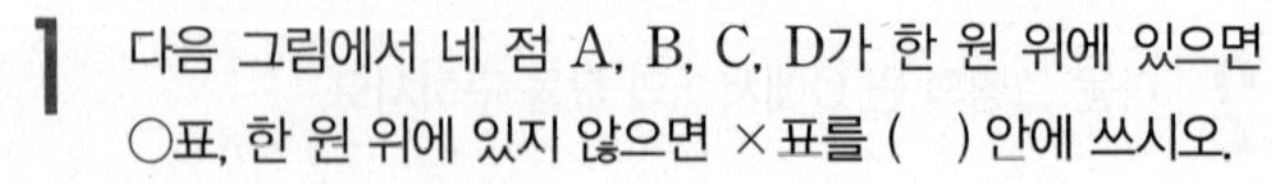

1 다음 그림에서 네 점 A, B, C, D가 한 원 위에 있으면 ○표, 한 원 위에 있지 않으면 ×표를 ( ) 안에 쓰시오.

(1)

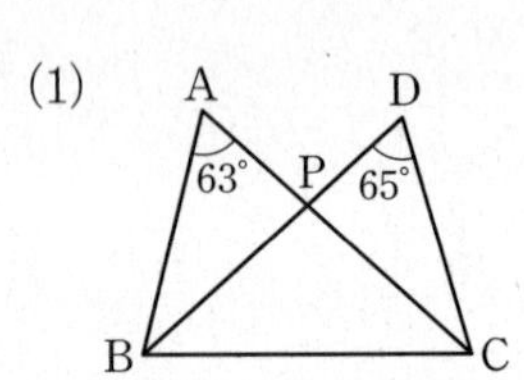

( )

(2)

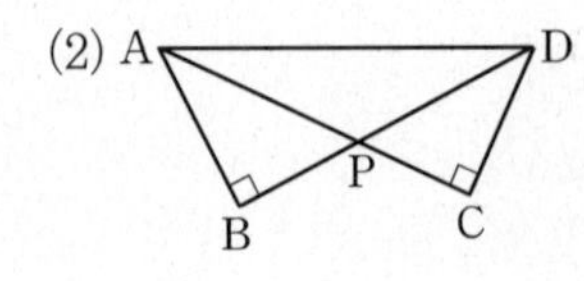

( )

(3)

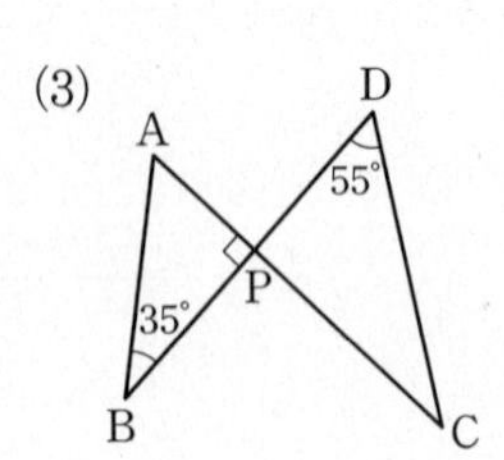

( )

(4)

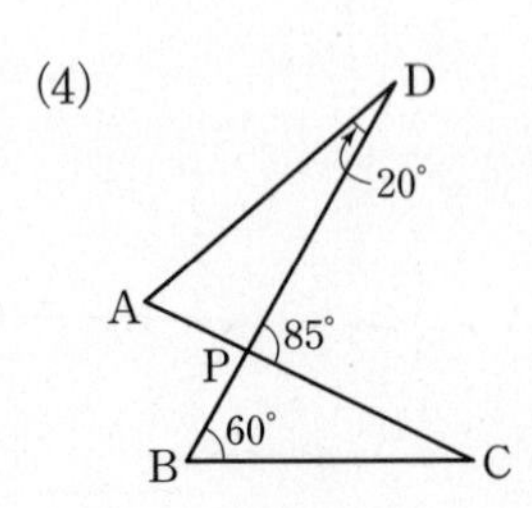

( )

2 다음 그림에서 네 점 A, B, C, D가 한 원 위에 있을 때, $\angle x$의 크기를 구하시오.

(1)

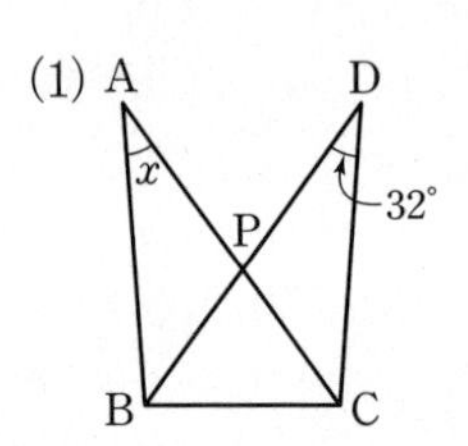

____

(2)

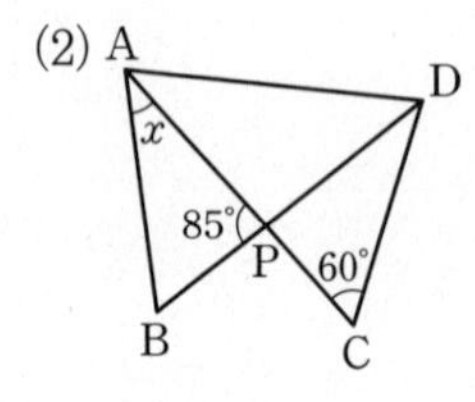

____

(3)

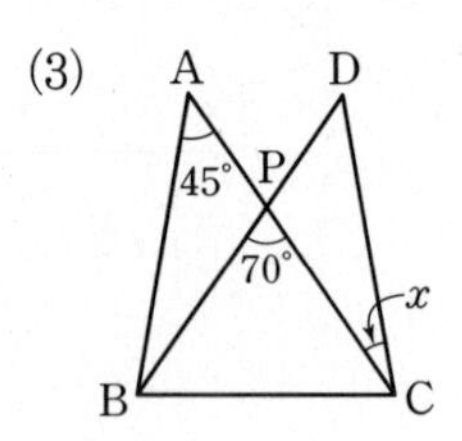

____

(4)

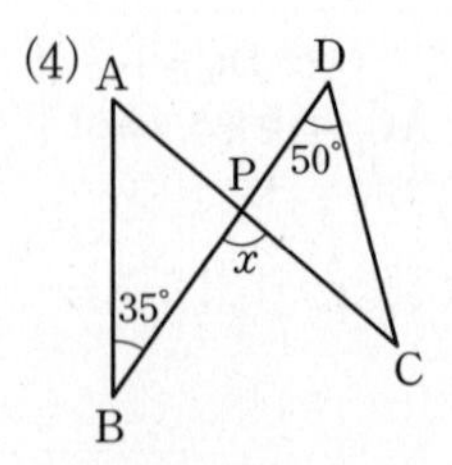

____

12 원에 내접하는 사각형의 성질

다음 그림에서 □ABCD가 원에 내접할 때, $\angle x$, $\angle y$의 크기를 각각 구하시오.

(1)

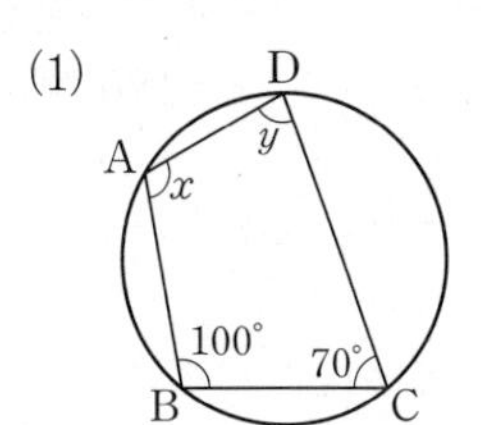

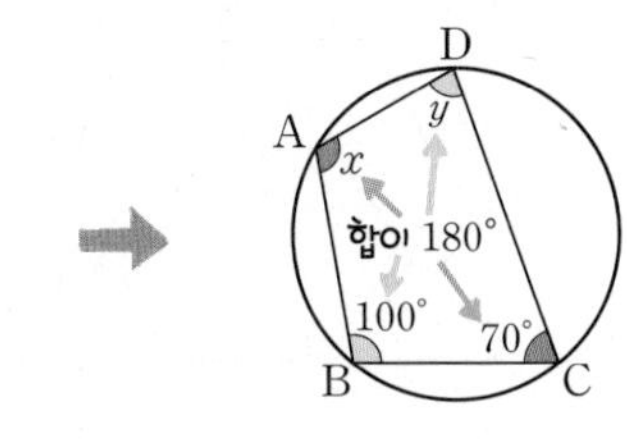

$\angle x+70^\circ=180^\circ$ $\quad\therefore \angle x=110^\circ$

$\angle y+100^\circ=180^\circ$ $\quad\therefore \angle y=80^\circ$

(2)

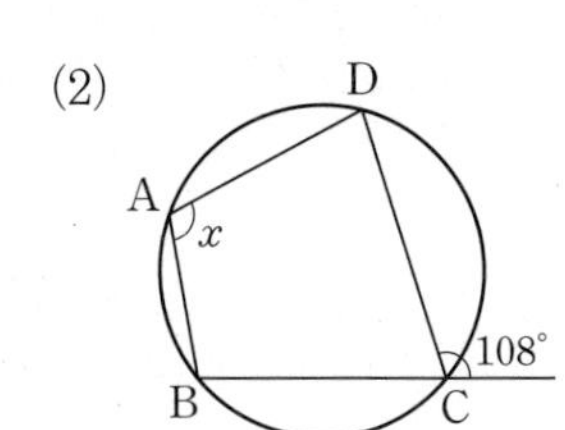

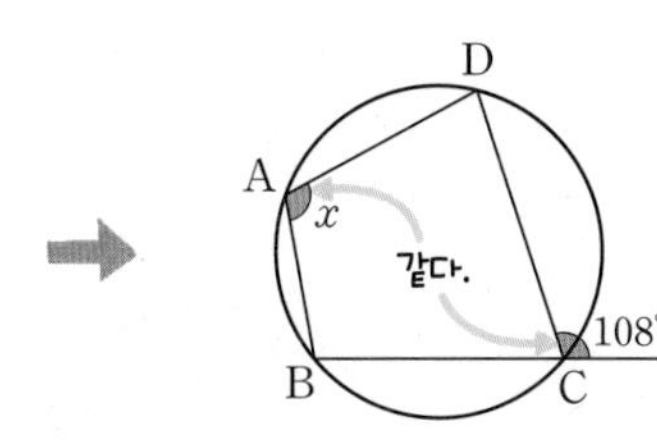

$\angle x=108^\circ$

1

다음 그림에서 □ABCD가 원에 내접할 때, $\angle x$, $\angle y$의 크기를 각각 구하시오.

(1)

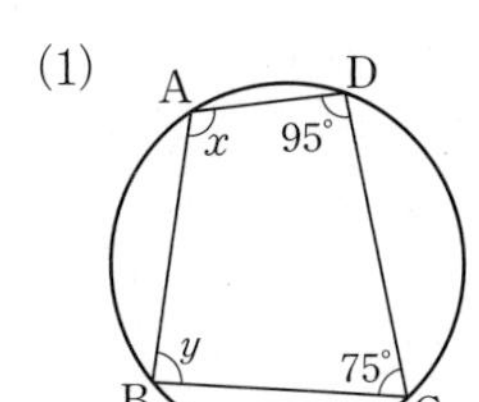

(2)

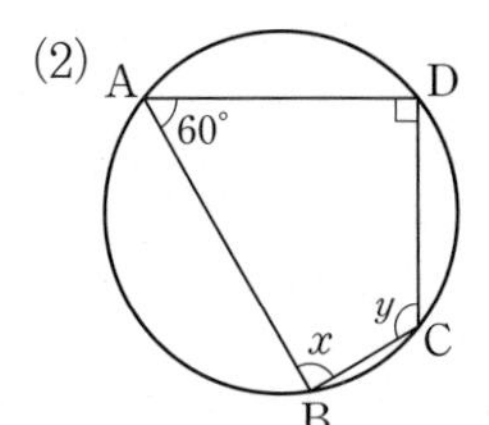

(3)

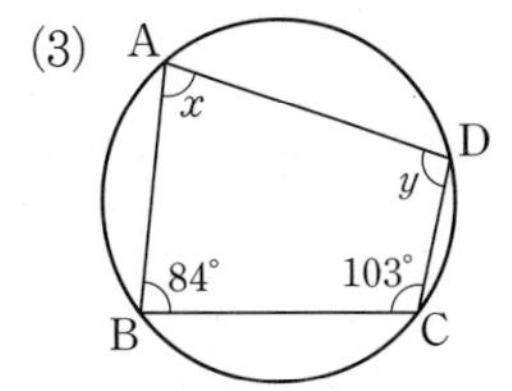

2

다음 그림에서 □ABCD가 원에 내접할 때, $\angle x$의 크기를 구하시오.

(1)

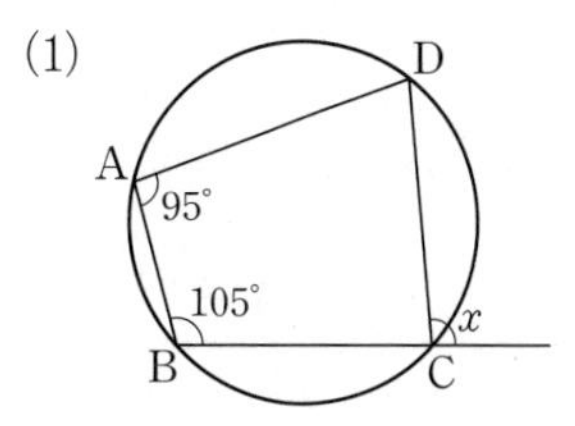

(2)

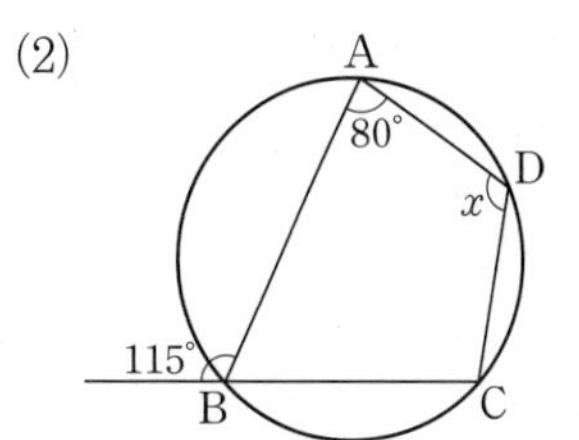

(3)

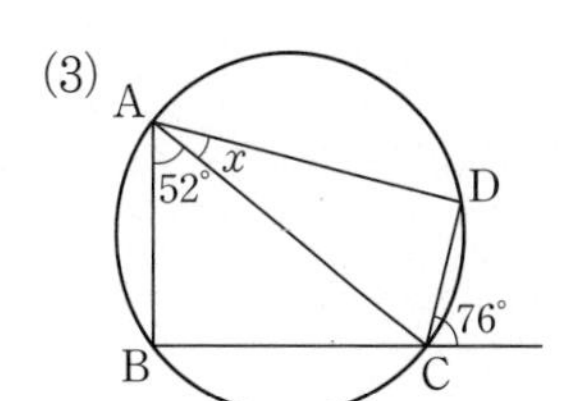

3 다음 그림에서 □ABCD가 원에 내접할 때, $\angle x$, $\angle y$의 크기를 각각 구하시오.

(1)

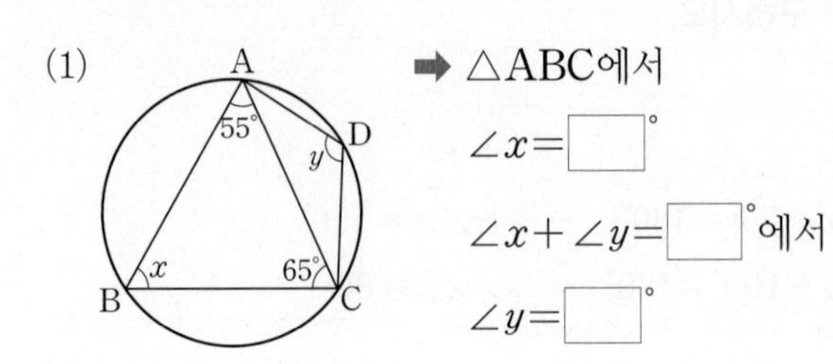

➡ △ABC에서
$\angle x=$ □°
$\angle x+\angle y=$ □°에서
$\angle y=$ □°

(2)

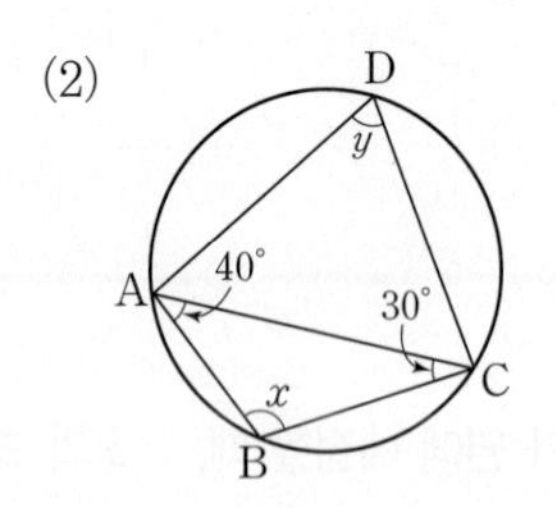

(3)

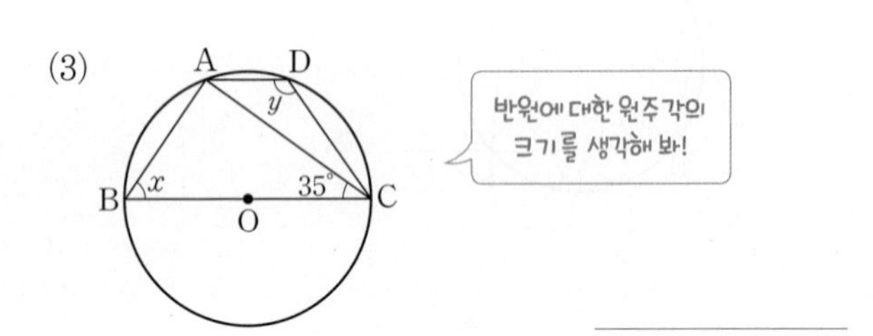
반원에 대한 원주각의
크기를 생각해 봐!

(4)

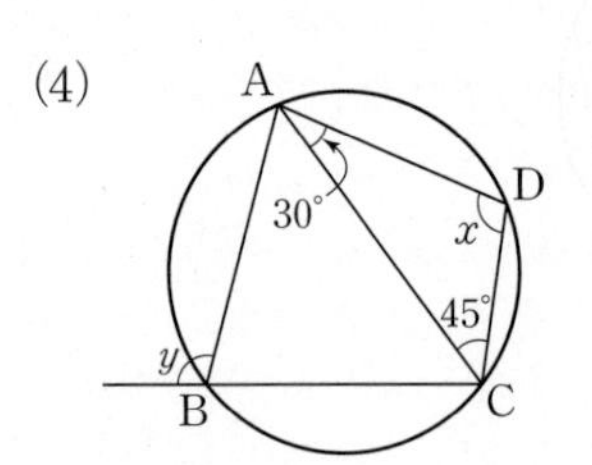

(5)

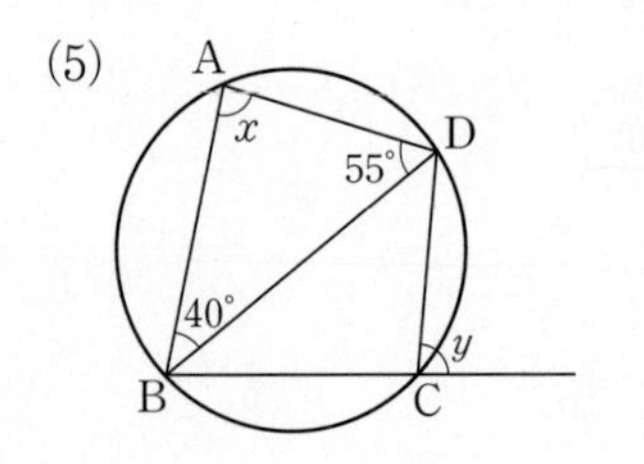

4 다음 그림에서 □ABCD가 원 O에 내접할 때, $\angle x$, $\angle y$의 크기를 각각 구하시오.

(1)

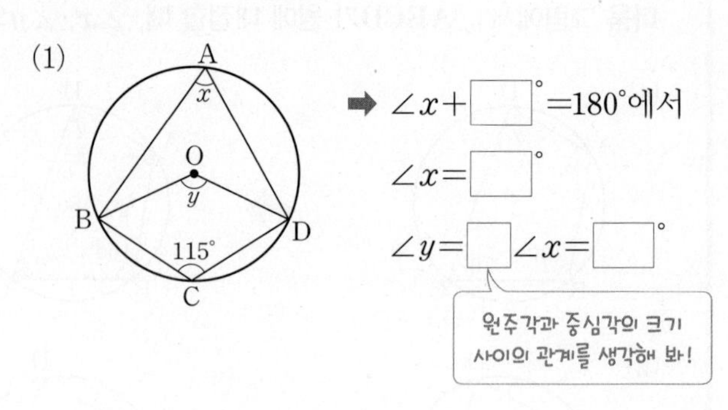

➡ $\angle x+$ □° $=180°$에서
$\angle x=$ □°
$\angle y=$ □ $\angle x=$ □°
원주각과 중심각의 크기
사이의 관계를 생각해 봐!

(2)

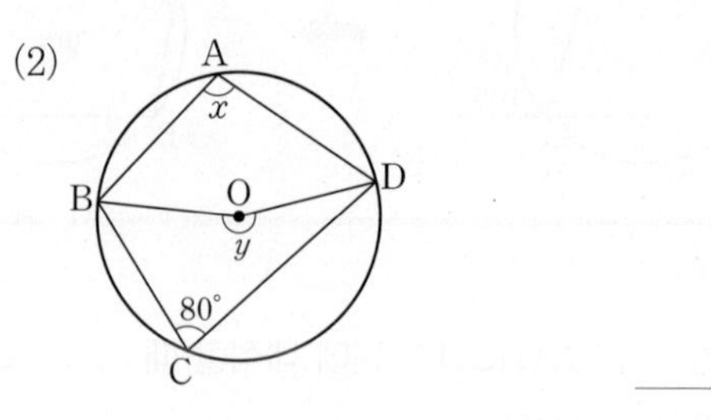

(3)

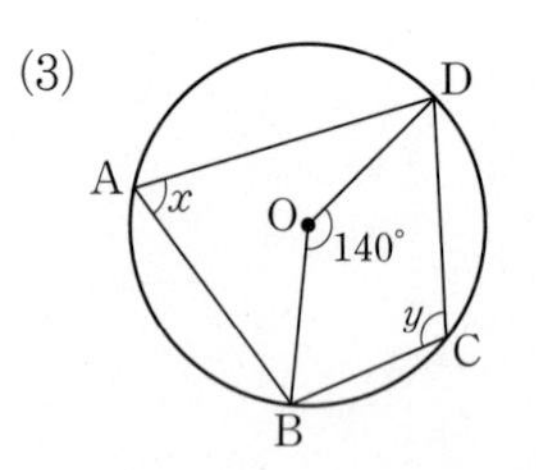

(4)

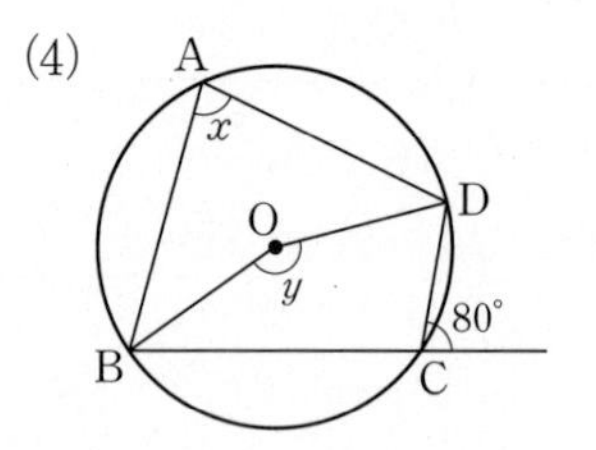

(5)

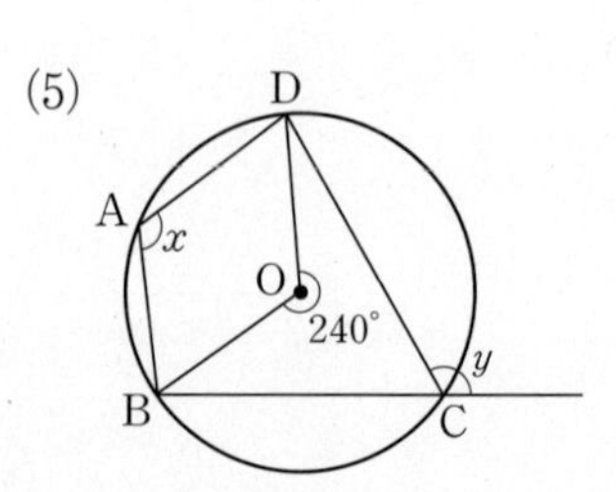

정답과 해설 17쪽

13 사각형이 원에 내접하기 위한 조건

다음 보기 중 □ABCD가 원에 내접하는 것을 찾으시오.

보기

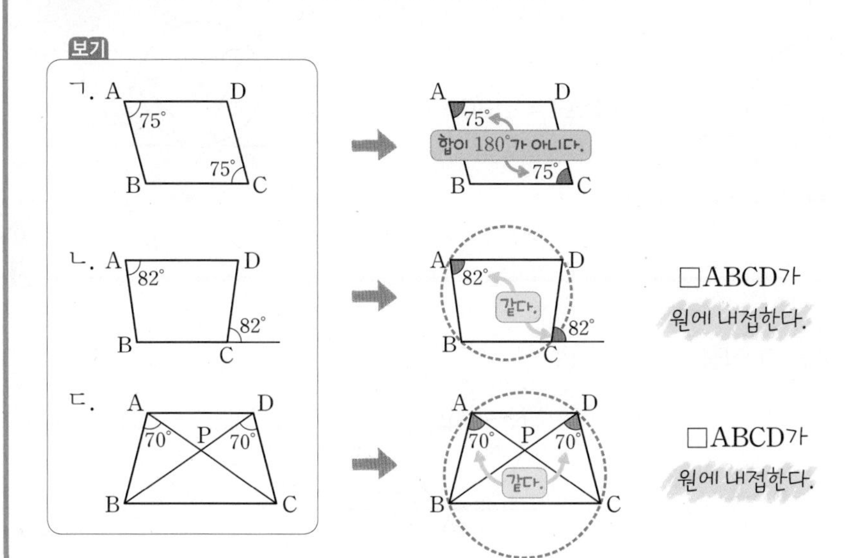

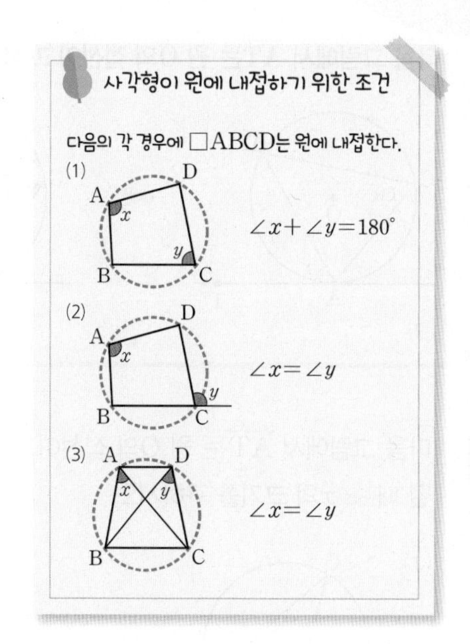

사각형이 원에 내접하기 위한 조건
다음의 각 경우에 □ABCD는 원에 내접한다.
(1)
∠x+∠y=180°
(2)
∠x=∠y
(3)
∠x=∠y

1 다음 그림에서 □ABCD가 원에 내접하면 ○표, 원에 내접하지 않으면 ×표를 ( ) 안에 쓰시오.

(1)

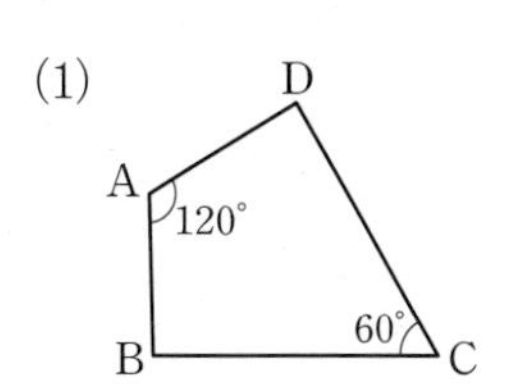

( )

(2) A 80° D 100° B C E

( )

(3)

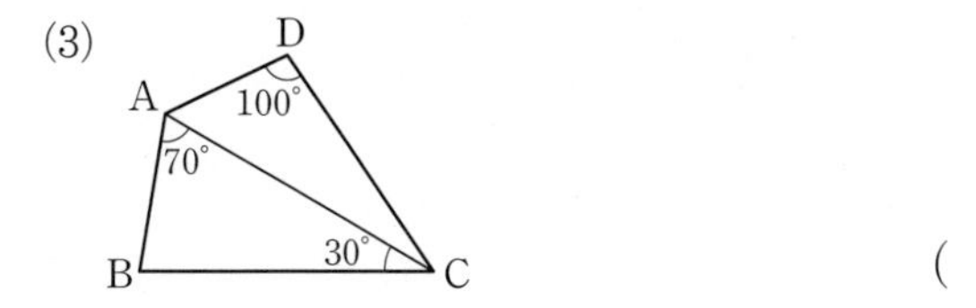

( )

(4)

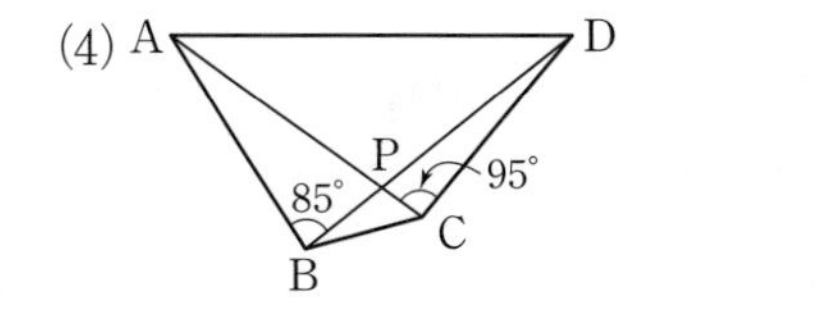

( )

2 다음 그림에서 □ABCD가 원에 내접할 때, $\angle x$의 크기를 구하시오.

(1)

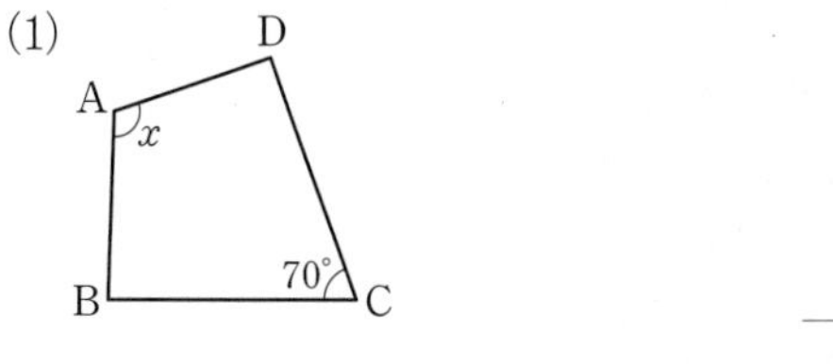

____

(2) A x D 62° 36° B C

____

(3)

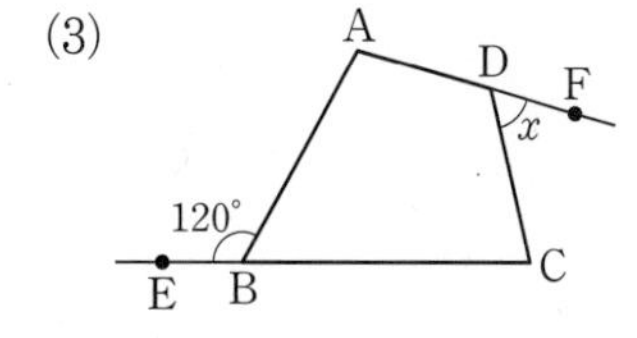

____

(4)

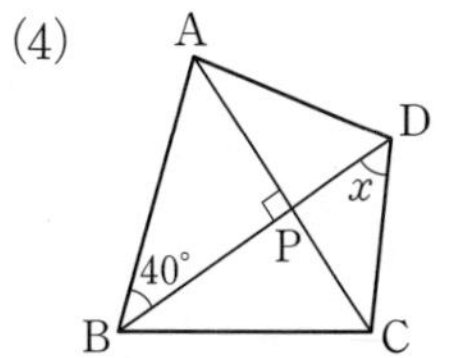

____

개념 익히기

정답과 해설 17쪽

14 접선과 현이 이루는 각

다음 그림에서 $\overleftrightarrow{AT}$는 원 O의 접선이고 점 A는 그 접점일 때, $\angle x$의 크기를 구하시오.

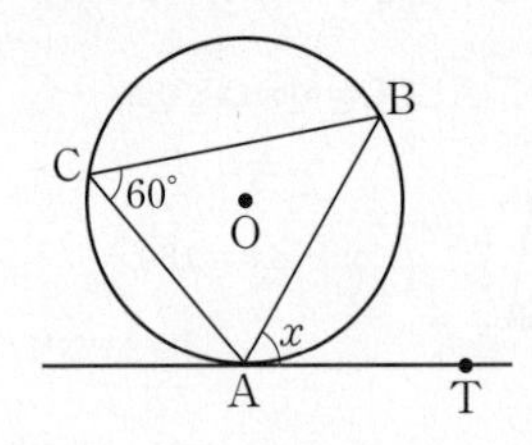

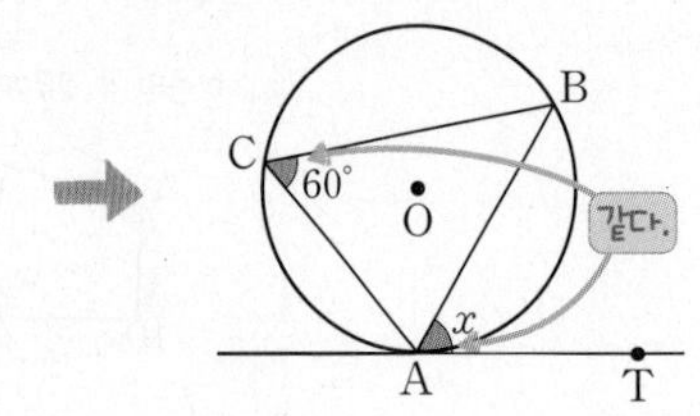

$\angle BAT = \angle BCA$

$\therefore \angle x = 60°$

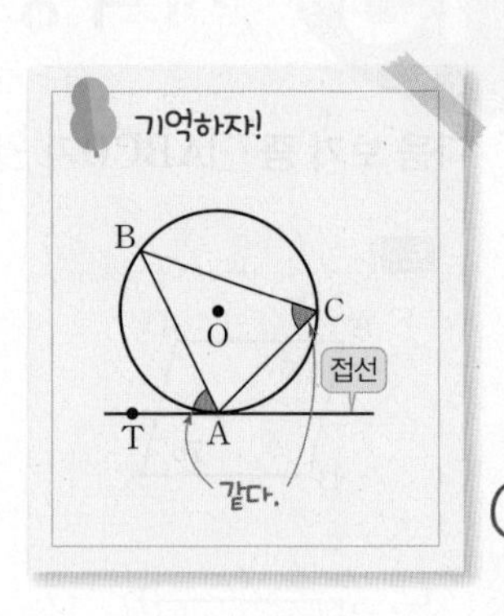

1 다음 그림에서 $\overleftrightarrow{AT}$는 원 O의 접선이고 점 A는 그 접점일 때, $\angle x$의 크기를 구하시오.

(1)

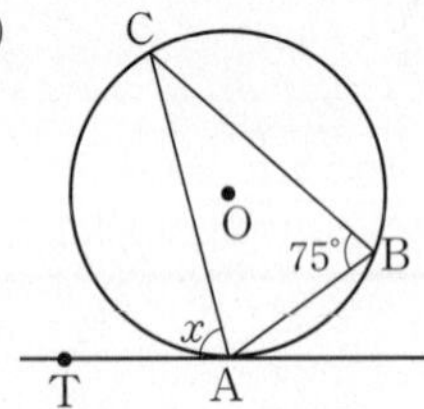

(2)

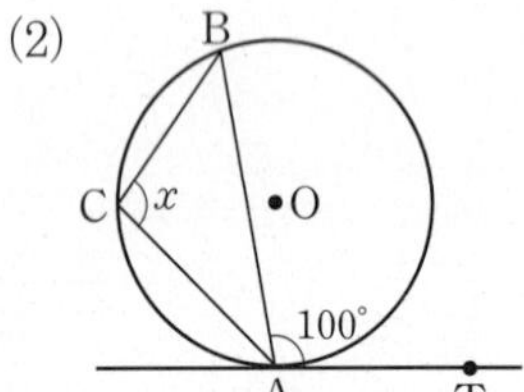

(3)

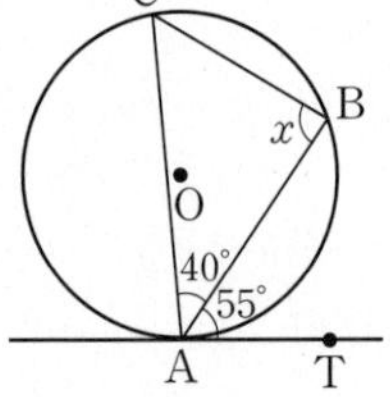

(4)

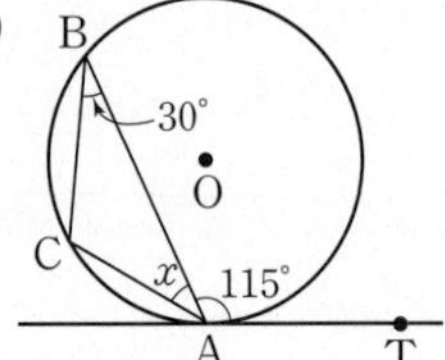

(5)

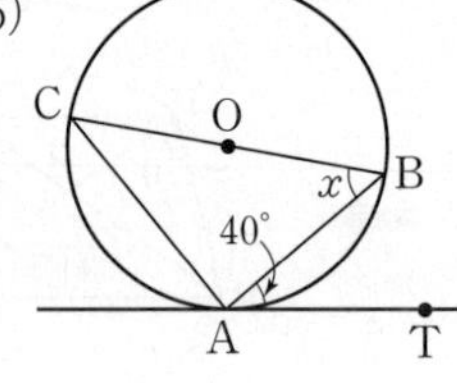

(6)

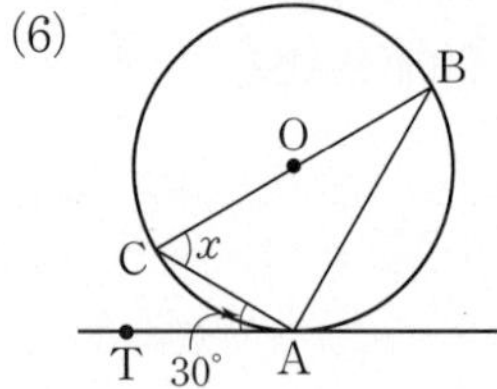

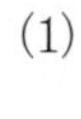

2 다음 그림에서 $\overleftrightarrow{AT}$는 원 O의 접선이고 점 A는 그 접점일 때, $\angle x$의 크기를 구하시오.

(1)

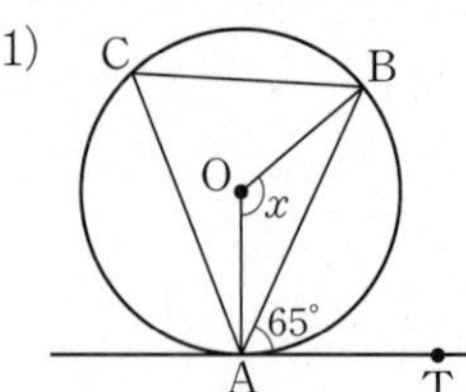

(2)

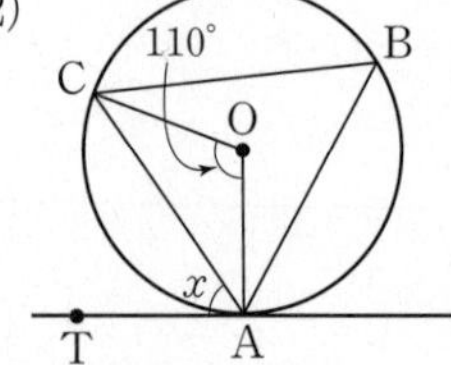

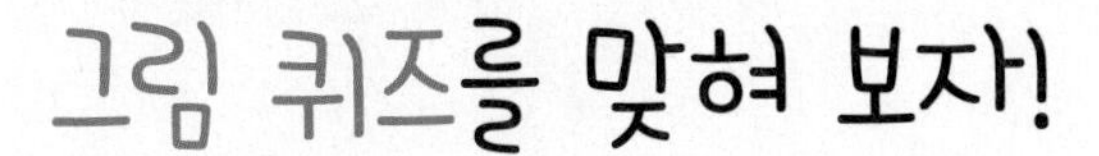

그림 퀴즈를 풀면 창의력과 상상력도 올라가고 재미도 있어.
난센스 퀴즈이지만 정답을 맞히려면 센스가 필요할걸?
친구들과 함께 비슷한 문제를 직접 만들고 풀면 더욱 재미있을 거야!

예제

어느 잘생긴 개가
다른 친구들 사이에서
인기가 많아 보이네.

개가 인기가 많으니...

정답은 개인기!

문제 1

문제 2

정답은 71쪽에 있으니까 끝까지 포기하지 말고 맞혀 봐!

III 통계

1. 대푯값과 산포도
2. 상관관계

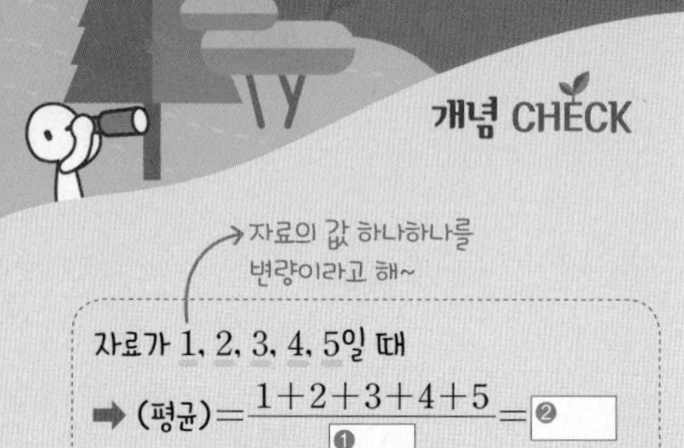

개념 CHECK

자료의 값 하나하나를 변량이라고 해~

자료가 1, 2, 3, 4, 5일 때

➡ (평균)$=\dfrac{1+2+3+4+5}{❶\square}=$❷$\square$

- 자료가 1, 3, 5, 7, 9일 때
  ➡ (중앙값)$=$❸$\square$
- 자료가 1, 3, 5, 7, 9, 11일 때
  ➡ (중앙값)$=\dfrac{5+❹\square}{2}=$❺$\square$

- 자료가 1, 2, 3, 4, 4, 5일 때
  ➡ (최빈값)$=$❻$\square$
- 자료가 1, 1, 2, 3, 3, 4일 때
  ➡ (최빈값)$=1,$ ❼$\square$

자료가 5, 6, 7, 8, 9일 때

➡ 평균이 7이므로

(6의 편차)$=$❽$\square-7=$❾$\square$

(8의 편차)$=8-$❿$\square=$⓫$\square$

III·1 대푯값과 산포도

❶ 대푯값

자료 전체의 중심 경향이나 특징을 대표적으로 나타내는 값을 그 자료의 대푯값이라 한다. 대푯값으로는 평균, 중앙값, 최빈값 등이 있다.

(1) **평균:** 자료의 변량의 총합을 변량의 개수로 나눈 값 (변량: 자료를 수량으로 나타낸 것)

➡ $(\text{평균})=\dfrac{(\text{변량의 총합})}{(\text{변량의 개수})}$

(2) **중앙값:** 자료의 변량을 작은 값부터 크기순으로 나열할 때, 한가운데 있는 값

① 변량의 개수가 홀수이면 한가운데 있는 하나의 값이 중앙값이다.

② 변량의 개수가 짝수이면 한가운데 있는 두 값의 평균이 중앙값이다.

(3) **최빈값:** 자료의 변량 중에서 가장 많이 나타난 값

① 가장 많이 나타난 변량이 한 개 이상 있으면 그 변량들이 모두 최빈값이다.

평균, 중앙값은 값이 하나뿐이지만 최빈값은 여러 개일 수도 있어!

② 좋아하는 색, 혈액형 등 수량이 아닌 자료에서도 최빈값을 구할 수 있다.

참고 **대푯값의 특징**

- 대푯값으로 가장 많이 사용되는 것은 평균이다.
- 자료에 극단적인 값이 있는 경우, 대푯값으로 평균보다 중앙값이 더 적절하다.
  (극단적인 값: 다른 변량에 비해 매우 크거나 매우 작은 값)
- 가장 많이 나타난 값이 필요한 경우, 대푯값으로 최빈값이 적절하다.

❷ 산포도

자료의 분포 상태를 알기 위해 변량이 흩어져 있는 정도를 하나의 수로 나타낸 값을 산포도라 한다. 산포도로는 분산, 표준편차 등이 있다.

(1) **편차:** 어떤 자료가 있을 때, 각 변량에서 평균을 뺀 값

➡ $(\text{편차})=(\text{변량})-(\text{평균})$ ← 편차는 주어진 자료와 같은 단위를 써~

① 편차의 총합은 항상 0이다.

② 변량이 평균보다 크면 그 편차는 양수이고, 평균보다 작으면 그 편차는 음수이다.

(2) **분산:** 어떤 자료의 편차의 제곱의 평균

➡ $(\text{분산})=\dfrac{\{(\text{편차})^2\text{의 총합}\}}{(\text{변량의 개수})}$ ← 분산은 단위를 쓰지 않아~

(3) **표준편차:** 분산의 음이 아닌 제곱근

➡ $(\text{표준편차})=\sqrt{(\text{분산})}$ ← 표준편차는 주어진 자료와 같은 단위를 써~

예 자료가 2, 4, 6, 8일 때, 분산과 표준편차는 다음과 같은 순서로 구한다.

❶ 평균 구하기	$(\text{평균})=\frac{2+4+6+8}{4}=5$
❷ 각 변량의 편차 구하기	각 변량에서 5를 빼면 $-3,\ -1,\ 1,\ 3$
❸ $(\text{편차})^2$의 총합 구하기	$\{(\text{편차})^2\text{의 총합}\}=(-3)^2+(-1)^2+1^2+3^2=20$
❹ 분산 구하기	$(\text{분산})=\frac{\{(\text{편차})^2\text{의 총합}\}}{(\text{변량의 개수})}=\frac{20}{4}=5$
❺ 표준편차 구하기	$(\text{표준편차})=\sqrt{(\text{분산})}=\sqrt{5}$

참고 **자료의 분석**

변량들이 대푯값을 중심으로 ① 모여 있을수록 산포도는 작다. ➡ 분포 상태가 고르다.

② 멀리 흩어져 있을수록 산포도는 크다. ➡ 분포 상태가 고르지 않다.

(산포도: 분산 또는 표준편차)

예 다음 그래프는 어느 식당에 방문한 두 모둠의 학생들의 만족도를 각각 나타낸 것이다.

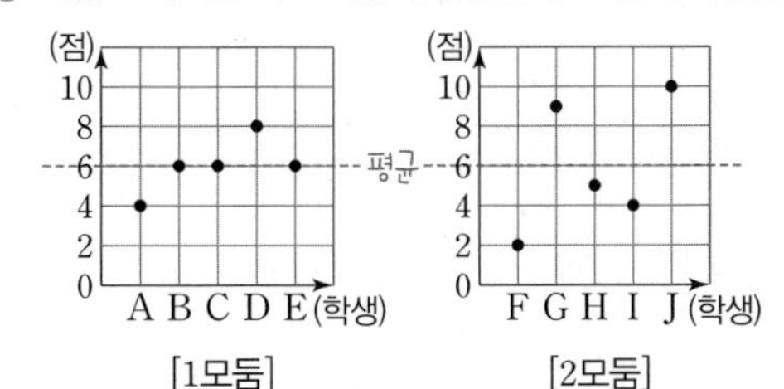

이때 1모둠의 변량들이 2모둠에 비해 평균 가까이에 더 모여 있으므로

1모둠이 ┌ 산포도가 더 작다.
　　　　└ 분포 상태가 더 고르다.

Ⅲ-2 상관관계

❶ 산점도

두 변량 사이의 관계를 알기 위해 두 변량 x, y의 순서쌍 $(x,\ y)$를 좌표평면 위에 나타낸 그림을 두 변량 x, y의 산점도라 한다.

❷ 상관관계

두 변량 x, y에 대하여 x의 값이 변함에 따라 y의 값이 변하는 경향이 있을 때, 이 두 변량 x, y 사이의 관계를 상관관계라 한다.

(1) 양의 상관관계: x의 값이 증가함에 따라 y의 값도 대체로 증가하는 경향이 있는 관계

(2) 음의 상관관계: x의 값이 증가함에 따라 y의 값이 대체로 감소하는 경향이 있는 관계

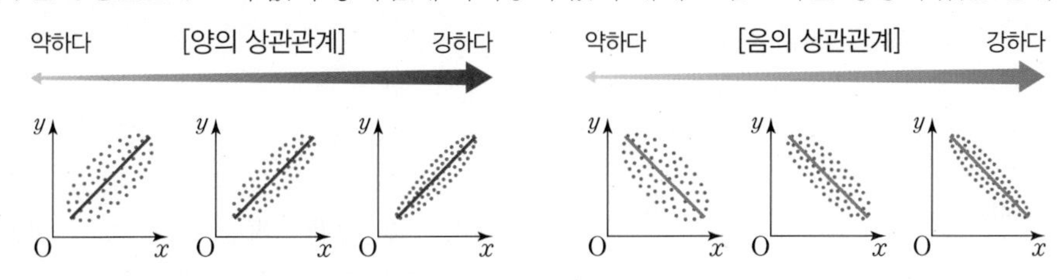

참고 두 변량 사이에 양 또는 음의 상관관계가 있는 산점도에서

- 점들이 한 직선 가까이에 모여 있을수록 ➡ 상관관계가 강하다.
- 점들이 한 직선에서 멀리 흩어져 있을수록 ➡ 상관관계가 약하다.

(3) 상관관계가 없다.: x의 값이 증가함에 따라 y의 값이 증가하는지 감소하는지 분명하지 않은 경우

이런 모양 외에도 양 또는 음의 상관관계가 없으면 상관관계가 없는 거야!

개념 CHECK

다음 그림은 학생 8명의 키와 몸무게에 대한 산점도이다.

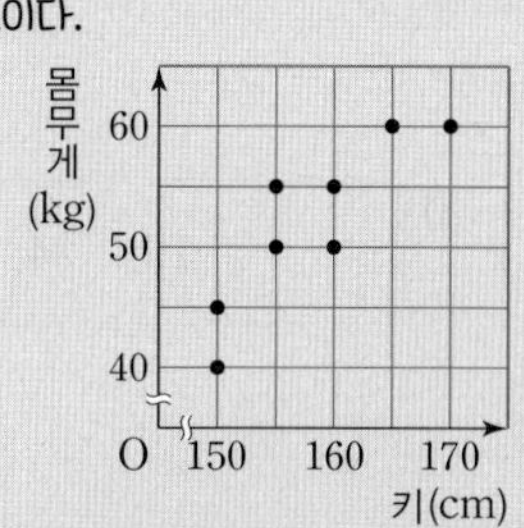

- 키가 가장 큰 학생의 몸무게는 ⓬ ☐ kg이다.
- 키가 몸무게 사이에는 ⓭ ☐ 의 상관관계가 있다.

정답

❶ 5 ❷ 3 ❸ 5 ❹ 7
❺ 6 ❻ 4 ❼ 3 ❽ 6
❾ −1 ❿ 7 ⓫ 1 ⓬ 60
⓭ 양

정답과 해설 18쪽

개념 익히기

1 평균

다음 자료의 평균을 구하시오.

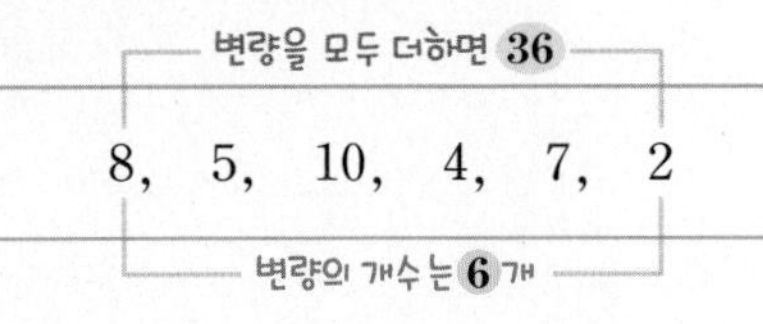

➡ (평균)$=\frac{36}{6}=$**6**

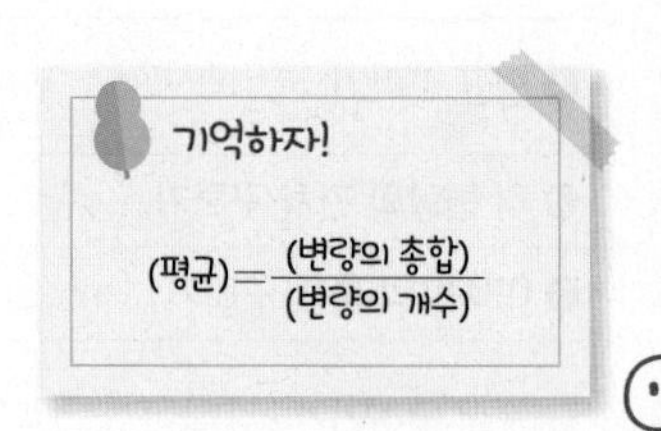

1 다음 자료의 평균을 구하시오.

(1) 3, 4, 4, 5, 9

➡ (평균)$=\frac{3+4+4+5+9}{\square}=\square$

(2) 2, 5, 7, 7, 8, 10

(3) 15, 24, 18, 20, 22, 21

(4) 10, 20, 30, 40, 50, 60, 70

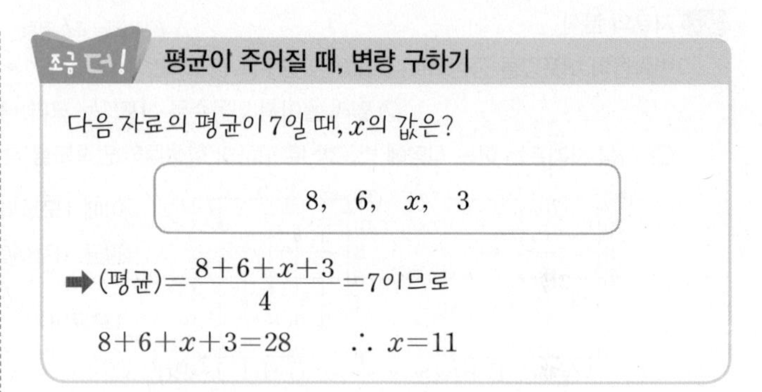

2 다음 자료의 평균이 [ ] 안의 수와 같을 때, x의 값을 구하시오.

(1) x, 14, 7, 5 [8]

(2) 13, 6, 12, x, 10 [10]

(3) 35, 40, 50, 60, 30, x [45]

2 중앙값

다음 자료의 중앙값을 구하시오.

(1) 3, 1, 5, 4, 2 → 작은 값부터 크기순으로! → 1, 2, 3, 4, 5 (홀수 개) → 한가운데 있는 값은? → 3

(2) 9, 6, 8, 7, 11, 10 → 작은 값부터 크기순으로! → 6, 7, 8, 9, 10, 11 (짝수 개) → 한가운데 있는 두 값의 평균은? → $\frac{8+9}{2}=8.5$

1 다음 자료의 중앙값을 구하시오.

(1)

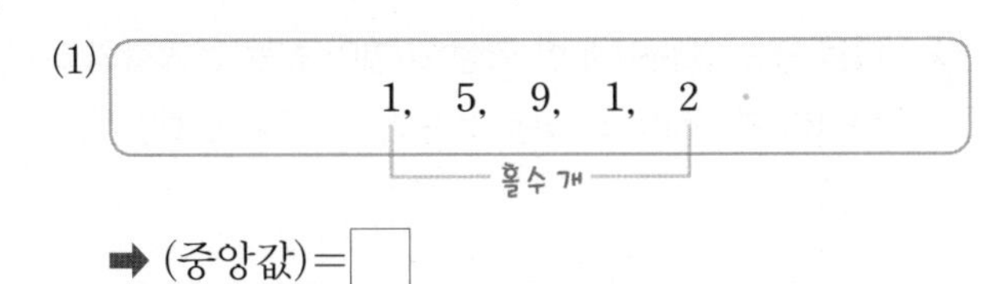

➡ (중앙값)=□

(2)

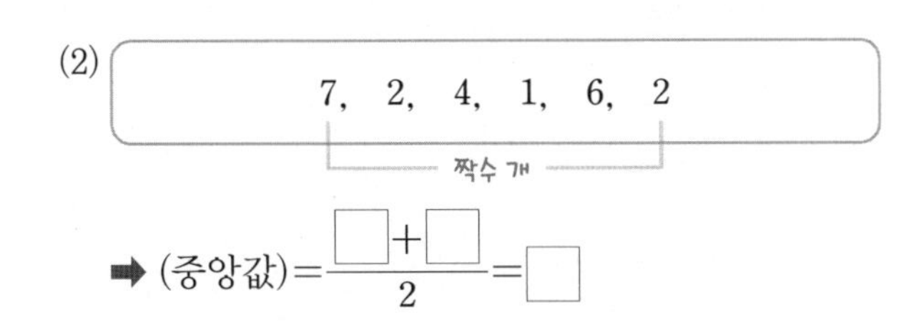

➡ (중앙값)=$\frac{\square+\square}{2}$=□

(3) 15, 20, 14, 13, 18

____

(4) 9, 4, 7, 3, 6, 8

____

(5) 4, 7, 4, 11, 3, 6, 9

____

(6) 10, 7, 7, 20, 15, 9, 15, 12

____

조금 더! 중앙값이 주어질 때, 변량 구하기

다음은 자료의 변량을 작은 값부터 크기순으로 나열한 것이다. 이 자료의 중앙값이 6일 때, x의 값은?

3, 5, x, 9

└ 두 값의 평균이 6이야!

➡ (중앙값)=$\frac{5+x}{2}$=6이므로 $5+x=12$ ∴ $x=7$

2 다음은 자료의 변량을 작은 값부터 크기순으로 나열한 것이다. 이 자료의 중앙값이 [ ] 안의 수와 같을 때, x의 값을 구하시오.

(1) 2, x, 7, 18 [5]

____

(2) 1, 5, x, 12 [8]

____

(3) 3, 4, x, 13, 13, 16 [10]

____

3 최빈값

다음 자료의 최빈값을 구하시오.

(1) 2, 7, 6, 2, 4, 2 ➡ 2, 7, 6, 2, 4, 2 (3개) → 가장 많이 나타난 값은? → 2

(2) 1, 6, 5, 8, 1, 5 ➡ 1, 6, 5, 8, 1, 5 (2개, 2개) → 가장 많이 나타난 값은? → 1, 5

1 다음 자료의 최빈값을 구하시오.

(1) 5, 8, 6, 8, 8, 9, 6

(2) 44, 33, 66, 55, 77, 44, 55, 66

(3) 90, 105, 100, 95, 95, 100, 110, 100

(4) 소, 돼지, 닭, 소, 말, 토끼, 곰, 쥐

2 다음 표는 예린이네 반 학생 20명이 신는 운동화의 크기를 하나씩 조사하여 나타낸 것이다. 이 자료의 최빈값을 구하시오.

크기(mm)	230	240	250	260
학생 수(명)	7	3	4	6

3 다음 표는 승환이네 반 학생 30명이 사용하는 USB의 용량을 하나씩 조사하여 나타낸 것이다. 이 자료의 최빈값을 구하시오.

용량(GB)	4	8	16	32
학생 수(명)	8	4	9	9

4 다음 표는 어느 분식집에서 손님 52명이 주문한 음식을 하나씩 조사하여 나타낸 것이다. 이 자료의 최빈값을 구하시오.

음식	떡볶이	순대	튀김	김밥	라면
손님 수(명)	13	10	14	8	7

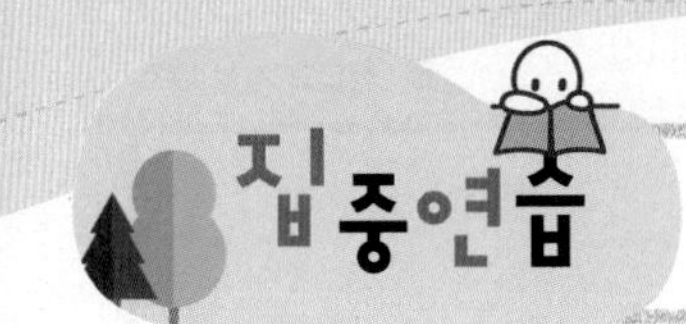

대푯값 구하기

정답과 해설 19쪽

1 아래 줄기와 잎 그림은 어느 농구 선수가 지난 10회의 경기에서 얻은 점수를 조사하여 그린 것이다. 주어진 변량을 작은 값부터 크기순으로 나열하고, 다음을 구하시오.

득점 (0|7은 7점)

줄기	잎
0	7 8 9
1	2 5 7 7
2	0 1 4

변량을 작은 값부터 크기순으로 나열하면

(단위: 점)

7, 8, ________________

(1) 평균 ________

(2) 중앙값 ________

(3) 최빈값 ________

2 아래 줄기와 잎 그림은 어느 동호회 회원 11명의 나이를 조사하여 그린 것이다. 다음을 구하시오.

회원의 나이 (1|4는 14세)

줄기	잎
1	4 6 9
2	0 4 6 6 7
3	0 1 1

(1) 평균 ________

(2) 중앙값 ________

(3) 최빈값 ________

3 다음 자료는 효섭이네 반 학생 7명이 보름 동안 인터넷을 사용한 시간을 조사한 것이다. 물음에 답하시오.

(단위: 시간)

9, 17, 11, 94, 19, 11, 14

(1) 평균을 구하시오. ________

(2) 중앙값을 구하시오. ________

(3) 최빈값을 구하시오. ________

(4) 평균, 중앙값 중에서 이 자료의 대푯값으로 적절한 것을 말하시오. ________

4 다음 자료는 지은이의 친구 10명이 어느 해 설날에 받은 세뱃돈을 조사한 것이다. 가장 많은 친구들이 받은 금액으로 지은이의 세뱃돈을 정한다고 할 때, 물음에 답하시오.

(단위: 만 원)

5, 2, 3, 5, 5, 3, 10, 1, 5, 2

(1) 평균을 구하시오. ________

(2) 중앙값을 구하시오. ________

(3) 최빈값을 구하시오. ________

(4) 평균, 중앙값, 최빈값 중에서 이 자료의 대푯값으로 적절한 것을 말하시오. ________

정답과 해설 19쪽

4 편차

다음 자료의 평균이 5일 때, 각 변량의 편차를 구하시오.

변량	8	5	6	4	2	합
편차	$8-5=3$	$5-5=0$	$6-5=1$	$4-5=-1$	$2-5=-3$	0

(편차)=(변량)−(평균)이니까 빼는 순서에 주의하자!

$3+0+1+(-1)+(-3)=0$

편차의 총합은 항상 0 이야!

1 다음 자료의 평균이 아래와 같을 때, 표를 완성하시오.

(1) 평균: 6

변량	4	6	9	5
편차	−2			

(2) 평균: 14

변량	17	10	14	19	10
편차					

(3) 평균: 30

변량	27	37	32	25	29
편차					

(4) 평균: 7

(편차)=(변량)−(평균)이므로
(변량)=(평균)+(편차)

변량	8			
편차	1	−1	2	−2

(5) 평균: 85

변량						
편차	5	−10	−5	0	15	−5

2 다음 자료의 평균을 구하고, 표를 완성하시오.

(1) (평균)=$\frac{7+4+6+3}{\square}=\square$

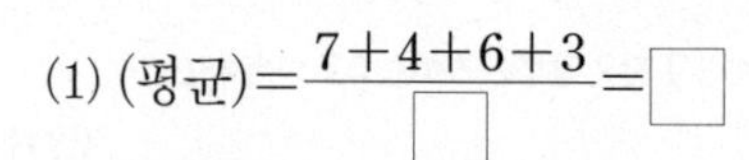

변량	7	4	6	3
편차				

(2) 평균: ______

변량	18	11	16	22	13
편차					

(3) 평균: ______

변량	5	15	25	35	45
편차					

(4) 평균: ______

변량	35	45	55	70	80	75
편차						

조금 더! 편차의 총합

어떤 자료의 편차가 다음과 같을 때, x의 값은?

$-3, \quad 0, \quad x, \quad 5$

➡ 편차의 총합은 0이므로

$-3+0+x+5=0 \qquad \therefore x=-2$

3 어떤 자료의 편차가 다음과 같을 때, x의 값을 구하시오.

(1) $x, \quad -10, \quad 6, \quad 1$

(2) $-5, \quad x, \quad -1, \quad 13$

(3) $8, \quad 7, \quad -11, \quad x, \quad -1, \quad 5$

(4) $9, \quad 2, \quad -10, \quad 5, \quad -16, \quad x$

4 다음 표는 학생 4명의 수학 점수의 편차를 나타낸 것이다. 수학 점수의 평균이 82점일 때, 지호의 수학 점수를 구하려고 한다. 물음에 답하시오.

학생	지훈	태일	지호	재효
편차(점)	-3	1	x	10

(1) x의 값을 구하시오.

(2) 지호의 수학 점수를 구하시오.

→ (평균)+(편차)

5 다음 표는 학생 5명의 키의 편차를 나타낸 것이다. 키의 평균이 163 cm일 때, 태형이의 키를 구하시오.

학생	태형	남준	윤기	석진	정국
편차(cm)	x	5	2	-1	0

6 다음 표는 학생 5명이 1학기 동안 읽은 책의 수의 편차를 나타낸 것이다. 읽은 책의 수의 평균이 8권일 때, 슬기가 읽은 책의 수를 구하시오.

학생	주현	승완	수영	예림	슬기
편차(권)	-7	0	4	1	x

개념 익히기

정답과 해설 20쪽

5 분산과 표준편차

자료가 5, 3, 4, 7, 11일 때, 분산과 표준편차를 구하시오.

❶ 평균	$(\text{평균})=\frac{5+3+4+7+11}{5}=6$
❷ 각 변량의 편차	$-1,\ -3,\ -2,\ 1,\ 5$
❸ (편차)^{2}의 총합	$(-1)^2+(-3)^2+(-2)^2+1^2+5^2=40$
❹ 분산	$(\text{분산})=\frac{\{(\text{편차})^2\text{의 총합}\}}{(\text{변량의 개수})}=\frac{40}{5}=8$
❺ 표준편차	$(\text{표준편차})=\sqrt{(\text{분산})}=\sqrt{8}=2\sqrt{2}$

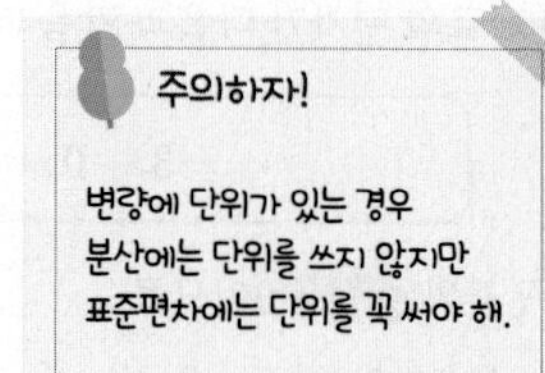

주의하자!
변량에 단위가 있는 경우
분산에는 단위를 쓰지 않지만
표준편차에는 단위를 꼭 써야 해.

1 어떤 자료의 편차가 아래와 같을 때, 분산과 표준편차를 구하려고 한다. 다음을 구하시오.

$-3,\ 0,\ 4,\ -2,\ 1$

(1) (편차)^{2}의 총합 ________

(2) 분산 ← (편차)^{2}의 평균 ________

(3) 표준편차 ← $\sqrt{(\text{분산})}$ ________

2 다음은 혜진이네 반 학생 5명의 몸무게의 편차를 나타낸 것이다. 이 학생들의 몸무게의 분산과 표준편차를 각각 구하시오.

(단위: kg)

$6,\ -1,\ -3,\ 0,\ -2$

분산: ________

표준편차: ________

3 어떤 자료의 편차가 아래와 같을 때, 분산과 표준편차를 구하려고 한다. 다음을 구하시오.

$x,\ 3,\ -4,\ 5,\ -1$

(1) x의 값 ← 편차의 총합은 0임을 이용하자! ________

(2) 분산 ________

(3) 표준편차 ________

4 다음은 어느 지역의 6일 동안 정오 기온의 편차를 나타낸 것이다. 이때 정오 기온의 분산과 표준편차를 각각 구하시오.

(단위: °C)

$4,\ -6,\ 1,\ x,\ -5,\ 3$

분산: ________

표준편차: ________

5 아래 자료에 대하여 다음과 같은 순서로 분산과 표준편차를 구하시오.

(1)

2, 6, 4, 3, 5

❶ 평균	
❷ 각 변량의 편차	
❸ $(편차)^2$의 총합	
❹ 분산	
❺ 표준편차	

(2)

5, 13, 10, 11, 19, 14

❶ 평균	
❷ 각 변량의 편차	
❸ $(편차)^2$의 총합	
❹ 분산	
❺ 표준편차	

6 다음 자료는 명일이가 5회에 걸쳐 실시한 턱걸이 횟수를 조사한 것이다. 턱걸이 횟수의 분산과 표준편차를 각각 구하시오.

(단위: 회)

8, 10, 9, 12, 11

분산: ____________

표준편차: ____________

7 다음 자료는 도영이네 반 학생 6명의 일주일 동안의 운동 시간을 조사한 것이다. 이 학생들의 운동 시간의 분산과 표준편차를 각각 구하시오.

(단위: 시간)

9, 3, 7, 10, 3, 4

분산: ____________

표준편차: ____________

8 다음 자료는 농구 선수 6명이 한 농구 경기에서 얻은 점수를 조사한 것이다. 이 선수들이 얻은 점수의 분산과 표준편차를 각각 구하시오.

(단위: 점)

17, 16, 14, 18, 12, 19

분산: ____________

표준편차: ____________

개념 익히기

6 자료의 분석

오른쪽 표는 어느 중학교 두 반의 수학 성적의 평균과 표준편차를 나타낸 것이다. 다음을 구하시오.

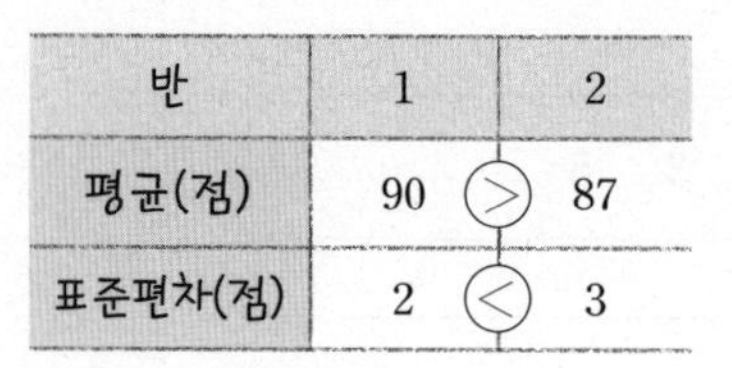

반	1	2
평균(점)	90	87
표준편차(점)	2	3

(1) 수학 성적이 더 낮은 반

➡ 평균이 작을수록 성적도 낮으므로 **2반**

(2) 수학 성적이 더 고른 반

변량들 간의 격차가 작다는 뜻이야~

➡ 표준편차가 작을수록 자료의 분포 상태가 고르므로 **1반**

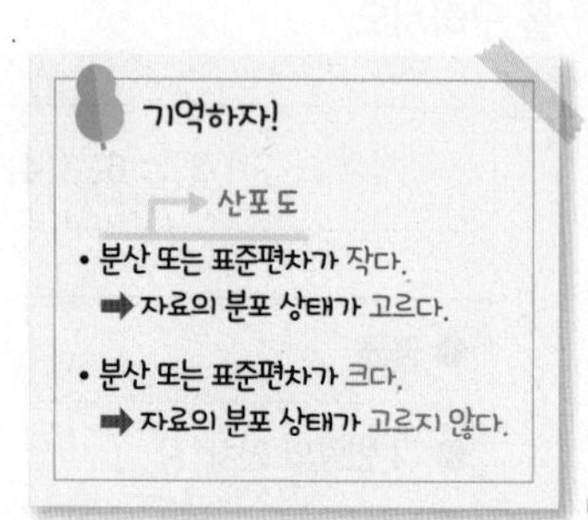

기억하자!
산포도
• 분산 또는 표준편차가 작다.
➡ 자료의 분포 상태가 고르다.
• 분산 또는 표준편차가 크다.
➡ 자료의 분포 상태가 고르지 않다.

1 아래 표는 두 축구팀 A팀, B팀의 1년 동안 월별 득점의 평균과 표준편차를 나타낸 것이다. 다음을 구하시오.

팀	A	B
평균(점)	12	10
표준편차(점)	2.3	1.4

(1) 월별 득점이 더 우수한 팀 ________

(2) 월별 득점이 더 고른 팀 ________

2 아래 표는 학생 5명의 한 달 동안 하루 수면 시간의 평균과 표준편차를 나타낸 것이다. 다음을 구하시오.

학생	나래	보연	희민	성훈	혜연
평균(시간)	6	7	5	6.5	8
표준편차(시간)	1.2	2.5	1	2.1	0.5

(1) 수면 시간이 가장 짧은 학생 ________

(2) 수면 시간이 가장 규칙적인(고른) 학생 ________

(3) 수면 시간이 가장 불규칙적인 학생 ________

3 다음 조건을 만족시키는 자료를 보기에서 고르시오. (단, 각 자료의 평균은 3으로 모두 같다.)

보기
ㄱ. 1, 2, 3, 4, 5
ㄴ. 3, 3, 3, 3, 3
ㄷ. 1, 5, 1, 5, 3

(1) 분포 상태가 가장 고르게 나타난 것 ________

(2) 분산이 가장 작은 것 ________

(3) 표준편차가 가장 큰 것 ________

4 아래 막대그래프는 두 양궁 선수 도현이와 바다의 15회에 걸친 양궁 기록을 조사하여 각각 나타낸 것이다. 두 선수의 기록의 평균이 8점으로 서로 같을 때, 다음을 구하시오.

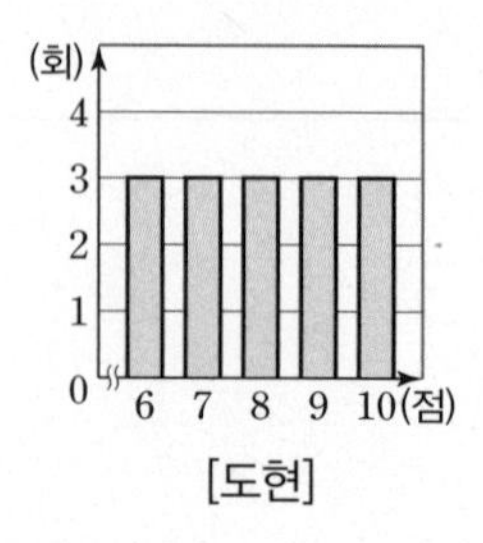

[도현]

(회) 4 3 2 1 0 / 6 7 8 9 10(점)

[바다]

(1) 기록의 기복이 더 심한 선수 ________

(2) 표준편차가 더 작은 선수 ________

정답과 해설 21쪽

7 대푯값과 산포도의 이해

다음 중 대푯값과 산포도에 대한 설명으로 옳지 않은 것을 골라 그 이유를 쓰시오.

✓(1) 중앙값은 여러 개일 수 있다. ➡ 최빈값은 여러 개일 수 있지만 평균, 중앙값은 하나로 정해진다.

(2) 변량이 평균보다 크면 그 편차는 양수이다.

✓(3) 산포도는 자료의 중심 경향을 나타내는 값이다. ➡ 산포도는 자료의 변량이 흩어져 있는 정도를 나타낸 값이고, 자료 전체의 중심 경향을 나타내는 값은 대푯값이다.

1 다음 중 대푯값과 산포도에 대한 설명으로 옳은 것은 ○표, 옳지 않은 것은 ×표를 ( ) 안에 쓰시오.

(1) 대푯값으로는 중앙값, 최빈값, 편차 등이 있다. ( )

(2) 평균을 구할 때는 자료의 변량을 모두 사용하여 계산한다. ( )

(3) 중앙값은 항상 주어진 변량 중에 있다. ( )

(4) 변량의 개수가 짝수이면 중앙값의 개수는 2개이다. ( )

(5) 최빈값은 항상 한 개이다. ( )

(6) 최빈값은 수량이 아닌 자료에서도 구할 수 있다. ( )

(7) 평균은 극단적인 값에 영향을 받는다. ( )

(8) 편차의 총합은 항상 0이다. ( )

(9) 편차는 항상 양수이다. ( )

(10) 편차의 평균은 분산이다. ( )

(11) 평균이 클수록 분산도 크다. ( )

(12) 표준편차는 항상 음이 아닌 수이다. ( )

(13) 분산이 작을수록 표준편차는 크다. ( )

(14) 변량들 간의 격차가 클수록 표준편차도 크다. ( )

개념 익히기

정답과 해설 22쪽

8 산점도

다음 표는 남학생 5명의 하루 평균 운동 시간과 1분 동안의 평균 맥박 수를 조사하여 나타낸 것이다. 운동 시간과 맥박 수에 대한 산점도를 그리시오.

[자료]

남학생	A	B	C	D	E
운동 시간(분)	90	40	60	80	70
맥박 수(회)	90	75	75	95	85

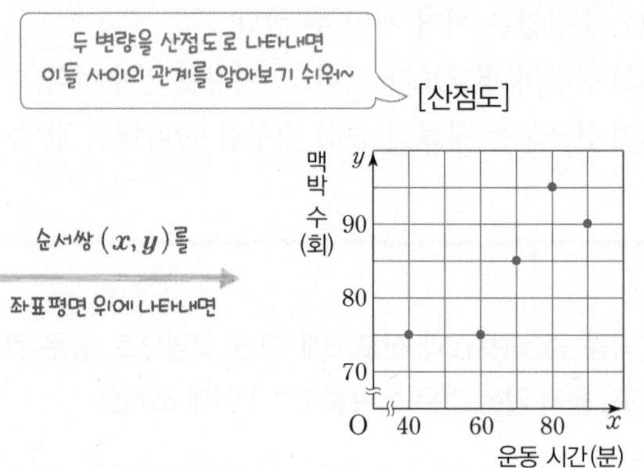

산점도 그리기

1

다음 표는 어느 해 올림픽 대회에 참가한 8개국의 금메달 수와 은메달 수를 조사하여 나타낸 것이다. 금메달과 은메달 수에 대한 산점도를 주어진 좌표평면 위에 그리시오.

금(개)	9	11	7	5	8	4	5	5
은(개)	8	8	6	4	6	5	6	3

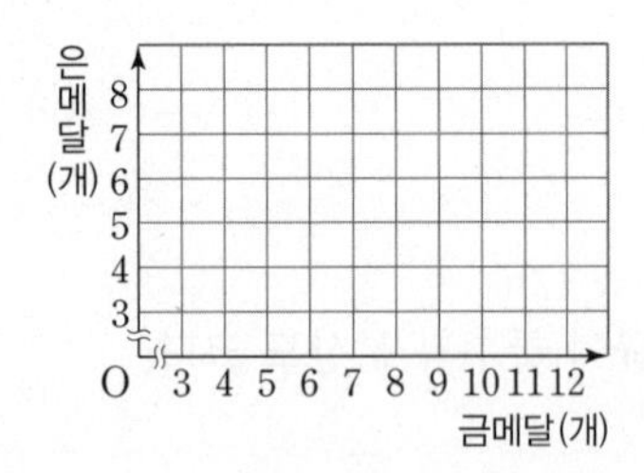

2

다음 표는 열이네 반 학생 7명의 통학 거리와 등교할 때 집을 나서는 시각을 조사하여 나타낸 것이다. 통학 거리와 집을 나서는 시각에 대한 산점도를 주어진 좌표평면 위에 그리시오.

거리(km)	1.2	0.8	0.4	2.0	0.8	1.0	1.6
시각(시:분)	8:10	8:30	8:35	8:00	8:10	8:25	8:15

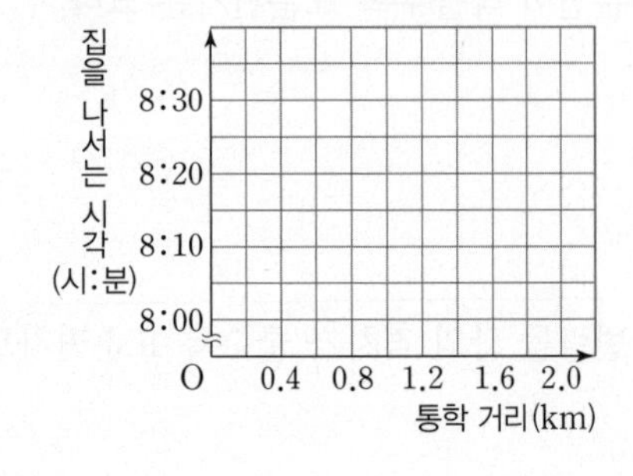

산점도 읽기

3

오른쪽 그림은 북반구 8개 도시의 위도와 평균 기온에 대한 산점도이다. 다음을 구하시오.

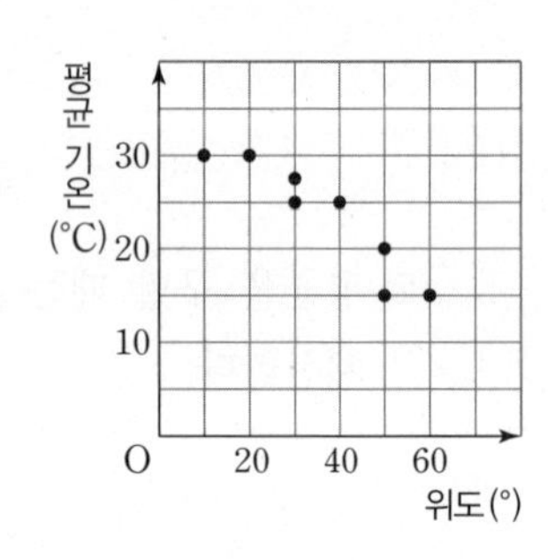

(1) 위도가 가장 높은 도시의 평균 기온 ________

(2) 평균 기온이 가장 높은 도시의 수 ________

4

오른쪽 그림은 어느 사격 선수 12명이 총을 두 번씩 쏘아 얻은 점수에 대한 산점도이다. 다음을 구하시오.

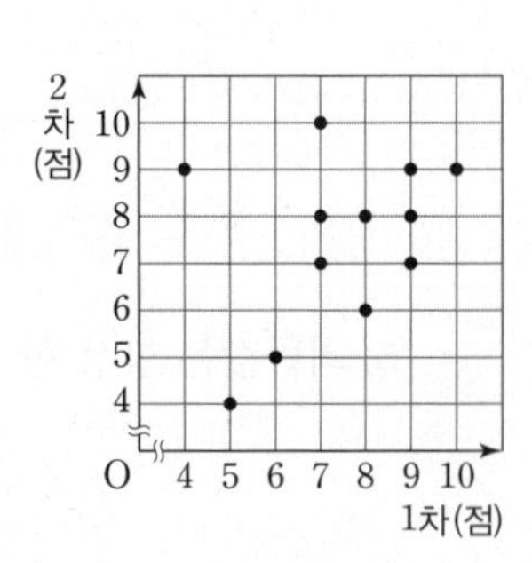

(1) 1차 점수가 두 번째로 낮은 선수의 2차 점수

____

(2) 2차 점수가 가장 높은 선수의 1차 점수

____

정답과 해설 22쪽

9 산점도의 분석

아래 그림은 현규네 반 학생 11명의 수학 점수와 과학 점수에 대한 산점도이다. 다음을 구하시오.

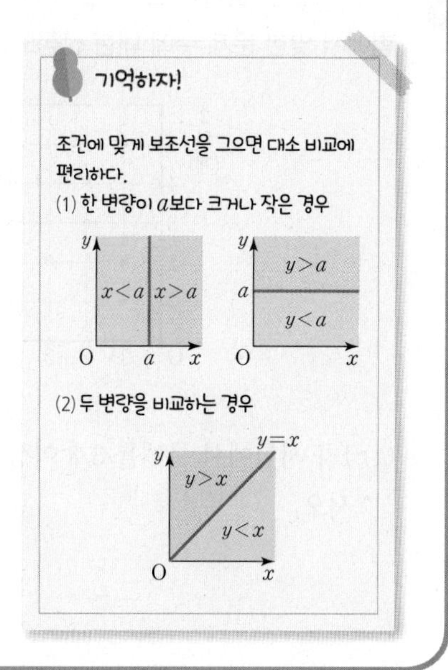

기억하자!
조건에 맞게 보조선을 그으면 대소 비교에 편리하다.
(1) 한 변량이 a보다 크거나 작은 경우
$x<a$ $x>a$
$y>a$
$y<a$
(2) 두 변량을 비교하는 경우
$y=x$
$y>x$
$y<x$

보조선 위의 점을 포함해!

(1) 과학 점수가 80점 이상인 학생 수

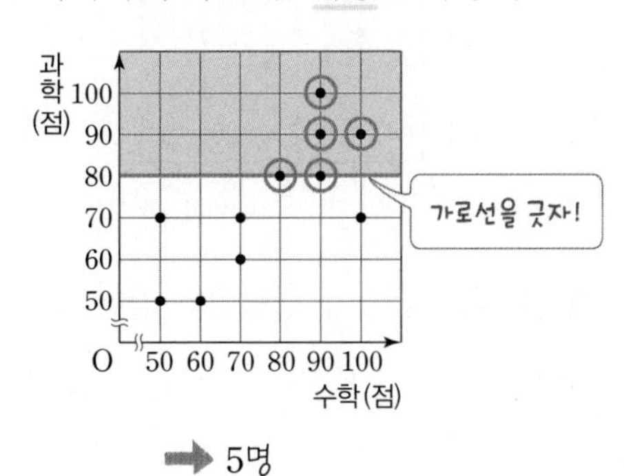

➡ 5명

(2) 두 과목의 점수가 같은 학생 수

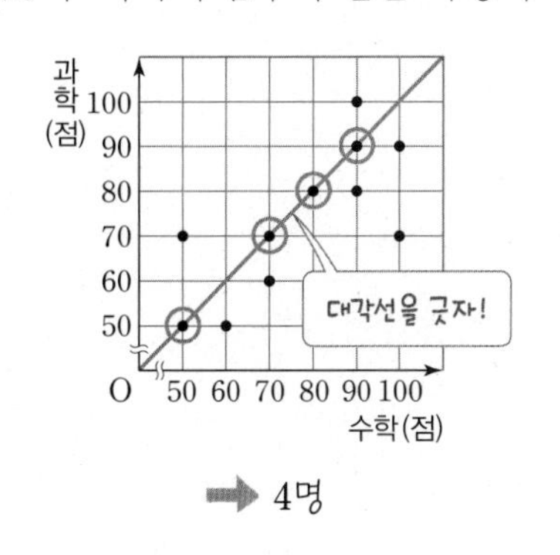

➡ 4명

1 오른쪽 그림은 다솔이네 반 학생 12명의 키와 발 길이에 대한 산점도이다. 다음 물음에 답하시오.

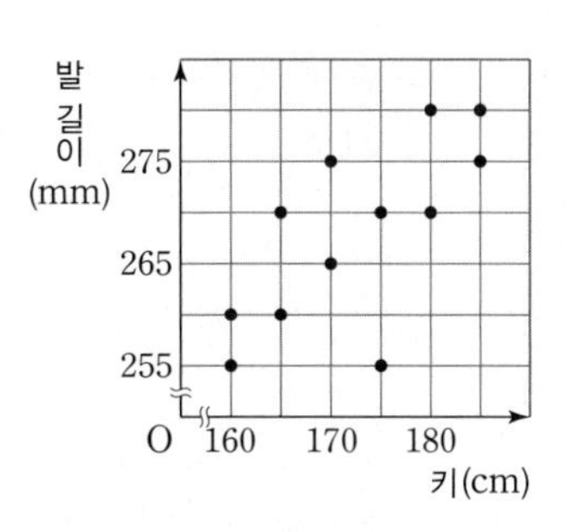

(1) 키가 165 cm 이하인 학생 수를 구하시오.

(2) 발 길이가 260 mm 미만인 학생 수를 구하시오.

(3) 키가 180 cm 이상인 학생 중에서 발 길이가 270 mm 초과인 학생 수를 구하시오.

(4) (3)의 조건을 만족시키는 학생의 비율을 구하시오.

➡ $\dfrac{(\text{조건을 만족시키는 학생 수})}{(\text{전체 학생 수})}$

$=\dfrac{\square}{12}=\square$

2 오른쪽 그림은 어느 컴퓨터 자격시험에 응시한 학생 10명의 필기 점수와 실기 점수에 대한 산점도이다. 다음 물음에 답하시오.

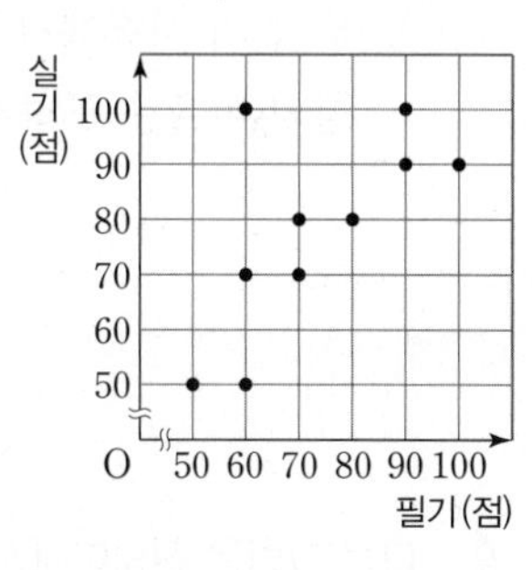

(1) 필기 점수와 실기 점수가 같은 학생 수를 구하시오.

(2) 필기 점수가 실기 점수보다 높은 학생 수를 구하시오.

(3) 실기 점수가 필기 점수보다 높은 학생 수를 구하시오.

(4) (3)의 조건을 만족시키는 학생은 전체의 몇 %인지 구하시오.

➡ $\dfrac{(\text{조건을 만족시키는 학생 수})}{(\text{전체 학생 수})}\times 100$

$=\dfrac{\square}{10}\times 100=\square(\%)$

3 다음 그림은 산이네 반 학생 9명이 두 번의 영어 쪽지 시험에서 맞힌 문제 수에 대한 산점도이다. 물음에 답하시오.

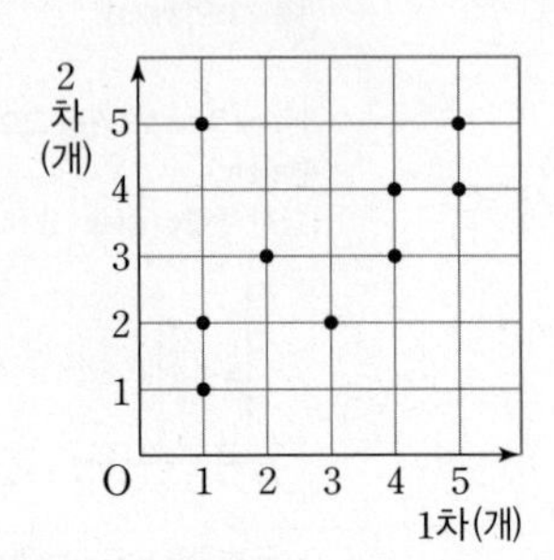

(1) 1차 시험에서 문제를 3개 이상 맞힌 학생 수를 구하시오.

(2) 두 번의 시험에서 맞힌 문제 수의 변화가 없는 학생의 비율을 구하시오.

4 다음 그림은 진형이네 반 학생 20명의 핸드폰 이용 시간과 TV 시청 시간에 대한 산점도이다. 물음에 답하시오.

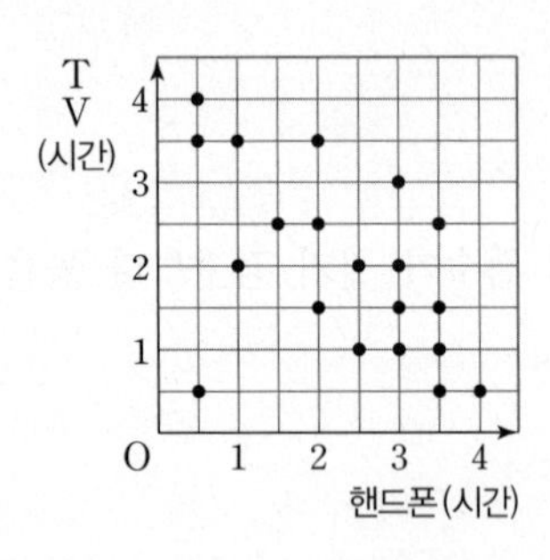

(1) TV 시청 시간이 2시간 30분 이상 4시간 이하인 학생 수를 구하시오.

(2) TV 시청 시간이 핸드폰 이용 시간보다 더 적은 학생은 전체의 %인지 구하시오.

5 다음 그림은 성범이네 반 학생 16명이 작년과 올해 본 영화의 수에 대한 산점도이다. 물음에 답하시오.

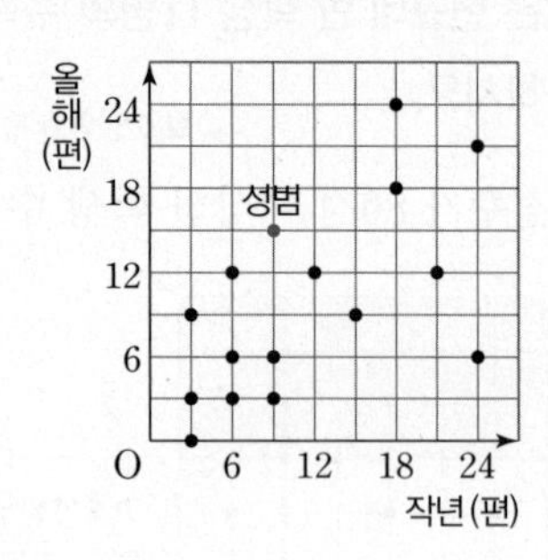

(1) 작년에 본 영화의 수가 성범이와 같은 학생 수를 구하시오.

(2) 올해 본 영화의 수가 15편 초과인 학생 수를 구하시오.

(3) 작년과 올해 본 영화의 수가 같은 학생 중에서 영화를 가장 많이 본 학생이 올해 본 영화의 수를 구하시오.

(4) 작년보다 올해 영화를 더 많이 본 학생은 전체의 몇 %인지 구하시오.

(5) 작년에는 영화를 18편 이상 봤지만 올해는 영화를 12편 이하로 본 학생의 비율을 구하시오.

개념 익히기

정답과 해설 23쪽

10 상관관계

다음 산점도에서 두 변량 x와 y 사이의 상관관계를 말하시오.

(1)
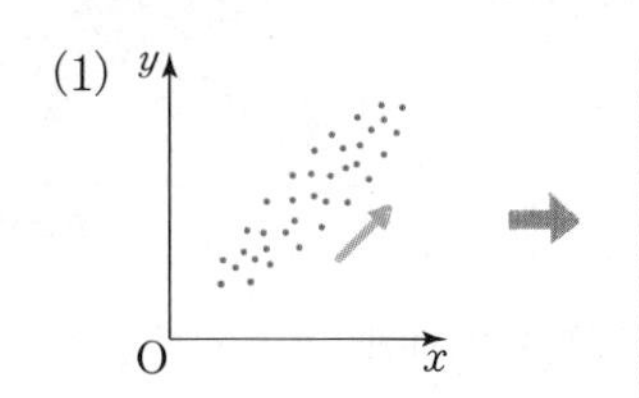

x의 값이 증가함에 따라 y의 값도 대체로 증가하는 경향이 있다.

양의 상관관계가 있다.

(2)
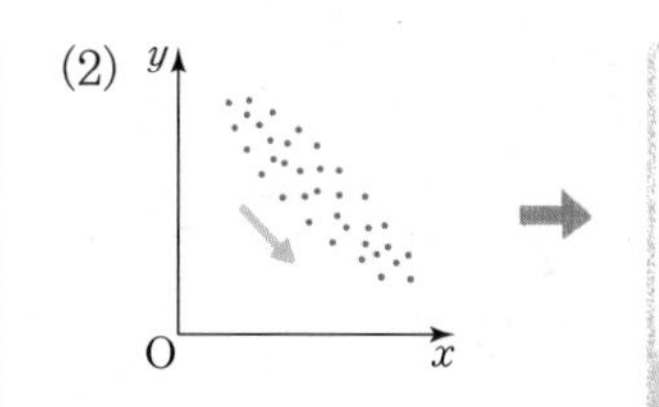

x의 값이 증가함에 따라 y의 값이 대체로 감소하는 경향이 있다.

음의 상관관계가 있다.

1 다음 조건을 만족시키는 산점도를 보기에서 모두 고르시오.

보기

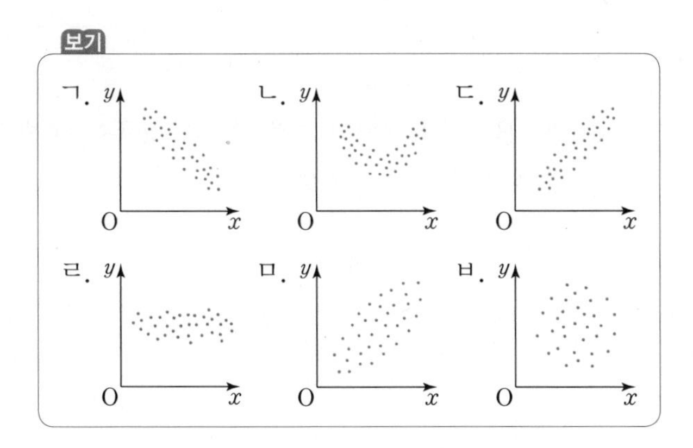

(1) x의 값이 증가함에 따라 y의 값이 대체로 감소하는 경향이 있는 것 ______

(2) 양의 상관관계가 있는 것 ______

(3) 음의 상관관계가 있는 것 ______

(4) 상관관계가 없는 것 ______

(5) 양의 상관관계가 가장 강한 것 ______

2 오른쪽 그림은 어느 지역 21곳의 풍속과 파도의 평균 높이에 대한 산점도이다. 풍속과 파도의 평균 높이 사이의 상관관계를 말하시오.

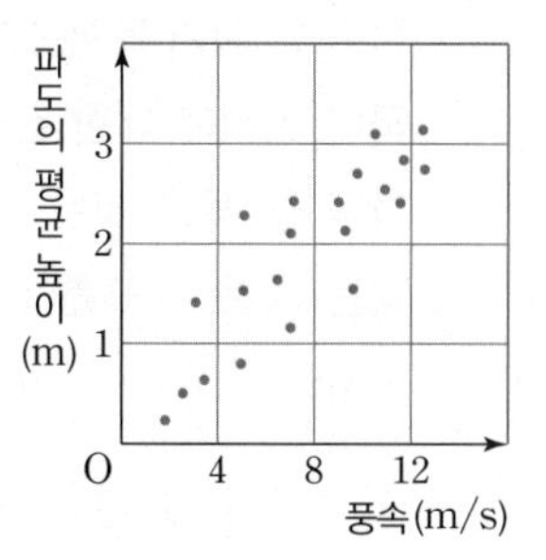

______

3 다음 두 변량 사이에 대체로 양의 상관관계가 있으면 '양', 음의 상관관계가 있으면 '음', 상관관계가 없으면 '없다'를 ( ) 안에 쓰시오.

(1) 어느 연극의 관객 수와 입장료 총액 ( )

(2) 지능 지수(IQ)와 머리둘레 ( )

(3) 하루 중 낮의 길이와 밤의 길이 ( )

(4) 책가방의 무게와 학업 성적 ( )

(5) 에어컨 사용 시간과 전기 요금 ( )

(6) 자동차의 속력과 목적지까지 걸리는 시간 ( )

조금 더! 산점도와 상관관계의 이해

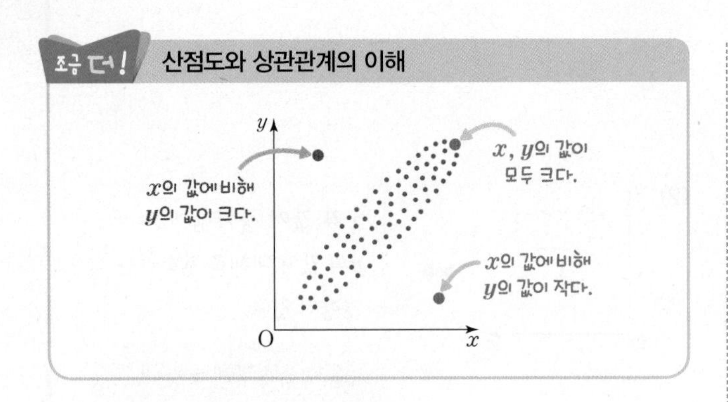

4 오른쪽 그림은 어느 학교 학생들의 한 학기 독서량과 그 학기 국어 성적에 대한 산점도이다. 다음 중 옳은 것은 ○표, 옳지 않은 것은 ×표를 ( ) 안에 쓰시오.

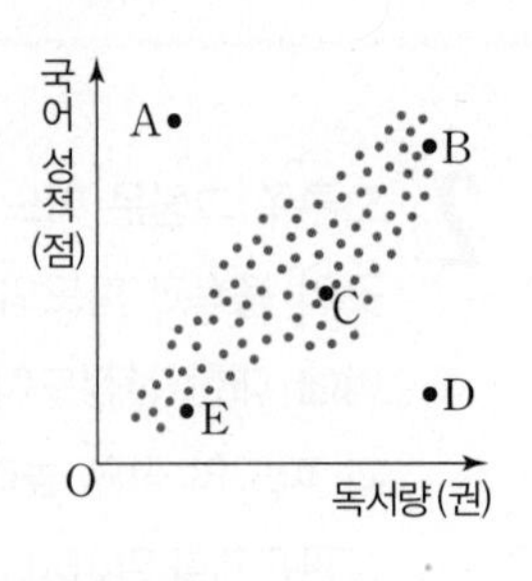

(1) 독서량이 많은 학생이 국어 성적도 대체로 좋은 편이다. ( )

(2) 독서량과 국어 성적 사이에 음의 상관관계가 있다. ( )

(3) A가 C보다 한 학기 동안 책을 더 많이 읽었다. ( )

(4) E는 독서량도 적고 국어 성적도 낮은 편이다. ( )

(5) D는 독서량이 많은데도 국어 성적이 낮은 편이다. ( )

(6) B와 D는 국어 성적이 같다. ( )

(7) B는 독서량에 비해 국어 성적이 좋은 편이다. ( )

5 오른쪽 그림은 어느 중학교 학생들의 한 달 용돈과 지출액에 대한 산점도이다. 다음을 구하시오.

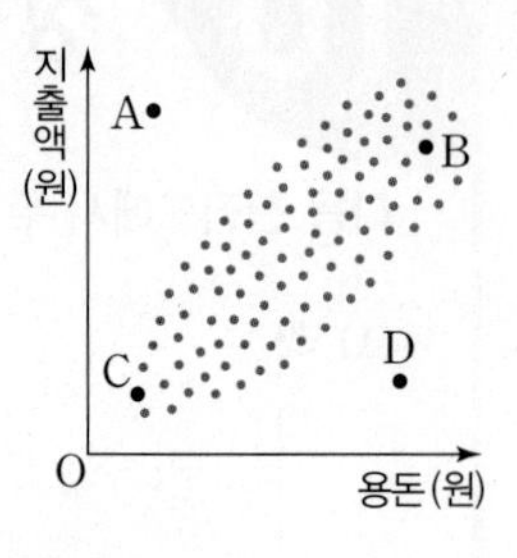

(1) 용돈과 지출액 사이의 상관관계

______

(2) A, B, C, D 4명의 학생 중에서 용돈과 지출액이 모두 적은 학생

______

(3) A, B, C, D 4명의 학생 중에서 용돈에 비해 지출액이 가장 많은 학생

______

6 오른쪽 그림은 어느 중학교 학생들의 좌우 시력에 대한 산점도이다. 다음을 구하시오.

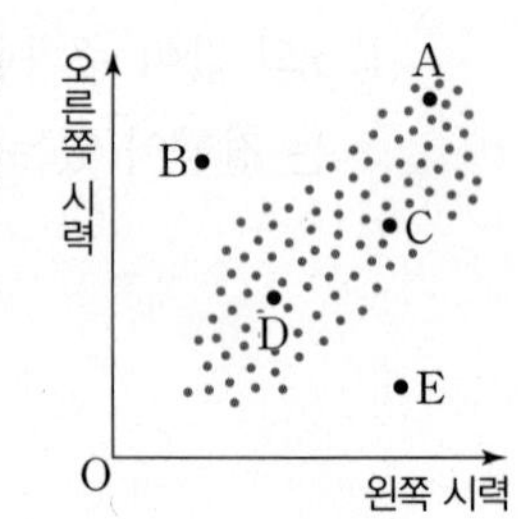

(1) 좌우 시력 사이의 상관관계

______

(2) A, B, C, D, E 5명의 학생 중에서 좌우 시력이 모두 좋은 학생

______

(3) A, B, C, D, E 5명의 학생 중에서 오른쪽 눈에 비해 왼쪽 눈의 시력이 가장 좋은 학생

______

이름의 유래를 알아보자!

어떤 단어의 뜻이 생각했던 것과 달랐던 적 있지 않아?
감자탕의 '감자'도 돼지 뼈를 말하는지, 채소인 감자를 말하는지 확실하지 않대.
잘못 알고 있던 이름의 뜻, 같이 한 번 알아보자!

1. 간짜장

간이 센 짜장면 아니냐고?
마를 '건(乾)'과 발음이 비슷한 '간'이 쓰인 거래.
짜장면보다 물기가 적게 만든 음식이니까.

2. 대게

대(大)게여서 '큰 게'인 줄 알았지?
'대'는 대나무를 말하는 거야.
대게 다리가 대나무 마디처럼 생겼거든.
그래서 옛날엔 죽게라고도 불렀대.

3. 사약

사약은 죽을죄를 지었을 때 쓰이지만
'사'는 죽을 '사(死)'가 아니고, 줄 '사(賜)'야.
임금이 하사한 약이란 뜻이지.
사약을 만드는 방법은 극비라서 아직도 잘 모른대.

63쪽 정답

1. 인간문화재 2. 해외여행

MEMO

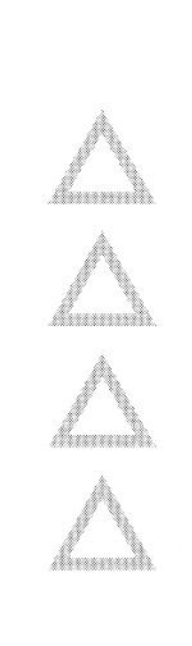

빠르고 쉽게 익히는

교과서 개념 완성 프로젝트

교과서 개념잡기

정답과 해설

중등**수학**

3·2

visang

pionada

피어나다를 하면서 아이가 공부의
필요를 인식하고 플랜도 바꿔가며
실천하는 모습을 보게 되어 만족합니다.
제가 직장 맘이라 정보가 부족했는데,
코치님을 통해 아이에 맞춘 피드백과
정보를 듣고 있어서 큰 도움이 됩니다.

– 조○관 회원 학부모님

공부 습관에도 진단과 처방이 필수입니다

초4부터 중등까지는 공부 습관이 피어날 최적의 시기입니다.

공부 마음을 망치는 공부를 하고 있나요?
성공 습관을 무시한 공부를 하고 있나요?
더 이상 이제 그만!

지금은 피어나다와 함께 사춘기 공부 그릇을 키워야 할 때입니다.

강점코칭 무료체험

바로 지금,
마음 성장 기반 학습 코칭 서비스, 피어나다®로
공부 생명력을 피어나게 해보세요.

상담문의 **1833-3124**

www.pionada.com

공부 생명력이
pionada

일주일 단 1시간으로 심리 상담부터 학습 코칭까지 한번에!

상위권 공부 전략 체화 시스템
공부 마인드 정착 및
자기주도적 공부 습관 완성

공부력 향상 심리 솔루션
마음 · 공부 · 성공 습관 형성을 통한
마음 근력 강화 프로그램

온택트 모둠 코칭
주 1회 모둠 코칭 수업 및
상담과 특강 제공

공인된 진단 검사
서울대 교수진 감수 학습 콘텐츠와
한국심리학회 인증 진단 검사

교과서 개념 잡기

정답과 해설

중등**수학**

3·2

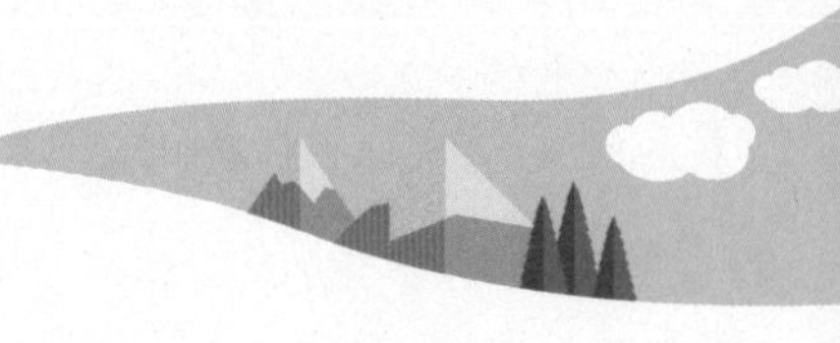

I 삼각비

I·1 삼각비

8쪽~9쪽

개념 익히기 1. 삼각비의 값 구하기

1 (1) ① 8 ② 17 ③ 15 (2) ① 15 ② 17 ③ 8

(3) ① $\frac{3}{5}$ ② $\frac{4}{5}$ ③ $\frac{3}{4}$ (4) ① $\frac{\sqrt{2}}{2}$ ② $\frac{\sqrt{2}}{2}$ ③ 1

(5) ① $\frac{\sqrt{3}}{2}$ ② $\frac{1}{2}$ ③ $\sqrt{3}$

2 (1) 3, 1 ① 1, $\sqrt{10}$ ② $\sqrt{10}$, $\frac{3\sqrt{10}}{10}$ ③ 1

(2) 7, $2\sqrt{6}$ ① $2\sqrt{6}$ ② 7 ③ $2\sqrt{6}$

(3) ① $\frac{5}{13}$ ② $\frac{12}{13}$ ③ $\frac{5}{12}$

(4) ① $\frac{3\sqrt{13}}{13}$ ② $\frac{2\sqrt{13}}{13}$ ③ $\frac{3}{2}$

(5) ① $\frac{1}{2}$ ② $\frac{\sqrt{3}}{2}$ ③ $\frac{\sqrt{3}}{3}$

(6) ① $\frac{\sqrt{21}}{5}$ ② $\frac{2}{5}$ ③ $\frac{\sqrt{21}}{2}$

1 (3) ① $\sin A=\frac{\overline{BC}}{\overline{AC}}=\frac{6}{10}=\frac{3}{5}$

② $\cos A=\frac{\overline{AB}}{\overline{AC}}=\frac{8}{10}=\frac{4}{5}$

③ $\tan A=\frac{\overline{BC}}{\overline{AB}}=\frac{6}{8}=\frac{3}{4}$

(4) ① $\sin C=\frac{\overline{AB}}{\overline{BC}}=\frac{3\sqrt{2}}{6}=\frac{\sqrt{2}}{2}$

② $\cos C=\frac{\overline{AC}}{\overline{BC}}=\frac{3\sqrt{2}}{6}=\frac{\sqrt{2}}{2}$

③ $\tan C=\frac{\overline{AB}}{\overline{AC}}=\frac{3\sqrt{2}}{3\sqrt{2}}=1$

(5) ① $\sin B=\frac{\overline{AC}}{\overline{BC}}=\frac{4\sqrt{3}}{8}=\frac{\sqrt{3}}{2}$

② $\cos B=\frac{\overline{AB}}{\overline{BC}}=\frac{4}{8}=\frac{1}{2}$

③ $\tan B=\frac{\overline{AC}}{\overline{AB}}=\frac{4\sqrt{3}}{4}=\sqrt{3}$

2 (3) $\overline{AC}=\sqrt{12^2+5^2}=\sqrt{169}=13$

① $\sin A=\frac{\overline{BC}}{\overline{AC}}=\frac{5}{13}$

② $\cos A=\frac{\overline{AB}}{\overline{AC}}=\frac{12}{13}$

③ $\tan A=\frac{\overline{BC}}{\overline{AB}}=\frac{5}{12}$

(4) $\overline{BC}=\sqrt{4^2+6^2}=\sqrt{52}=2\sqrt{13}$

① $\sin B=\frac{\overline{AC}}{\overline{BC}}=\frac{6}{2\sqrt{13}}=\frac{3\sqrt{13}}{13}$

② $\cos B=\frac{\overline{AB}}{\overline{BC}}=\frac{4}{2\sqrt{13}}=\frac{2\sqrt{13}}{13}$

③ $\tan B=\frac{\overline{AC}}{\overline{AB}}=\frac{6}{4}=\frac{3}{2}$

(5) $\overline{BC}=\sqrt{12^2-6^2}=\sqrt{108}=6\sqrt{3}$

① $\sin C=\frac{\overline{AB}}{\overline{AC}}=\frac{6}{12}=\frac{1}{2}$

② $\cos C=\frac{\overline{BC}}{\overline{AC}}=\frac{6\sqrt{3}}{12}=\frac{\sqrt{3}}{2}$

③ $\tan C=\frac{\overline{AB}}{\overline{BC}}=\frac{6}{6\sqrt{3}}=\frac{\sqrt{3}}{3}$

(6) $\overline{AC}=\sqrt{5^2-2^2}=\sqrt{21}$

① $\sin B=\frac{\overline{AC}}{\overline{AB}}=\frac{\sqrt{21}}{5}$

② $\cos B=\frac{\overline{BC}}{\overline{AB}}=\frac{2}{5}$

③ $\tan B=\frac{\overline{AC}}{\overline{BC}}=\frac{\sqrt{21}}{2}$

10쪽

개념 익히기 2. 한 변의 길이와 삼각비의 값이 주어질 때, 다른 변의 길이 구하기

1 (1) ① 8, 4 ② 4, $4\sqrt{3}$

(2) ① 6, 4 ② 4, $2\sqrt{13}$

(3) ① $3\sqrt{5}$ ② 6

(4) ① 12 ② $2\sqrt{11}$

(5) ① $2\sqrt{3}$ ② 4

1 (3) ① $\sin A=\frac{x}{9}=\frac{\sqrt{5}}{3}$이므로 $x=3\sqrt{5}$

② $y=\sqrt{9^2-x^2}=\sqrt{9^2-(3\sqrt{5})^2}=\sqrt{36}=6$

(4) ① $\cos C=\frac{10}{x}=\frac{5}{6}$이므로 $x=12$

② $y=\sqrt{x^2-10^2}=\sqrt{12^2-10^2}=\sqrt{44}=2\sqrt{11}$

(5) ① $\tan C=\frac{x}{2}=\sqrt{3}$이므로 $x=2\sqrt{3}$

② $y=\sqrt{x^2+2^2}=\sqrt{(2\sqrt{3})^2+2^2}=\sqrt{16}=4$

11쪽

개념 익히기 3. 한 삼각비의 값이 주어질 때, 다른 삼각비의 값 구하기

1 그림은 풀이 참조

(1) 4, 3 ① $\frac{3}{5}$ ② $\frac{4}{3}$ (2) 2, $\sqrt{7}$ ① $\frac{\sqrt{21}}{7}$ ② $\frac{2\sqrt{7}}{7}$

(3) ① $\frac{15}{17}$ ② $\frac{8}{15}$ (4) ① $\frac{4\sqrt{2}}{9}$ ② $\frac{4\sqrt{2}}{7}$

(5) ① $\frac{\sqrt{5}}{5}$ ② $\frac{2\sqrt{5}}{5}$

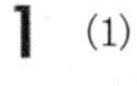

1 (1)

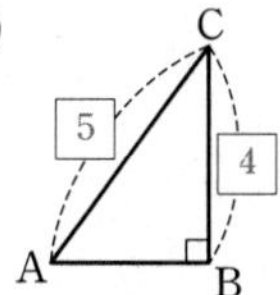

(2)

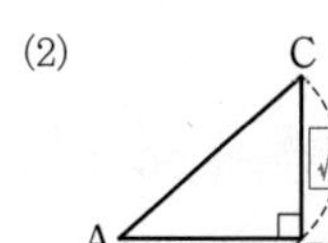

(3) $\sin A=\frac{8}{17}$이므로 오른쪽 그림과 같은 직각삼각형 ABC를 생각할 수 있다.

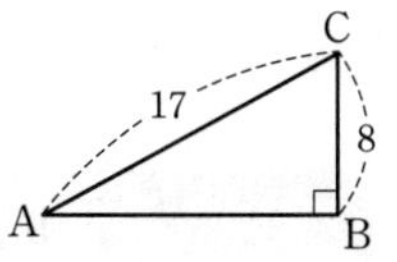

$\therefore \overline{AB}=\sqrt{17^2-8^2}=\sqrt{225}=15$

① $\cos A=\frac{\overline{AB}}{\overline{AC}}=\frac{15}{17}$

② $\tan A=\frac{\overline{BC}}{\overline{AB}}=\frac{8}{15}$

(4) $\cos A=\frac{7}{9}$이므로 오른쪽 그림과 같은 직각삼각형 ABC를 생각할 수 있다.

C 9 A 7 B

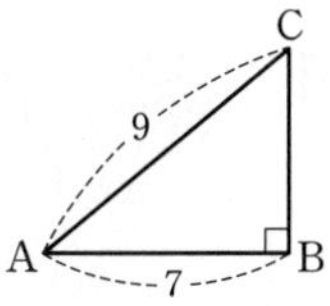

$\therefore \overline{BC}=\sqrt{9^2-7^2}=\sqrt{32}=4\sqrt{2}$

① $\sin A=\frac{\overline{BC}}{\overline{AC}}=\frac{4\sqrt{2}}{9}$

② $\tan A=\frac{\overline{BC}}{\overline{AB}}=\frac{4\sqrt{2}}{7}$

(5) $\tan A=2$이므로 오른쪽 그림과 같은 직각삼각형 ABC를 생각할 수 있다.

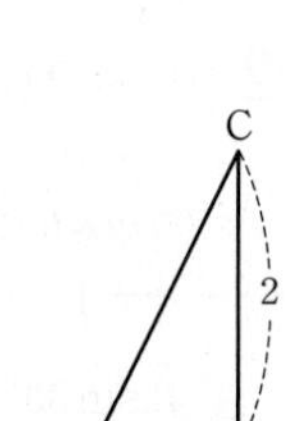

$\therefore \overline{AC}=\sqrt{1^2+2^2}=\sqrt{5}$

① $\sin C=\frac{\overline{AB}}{\overline{AC}}=\frac{1}{\sqrt{5}}=\frac{\sqrt{5}}{5}$

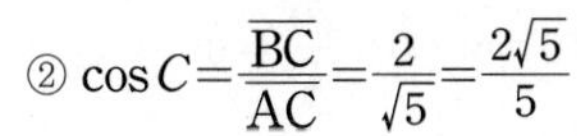

② $\cos C=\frac{\overline{BC}}{\overline{AC}}=\frac{2}{\sqrt{5}}=\frac{2\sqrt{5}}{5}$

12쪽

개념 익히기 4. 30°, 45°, 60°의 삼각비의 값

1 (1) 1 (2) $-\frac{\sqrt{3}}{2}$ (3) $\frac{\sqrt{3}}{2}$ (4) $\frac{\sqrt{6}}{3}$ (5) $\frac{3\sqrt{2}}{2}$

(6) -1 (7) $3\sqrt{3}$ (8) $\frac{7}{4}$ (9) $\sqrt{3}-1$ (10) $-\frac{1}{4}$

1 (1) $\sin 30°+\cos 60°=\frac{1}{2}+\frac{1}{2}=1$

(2) $\cos 30°-\tan 60°=\frac{\sqrt{3}}{2}-\sqrt{3}=-\frac{\sqrt{3}}{2}$

(3) $\sin 60°\times\tan 45°=\frac{\sqrt{3}}{2}\times 1=\frac{\sqrt{3}}{2}$

(4) $\tan 30°\div\cos 45°=\frac{\sqrt{3}}{3}\div\frac{\sqrt{2}}{2}=\frac{\sqrt{3}}{3}\times\frac{2}{\sqrt{2}}=\frac{\sqrt{6}}{3}$

(5) $\sin 45°\times\sqrt{3}\tan 60°=\frac{\sqrt{2}}{2}\times\sqrt{3}\times\sqrt{3}=\frac{3\sqrt{2}}{2}$

(6) $\tan 45°-4\sin 30°=1-4\times\frac{1}{2}=-1$

(7) $6\cos 60°\div\tan 30°=6\times\frac{1}{2}\div\frac{\sqrt{3}}{3}$

$=6\times\frac{1}{2}\times\frac{3}{\sqrt{3}}=3\sqrt{3}$

(8) $\sin 60°\times\cos 30°+\tan 45°=\frac{\sqrt{3}}{2}\times\frac{\sqrt{3}}{2}+1=\frac{7}{4}$

(9) $\tan 60°-\sin 45°\div\cos 45°=\sqrt{3}-\frac{\sqrt{2}}{2}\div\frac{\sqrt{2}}{2}$

$=\sqrt{3}-1$

(10) $\cos 60°\times\sin 30°-\tan 30°\times\sin 60°$

$=\frac{1}{2}\times\frac{1}{2}-\frac{\sqrt{3}}{3}\times\frac{\sqrt{3}}{2}$

$=\frac{1}{4}-\frac{1}{2}=-\frac{1}{4}$

13쪽~14쪽

개념 익히기 5. 30°, 45°, 60°의 삼각비를 이용하여 변의 길이 구하기

1 (1) ① 6, $\sqrt{2}$, $3\sqrt{2}$ ② 6, $\sqrt{2}$, $3\sqrt{2}$
(2) ① 3, 1, 6 ② 3, $\sqrt{3}$, $3\sqrt{3}$
(3) ① 4 ② 2 (4) ① $4\sqrt{2}$ ② 4
(5) ① $4\sqrt{3}$ ② $2\sqrt{3}$

2 (1) ① 6, $3\sqrt{2}$ ② $2\sqrt{6}$ (2) ① 2 ② $2\sqrt{2}$
(3) ① $4\sqrt{3}$ ② 6 (4) ① $5\sqrt{3}$ ② 15
(5) ① $8\sqrt{3}$ ② $8\sqrt{6}$ (6) ① 6 ② $2\sqrt{3}$
(7) ① $\sqrt{2}$ ② 2

1 (3) ① $\sin 60°=\frac{2\sqrt{3}}{x}=\frac{\sqrt{3}}{2}$이므로 $x=4$

② $\tan 60°=\frac{2\sqrt{3}}{y}=\sqrt{3}$이므로 $y=2$

(4) ① $\cos 45°=\frac{4}{x}=\frac{\sqrt{2}}{2}$이므로 $x=4\sqrt{2}$

② $\tan 45°=\frac{y}{4}=1$이므로 $y=4$

(5) ① $\cos 30°=\frac{6}{x}=\frac{\sqrt{3}}{2}$이므로 $x=4\sqrt{3}$

② $\tan 30°=\frac{y}{6}=\frac{\sqrt{3}}{3}$이므로 $y=2\sqrt{3}$

2 (2) ① △ABC에서 $\tan 30^\circ=\frac{x}{2\sqrt{3}}=\frac{\sqrt{3}}{3}$이므로

$x=2$

② △ACD에서 $\sin 45^\circ=\frac{2}{y}=\frac{\sqrt{2}}{2}$이므로

$y=2\times\frac{2}{\sqrt{2}}=2\sqrt{2}$

(3) ① △ABC에서 $\tan 60^\circ=\frac{x}{4}=\sqrt{3}$이므로

$x=4\sqrt{3}$

② △ACD에서 $\cos 30^\circ=\frac{y}{4\sqrt{3}}=\frac{\sqrt{3}}{2}$이므로

$y=6$

(4) ① △ABC에서 $\tan 45^\circ=\frac{x}{5\sqrt{3}}=1$이므로

$x=5\sqrt{3}$

② △BCD에서 $\tan 30^\circ=\frac{5\sqrt{3}}{y}=\frac{\sqrt{3}}{3}$이므로

$y=15$

(5) ① △ABC에서 $\tan 60^\circ=\frac{x}{8}=\sqrt{3}$이므로

$x=8\sqrt{3}$

② △BCD에서 $\sin 45^\circ=\frac{8\sqrt{3}}{y}=\frac{\sqrt{2}}{2}$이므로

$y=8\sqrt{3}\times\frac{2}{\sqrt{2}}=8\sqrt{6}$

(6) ① △ABC에서 $\sin 30^\circ=\frac{x}{12}=\frac{1}{2}$이므로

$x=6$

② △ADC에서 $\tan 60^\circ=\frac{6}{y}=\sqrt{3}$이므로

$y=\frac{6}{\sqrt{3}}=2\sqrt{3}$

(7) ① △ABC에서 $\tan 30^\circ=\frac{x}{\sqrt{6}}=\frac{\sqrt{3}}{3}$이므로

$x=\frac{\sqrt{3}}{3}\times\sqrt{6}=\sqrt{2}$

② △ADC에서 $\sin 45^\circ=\frac{\sqrt{2}}{y}=\frac{\sqrt{2}}{2}$이므로

$y=2$

15쪽

개념 익히기 6. 예각에 대한 삼각비의 값

1 (1) $\overline{BC}$, $\overline{BC}$ (2) $\overline{AC}$ (3) $\overline{DE}$ (4) $\overline{AC}$ (5) $\overline{BC}$
(6) y, $\overline{AC}$ (7) $\overline{BC}$

2 (1) $\overline{AB}$, 0.7986 (2) 0.6018 (3) 1.3270
(4) $\overline{OB}$, 0.6018 (5) 0.7986

1 (1) $\sin x=\frac{\boxed{\overline{BC}}}{\overline{AB}}=\frac{\overline{BC}}{1}=\boxed{\overline{BC}}$

(2) $\cos x=\frac{\overline{AC}}{\overline{AB}}=\frac{\overline{AC}}{1}=\overline{AC}$

(3) $\tan x=\frac{\overline{DE}}{\overline{AE}}=\frac{\overline{DE}}{1}=\overline{DE}$

(4) $\sin y=\frac{\overline{AC}}{\overline{AB}}=\frac{\overline{AC}}{1}=\overline{AC}$

(5) $\cos y=\frac{\overline{BC}}{\overline{AB}}=\frac{\overline{BC}}{1}=\overline{BC}$

$\overline{BC}\,/\!/\,\overline{DE}$이므로 $z=y$ (동위각)

(6) $\sin z=\sin\boxed{y}=\frac{\overline{AC}}{\overline{AB}}=\frac{\overline{AC}}{1}=\boxed{\overline{AC}}$

(7) $\cos z=\cos y=\frac{\overline{BC}}{\overline{AB}}=\frac{\overline{BC}}{1}=\overline{BC}$

2 (2) $\cos 53^\circ=\frac{\overline{OB}}{\overline{OA}}=\frac{0.6018}{1}=0.6018$

(3) $\tan 53^\circ=\frac{\overline{CD}}{\overline{OD}}=\frac{1.3270}{1}=1.3270$

(5) △AOB에서

$\angle OAB=180^\circ-(90^\circ+53^\circ)=37^\circ$이므로

$\cos 37^\circ=\cos(\angle OAB)=\frac{\overline{AB}}{\overline{OA}}=\frac{0.7986}{1}=0.7986$

16쪽

개념 익히기 7. 0°, 90°의 삼각비의 값

1 풀이 참조

2 (1) 2 (2) 0 (3) 1 (4) $\frac{1}{2}$ (5) 0 (6) -1 (7) $2\sqrt{3}$ (8) $\frac{1}{2}$

1

삼각비 \ A	0°	90°
$\sin A$	0	1
$\cos A$	1	0
$\tan A$	0	

2 (1) $\sin 90^\circ+\cos 0^\circ=1+1=2$

(2) $\sin 0^\circ-\cos 90^\circ+\tan 0^\circ=0-0+0=0$

(3) $\cos 0^\circ\div\sin 90^\circ-\tan 0^\circ\times\cos 0^\circ$

$=1\div1-0\times1=1$

(4) $\sin 30^\circ+\cos 0^\circ-\tan 45^\circ=\frac{1}{2}+1-1=\frac{1}{2}$

(5) $\cos 90^\circ+\tan 0^\circ\times\sin 60^\circ=0+0\times\frac{\sqrt{3}}{2}=0$

(6) $\sqrt{2}\sin 45^\circ-\sqrt{3}\tan 60^\circ+\cos 0^\circ$

$=\sqrt{2}\times\frac{\sqrt{2}}{2}-\sqrt{3}\times\sqrt{3}+1$

$=1-3+1=-1$

(7) $\cos 30^\circ\times2\sin 90^\circ+\tan 30^\circ\times3\cos 0^\circ$

$=\frac{\sqrt{3}}{2}\times2\times1+\frac{\sqrt{3}}{3}\times3\times1$

$=\sqrt{3}+\sqrt{3}=2\sqrt{3}$

(8) $\tan 45^\circ\times\sqrt{2}\cos 45^\circ-\sin 90^\circ\times\cos 60^\circ$

$=1\times\sqrt{2}\times\frac{\sqrt{2}}{2}-1\times\frac{1}{2}=1-\frac{1}{2}=\frac{1}{2}$

17쪽

개념 익히기 8. 삼각비의 표

1 (1) 0.6157 (2) 0.6428 (3) 0.7986
(4) 0.7771 (5) 0.7813 (6) 0.8098

2 (1) 16° (2) 17° (3) 15° (4) 18° (5) 15° (6) 17°

I·2 삼각비의 활용

18쪽~19쪽

개념 익히기 9. 직각삼각형의 변의 길이 구하기

1 (1) ② $4\cos 35°$
(2) ① $7\tan 29°$ ② $\frac{7}{\cos 29°}$
(3) ① $\frac{5}{\tan 40°}$ ② $\frac{5}{\sin 40°}$

2 11.57 m

3 $100\sqrt{3}$ m

4 (1) 1.6 m (2) 9.3 m (3) 1.6, 9.3, 10.9

5 28.5 m

6 (1) $3\sqrt{3}$ m (2) $6\sqrt{3}$ m (3) $3\sqrt{3}$, $6\sqrt{3}$, $9\sqrt{3}$

7 16 m

2 △ABC에서
$\overline{BC}=13\sin 63°=13\times 0.89=11.57\,(\text{m})$

3 △ABC에서
$\overline{AB}=200\cos 30°=200\times\frac{\sqrt{3}}{2}=100\sqrt{3}\,(\text{m})$

4 (1) $\overline{BH}$=(지연이의 눈높이)=1.6 m
(2) $\overline{AB}$=10 m이므로 △ABC에서
$\overline{BC}=10\tan 43°=10\times 0.93=9.3\,(\text{m})$

5 $\overline{BD}$=(지면으로부터 손까지의 높이)=1.5 m
△ABC에서
$\overline{BC}=50\sin 33°=50\times 0.54=27\,(\text{m})$
∴ (지면으로부터 연까지의 높이)
$=\overline{BD}+\overline{BC}=1.5+27=28.5\,(\text{m})$

6 △ABC에서
(1) $\overline{AB}=9\tan 30°=9\times\frac{\sqrt{3}}{3}=3\sqrt{3}\,(\text{m})$
(2) $\overline{AC}=\frac{9}{\cos 30°}=9\div\frac{\sqrt{3}}{2}=9\times\frac{2}{\sqrt{3}}=6\sqrt{3}\,(\text{m})$

7 △ABC에서
$\overline{AB}=8\tan 37°=8\times 0.75=6\,(\text{m})$
$\overline{AC}=\frac{8}{\cos 37°}=\frac{8}{0.8}=10\,(\text{m})$
∴ (부러지기 전 전봇대의 높이)
$=\overline{AB}+\overline{AC}=6+10=16\,(\text{m})$

20쪽~21쪽

개념 익히기 10. 일반 삼각형의 변의 길이 구하기 (1)
- 두 변의 길이와 그 끼인각의 크기를 알 때

1 4, $2\sqrt{3}$, cos 60°, 2, 2, 3, $2\sqrt{3}$, 3, $\sqrt{21}$

2 (1) ① 5 ② $5\sqrt{3}$ ③ $3\sqrt{3}$ ④ $2\sqrt{13}$
(2) ① $6\sqrt{2}$ ② $6\sqrt{2}$ ③ $3\sqrt{2}$ ④ $3\sqrt{10}$

3 (1) $2\sqrt{13}$ (2) $2\sqrt{31}$ (3) $5\sqrt{2}$ (4) $6\sqrt{7}$

4 $6\sqrt{13}$ m

5 $\sqrt{34}$ km

1 △ABH에서
$\overline{AH}=\boxed{4}\times\sin 60°=4\times\frac{\sqrt{3}}{2}=\boxed{2\sqrt{3}}$
$\overline{BH}=4\times\boxed{\cos 60°}=4\times\frac{1}{2}=\boxed{2}$
∴ $\overline{CH}=\overline{BC}-\overline{BH}=5-\boxed{2}=\boxed{3}$
따라서 △AHC에서
$\overline{AC}=\sqrt{\overline{AH}^2+\overline{CH}^2}$
$=\sqrt{(\boxed{2\sqrt{3}})^2+\boxed{3}^2}=\boxed{\sqrt{21}}$

2 (1) ① △ABH에서
$\overline{AH}=10\sin 30°=10\times\frac{1}{2}=5$
② △ABH에서
$\overline{BH}=10\cos 30°=10\times\frac{\sqrt{3}}{2}=5\sqrt{3}$
③ $\overline{CH}=\overline{BC}-\overline{BH}=8\sqrt{3}-5\sqrt{3}=3\sqrt{3}$
④ △AHC에서
$x=\sqrt{\overline{AH}^2+\overline{CH}^2}=\sqrt{5^2+(3\sqrt{3})^2}$
$=\sqrt{52}=2\sqrt{13}$
(2) ① △AHC에서
$\overline{AH}=12\sin 45°=12\times\frac{\sqrt{2}}{2}=6\sqrt{2}$
② △AHC에서
$\overline{CH}=12\cos 45°=12\times\frac{\sqrt{2}}{2}=6\sqrt{2}$
③ $\overline{BH}=\overline{BC}-\overline{CH}=9\sqrt{2}-6\sqrt{2}=3\sqrt{2}$
④ △ABH에서
$x=\sqrt{\overline{AH}^2+\overline{BH}^2}=\sqrt{(6\sqrt{2})^2+(3\sqrt{2})^2}$
$=\sqrt{90}=3\sqrt{10}$

3 (1) 오른쪽 그림과 같이 꼭짓점 A에서 $\overline{BC}$에 내린 수선의 발을 H라 하자.

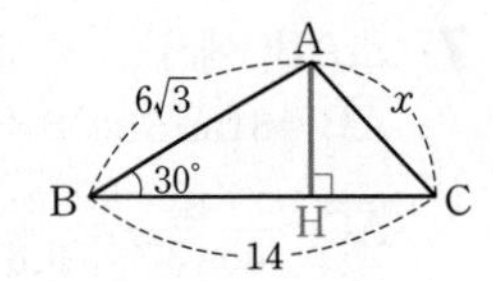

△ABH에서

$\overline{AH}=6\sqrt{3}\sin 30^\circ=6\sqrt{3}\times\frac{1}{2}=3\sqrt{3}$

$\overline{BH}=6\sqrt{3}\cos 30^\circ=6\sqrt{3}\times\frac{\sqrt{3}}{2}=9$

$\therefore \overline{CH}=\overline{BC}-\overline{BH}=14-9=5$

따라서 △AHC에서

$x=\sqrt{\overline{AH}^2+\overline{CH}^2}=\sqrt{(3\sqrt{3})^2+5^2}$

$=\sqrt{52}=2\sqrt{13}$

(2) 오른쪽 그림과 같이 꼭짓점 A에서 $\overline{BC}$에 내린 수선의 발을 H라 하자.

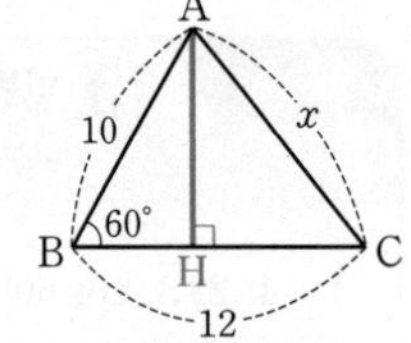

△ABH에서

$\overline{AH}=10\sin 60^\circ=10\times\frac{\sqrt{3}}{2}=5\sqrt{3}$

$\overline{BH}=10\cos 60^\circ=10\times\frac{1}{2}=5$

$\therefore \overline{CH}=\overline{BC}-\overline{BH}=12-5=7$

따라서 △AHC에서

$x=\sqrt{\overline{AH}^2+\overline{CH}^2}=\sqrt{(5\sqrt{3})^2+7^2}$

$=\sqrt{124}=2\sqrt{31}$

(3) 오른쪽 그림과 같이 꼭짓점 A에서 $\overline{BC}$에 내린 수선의 발을 H라 하자.

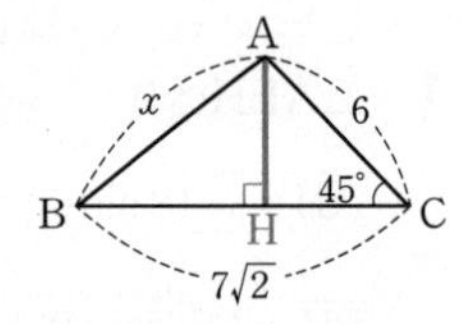

△AHC에서

$\overline{AH}=6\sin 45^\circ=6\times\frac{\sqrt{2}}{2}=3\sqrt{2}$

$\overline{CH}=6\cos 45^\circ=6\times\frac{\sqrt{2}}{2}=3\sqrt{2}$

$\therefore \overline{BH}=\overline{BC}-\overline{CH}=7\sqrt{2}-3\sqrt{2}=4\sqrt{2}$

따라서 △ABH에서

$x=\sqrt{\overline{AH}^2+\overline{BH}^2}=\sqrt{(3\sqrt{2})^2+(4\sqrt{2})^2}$

$=\sqrt{50}=5\sqrt{2}$

(4) 오른쪽 그림과 같이 꼭짓점 C에서 $\overline{AB}$에 내린 수선의 발을 H라 하자.

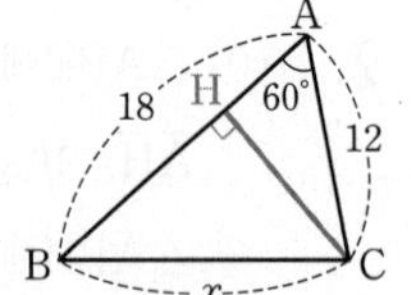

△AHC에서

$\overline{CH}=12\sin 60^\circ=12\times\frac{\sqrt{3}}{2}=6\sqrt{3}$

$\overline{AH}=12\cos 60^\circ=12\times\frac{1}{2}=6$

$\therefore \overline{BH}=\overline{AB}-\overline{AH}=18-6=12$

따라서 △BCH에서

$x=\sqrt{\overline{CH}^2+\overline{BH}^2}=\sqrt{(6\sqrt{3})^2+12^2}$

$=\sqrt{252}=6\sqrt{7}$

4 오른쪽 그림과 같이 꼭짓점 A에서 $\overline{BC}$에 내린 수선의 발을 H라 하자.

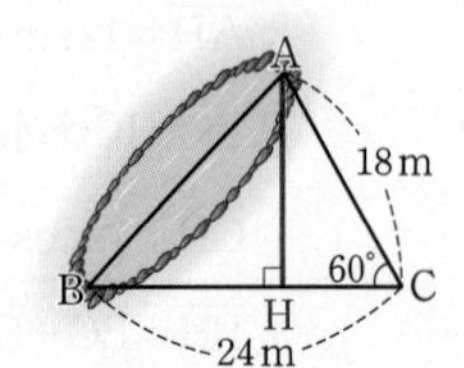

△AHC에서

$\overline{AH}=18\sin 60^\circ$

$=18\times\frac{\sqrt{3}}{2}=9\sqrt{3}\,(\text{m})$

$\overline{CH}=18\cos 60^\circ=18\times\frac{1}{2}=9\,(\text{m})$

$\therefore \overline{BH}=\overline{BC}-\overline{CH}=24-9=15\,(\text{m})$

즉, △ABH에서

$\overline{AB}=\sqrt{\overline{AH}^2+\overline{BH}^2}=\sqrt{(9\sqrt{3})^2+15^2}$

$=\sqrt{468}=6\sqrt{13}\,(\text{m})$

따라서 두 지점 A, B 사이의 거리는 $6\sqrt{13}$ m이다.

5 오른쪽 그림과 같이 꼭짓점 A에서 $\overline{BC}$에 내린 수선의 발을 H라 하자.

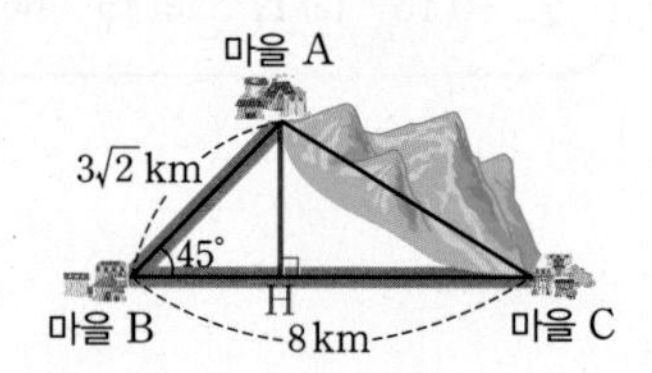

△ABH에서

$\overline{AH}=3\sqrt{2}\sin 45^\circ$

$=3\sqrt{2}\times\frac{\sqrt{2}}{2}=3\,(\text{km})$

$\overline{BH}=3\sqrt{2}\cos 45^\circ=3\sqrt{2}\times\frac{\sqrt{2}}{2}=3\,(\text{km})$

$\therefore \overline{CH}=\overline{BC}-\overline{BH}=8-3=5\,(\text{km})$

즉, △AHC에서

$\overline{AC}=\sqrt{\overline{AH}^2+\overline{CH}^2}=\sqrt{3^2+5^2}=\sqrt{34}\,(\text{km})$

따라서 두 마을 A, C 사이의 거리는 $\sqrt{34}$ km이다.

22쪽~23쪽

개념 익히기

11. 일반 삼각형의 변의 길이 구하기 (2)
- 한 변의 길이와 그 양 끝 각의 크기를 알 때

1 $4\sqrt{6}$, 60, $6\sqrt{2}$, 75, 45, $6\sqrt{2}$, 45, 12

2 (1) ① 9 ② 60° ③ $6\sqrt{3}$

(2) ① $5\sqrt{2}$ ② 45° ③ 10

3 (1) $5\sqrt{2}$ (2) $2\sqrt{3}$ (3) $4\sqrt{6}$ (4) $10\sqrt{3}$

4 $100\sqrt{6}$ m

5 $100\sqrt{2}$ m

1 △BCH에서

$\overline{BH}=\boxed{4\sqrt{6}}\times\sin\boxed{60}^\circ=4\sqrt{6}\times\frac{\sqrt{3}}{2}=\boxed{6\sqrt{2}}$

$\angle A=180^\circ-(60^\circ+\boxed{75}^\circ)=\boxed{45}^\circ$이므로

△ABH에서

$\overline{AB}=\frac{\overline{BH}}{\sin A}=\frac{\boxed{6\sqrt{2}}}{\sin\boxed{45}^\circ}=6\sqrt{2}\div\frac{\sqrt{2}}{2}=6\sqrt{2}\times\frac{2}{\sqrt{2}}=\boxed{12}$

2 (1) ① △BCH에서

$\overline{CH}=9\sqrt{2}\sin 45^\circ=9\sqrt{2}\times\frac{\sqrt{2}}{2}=9$

② $\angle A=180^\circ-(45^\circ+75^\circ)=60^\circ$

③ △AHC에서

$x=\frac{\overline{CH}}{\sin A}=\frac{9}{\sin 60^\circ}=9\div\frac{\sqrt{3}}{2}=9\times\frac{2}{\sqrt{3}}=6\sqrt{3}$

(2) ① △ABH에서

$\overline{AH}=10\sqrt{2}\sin 30°=10\sqrt{2}\times\frac{1}{2}=5\sqrt{2}$

② $\angle C=180°-(105°+30°)=45°$

③ △AHC에서

$x=\frac{\overline{AH}}{\sin C}=\frac{5\sqrt{2}}{\sin 45°}$

$=5\sqrt{2}\div\frac{\sqrt{2}}{2}=5\sqrt{2}\times\frac{2}{\sqrt{2}}=10$

3 (1) 오른쪽 그림과 같이 꼭짓점 C에서 $\overline{AB}$에 내린 수선의 발을 H라 하자.

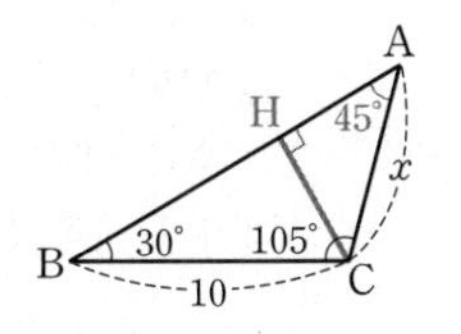

△BCH에서

$\overline{CH}=10\sin 30°=10\times\frac{1}{2}=5$

$\angle A=180°-(105°+30°)=45°$이므로

△AHC에서

$x=\frac{\overline{CH}}{\sin A}=\frac{5}{\sin 45°}$

$=5\div\frac{\sqrt{2}}{2}=5\times\frac{2}{\sqrt{2}}=5\sqrt{2}$

(2) 오른쪽 그림과 같이 꼭짓점 C에서 $\overline{AB}$에 내린 수선의 발을 H라 하자.

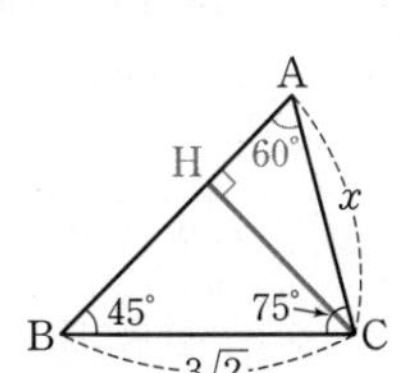

△BCH에서

$\overline{CH}=3\sqrt{2}\sin 45°=3\sqrt{2}\times\frac{\sqrt{2}}{2}=3$

$\angle A=180°-(45°+75°)=60°$이므로

△AHC에서

$x=\frac{\overline{CH}}{\sin A}=\frac{3}{\sin 60°}$

$=3\div\frac{\sqrt{3}}{2}=3\times\frac{2}{\sqrt{3}}=2\sqrt{3}$

(3) 오른쪽 그림과 같이 꼭짓점 A에서 $\overline{BC}$에 내린 수선의 발을 H라 하자.

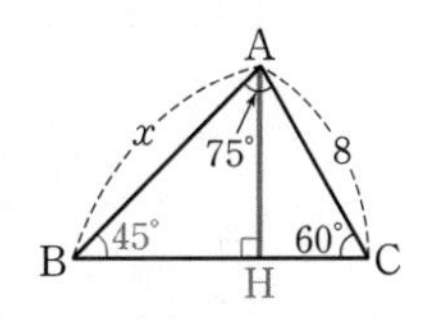

△AHC에서

$\overline{AH}=8\sin 60°=8\times\frac{\sqrt{3}}{2}=4\sqrt{3}$

$\angle B=180°-(60°+75°)=45°$이므로

△ABH에서

$x=\frac{\overline{AH}}{\sin B}=\frac{4\sqrt{3}}{\sin 45°}$

$=4\sqrt{3}\div\frac{\sqrt{2}}{2}=4\sqrt{3}\times\frac{2}{\sqrt{2}}=4\sqrt{6}$

(4) 오른쪽 그림과 같이 꼭짓점 B에서 $\overline{AC}$에 내린 수선의 발을 H라 하자.

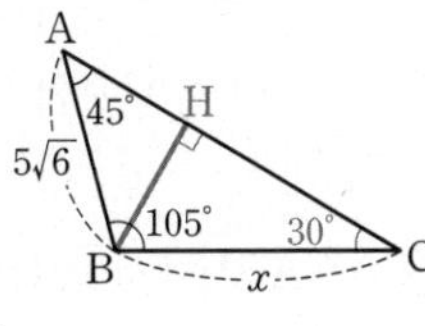

△ABH에서

$\overline{BH}=5\sqrt{6}\sin 45°=5\sqrt{6}\times\frac{\sqrt{2}}{2}=5\sqrt{3}$

$\angle C=180°-(45°+105°)=30°$이므로

△BCH에서

$x=\frac{\overline{BH}}{\sin C}=\frac{5\sqrt{3}}{\sin 30°}$

$=5\sqrt{3}\div\frac{1}{2}=5\sqrt{3}\times 2=10\sqrt{3}$

4 오른쪽 그림과 같이 꼭짓점 A에서 $\overline{BC}$에 내린 수선의 발을 H라 하자.

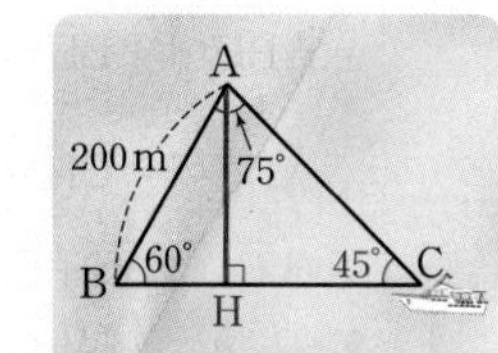

△ABH에서

$\overline{AH}=200\sin 60°$

$=200\times\frac{\sqrt{3}}{2}=100\sqrt{3}\,(\text{m})$

$\angle C=180°-(60°+75°)=45°$이므로

△AHC에서

$\overline{AC}=\frac{\overline{AH}}{\sin C}=\frac{100\sqrt{3}}{\sin 45°}$

$=100\sqrt{3}\div\frac{\sqrt{2}}{2}=100\sqrt{3}\times\frac{2}{\sqrt{2}}=100\sqrt{6}\,(\text{m})$

따라서 지점 A에서 배 C까지의 거리는 $100\sqrt{6}$m이다.

5 오른쪽 그림과 같이 꼭짓점 A에서 $\overline{BC}$에 내린 수선의 발을 H라 하자.

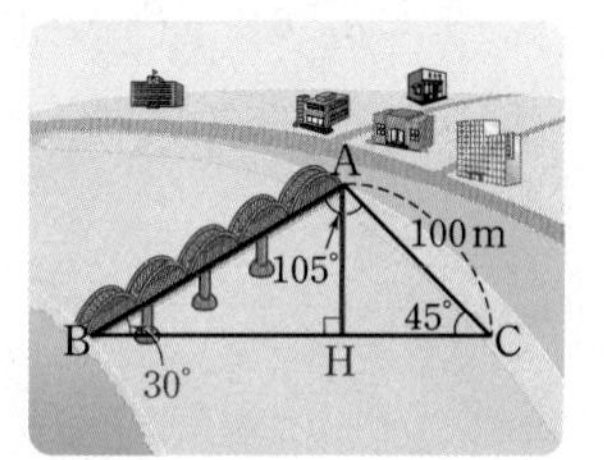

△AHC에서

$\overline{AH}=100\sin 45°$

$=100\times\frac{\sqrt{2}}{2}=50\sqrt{2}\,(\text{m})$

$\angle B=180°-(105°+45°)=30°$이므로

△ABH에서

$\overline{AB}=\frac{\overline{AH}}{\sin B}=\frac{50\sqrt{2}}{\sin 30°}$

$=50\sqrt{2}\div\frac{1}{2}=50\sqrt{2}\times 2=100\sqrt{2}\,(\text{m})$

따라서 건설하려는 다리의 길이는 $100\sqrt{2}$m이다.

24쪽

개념 익히기

12. 삼각형의 높이 (1) - 밑변의 양 끝 각이 모두 예각일 때

1 (1) 30, $\sqrt{3}h$, 60, $\frac{\sqrt{3}}{3}h$, $\frac{4\sqrt{3}}{3}$, $\sqrt{3}$

(2) $3(\sqrt{3}-1)$ (3) $4(3-\sqrt{3})$

1 (1) △ABH에서

$\overline{BH}=\frac{h}{\tan\boxed{30}°}=h\times\frac{3}{\sqrt{3}}=\boxed{\sqrt{3}h}$

△AHC에서

$\overline{CH}=\frac{h}{\tan\boxed{60}°}=\frac{h}{\sqrt{3}}=\boxed{\frac{\sqrt{3}}{3}h}$

➡ $\overline{BC}$=❶+❷=4이므로

$\sqrt{3}h+\frac{\sqrt{3}}{3}h=4$에서 $\boxed{\frac{4\sqrt{3}}{3}}h=4$

$\therefore h=4\times\frac{3}{4\sqrt{3}}=\boxed{\sqrt{3}}$

(2) $\triangle$ABH에서 $\overline{BH}=\frac{h}{\tan 45^\circ}=h$

$\triangle$AHC에서 $\overline{CH}=\frac{h}{\tan 30^\circ}=h\times\frac{3}{\sqrt{3}}=\sqrt{3}h$

이때 $\overline{BC}=\overline{BH}+\overline{CH}$이므로

$h+\sqrt{3}h=6$에서 $(1+\sqrt{3})h=6$

$\therefore h=\frac{6}{1+\sqrt{3}}=3(\sqrt{3}-1)$

(3) $\triangle$ABH에서 $\overline{BH}=\frac{h}{\tan 60^\circ}=\frac{h}{\sqrt{3}}=\frac{\sqrt{3}}{3}h$

$\triangle$AHC에서 $\overline{CH}=\frac{h}{\tan 45^\circ}=h$

이때 $\overline{BC}=\overline{BH}+\overline{CH}$이므로

$\frac{\sqrt{3}}{3}h+h=8$에서 $\frac{\sqrt{3}+3}{3}h=8$

$\therefore h=8\times\frac{3}{\sqrt{3}+3}=4(3-\sqrt{3})$

25쪽~26쪽

개념 익히기

13. 삼각형의 높이 (2)
- 밑변의 양 끝 각 중 한 각이 둔각일 때

1 (1) 30, $\sqrt{3}h$, 45, h, $\sqrt{3}-1$, $\sqrt{3}+1$
(2) $6\sqrt{3}$ (3) $5(3+\sqrt{3})$

2 (1) hm (2) $\frac{\sqrt{3}}{3}h$m (3) $10(3-\sqrt{3})$m

3 $150(\sqrt{3}-1)$m

4 (1) $\sqrt{3}h$m (2) $\frac{\sqrt{3}}{3}h$m (3) $200\sqrt{3}$m

5 $25(3+\sqrt{3})$m

1 (1) $\triangle$ABH에서

$\overline{BH}=\frac{h}{\tan \boxed{30}^\circ}=h\times\frac{3}{\sqrt{3}}=\boxed{\sqrt{3}h}$

$\triangle$ACH에서

$\overline{CH}=\frac{h}{\tan \boxed{45}^\circ}=\frac{h}{1}=\boxed{h}$

➡ $\overline{BC}$=❶−❷=2이므로

$\sqrt{3}h-h=2$에서 $(\boxed{\sqrt{3}-1})h=2$

$\therefore h=\frac{2}{\sqrt{3}-1}=\boxed{\sqrt{3}+1}$

[다른 풀이]

$\triangle$ACH에서 $\overline{CH}=\overline{AH}=h$

$\therefore \overline{BH}=\overline{BC}+\overline{CH}=2+h$

$\triangle$ABH에서 $\tan 30^\circ=\frac{h}{2+h}=\frac{\sqrt{3}}{3}$이므로

$3h=\sqrt{3}(2+h)$, $3h=2\sqrt{3}+\sqrt{3}h$

$(3-\sqrt{3})h=2\sqrt{3}$

$\therefore h=\frac{2\sqrt{3}}{3-\sqrt{3}}=\sqrt{3}+1$

(2) $\triangle$ABH에서 $\overline{BH}=\frac{h}{\tan 30^\circ}=h\times\frac{3}{\sqrt{3}}=\sqrt{3}h$

$\triangle$ACH에서 $\overline{CH}=\frac{h}{\tan 60^\circ}=\frac{h}{\sqrt{3}}=\frac{\sqrt{3}}{3}h$

이때 $\overline{BC}=\overline{BH}-\overline{CH}$이므로

$\sqrt{3}h-\frac{\sqrt{3}}{3}h=12$에서 $\frac{2\sqrt{3}}{3}h=12$

$\therefore h=12\times\frac{3}{2\sqrt{3}}=6\sqrt{3}$

[다른 풀이]

$\triangle$ABC에서 $\angle BAC=60^\circ-30^\circ=30^\circ$ (외각)

즉, $\angle ABC=\angle BAC$이므로

$\triangle$ABC는 이등변삼각형이다.

$\therefore \overline{AC}=\overline{BC}=12$

따라서 $\triangle$ACH에서

$h=12\sin 60^\circ=12\times\frac{\sqrt{3}}{2}=6\sqrt{3}$

(3) $\triangle$ABH에서 $\overline{BH}=\frac{h}{\tan 45^\circ}=h$

$\angle ACH=180^\circ-120^\circ=60^\circ$이므로

$\triangle$ACH에서 $\overline{CH}=\frac{h}{\tan 60^\circ}=\frac{h}{\sqrt{3}}=\frac{\sqrt{3}}{3}h$

이때 $\overline{BC}=\overline{BH}-\overline{CH}$이므로

$h-\frac{\sqrt{3}}{3}h=10$에서 $\frac{3-\sqrt{3}}{3}h=10$

$\therefore h=10\times\frac{3}{3-\sqrt{3}}=5(3+\sqrt{3})$

[다른 풀이]

$\triangle$ABH에서 $\overline{BH}=\overline{AH}=h$

$\therefore \overline{CH}=\overline{BH}-\overline{BC}=h-10$

$\angle ACH=180^\circ-120^\circ=60^\circ$이므로

$\triangle$ACH에서 $\tan 60^\circ=\frac{h}{h-10}=\sqrt{3}$

$\sqrt{3}(h-10)=h$, $\sqrt{3}h-10\sqrt{3}=h$

$(\sqrt{3}-1)h=10\sqrt{3}$

$\therefore h=\frac{10\sqrt{3}}{\sqrt{3}-1}=5(3+\sqrt{3})$

2 (1) $\triangle$ABH에서 $\overline{BH}=\frac{h}{\tan 45^\circ}=h$(m)

(2) $\triangle$AHC에서 $\overline{CH}=\frac{h}{\tan 60^\circ}=\frac{h}{\sqrt{3}}=\frac{\sqrt{3}}{3}h$(m)

(3) $\overline{BC}=\overline{BH}+\overline{CH}$이므로

$h+\frac{\sqrt{3}}{3}h=20$에서 $\frac{3+\sqrt{3}}{3}h=20$

$\therefore h=20\times\frac{3}{3+\sqrt{3}}=10(3-\sqrt{3})$

따라서 나무의 높이 $\overline{AH}$는 $10(3-\sqrt{3})$m이다.

3 $\triangle$ABH에서 $\overline{BH}=\frac{h}{\tan 30^\circ}=h\times\frac{3}{\sqrt{3}}=\sqrt{3}h$(m)

$\triangle$AHC에서 $\overline{CH}=\frac{h}{\tan 45^\circ}=h$(m)

이때 $\overline{BC}=\overline{BH}+\overline{CH}$이므로

$\sqrt{3}h+h=300$에서 $(\sqrt{3}+1)h=300$

$\therefore h=\frac{300}{\sqrt{3}+1}=150(\sqrt{3}-1)$

따라서 열기구의 높이 $\overline{AH}$는 $150(\sqrt{3}-1)$m이다.

4 (1) $\triangle ABH$에서 $\overline{BH}=\frac{h}{\tan 30^\circ}=h\times\frac{3}{\sqrt{3}}=\sqrt{3}h(\text{m})$

(2) $\triangle ACH$에서 $\overline{CH}=\frac{h}{\tan 60^\circ}=\frac{h}{\sqrt{3}}=\frac{\sqrt{3}}{3}h(\text{m})$

(3) $\overline{BC}=\overline{BH}-\overline{CH}$이므로

$\sqrt{3}h-\frac{\sqrt{3}}{3}h=400$에서 $\frac{2\sqrt{3}}{3}h=400$

$\therefore h=400\times\frac{3}{2\sqrt{3}}=200\sqrt{3}$

따라서 산의 높이 $\overline{AH}$는 $200\sqrt{3}$ m이다.

5 $\triangle ABH$에서 $\overline{BH}=\frac{h}{\tan 45^\circ}=h(\text{m})$

$\triangle ACH$에서 $\overline{CH}=\frac{h}{\tan 60^\circ}=\frac{h}{\sqrt{3}}=\frac{\sqrt{3}}{3}h(\text{m})$

이때 $\overline{BC}=\overline{BH}-\overline{CH}$이므로

$h-\frac{\sqrt{3}}{3}h=50$에서 $\frac{3-\sqrt{3}}{3}h=50$

$\therefore h=50\times\frac{3}{3-\sqrt{3}}=25(3+\sqrt{3})$

따라서 타워의 높이 $\overline{AH}$는 $25(3+\sqrt{3})$ m이다.

27쪽

개념 익히기 14. 삼각형의 넓이 (1) - 끼인각이 예각일 때

1 (1) 8, 30, 20 (2) 9 (3) 18
2 (1) 45, 12, 45, $21\sqrt{2}$ (2) $28\sqrt{3}$ (3) 12 (4) $\sqrt{3}$

1 (2) $\triangle ABC=\frac{1}{2}\times2\sqrt{3}\times6\times\sin 60^\circ$

$=\frac{1}{2}\times2\sqrt{3}\times6\times\frac{\sqrt{3}}{2}=9$

(3) $\triangle ABC=\frac{1}{2}\times9\times4\sqrt{2}\times\sin 45^\circ$

$=\frac{1}{2}\times9\times4\sqrt{2}\times\frac{\sqrt{2}}{2}=18$

2 (1) $\angle B=180^\circ-(100^\circ+35^\circ)=\boxed{45}^\circ$이므로

$\triangle ABC=\frac{1}{2}\times\boxed{12}\times7\times\sin\boxed{45}^\circ$

$=\frac{1}{2}\times12\times7\times\frac{\sqrt{2}}{2}=\boxed{21\sqrt{2}}$

(2) $\angle C=180^\circ-(35^\circ+85^\circ)=60^\circ$이므로

$\triangle ABC=\frac{1}{2}\times14\times8\times\sin 60^\circ$

$=\frac{1}{2}\times14\times8\times\frac{\sqrt{3}}{2}=28\sqrt{3}$

(3) $\angle A=180^\circ-(96^\circ+54^\circ)=30^\circ$이므로

$\triangle ABC=\frac{1}{2}\times6\times8\times\sin 30^\circ$

$=\frac{1}{2}\times6\times8\times\frac{1}{2}=12$

(4) $\angle C=180^\circ-(60^\circ+60^\circ)=60^\circ$이므로

$\triangle ABC$는 정삼각형이다.

따라서 $\overline{BC}=\overline{AB}=2$이므로

$\triangle ABC=\frac{1}{2}\times2\times2\times\sin 60^\circ$

$=\frac{1}{2}\times2\times2\times\frac{\sqrt{3}}{2}=\sqrt{3}$

28쪽

개념 익히기 15. 삼각형의 넓이 (2) - 끼인각이 둔각일 때

1 (1) 3, 180, 3, 45, $3\sqrt{2}$ (2) 27 (3) 12
2 (1) $12\sqrt{3}$ (2) 21 (3) $3\sqrt{3}$

1 (2) $\triangle ABC=\frac{1}{2}\times9\times12\times\sin(180^\circ-150^\circ)$

$=\frac{1}{2}\times9\times12\times\sin 30^\circ$

$=\frac{1}{2}\times9\times12\times\frac{1}{2}=27$

(3) $\triangle ABC=\frac{1}{2}\times4\sqrt{2}\times2\sqrt{6}\times\sin(180^\circ-120^\circ)$

$=\frac{1}{2}\times4\sqrt{2}\times2\sqrt{6}\times\sin 60^\circ$

$=\frac{1}{2}\times4\sqrt{2}\times2\sqrt{6}\times\frac{\sqrt{3}}{2}=12$

2 (1) $\angle C=180^\circ-(25^\circ+35^\circ)=120^\circ$이므로

$\triangle ABC=\frac{1}{2}\times8\times6\times\sin(180^\circ-120^\circ)$

$=\frac{1}{2}\times8\times6\times\sin 60^\circ$

$=\frac{1}{2}\times8\times6\times\frac{\sqrt{3}}{2}=12\sqrt{3}$

(2) $\angle B=180^\circ-(20^\circ+25^\circ)=135^\circ$이므로

$\triangle ABC=\frac{1}{2}\times7\times6\sqrt{2}\times\sin(180^\circ-135^\circ)$

$=\frac{1}{2}\times7\times6\sqrt{2}\times\sin 45^\circ$

$=\frac{1}{2}\times7\times6\sqrt{2}\times\frac{\sqrt{2}}{2}=21$

(3) $\triangle ABC$가 $\overline{AB}=\overline{AC}$인 이등변삼각형이므로

$\angle C=\angle B=30^\circ$

따라서 $\angle A=180^\circ-(30^\circ+30^\circ)=120^\circ$이므로

$\triangle ABC=\frac{1}{2}\times2\sqrt{3}\times2\sqrt{3}\times\sin(180^\circ-120^\circ)$

$=\frac{1}{2}\times2\sqrt{3}\times2\sqrt{3}\times\sin 60^\circ$

$=\frac{1}{2}\times2\sqrt{3}\times2\sqrt{3}\times\frac{\sqrt{3}}{2}=3\sqrt{3}$

29쪽

개념 익히기 16. 다각형의 넓이

1 (1) ① $6\sqrt{3}$ ② $\sqrt{3}$ ③ $7\sqrt{3}$
(2) ① $12\sqrt{3}$ ② $36\sqrt{3}$ ③ $48\sqrt{3}$

2 (1) $24+4\sqrt{3}$ (2) $\frac{63\sqrt{3}}{2}$ (3) 7

1 (1) ① $\triangle ABC=\frac{1}{2}\times6\times4\times\sin 60^\circ$
$=\frac{1}{2}\times6\times4\times\frac{\sqrt{3}}{2}=6\sqrt{3}$

② $\triangle ACD=\frac{1}{2}\times2\sqrt{3}\times2\times\sin(180^\circ-150^\circ)$
$=\frac{1}{2}\times2\sqrt{3}\times2\times\sin 30^\circ$
$=\frac{1}{2}\times2\sqrt{3}\times2\times\frac{1}{2}=\sqrt{3}$

③ $\square ABCD=\triangle ABC+\triangle ACD=6\sqrt{3}+\sqrt{3}=7\sqrt{3}$

(2) ① $\triangle ABD=\frac{1}{2}\times4\sqrt{3}\times4\sqrt{3}\times\sin(180^\circ-120^\circ)$
$=\frac{1}{2}\times4\sqrt{3}\times4\sqrt{3}\times\sin 60^\circ$
$=\frac{1}{2}\times4\sqrt{3}\times4\sqrt{3}\times\frac{\sqrt{3}}{2}=12\sqrt{3}$

② $\triangle BCD=\frac{1}{2}\times12\times12\times\sin 60^\circ$
$=\frac{1}{2}\times12\times12\times\frac{\sqrt{3}}{2}=36\sqrt{3}$

③ $\square ABCD=\triangle ABD+\triangle BCD$
$=12\sqrt{3}+36\sqrt{3}=48\sqrt{3}$

2 (1) 오른쪽 그림과 같이 $\overline{AC}$를 그으면

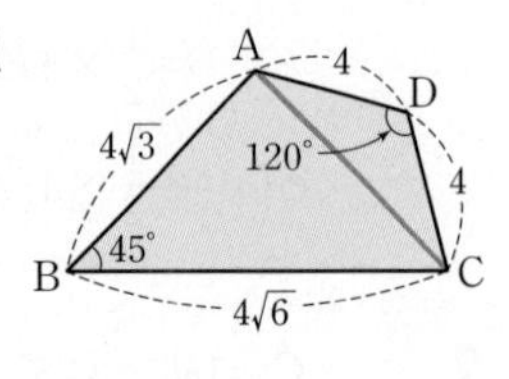

$\triangle ABC$
$=\frac{1}{2}\times4\sqrt{6}\times4\sqrt{3}\times\sin 45^\circ$
$=\frac{1}{2}\times4\sqrt{6}\times4\sqrt{3}\times\frac{\sqrt{2}}{2}=24$

$\triangle ACD=\frac{1}{2}\times4\times4\times\sin(180^\circ-120^\circ)$
$=\frac{1}{2}\times4\times4\times\sin 60^\circ$
$=\frac{1}{2}\times4\times4\times\frac{\sqrt{3}}{2}=4\sqrt{3}$

$\therefore \square ABCD=\triangle ABC+\triangle ACD=24+4\sqrt{3}$

(2) 오른쪽 그림과 같이 $\overline{AC}$를 그으면

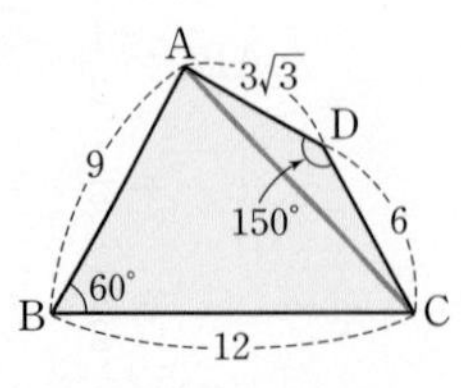

$\triangle ABC=\frac{1}{2}\times12\times9\times\sin 60^\circ$
$=\frac{1}{2}\times12\times9\times\frac{\sqrt{3}}{2}$
$=27\sqrt{3}$

$\triangle ACD=\frac{1}{2}\times6\times3\sqrt{3}\times\sin(180^\circ-150^\circ)$
$=\frac{1}{2}\times6\times3\sqrt{3}\times\sin 30^\circ$
$=\frac{1}{2}\times6\times3\sqrt{3}\times\frac{1}{2}=\frac{9\sqrt{3}}{2}$

$\therefore \square ABCD=\triangle ABC+\triangle ACD$
$=27\sqrt{3}+\frac{9\sqrt{3}}{2}=\frac{63\sqrt{3}}{2}$

(3) 오른쪽 그림과 같이 $\overline{BD}$를 그으면

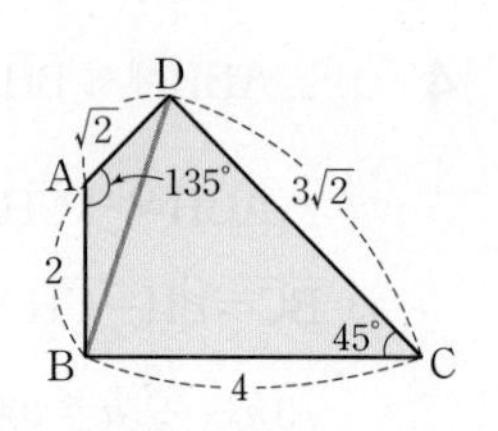

$\triangle ABD$
$=\frac{1}{2}\times2\times\sqrt{2}\times\sin(180^\circ-135^\circ)$
$=\frac{1}{2}\times2\times\sqrt{2}\times\sin 45^\circ$
$=\frac{1}{2}\times2\times\sqrt{2}\times\frac{\sqrt{2}}{2}=1$

$\triangle BCD=\frac{1}{2}\times4\times3\sqrt{2}\times\sin 45^\circ$
$=\frac{1}{2}\times4\times3\sqrt{2}\times\frac{\sqrt{2}}{2}=6$

$\therefore \square ABCD=\triangle ABD+\triangle BCD$
$=1+6=7$

30쪽

개념 익히기 17. 평행사변형의 넓이

1 (1) 16 (2) $35\sqrt{3}$ (3) $9\sqrt{2}$ (4) 27

2 (1) 50 (2) $10\sqrt{3}$ (3) $24\sqrt{2}$

1 (1) $\square ABCD=4\times4\sqrt{2}\times\sin 45^\circ$
$=4\times4\sqrt{2}\times\frac{\sqrt{2}}{2}=16$

(2) $\square ABCD=7\times10\times\sin 60^\circ$
$=7\times10\times\frac{\sqrt{3}}{2}=35\sqrt{3}$

(3) $\square ABCD=2\sqrt{3}\times3\sqrt{2}\times\sin(180^\circ-120^\circ)$
$=2\sqrt{3}\times3\sqrt{2}\times\sin 60^\circ$
$=2\sqrt{3}\times3\sqrt{2}\times\frac{\sqrt{3}}{2}=9\sqrt{2}$

(4) $\square ABCD=6\times9\times\sin(180^\circ-150^\circ)$
$=6\times9\times\sin 30^\circ$
$=6\times9\times\frac{1}{2}=27$

2 (1) $\square ABCD$가 마름모이므로
$\overline{BC}=\overline{AB}=10$
$\therefore \square ABCD=10\times10\times\sin 30^\circ$
$=10\times10\times\frac{1}{2}=50$

(2) $\square ABCD$가 마름모이므로
$\overline{AB}=\overline{AD}=2\sqrt{5}$
$\therefore \square ABCD=2\sqrt{5}\times2\sqrt{5}\times\sin(180^\circ-120^\circ)$
$=2\sqrt{5}\times2\sqrt{5}\times\sin 60^\circ$
$=2\sqrt{5}\times2\sqrt{5}\times\frac{\sqrt{3}}{2}=10\sqrt{3}$

(3) $\square ABCD$가 마름모이므로
$\overline{AD}=\overline{CD}=\overline{BC}=4\sqrt{3}$
$\therefore \square ABCD=4\sqrt{3}\times4\sqrt{3}\times\sin(180^\circ-135^\circ)$
$=4\sqrt{3}\times4\sqrt{3}\times\sin 45^\circ$
$=4\sqrt{3}\times4\sqrt{3}\times\frac{\sqrt{2}}{2}=24\sqrt{2}$

Ⅱ 원의 성질

Ⅱ·1 원과 직선

34쪽~35쪽

개념 익히기 1. 현의 수직이등분선

1 (1) 7 (2) 18 (3) 22 (4) 6

2 (1) 5, 3, 4, 8 (2) 24 (3) 14 (4) 2, $2\sqrt{2}$
(5) $\sqrt{41}$ (6) $\sqrt{13}$ (7) 6 (8) 8

3 (1) 5, 12, 24 (2) $6\sqrt{3}$
(3) 그림은 풀이 참조, $x-1$, $\sqrt{5}$, 3 (4) $\frac{29}{3}$

1 (1) $\overline{AB}\perp\overline{OM}$이므로 $\overline{AM}=\overline{BM}$
$\therefore\ x=7$
(2) $\overline{AB}\perp\overline{OM}$이므로 $\overline{AM}=\overline{BM}$
$\therefore\ x=2\overline{BM}=2\times9=18$
(3) $\overline{AB}\perp\overline{OM}$이므로 $\overline{AM}=\overline{BM}$
$\therefore\ x=2\overline{BM}=2\times11=22$
(4) $\overline{AB}\perp\overline{OM}$이므로 $\overline{AM}=\overline{BM}$
$\therefore\ x=\frac{1}{2}\overline{AB}=\frac{1}{2}\times12=6$

2 (2) △OBM에서
$\overline{BM}=\sqrt{13^2-5^2}=\sqrt{144}=12$
$\therefore\ x=2\overline{BM}=2\times12=24$
(3) △OAM에서
$\overline{AM}=\sqrt{(7\sqrt{2})^2-7^2}=\sqrt{49}=7$
$\therefore\ x=2\overline{AM}=2\times7=14$
(4) $\overline{AM}=\frac{1}{2}\overline{AB}=\frac{1}{2}\times4=\boxed{2}$
따라서 △OAM에서
$x=\sqrt{2^2+2^2}=\sqrt{8}=\boxed{2\sqrt{2}}$
(5) $\overline{AM}=\frac{1}{2}\overline{AB}=\frac{1}{2}\times10=5$
따라서 △OAM에서
$x=\sqrt{5^2+4^2}=\sqrt{41}$
(6) $\overline{AM}=\frac{1}{2}\overline{AB}=\frac{1}{2}\times6=3$
따라서 △OMA에서
$x=\sqrt{3^2+2^2}=\sqrt{13}$
(7) $\overline{AM}=\frac{1}{2}\overline{AB}=\frac{1}{2}\times16=8$
따라서 △OAM에서
$x=\sqrt{10^2-8^2}=\sqrt{36}=6$
(8) $\overline{AM}=\frac{1}{2}\overline{AB}=\frac{1}{2}\times30=15$
따라서 △OAM에서
$x=\sqrt{17^2-15^2}=\sqrt{64}=8$

3 (1) $\overline{OC}=\overline{OA}=13$ (원 O의 반지름)이므로
$\overline{OM}=13-8=\boxed{5}$
△OAM에서
$\overline{AM}=\sqrt{13^2-5^2}=\sqrt{144}=\boxed{12}$
$\therefore\ x=2\overline{AM}=2\times12=\boxed{24}$
(2) $\overline{OC}=\overline{OA}=6$ (원 O의 반지름)이므로
$\overline{OM}=6-3=3$
△AOM에서
$\overline{AM}=\sqrt{6^2-3^2}=\sqrt{27}=3\sqrt{3}$
$\therefore\ x=2\overline{AM}=2\times3\sqrt{3}=6\sqrt{3}$
(3) $\overline{OC}=\overline{OA}=x$ (원 O의 반지름)이므로
$\overline{OM}=x-1$
$\overline{AM}=\overline{BM}=\sqrt{5}$이므로
△OAM에서
$(\boxed{x-1})^2+(\boxed{\sqrt{5}})^2=x^2$
$x^2-2x+1+5=x^2,\ 2x=6\quad\therefore\ x=\boxed{3}$

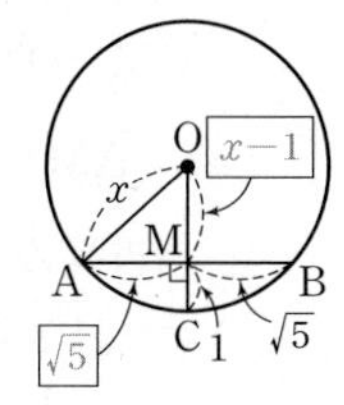

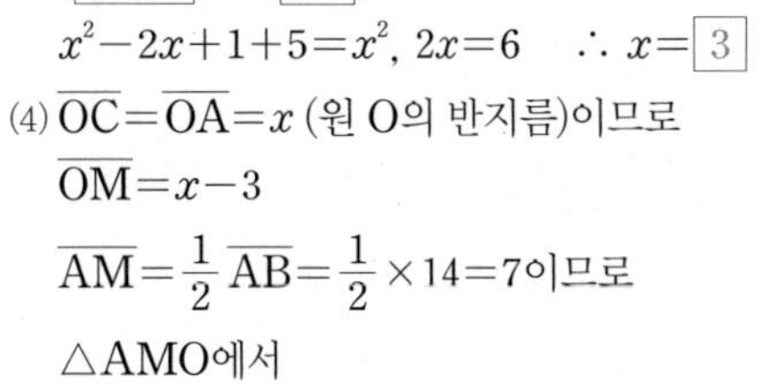

(4) $\overline{OC}=\overline{OA}=x$ (원 O의 반지름)이므로
$\overline{OM}=x-3$
$\overline{AM}=\frac{1}{2}\overline{AB}=\frac{1}{2}\times14=7$이므로
△AMO에서
$(x-3)^2+7^2=x^2,\ x^2-6x+9+49=x^2$
$6x=58\qquad\therefore\ x=\frac{29}{3}$

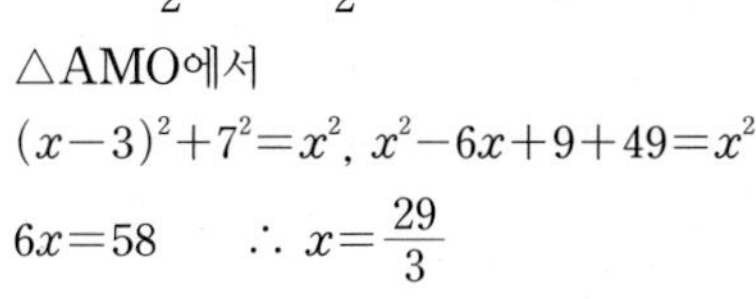

36쪽~37쪽

개념 익히기 2. 현의 길이

1 (1) 6 (2) 11 (3) 7 (4) 8

2 (1) 2 (2) 6 (3) 9 (4) 2

3 (1) $2\sqrt{6}$, $4\sqrt{6}$ (2) 4 (3) 5 (4) 6 (5) 5

4 (1) 이등변, 62 (2) 50° (3) 50° (4) 70°

1 (1) $\overline{OM}=\overline{ON}$이므로 $\overline{AB}=\overline{CD}$
$\therefore\ x=6$
(2) $\overline{OM}=\overline{ON}$이므로 $\overline{AB}=\overline{CD}$
$\therefore\ x=11$
(3) $\overline{OM}=\overline{ON}$이므로 $\overline{AB}=\overline{CD}$
$\therefore\ x=\frac{1}{2}\overline{AB}=\frac{1}{2}\overline{CD}=\frac{1}{2}\times14=7$
(4) $\overline{OM}=\overline{ON}$이므로 $\overline{AB}=\overline{CD}$
$\therefore\ x=\overline{AB}=2\overline{BM}=2\times4=8$

2 (1) $\overline{AB}=\overline{CD}$이므로 $\overline{OM}=\overline{ON}$
$\therefore\ x=2$
(2) $\overline{AB}=\overline{CD}$이므로 $\overline{OM}=\overline{ON}$
$\therefore\ x=6$
(3) $\overline{CD}=2\overline{DN}=2\times8=16$
즉, $\overline{AB}=\overline{CD}$이므로 $\overline{OM}=\overline{ON}$
$\therefore\ x=9$
(4) $\overline{AC}=2\overline{CN}=2\times6=12$
즉, $\overline{AB}=\overline{AC}$이므로 $\overline{OM}=\overline{ON}$
$\therefore\ x=2$

3 (1) $\triangle$OCN에서
$\overline{CN}=\sqrt{7^2-5^2}=\sqrt{24}=\boxed{2\sqrt{6}}$
이때 $\overline{OM}=\overline{ON}$이므로 $\overline{AB}=\overline{CD}$
$\therefore x=\overline{CD}=2\overline{CN}=2\times2\sqrt{6}=\boxed{4\sqrt{6}}$
(2) $\triangle$OND에서
$\overline{DN}=\sqrt{(\sqrt{5})^2-1^2}=\sqrt{4}=2$
이때 $\overline{OM}=\overline{ON}$이므로 $\overline{AB}=\overline{CD}$
$\therefore x=\overline{CD}=2\overline{DN}=2\times2=4$
(3) $\overline{OM}=\overline{ON}$이므로 $\overline{AB}=\overline{CD}=8$
$\therefore \overline{AM}=\frac{1}{2}\overline{AB}=\frac{1}{2}\times8=4$
따라서 $\triangle$OAM에서
$x=\sqrt{4^2+3^2}=\sqrt{25}=5$
(4) $\overline{CN}=\frac{1}{2}\overline{CD}=\frac{1}{2}\times16=8$이므로
$\triangle$OCN에서
$\overline{ON}=\sqrt{10^2-8^2}=\sqrt{36}=6$
이때 $\overline{AB}=\overline{CD}$이므로 $\overline{OM}=\overline{ON}$
$\therefore x=6$
(5) $\overline{DN}=\overline{CN}=12$이므로
$\triangle$ODN에서
$\overline{ON}=\sqrt{13^2-12^2}=\sqrt{25}=5$
이때 $\overline{CD}=2\overline{CN}=2\times12=24$
즉, $\overline{AB}=\overline{CD}$이므로 $\overline{OM}=\overline{ON}$
$\therefore x=5$

4 (2) $\overline{OM}=\overline{ON}$이므로 $\overline{AB}=\overline{AC}$
따라서 $\triangle$ABC는 이등변삼각형이므로
$\angle x=\frac{1}{2}\times(180^\circ-80^\circ)=50^\circ$
(3) $\overline{OM}=\overline{ON}$이므로 $\overline{AB}=\overline{AC}$
따라서 $\triangle$ABC는 이등변삼각형이므로
$\angle C=\angle B=65^\circ$
$\therefore \angle x=180^\circ-(65^\circ+65^\circ)=50^\circ$
(4) $\overline{OM}=\overline{ON}$이므로 $\overline{AB}=\overline{AC}$
따라서 $\triangle$ABC는 이등변삼각형이므로
$\angle B=\angle C=55^\circ$
$\therefore \angle x=180^\circ-(55^\circ+55^\circ)=70^\circ$

38쪽~39쪽

개념 익히기 **3. 접선의 길이**

1 (1) 90, 90, 90, 110 (2) 145° (3) 60° (4) 230°
2 (1) 9 (2) 4 (3) 10 (4) 6
3 (1) 이등변, 75 (2) 65° (3) 50° (4) 40°
4 (1) 90, 8, 8 (2) 12 (3) 15 (4) $\frac{36}{7}$

1 (2) $\angle PAO=\angle PBO=90^\circ$이므로
$\square$APBO에서
$\angle x=360^\circ-(90^\circ+35^\circ+90^\circ)=145^\circ$
(3) $\angle PAO=\angle PBO=90^\circ$이므로
$\square$APBO에서
$\angle x=360^\circ-(90^\circ+120^\circ+90^\circ)=60^\circ$
(4) $\angle PAO=\angle PBO=90^\circ$이므로
$\square$APBO에서
$\angle AOB=360^\circ-(90^\circ+50^\circ+90^\circ)=130^\circ$
$\therefore \angle x=360^\circ-130^\circ=230^\circ$

2 (1) $\overline{PA}=\overline{PB}$이므로 $x=9$
(2) $\overline{PA}=\overline{PB}$이므로 $3x=12$ $\quad\therefore x=4$
(3) $\overline{PB}=\overline{PA}=6$, $\overline{QB}=\overline{QC}=4$이므로
$x=\overline{PB}+\overline{QB}=6+4=10$
(4) $\overline{PB}=\overline{PA}=5$이므로
$\overline{QB}=\overline{PQ}-\overline{PB}=11-5=6$
이때 $\overline{QB}=\overline{QC}$이므로 $x=6$

3 (2) $\overline{PA}=\overline{PB}$이므로 $\triangle$PBA는 이등변삼각형이다.
$\therefore \angle x=\frac{1}{2}\times(180^\circ-50^\circ)=65^\circ$
(3) $\overline{PA}=\overline{PB}$이므로 $\triangle$PAB는 이등변삼각형이다.
$\therefore \angle x=\frac{1}{2}\times(180^\circ-80^\circ)=50^\circ$
(4) $\overline{PA}=\overline{PB}$이므로 $\triangle$PAB는 이등변삼각형이다.
따라서 $\angle B=\angle A=70^\circ$이므로
$\angle x=180^\circ-(70^\circ+70^\circ)=40^\circ$

4 (1) $\angle PBO=\boxed{90}^\circ$이므로
직각삼각형 PBO에서
$\overline{PB}=\sqrt{10^2-6^2}=\sqrt{64}=\boxed{8}$
$\therefore x=\overline{PB}=\boxed{8}$
(2) $\angle PAO=90^\circ$이므로
직각삼각형 POA에서
$\overline{PA}=\sqrt{13^2-5^2}=\sqrt{144}=12$
$\therefore x=\overline{PA}=12$
(3) $\overline{OC}=\overline{OA}=8$ (원 O의 반지름)이므로
$\overline{OP}=8+9=17$
$\angle PAO=90^\circ$이므로
직각삼각형 PAO에서
$\overline{PA}=\sqrt{17^2-8^2}=\sqrt{225}=15$
$\therefore x=\overline{PA}=15$
(4) $\overline{OC}=\overline{OB}=x$ (원 O의 반지름)이므로
$\overline{OP}=x+7$
$\overline{PB}=\overline{PA}=11$이고
$\angle PBO=90^\circ$이므로
직각삼각형 POB에서
$11^2+x^2=(x+7)^2$, $121+x^2=x^2+14x+49$
$14x=72 \quad \therefore x=\frac{36}{7}$

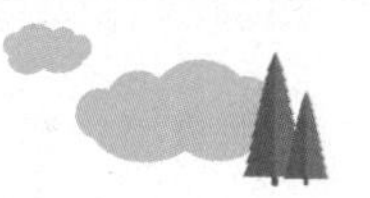

개념 익히기 4. 삼각형의 내접원

1 그림은 풀이 참조
2 (1) 34 (2) 22
3 (1) 14 (2) 9 (3) 7 (4) 13
4 (1) 그림은 풀이 참조, $8-x$, $9-x$, 5 (2) 8 (3) 3 (4) 8
5 (1) 그림은 풀이 참조, 5, $4-r$, 1 (2) 2 (3) 5

1 (1)

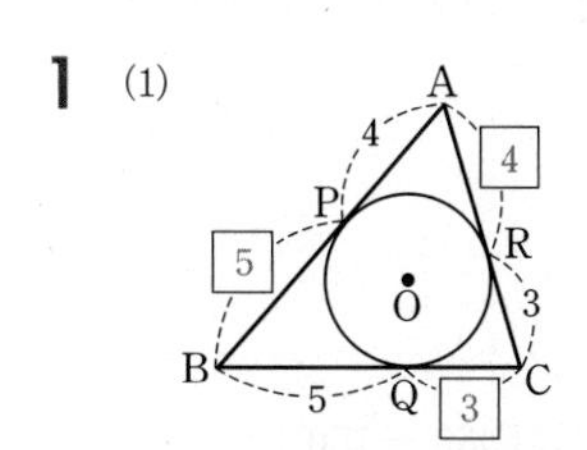

$\overline{AR}=\overline{AP}=4$, $\overline{BP}=\overline{BQ}=5$, $\overline{CQ}=\overline{CR}=3$

(2)

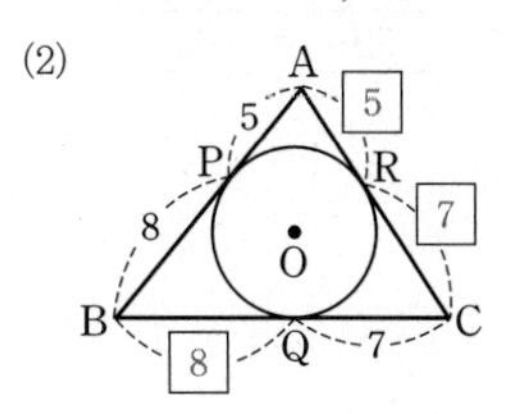

$\overline{AR}=\overline{AP}=5$, $\overline{BQ}=\overline{BP}=8$, $\overline{CR}=\overline{CQ}=7$

2 (1) $\overline{AP}=\overline{AR}$, $\overline{BP}=\overline{BQ}$, $\overline{CQ}=\overline{CR}$이므로
(△ABC의 둘레의 길이)$=\overline{AB}+\overline{BC}+\overline{CA}$
$=2(\overline{AP}+\overline{BQ}+\overline{CR})$
$=2\times(4+6+7)$
$=2\times17$
$=34$

(2) $\overline{AP}=\overline{AR}$, $\overline{BP}=\overline{BQ}$, $\overline{CQ}=\overline{CR}$이므로
(△ABC의 둘레의 길이)$=\overline{AB}+\overline{BC}+\overline{CA}$
$=2(\overline{AR}+\overline{BP}+\overline{CQ})$
$=2\times(2+5+4)$
$=2\times11$
$=22$

3 (1) $\overline{AR}=\overline{AP}=4$
$\overline{CQ}=\overline{CR}=12-4=8$
$\overline{BQ}=\overline{BP}=6$
$\therefore x=6+8=14$

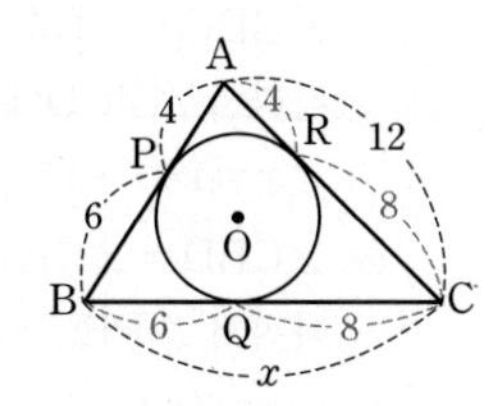

(2) $\overline{BP}=\overline{BQ}=8$
$\overline{AR}=\overline{AP}=12-8=4$
$\overline{CR}=\overline{CQ}=5$
$\therefore x=4+5=9$

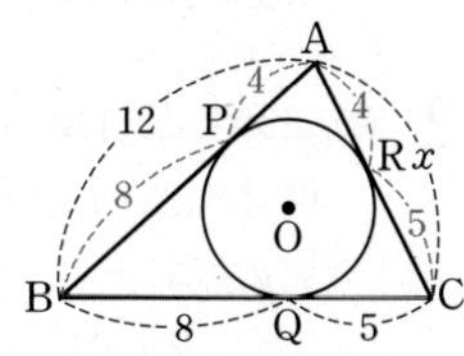

(3) $\overline{AR}=\overline{AP}=3$
$\overline{CQ}=\overline{CR}=8-3=5$
$\therefore x=\overline{BQ}=12-5=7$

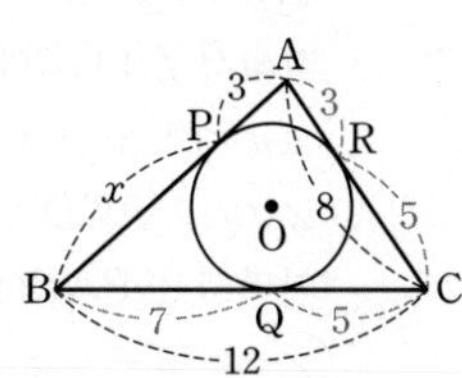

(4) $\overline{CR}=\overline{CQ}=12-4=8$
$\overline{BP}=\overline{BQ}=4$이므로
$\overline{AR}=\overline{AP}=9-4=5$
$\therefore x=5+8=13$

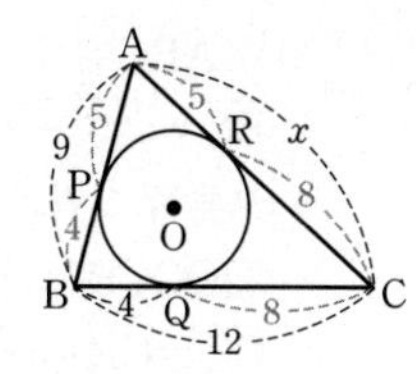

4 (1) $\overline{AC}=\overline{AR}+\overline{CR}$이므로
$7=(\boxed{8-x})+(\boxed{9-x})$
$2x=10$ $\therefore x=\boxed{5}$

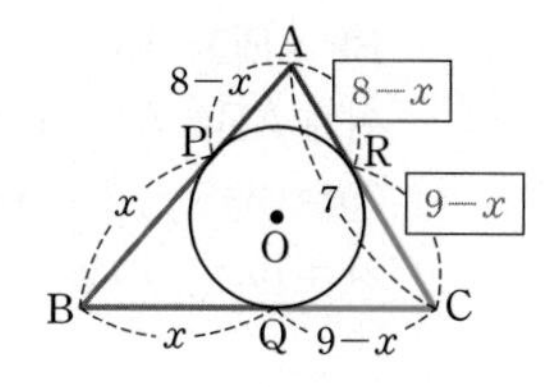

(2) $\overline{BP}=\overline{BQ}=x$이므로
$\overline{AR}=\overline{AP}=14-x$
$\overline{CR}=\overline{CQ}=13-x$
이때 $\overline{AC}=\overline{AR}+\overline{CR}$이므로
$11=(14-x)+(13-x)$
$2x=16$ $\therefore x=8$

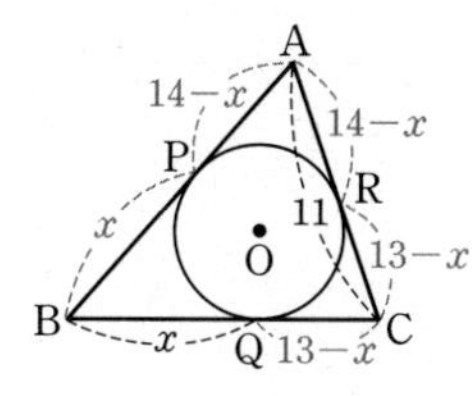

(3) $\overline{CQ}=\overline{CR}=x$이므로
$\overline{AP}=\overline{AR}=5-x$
$\overline{BP}=\overline{BQ}=10-x$
이때 $\overline{AB}=\overline{AP}+\overline{BP}$이므로
$9=(5-x)+(10-x)$
$2x=6$ $\therefore x=3$

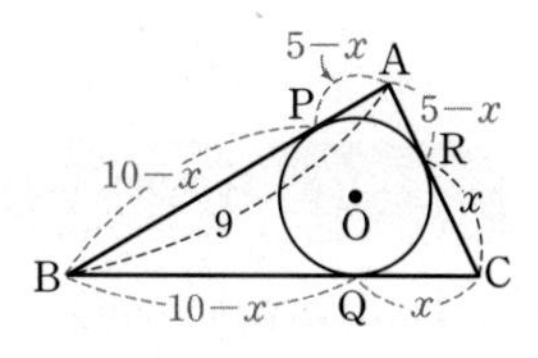

(4) $\overline{AR}=\overline{AP}=x$이므로
$\overline{BQ}=\overline{BP}=13-x$
$\overline{CQ}=\overline{CR}=20-x$
이때 $\overline{BC}=\overline{BQ}+\overline{CQ}$이므로
$17=(13-x)+(20-x)$
$2x=16$ $\therefore x=8$

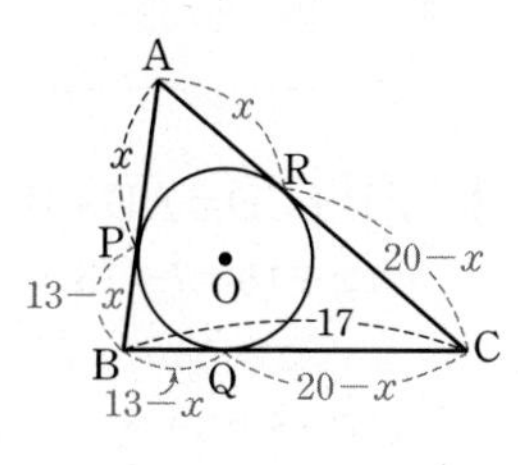

5 (1) △ABC에서
$\overline{AB}=\sqrt{4^2+3^2}=\sqrt{25}=5$
오른쪽 그림과 같이 $\overline{OQ}$를 그으면
□OQCR는 정사각형이므로
$\overline{CQ}=\overline{CR}=\overline{OR}=r$
$\overline{AP}=\overline{AR}=3-r$
$\overline{BP}=\overline{BQ}=4-r$
이때 $\overline{AB}=\overline{AP}+\overline{BP}$이므로
$\boxed{5}=(3-r)+(\boxed{4-r})$
$2r=2$ $\therefore r=\boxed{1}$

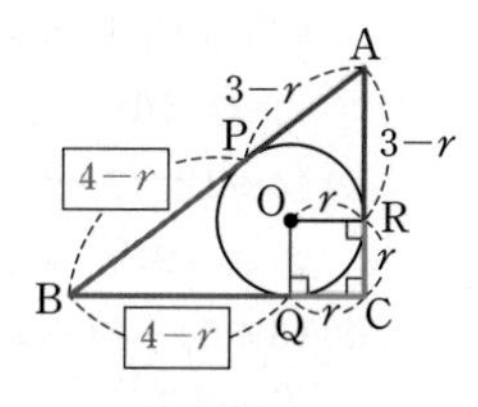

(2) △ABC에서
$\overline{AB}=\sqrt{12^2+5^2}=\sqrt{169}=13$
오른쪽 그림과 같이 $\overline{OQ}$를
그으면 □OQCR는 정사
각형이므로
$\overline{CQ}=\overline{CR}=\overline{OR}=r$
$\overline{AP}=\overline{AR}=5-r$
$\overline{BP}=\overline{BQ}=12-r$
이때 $\overline{AB}=\overline{AP}+\overline{BP}$이므로
$13=(5-r)+(12-r)$
$2r=4$ $\therefore r=2$

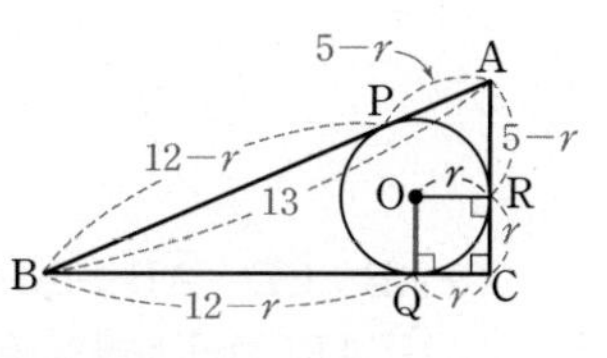

(3) △ABC에서
$\overline{BC}=\sqrt{25^2-20^2}=\sqrt{225}=15$
오른쪽 그림과 같이 $\overline{OR}$를 그으면
□OQCR는 정사각형이므로
$\overline{CQ}=\overline{CR}=\overline{OQ}=r$
$\overline{AP}=\overline{AR}=20-r$
$\overline{BP}=\overline{BQ}=15-r$
이때 $\overline{AB}=\overline{AP}+\overline{BP}$이므로
$25=(20-r)+(15-r)$
$2r=10 \quad \therefore r=5$

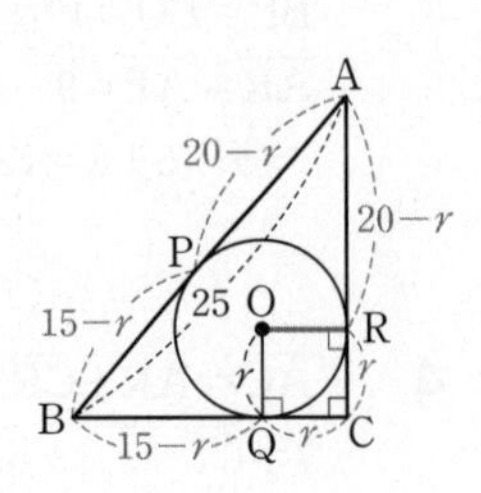

42쪽

개념 익히기 5. 원에 외접하는 사각형의 성질

1 (1) 6, 9, 7 (2) 12 (3) 9
2 (1) 10 (2) 9 (3) 5
3 (1) 28 (2) 42

1 $\overline{AB}+\overline{CD}=\overline{AD}+\overline{BC}$이므로
(2) $x+10=7+15$
$\therefore x=12$
(3) $6+8=5+x$
$\therefore x=9$

2 $\overline{AB}+\overline{CD}=\overline{AD}+\overline{BC}$이므로
(1) $(5+x)+13=8+20$
$\therefore x=10$
(2) $14+12=7+(x+10)$
$\therefore x=9$
(3) $(3+5)+(1+x)=4+10$
$\therefore x=5$

3 (1) $\overline{AD}+\overline{BC}=\overline{AB}+\overline{CD}$이므로
(□ABCD의 둘레의 길이)$=\overline{AB}+\overline{CD}+\overline{AD}+\overline{BC}$
$=2(\overline{AD}+\overline{BC})$
$=2\times(5+9)$
$=2\times14$
$=28$
(2) $\overline{AB}+\overline{CD}=\overline{AD}+\overline{BC}$이므로
(□ABCD의 둘레의 길이)$=\overline{AB}+\overline{CD}+\overline{AD}+\overline{BC}$
$=2(\overline{AB}+\overline{CD})$
$=2\times(11+10)$
$=2\times21$
$=42$

Ⅱ·2 원주각

43쪽

개념 익히기 6. 원주각과 중심각의 크기

1 (1) 65° (2) 30° (3) 115° (4) 그림은 풀이 참조, 210, 105
(5) 140° (6) 70° (7) 200° (8) 140°

1 (1) $\angle x=\frac{1}{2}\times130°=65°$
(2) $\angle x=\frac{1}{2}\times60°=30°$
(3) $\angle x=\frac{1}{2}\times230°=115°$
(4)

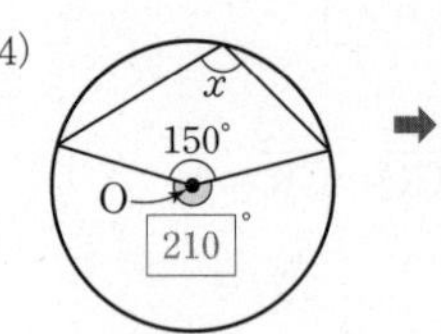

➡ $\angle x=\frac{1}{2}\times(360°-150°)$
$=\frac{1}{2}\times\boxed{210}°=\boxed{105}°$

(5) $\angle x=2\times70°=140°$
(6) $\angle x=2\times35°=70°$
(7) $\angle x=2\times100°=200°$
(8) $\angle x=360°-2\times110°$
$=360°-220°=140°$

44쪽

개념 익히기 7. 원주각의 성질 (1)

1 (1) 25° (2) 38° (3) 55, 95 (4) 120°
2 (1) $\angle x=43°$, $\angle y=100°$ (2) $\angle x=28°$, $\angle y=113°$
(3) $\angle x=41°$, $\angle y=35°$

1 (1) $\angle x=\angle BAC=25°$ ($\overset{\frown}{BC}$에 대한 원주각)
(2) $\angle x=\angle ACB=38°$ ($\overset{\frown}{AB}$에 대한 원주각)
(3) $\angle BDC=\angle BAC=\boxed{55}°$ ($\overset{\frown}{BC}$에 대한 원주각)
따라서 △PCD에서
$\angle x=180°-(55°+30°)=\boxed{95}°$
(4) $\angle CBD=\angle CAD=27°$ ($\overset{\frown}{CD}$에 대한 원주각)
따라서 △PBC에서
$\angle x=180°-(27°+33°)=120°$

2 (1) $\angle x=\angle ADB=43°$ ($\overset{\frown}{AB}$에 대한 원주각)
따라서 △PBC에서
$\angle y=57°+\angle x=57°+43°=100°$
(2) $\angle x=\angle BAC=28°$ ($\overset{\frown}{BC}$에 대한 원주각)
따라서 △PCD에서
$\angle y=85°+\angle x=85°+28°=113°$
(3) $\angle x=\angle ACD=41°$ ($\overset{\frown}{AD}$에 대한 원주각)
따라서 △PAB에서
$\angle y=76°-\angle x=76°-41°=35°$

45쪽

개념 익히기 **8. 원주각의 성질 (2)**

1 (1) 70° (2) 35° (3) 24°
2 (1) 90, 34, 56 (2) 67° (3) 40° (4) 27°

1 (1) $\overline{AB}$가 원 O의 지름이므로 $\angle ACB=90^\circ$
따라서 $\triangle ABC$에서
$\angle x=180^\circ-(90^\circ+20^\circ)=70^\circ$
(2) $\overline{AB}$가 원 O의 지름이므로 $\angle ACB=90^\circ$
따라서 $\triangle ABC$에서
$\angle x=180^\circ-(90^\circ+55^\circ)=35^\circ$
(3) $\overline{AB}$가 원 O의 지름이므로 $\angle ACB=90^\circ$
따라서 $\triangle ACB$에서
$\angle x=180^\circ-(90^\circ+66^\circ)=24^\circ$

2 (1) $\overline{AB}$가 원 O의 지름이므로 $\angle ADB=\boxed{90}^\circ$
$\angle CDB=\angle CAB=\boxed{34}^\circ$ ($\overset{\frown}{CB}$에 대한 원주각)
$\therefore\ \angle x=\angle ADB-\angle CDB$
$=90^\circ-34^\circ=\boxed{56}^\circ$
(2) $\overline{AB}$가 원 O의 지름이므로 $\angle ACB=90^\circ$
$\angle BCD=\angle BAD=23^\circ$ ($\overset{\frown}{BD}$에 대한 원주각)
$\therefore\ \angle x=\angle ACB-\angle BCD$
$=90^\circ-23^\circ=67^\circ$
(3) $\overline{AB}$가 원 O의 지름이므로 $\angle ADB=90^\circ$
$\angle ABD=\angle ACD=50^\circ$ ($\overset{\frown}{AD}$에 대한 원주각)
따라서 $\triangle ABD$에서
$\angle x=180^\circ-(90^\circ+50^\circ)=40^\circ$
(4) $\overline{AB}$가 원 O의 지름이므로 $\angle ACB=90^\circ$
$\angle CAB=\angle CDB=63^\circ$ ($\overset{\frown}{CB}$에 대한 원주각)
따라서 $\triangle ACB$에서
$\angle x=180^\circ-(63^\circ+90^\circ)=27^\circ$

46쪽

개념 익히기 **9. 원주각의 크기와 호의 길이 (1)**

1 (1) 25° (2) 40° (3) 30°
2 (1) 9 (2) 11 (3) 12

1 (1) $\overset{\frown}{AB}=\overset{\frown}{CD}$이므로 $\angle APB=\angle CQD$
$\therefore \angle x=25^\circ$
(2) $\overset{\frown}{AB}=\overset{\frown}{CD}$이므로 $\angle APB=\angle CQD$
$\therefore \angle x=40^\circ$
(3) 오른쪽 그림과 같이 $\overset{\frown}{AB}$ 위에 있지 않은 원 위의 점을 Q라 하면
$\overset{\frown}{AB}$에 대한 원주각의 크기는

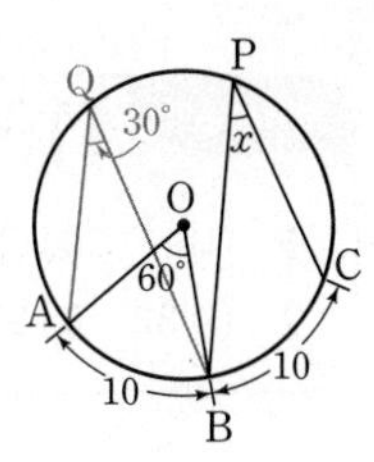

$\angle AQB=\frac{1}{2}\times 60^\circ=30^\circ$
이때 $\overset{\frown}{AB}=\overset{\frown}{BC}$이므로
$\angle AQB=\angle BPC\quad \therefore \angle x=30^\circ$

2 (1) $\angle APB=\angle CQD$이므로 $\overset{\frown}{AB}=\overset{\frown}{CD}$
$\therefore\ x=9$
(2) $\angle ADB=\angle CBD$이므로 $\overset{\frown}{AB}=\overset{\frown}{CD}$
$\therefore\ x=11$
(3) $\overline{PC}$가 원 O의 지름이므로
$\angle PDC=90^\circ$
$\triangle PCD$에서
$\angle CPD=180^\circ-(90^\circ+60^\circ)=30^\circ$
따라서 $\angle APB=\angle CPD$이므로
$\overset{\frown}{AB}=\overset{\frown}{CD}\quad \therefore\ x=12$

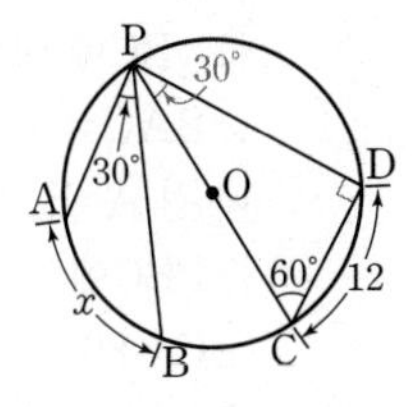

47쪽

개념 익히기 **10. 원주각의 크기와 호의 길이 (2)**

1 (1) 45° (2) 80° (3) 75°
2 (1) 22 (2) 10 (3) 4

1 (1) $\angle APB : \angle CQD=\overset{\frown}{AB} : \overset{\frown}{CD}$이므로
$15^\circ : \angle x=1 : 3\quad \therefore \angle x=45^\circ$
(2) $\angle APB : \angle BQC=\overset{\frown}{AB} : \overset{\frown}{BC}$이므로
$16^\circ : \angle x=4 : 20,\ 16^\circ : \angle x=1 : 5$
$\therefore \angle x=80^\circ$
(3) $\angle APB : \angle AQC=\overset{\frown}{AB} : \overset{\frown}{AC}$이므로
$25^\circ : \angle x=7 : (7+14)$
$25^\circ : \angle x=1 : 3\quad \therefore \angle x=75^\circ$

2 (1) $\overset{\frown}{AB} : \overset{\frown}{CD}=\angle ADB : \angle CBD$이므로
$11 : x=35^\circ : 70^\circ$
$11 : x=1 : 2\quad \therefore\ x=22$
(2) $\overset{\frown}{AB} : \overset{\frown}{CD}=\angle ACB : \angle CBD$이므로
$x : 15=30^\circ : 45^\circ$
$x : 15=2 : 3\quad \therefore\ x=10$
(3) $\overline{PB}$가 원 O의 지름이므로 $\angle PAB=90^\circ$
$\triangle PBA$에서
$\angle APB=180^\circ-(90^\circ+35^\circ)=55^\circ$
이때 $\overset{\frown}{AB} : \overset{\frown}{CD}=\angle APB : \angle CPD$이므로
$10 : x=55^\circ : 22^\circ$
$10 : x=5 : 2\quad \therefore\ x=4$

48쪽

개념 익히기 **11. 네 점이 한 원 위에 있을 조건**

1 (1) × (2) ○ (3) ○ (4) ×
2 (1) 32° (2) 35° (3) 25° (4) 85°

1 (1) $\overline{BC}$에 대하여 $\angle BAC \neq \angle BDC$이므로
네 점 A, B, C, D는 한 원 위에 있지 않다.
(2) $\overline{AD}$에 대하여 $\angle ABD = \angle ACD$이므로
네 점 A, B, C, D는 한 원 위에 있다.
(3) $\triangle PAB$에서
$\angle A = 180° - (90° + 35°) = 55°$
즉, $\overline{BC}$에 대하여
$\angle BAC = \angle BDC$이므로
네 점 A, B, C, D는 한 원 위에 있다.
(4) $\triangle PBC$에서
$\angle C = 85° - 60° = 25°$
즉, $\overline{AB}$에 대하여
$\angle ADB \neq \angle ACB$이므로
네 점 A, B, C, D는 한 원 위에 있지 않다.

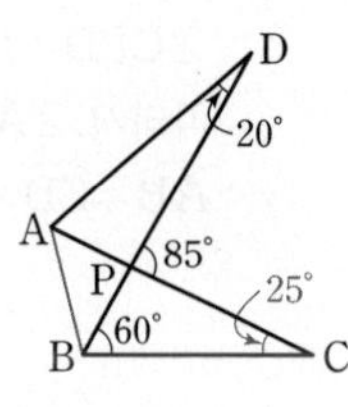

2 (1) 네 점 A, B, C, D가 한 원 위에 있으므로
$\angle x = \angle BDC = 32°$
(2) 네 점 A, B, C, D가 한 원 위에 있으므로
$\angle ABD = \angle ACD = 60°$
따라서 $\triangle PAB$에서
$\angle x = 180° - (60° + 85°) = 35°$
(3) 네 점 A, B, C, D가 한 원 위에 있으므로
$\angle BDC = \angle BAC = 45°$
따라서 $\triangle PCD$에서
$\angle x = 70° - \angle BDC = 70° - 45° = 25°$
(4) 네 점 A, B, C, D가 한 원 위에 있으므로
$\angle BAC = \angle BDC = 50°$
따라서 $\triangle PAB$에서
$\angle x = \angle BAC + 35° = 50° + 35° = 85°$

49쪽~50쪽

개념 익히기 **12. 원에 내접하는 사각형의 성질**

1 (1) $\angle x = 105°$, $\angle y = 85°$ (2) $\angle x = 90°$, $\angle y = 120°$
(3) $\angle x = 77°$, $\angle y = 96°$
2 (1) 95° (2) 115° (3) 24°
3 (1) 60, 180, 120 (2) $\angle x = 110°$, $\angle y = 70°$
(3) $\angle x = 55°$, $\angle y = 125°$ (4) $\angle x = 105°$, $\angle y = 105°$
(5) $\angle x = 85°$, $\angle y = 85°$
4 (1) 115, 65, 2, 130 (2) $\angle x = 100°$, $\angle y = 200°$
(3) $\angle x = 70°$, $\angle y = 110°$ (4) $\angle x = 80°$, $\angle y = 160°$
(5) $\angle x = 120°$, $\angle y = 120°$

1 (1) $\angle x + 75° = 180°$ $\therefore \angle x = 105°$
$\angle y + 95° = 180°$ $\therefore \angle y = 85°$
(2) $\angle x + 90° = 180°$ $\therefore \angle x = 90°$
$\angle y + 60° = 180°$ $\therefore \angle y = 120°$
(3) $\angle x + 103° = 180°$ $\therefore \angle x = 77°$
$\angle y + 84° = 180°$ $\therefore \angle y = 96°$

2 (3) $52° + \angle x = 76°$ $\therefore \angle x = 24°$

3 (1) $\triangle ABC$에서
$\angle x = 180° - (55° + 65°) = \boxed{60}°$
□ABCD가 원에 내접하므로
$\angle x + \angle y = \boxed{180}°$에서
$60° + \angle y = 180°$ $\therefore \angle y = \boxed{120}°$
(2) $\triangle ABC$에서
$\angle x = 180° - (40° + 30°) = 110°$
□ABCD가 원에 내접하므로
$\angle x + \angle y = 180°$에서
$110° + \angle y = 180°$ $\therefore \angle y = 70°$
(3) $\overline{BC}$가 원 O의 지름이므로 $\angle BAC = 90°$
$\triangle ABC$에서
$\angle x = 180° - (90° + 35°) = 55°$
□ABCD가 원 O에 내접하므로
$\angle x + \angle y = 180°$에서
$55° + \angle y = 180°$ $\therefore \angle y = 125°$
(4) $\triangle ACD$에서
$\angle x = 180° - (30° + 45°) = 105°$
□ABCD가 원에 내접하므로
$\angle y = \angle x = 105°$
(5) $\triangle ABD$에서
$\angle x = 180° - (40° + 55°) = 85°$
□ABCD가 원에 내접하므로
$\angle y = \angle x = 85°$

4 (2) □ABCD가 원 O에 내접하므로
$\angle x + 80° = 180°$
$\therefore \angle x = 100°$
$\angle y = 2\angle x = 2 \times 100° = 200°$
(3) $\angle x = \frac{1}{2} \times 140° = 70°$
□ABCD가 원 O에 내접하므로
$\angle x + \angle y = 180°$에서
$70° + \angle y = 180°$
$\therefore \angle y = 110°$
(4) □ABCD가 원 O에 내접하므로
$\angle x = 80°$
$\therefore \angle y = 2\angle x = 2 \times 80° = 160°$
(5) $\angle x = \frac{1}{2} \times 240° = 120°$
□ABCD가 원 O에 내접하므로
$\angle y = \angle x = 120°$

51쪽

개념 익히기 13. 사각형이 원에 내접하기 위한 조건

1 (1) ○ (2) × (3) ○ (4) ×
2 (1) $110°$ (2) $98°$ (3) $60°$ (4) $50°$

1 (1) $\angle A+\angle C=120°+60°=180°$이므로
□ABCD는 원에 내접한다.
(2) $\angle BAD \neq \angle DCE$이므로
□ABCD는 원에 내접하지 않는다.
(3) $\triangle ABC$에서
$\angle B=180°-(70°+30°)=80°$
따라서 $\angle B+\angle D=80°+100°=180°$이므로
□ABCD는 원에 내접한다.
(4) $\overline{AD}$에 대하여 $\angle ABD \neq \angle ACD$이므로
□ABCD는 원에 내접하지 않는다.

2 (1) □ABCD가 원에 내접하므로
$\angle x+70°=180° \quad \therefore \angle x=110°$
(2) $\triangle BCD$에서
$\angle C=180°-(36°+62°)=82°$
□ABCD가 원에 내접하므로
$\angle x+\angle C=180°$에서
$\angle x+82°=180° \quad \therefore \angle x=98°$
(3) □ABCD가 원에 내접하므로
$\angle ADC=\angle ABE=120°$
$\therefore \angle x=180°-\angle ADC$
$=180°-120°=60°$
[참고] □ABCD가 원에 내접하므로
$\angle x=\angle ABC$
임을 이용하여 구할 수도 있다.

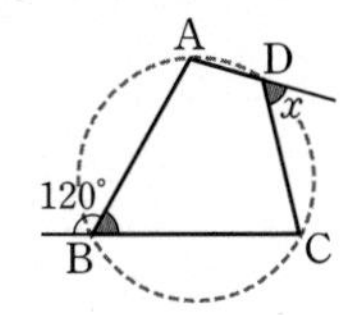

(4) □ABCD가 원에 내접하므로
$\overline{BC}$에 대하여 $\angle BAC=\angle BDC=\angle x$
따라서 $\triangle PAB$에서
$\angle x=180°-(40°+90°)=50°$

52쪽

개념 익히기 14. 접선과 현이 이루는 각

1 (1) $75°$ (2) $100°$ (3) $85°$ (4) $35°$ (5) $50°$ (6) $60°$
2 (1) $130°$ (2) $55°$

1 (1) $\angle x=\angle CBA=75°$
(2) $\angle x=\angle BAT=100°$
(3) $\angle BCA=\angle BAT=55°$
따라서 $\triangle ABC$에서
$\angle x=180°-(55°+40°)=85°$
(4) $\angle BCA=\angle BAT=115°$
따라서 $\triangle ABC$에서
$\angle x=180°-(30°+115°)=35°$
(5) $\angle BCA=\angle BAT=40°$
$\overline{BC}$가 원 O의 지름이므로 $\angle BAC=90°$
따라서 $\triangle ABC$에서
$\angle x=180°-(40°+90°)=50°$
(6) $\angle CBA=\angle CAT=30°$
$\overline{BC}$가 원 O의 지름이므로 $\angle CAB=90°$
따라서 $\triangle ABC$에서
$\angle x=180°-(30°+90°)=60°$

2 (1) $\angle BCA=\angle BAT=65°$
$\therefore \angle x=2\angle BCA=2\times 65°=130°$
(2) $\angle CBA=\frac{1}{2}\angle COA=\frac{1}{2}\times 110°=55°$
$\therefore \angle x=\angle CBA=55°$

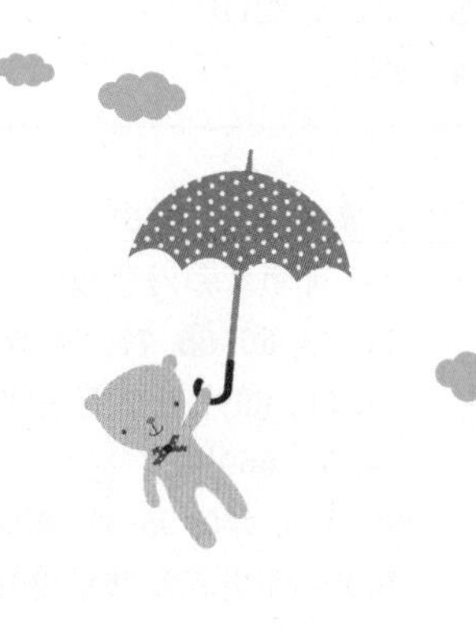

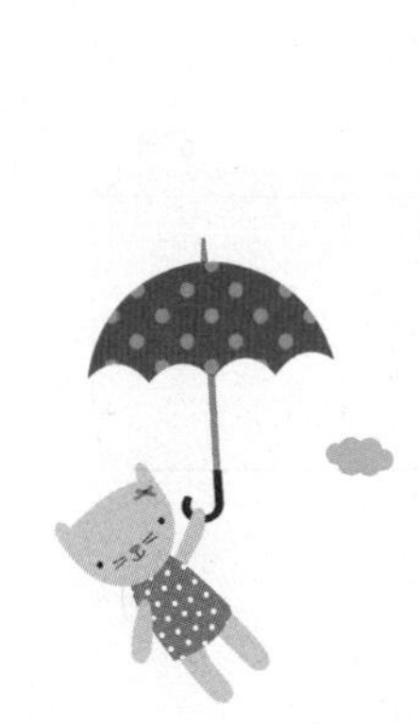

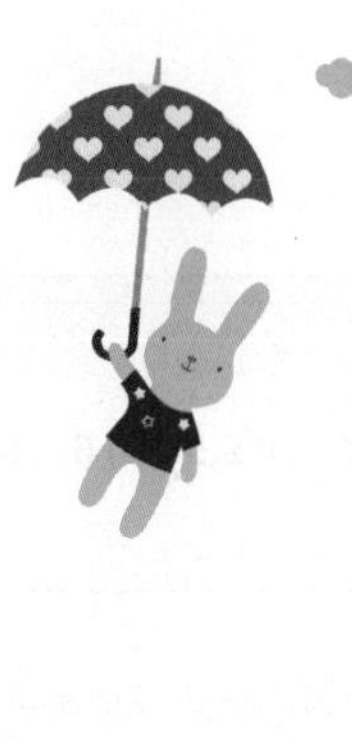

III 통계

III·1 대푯값과 산포도

56쪽

개념 익히기 1. 평균

1 (1) 5, 5 (2) 6.5 (3) 20 (4) 40
2 (1) 6 (2) 9 (3) 55

1 (2) $(\text{평균})=\frac{2+5+7+7+8+10}{6}$

$=\frac{39}{6}=6.5$

(3) $(\text{평균})=\frac{15+24+18+20+22+21}{6}$

$=\frac{120}{6}=20$

(4) $(\text{평균})=\frac{10+20+30+40+50+60+70}{7}$

$=\frac{280}{7}=40$

2 (1) $(\text{평균})=\frac{x+14+7+5}{4}=8$이므로

$x+14+7+5=32$

$\therefore x=6$

(2) $(\text{평균})=\frac{13+6+12+x+10}{5}=10$이므로

$13+6+12+x+10=50$

$\therefore x=9$

(3) $(\text{평균})=\frac{35+40+50+60+30+x}{6}=45$이므로

$35+40+50+60+30+x=270$

$\therefore x=55$

57쪽

개념 익히기 2. 중앙값

1 (1) 2 (2) 2, 4, 3 (3) 15 (4) 6.5 (5) 6 (6) 11
2 (1) 3 (2) 11 (3) 7

1 (1) 변량을 작은 값부터 크기순으로 나열하면

1, 1, 2, 5, 9

변량의 개수가 홀수이므로 중앙값은 $\boxed{2}$이다.

(2) 변량을 작은 값부터 크기순으로 나열하면

1, 2, 2, 4, 6, 7

변량의 개수가 짝수이므로 중앙값은 2와 4의 평균인

$\frac{\boxed{2}+\boxed{4}}{2}=\boxed{3}$이다.

(3) 변량을 작은 값부터 크기순으로 나열하면

13, 14, 15, 18, 20

변량의 개수가 홀수이므로 중앙값은 15이다.

(4) 변량을 작은 값부터 크기순으로 나열하면

3, 4, 6, 7, 8, 9

변량의 개수가 짝수이므로 중앙값은 6과 7의 평균인

$\frac{6+7}{2}=6.5$이다.

(5) 변량을 작은 값부터 크기순으로 나열하면

3, 4, 4, 6, 7, 9, 11

변량의 개수가 홀수이므로 중앙값은 6이다.

(6) 변량을 작은 값부터 크기순으로 나열하면

7, 7, 9, 10, 12, 15, 15, 20

변량의 개수가 짝수이므로 중앙값은 10과 12의 평균인

$\frac{10+12}{2}=11$이다.

2 (1) $(\text{중앙값})=\frac{x+7}{2}=5$이므로

$x+7=10 \quad \therefore x=3$

(2) $(\text{중앙값})=\frac{5+x}{2}=8$이므로

$5+x=16 \quad \therefore x=11$

(3) $(\text{중앙값})=\frac{x+13}{2}=10$이므로

$x+13=20 \quad \therefore x=7$

58쪽

개념 익히기 3. 최빈값

1 (1) 8 (2) 44, 55, 66 (3) 100 (4) 소
2 230 mm
3 16 GB, 32 GB
4 튀김

1 (1) 5, 8, 6, 8, 8, 9, 6

8이 세 번으로 가장 많이 나타나므로 최빈값은 8이다.

(2) 44, 33, 66, 55, 77, 44, 55, 66

44, 55, 66이 각각 두 번씩 가장 많이 나타나므로 최빈값은 44, 55, 66이다.

(3) 90, 105, 100, 95, 95, 100, 110, 100

100이 세 번으로 가장 많이 나타나므로 최빈값은 100이다.

(4) 소, 돼지, 닭, 소, 말, 토끼, 곰, 쥐

소가 두 번으로 가장 많이 나타나므로 최빈값은 소이다.

2 230 mm가 7명으로 가장 많이 나타나므로 최빈값은 230 mm이다.

3 16 GB, 32 GB가 각각 9명씩 가장 많이 나타나므로 최빈값은 16 GB, 32 GB이다.

4 튀김이 14명으로 가장 많이 나타나므로 최빈값은 튀김이다.

59쪽

집중연습 대푯값 구하기

1 9, 12, 15, 17, 17, 20, 21, 24
(1) 15점 (2) 16점 (3) 17점
2 (1) 24세 (2) 26세 (3) 26세, 31세
3 (1) 25시간 (2) 14시간 (3) 11시간 (4) 중앙값
4 (1) 4.1만 원 (2) 4만 원 (3) 5만 원 (4) 최빈값

1 줄기와 잎 그림에서 주어진 자료는 다음과 같다.

(단위: 점)

7, 8, 9, 12, 15, 17, 17, 20, 21, 24

(1) $(\text{평균})=\dfrac{7+8+9+12+15+17+17+20+21+24}{10}$
$=\dfrac{150}{10}=15(\text{점})$

(2) 변량의 개수가 짝수이므로 중앙값은 15와 17의 평균인 $\dfrac{15+17}{2}=16(\text{점})$이다.

(3) 17점이 두 번으로 가장 많이 나타나므로 최빈값은 17점이다.

2 줄기와 잎 그림에서 주어진 자료는 다음과 같다.

(단위: 세)

14, 16, 19, 20, 24, 26, 26, 27, 30, 31, 31

(1) (평균)
$=\dfrac{14+16+19+20+24+26+26+27+30+31+31}{11}$
$=\dfrac{264}{11}=24(\text{세})$

(2) 변량의 개수가 홀수이므로 중앙값은 26세이다.

(3) 26세, 31세가 각각 2번씩 가장 많이 나타나므로 최빈값은 26세, 31세이다.

3 (1) $(\text{평균})=\dfrac{9+17+11+94+19+11+14}{7}$
$=\dfrac{175}{7}=25(\text{시간})$

(2) 변량을 작은 값부터 크기순으로 나열하면
9, 11, 11, 14, 17, 19, 94
변량의 개수가 홀수이므로 중앙값은 14시간이다.

(3) 9, 11, 11, 14, 17, 19, 94
11시간이 두 번으로 가장 많이 나타나므로 최빈값은 11시간이다.

(4) 94시간이 다른 변량에 비해 매우 크므로 극단적인 값에 영향을 받지 않는 중앙값이 이 자료의 대푯값으로 적절하다.
[참고] 평균은 극단적인 값이 있는 경우 그 값에 영향을 받으므로 이 자료 전체의 중심 경향을 잘 나타낸다고 할 수 없다.

4 (1) $(\text{평균})=\dfrac{5+2+3+5+5+3+10+1+5+2}{10}$
$=\dfrac{41}{10}=4.1(\text{만 원})$

(2) 변량을 작은 값부터 크기순으로 나열하면
1, 2, 2, 3, 3, 5, 5, 5, 5, 10
변량의 개수가 짝수이므로 중앙값은 3과 5의 평균인 $\dfrac{3+5}{2}=4(\text{만 원})$이다.

(3) 1, 2, 2, 3, 3, 5, 5, 5, 5, 10
5만 원이 네 번으로 가장 많이 나타나므로 최빈값은 5만 원이다.

(4) 친구 10명이 받은 세뱃돈 중에서 가장 많이 나타난 금액으로 지은이의 세뱃돈을 정하므로 최빈값이 이 자료의 대푯값으로 적절하다.

60쪽~61쪽

개념 익히기 4. 편차

1 풀이 참조
2 표는 풀이 참조 (1) 4, 5 (2) 16 (3) 25 (4) 60
3 (1) 3 (2) −7 (3) −8 (4) 10
4 (1) −8 (2) 74점
5 157 cm
6 10권

1 (편차)=(변량)−(평균)이므로 표를 완성하면 다음과 같다.

(1)

변량	4	6	9	5
편차	−2	0	3	−1

(2)

변량	17	10	14	19	10
편차	3	−4	0	5	−4

(3)

변량	27	37	32	25	29
편차	−3	7	2	−5	−1

(변량)=(평균)+(편차)이므로 표를 완성하면 다음과 같다.

(4)

변량	8	6	9	5
편차	1	−1	2	−2

(5)

변량	90	75	80	85	100	80
편차	5	−10	−5	0	15	−5

2 (1) (평균)$=\frac{7+4+6+3}{\boxed{4}}=\frac{20}{4}=\boxed{5}$이므로

변량	7	4	6	3
편차	2	-1	1	-2

(2) (평균)$=\frac{18+11+16+22+13}{5}=\frac{80}{5}=16$이므로

변량	18	11	16	22	13
편차	2	-5	0	6	-3

(3) (평균)$=\frac{5+15+25+35+45}{5}=\frac{125}{5}=25$이므로

변량	5	15	25	35	45
편차	-20	-10	0	10	20

(4) (평균)$=\frac{35+45+55+70+80+75}{6}=\frac{360}{6}=60$이므로

변량	35	45	55	70	80	75
편차	-25	-15	-5	10	20	15

3 (1) 편차의 총합은 0이므로
$x+(-10)+6+1=0$
$\therefore x=3$
(2) 편차의 총합은 0이므로
$-5+x+(-1)+13=0$
$\therefore x=-7$
(3) 편차의 총합은 0이므로
$8+7+(-11)+x+(-1)+5=0$
$\therefore x=-8$
(4) 편차의 총합은 0이므로
$9+2+(-10)+5+(-16)+x=0$
$\therefore x=10$

4 (1) 편차의 총합은 0이므로
$-3+1+x+10=0$
$\therefore x=-8$
(2) (지호의 수학 점수)=(평균)+(편차)
$=82+(-8)=74$(점)

5 편차의 총합은 0이므로
$x+5+2+(-1)+0=0$
$\therefore x=-6$
$\therefore$ (태형이의 키)=(평균)+(편차)
$=163+(-6)=157$ (cm)

6 편차의 총합은 0이므로
$-7+0+4+1+x=0$
$\therefore x=2$
$\therefore$ (슬기가 읽은 책의 수)=(평균)+(편차)
$=8+2=10$(권)

개념 익히기 5. 분산과 표준편차

1 (1) 30 (2) 6 (3) $\sqrt{6}$
2 분산: 10, 표준편차: $\sqrt{10}$ kg
3 (1) -3 (2) 12 (3) $2\sqrt{3}$
4 분산: 16, 표준편차: 4 ℃
5 (1) ❶ 4 ❷ -2, 2, 0, -1, 1 ❸ 10 ❹ 2 ❺ $\sqrt{2}$
(2) ❶ 12 ❷ -7, 1, -2, -1, 7, 2 ❸ 108 ❹ 18 ❺ $3\sqrt{2}$
6 분산: 2, 표준편차: $\sqrt{2}$회
7 분산: 8, 표준편차: $2\sqrt{2}$시간
8 분산: $\frac{17}{3}$, 표준편차: $\frac{\sqrt{51}}{3}$점

1 (1) (편차)^{2}의 총합을 구하면
$(-3)^2+0^2+4^2+(-2)^2+1^2=30$
(2) (분산)$=\frac{\{(편차)^2의\ 총합\}}{(변량의\ 개수)}=\frac{30}{5}=6$

2 (편차)^{2}의 총합을 구하면
$6^2+(-1)^2+(-3)^2+0^2+(-2)^2=50$
$\therefore$ (분산)$=\frac{50}{5}=10$
(표준편차)$=\sqrt{10}$ kg

3 (1) 편차의 총합은 0이므로
$x+3+(-4)+5+(-1)=0$
$\therefore x=-3$
(2) (편차)^{2}의 총합을 구하면
$(-3)^2+3^2+(-4)^2+5^2+(-1)^2=60$
$\therefore$ (분산)$=\frac{60}{5}=12$
(3) (표준편차)$=\sqrt{12}=2\sqrt{3}$

4 편차의 총합은 0이므로
$4+(-6)+1+x+(-5)+3=0$
$\therefore x=3$
(편차)^{2}의 총합을 구하면
$4^2+(-6)^2+1^2+3^2+(-5)^2+3^2=96$
$\therefore$ (분산)$=\frac{96}{6}=16$
(표준편차)$=\sqrt{16}=4$(℃)

5 (1)

❶ 평균	$\frac{2+6+4+3+5}{5}=\frac{20}{5}=4$
❷ 각 변량의 편차	-2, 2, 0, -1, 1
❸ (편차)^{2}의 총합	$(-2)^2+2^2+0^2+(-1)^2+1^2=10$
❹ 분산	$\frac{\{(편차)^2의\ 총합\}}{(변량의\ 개수)}=\frac{10}{5}=2$
❺ 표준편차	$\sqrt{(분산)}=\sqrt{2}$

(2)

❶ 평균	$\frac{5+13+10+11+19+14}{6}=\frac{72}{6}=12$
❷ 각 변량의 편차	$-7, 1, -2, -1, 7, 2$
❸ (편차)^{2}의 총합	$(-7)^2+1^2+(-2)^2+(-1)^2+7^2+2^2=108$
❹ 분산	$\frac{\{(편차)^2의\ 총합\}}{(변량의\ 개수)}=\frac{108}{6}=18$
❺ 표준편차	$\sqrt{(분산)}=\sqrt{18}=3\sqrt{2}$

6 $(평균)=\frac{8+10+9+12+11}{5}=\frac{50}{5}=10(회)$

각 변량의 편차를 구하면 ← 평균 10회를 빼~

-2회, 0회, -1회, 2회, 1회

(편차)^{2}의 총합을 구하면

$(-2)^2+0^2+(-1)^2+2^2+1^2=10$

$\therefore (분산)=\frac{10}{5}=2$

$(표준편차)=\sqrt{2}(회)$

7 $(평균)=\frac{9+3+7+10+3+4}{6}=\frac{36}{6}=6(시간)$

각 변량의 편차를 구하면 ← 평균 6시간을 빼~

3시간, -3시간, 1시간, 4시간, -3시간, -2시간

(편차)^{2}의 총합을 구하면

$3^2+(-3)^2+1^2+4^2+(-3)^2+(-2)^2=48$

$\therefore (분산)=\frac{48}{6}=8$

$(표준편차)=\sqrt{8}=2\sqrt{2}(시간)$

8 $(평균)=\frac{17+16+14+18+12+19}{6}=\frac{96}{6}=16(점)$

각 변량의 편차를 구하면 ← 평균 16점을 빼~

1점, 0점, -2점, 2점, -4점, 3점

(편차)^{2}의 총합을 구하면

$1^2+0^2+(-2)^2+2^2+(-4)^2+3^2=34$

$\therefore (분산)=\frac{34}{6}=\frac{17}{3}$

$(표준편차)=\sqrt{\frac{17}{3}}=\frac{\sqrt{51}}{3}(점)$

64쪽

개념 익히기 6. 자료의 분석

1 (1) A팀 (2) B팀
2 (1) 희민 (2) 혜연 (3) 보연
3 (1) ㄴ (2) ㄴ (3) ㄷ
4 (1) 도현 (2) 바다

1 (1) 평균이 클수록 월별 득점도 우수하므로 두 팀 중 월별 득점이 더 우수한 팀은 A팀이다.
(2) 표준편차가 작을수록 자료의 분포 상태가 고르게 나타나므로 두 팀 중 월별 득점이 더 고른 팀은 B팀이다.

2 (1) 평균이 작을수록 수면 시간도 짧으므로 수면 시간이 가장 짧은 학생은 희민이다.
(2) 표준편차가 작을수록 수면 시간이 규칙적이므로(고르므로) 수면 시간이 가장 규칙적인 학생은 혜연이다.
(3) 표준편차가 클수록 수면 시간이 불규칙적이므로(고르지 않으므로) 수면 시간이 가장 불규칙적인 학생은 보연이다.

3 (1) 변량들이 평균 3 가까이에 모여 있을수록 분포 상태가 고르게 나타나므로 분포 상태가 가장 고르게 나타난 것은 ㄴ이다.
(2) 변량들이 평균 3 가까이에 모여 있을수록 분산이 작으므로 분산이 가장 작은 것은 ㄴ이다.
(3) 변량들이 평균 3을 중심으로 멀리 흩어져 있을수록 표준편차가 크므로 표준편차가 가장 큰 것은 ㄷ이다.

[참고] 분산 또는 표준편차가 작다.
└▶ 산포도
➡ 변량들이 평균 가까이에 모여 있다.
➡ 변량들 간의 격차가 작다.
➡ 자료의 분포 상태가 고르다.

4 (1) 평균 8점을 중심으로 멀리 있는 변량이 많을수록 기록의 기복이 더 심하므로(고르지 않으므로) 기록의 기복이 더 심한 선수는 도현이다.
(2) 평균 8점 가까이에 있는 변량이 많을수록 표준편차가 작으므로 표준편차가 더 작은 선수는 바다이다.

65쪽

개념 익히기 7. 대푯값과 산포도의 이해

1 (1) × (2) ○ (3) × (4) × (5) × (6) ○ (7) ○ (8) ○ (9) × (10) × (11) × (12) ○ (13) × (14) ○

1 (1) 편차는 대푯값이 아니다.
(3) 변량의 개수가 짝수이면 중앙값은 주어진 자료 중에 없을 수도 있다.
(4) 변량의 개수가 짝수이면 중앙값은 한가운데 있는 두 값의 평균이므로 항상 1개이다.
(5) 최빈값은 2개 이상일 수도 있다.

(9) 편차는 0이거나 음수일 수도 있다.
(10) 분산은 (편차)^{2}의 평균이다.
[참고] 편차의 총합은 0이므로 편차의 평균도 항상 0이다.
(11) 평균의 크기는 분산의 크기와 상관없다.
(13) 분산이 작을수록 표준편차도 작다.

Ⅲ-2 상관관계

66쪽

개념 익히기 8. 산점도

1 풀이 참조
2 풀이 참조
3 (1) 15℃ (2) 2개
4 (1) 4점 (2) 7점

1

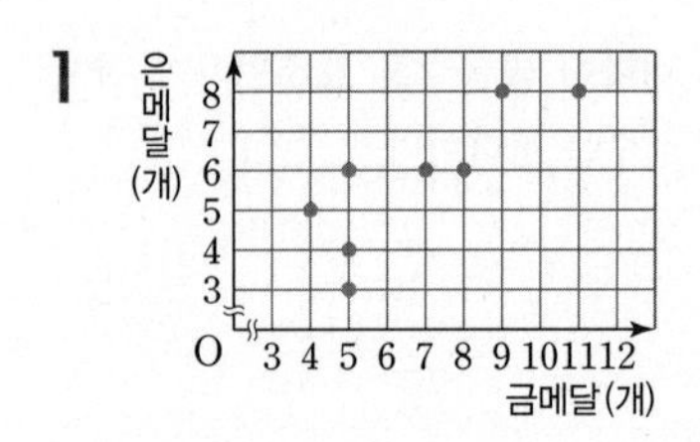

2

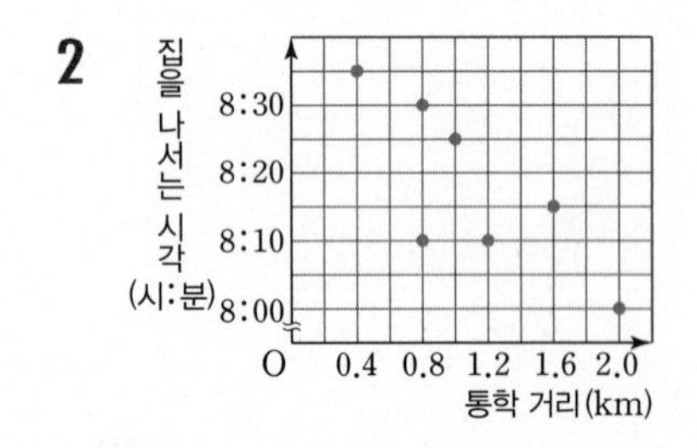

3

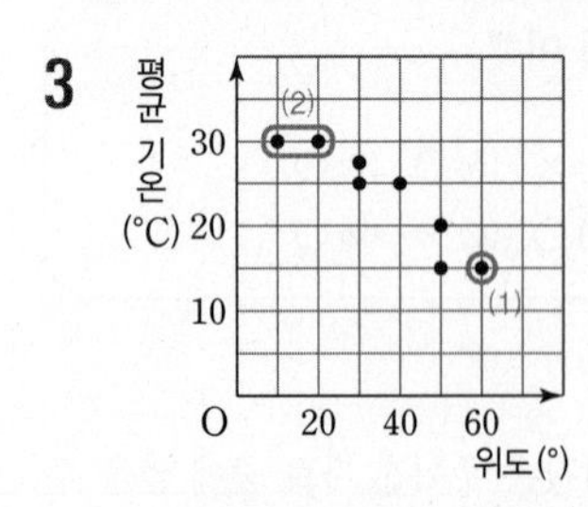

(1) 위도가 가장 높은 도시의 위도는 60°이고, 이 도시의 평균 기온은 15℃이다.
(2) 평균 기온이 가장 높은 도시의 평균 기온은 30℃이고, 이러한 도시는 위도가 10°, 20°로 2개이다.

4

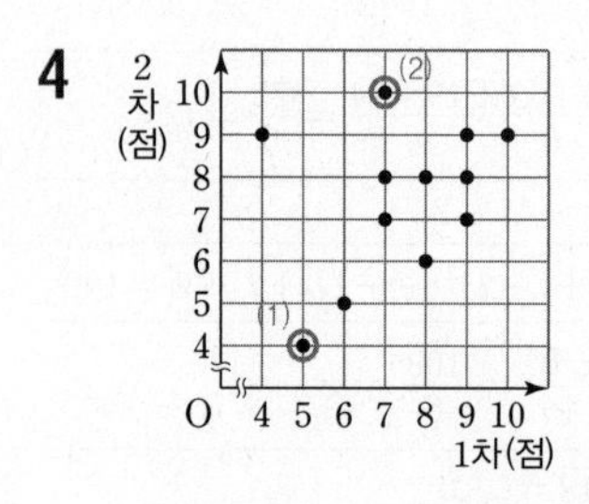

(1) 1차 점수가 두 번째로 낮은 선수의 1차 점수는 5점이고, 이 선수의 2차 점수는 4점이다.
(2) 2차 점수가 가장 높은 선수의 2차 점수는 10점이고, 이 선수의 1차 점수는 7점이다.

67쪽~68쪽

개념 익히기 9. 산점도의 분석

1 (1) 4명 (2) 2명 (3) 3명 (4) 3, $\frac{1}{4}$
2 (1) 4명 (2) 2명 (3) 4명 (4) 4, 40
3 (1) 5명 (2) $\frac{1}{3}$
4 (1) 8명 (2) 55%
5 (1) 2명 (2) 3명 (3) 18편 (4) 25% (5) $\frac{1}{8}$

1 (1) 키가 165 cm 이하인 학생은 오른쪽 그림에서 색칠한 부분(경계선 포함)에 속하므로 4명이다.

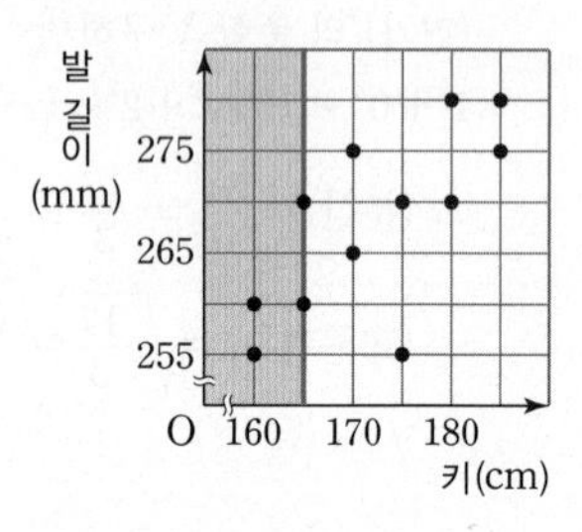

(2) 발 길이가 260 mm 미만인 학생은 오른쪽 그림에서 색칠한 부분(경계선 제외)에 속하므로 2명이다.

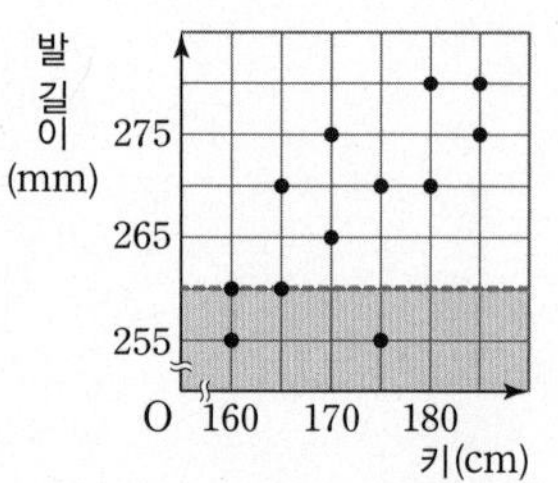

(3) 키가 180 cm 이상이고 발 길이가 270 mm 초과인 학생은 오른쪽 그림에서 색칠한 부분(경계선 중 실선은 포함, 점선은 제외)에 속하므로 3명이다.

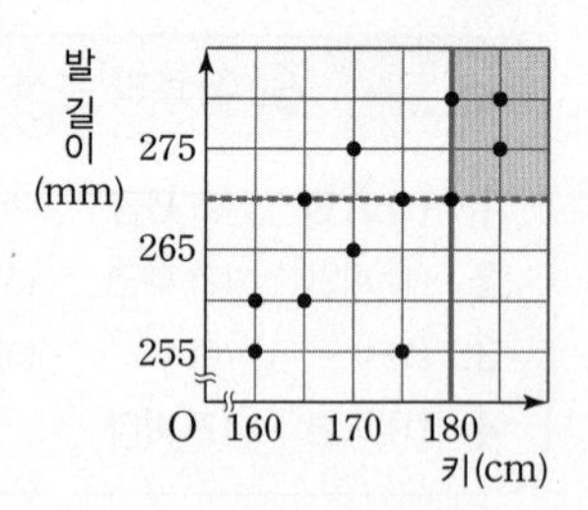

2 (1) 필기 점수와 실기 점수가 같은 학생은 오른쪽 그림에서 대각선 위에 있으므로 4명이다.

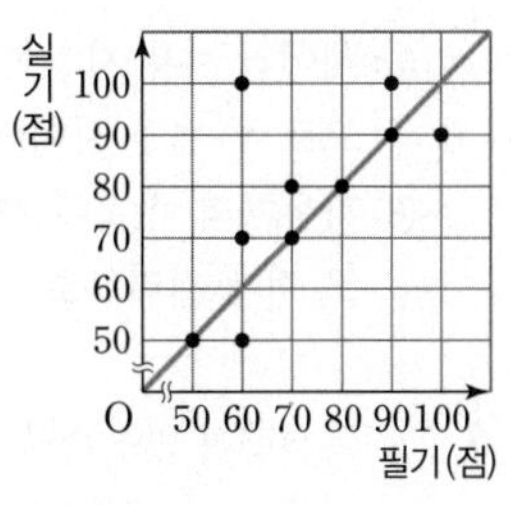

(2) 필기 점수가 실기 점수보다 높은 학생은 오른쪽 그림에서 색칠한 부분(경계선 제외)에 속하므로 2명이다.

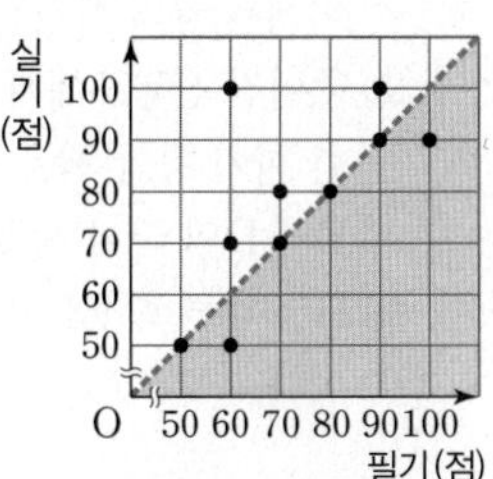

(3) 실기 점수가 필기 점수보다 높은 학생은 오른쪽 그림에서 색칠한 부분(경계선 제외)에 속하므로 4명이다.

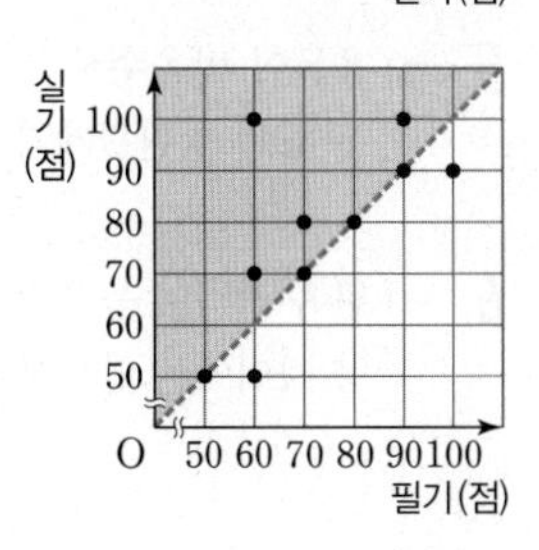

3 (1) 1차 시험에서 문제를 3개 이상 맞힌 학생은 오른쪽 그림에서 색칠한 부분(경계선 포함)에 속하므로 5명이다.

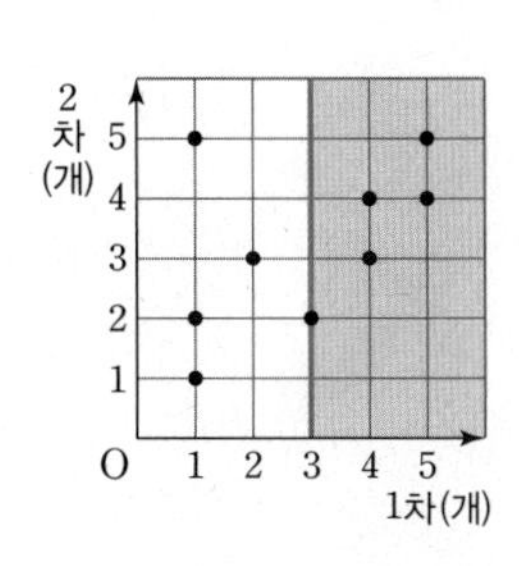

(2) 두 번의 시험에서 맞힌 문제 수의 변화가 없는, 즉 맞힌 문제 수가 같은 학생은 오른쪽 그림에서 대각선 위에 있으므로 3명이다.
따라서 그 비율은
$\frac{3}{9}=\frac{1}{3}$

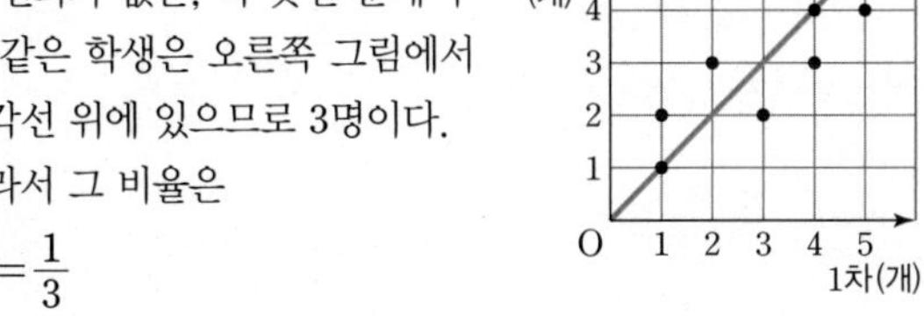

4 (1) TV 시청 시간이 2시간 30분 이상 4시간 이하인 학생은 오른쪽 그림에서 색칠한 부분(경계선 포함)에 속하므로 8명이다.

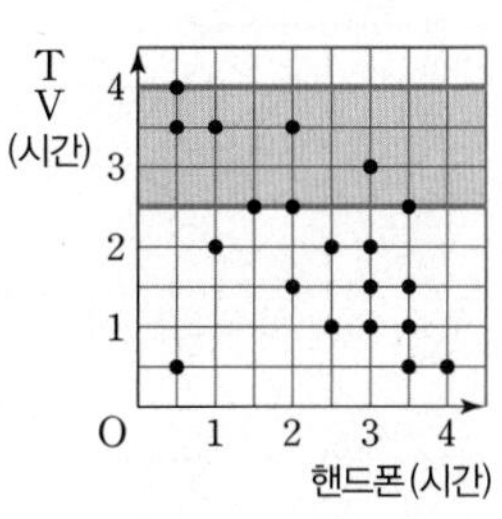

(2) TV 시청 시간이 핸드폰 이용 시간보다 더 적은 학생은 오른쪽 그림에서 색칠한 부분(경계선 제외)에 속하므로 11명이다.
따라서 전체의
$\frac{11}{20}\times 100=55(\%)$

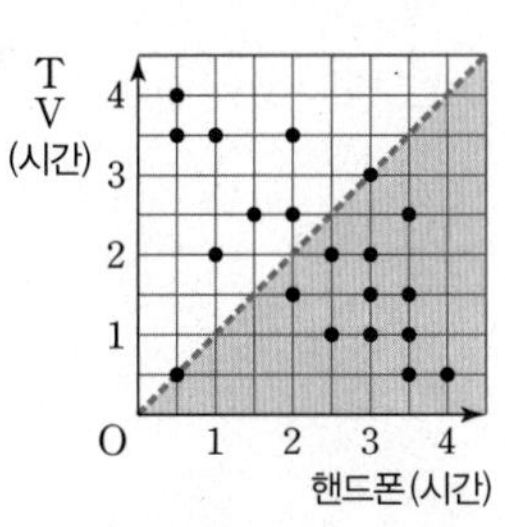

5 (1) 작년에 본 영화의 수가 성범이와 같은 학생은 오른쪽 그림에서 세로선 위에 있으므로 2명이다.

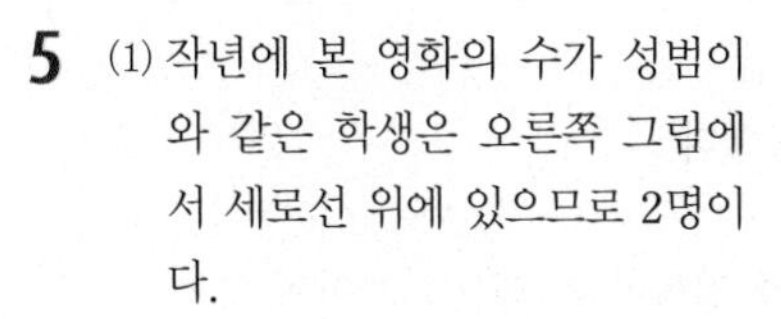

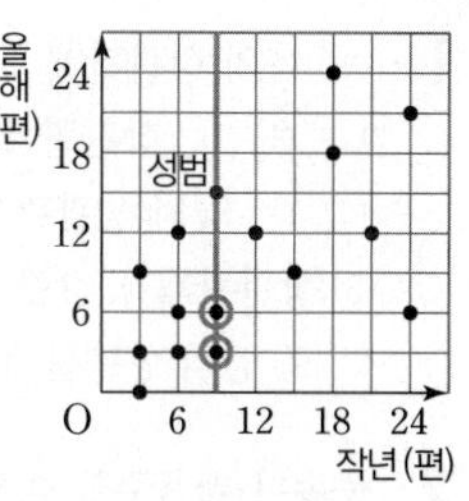

(2) 올해 본 영화의 수가 15편 초과인 학생은 오른쪽 그림에서 색칠한 부분(경계선 제외)에 속하므로 3명이다.

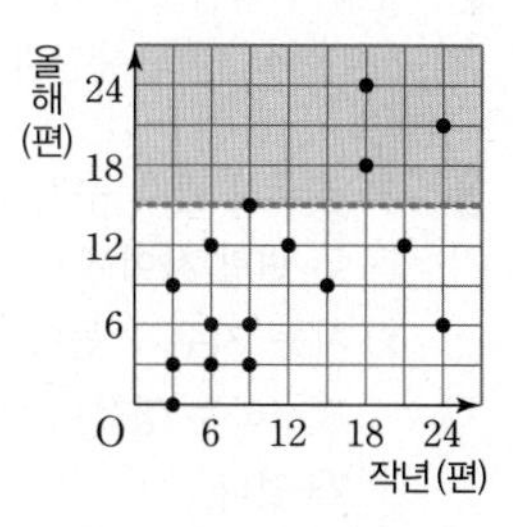

(3) 작년과 올해 본 영화의 수가 같은 학생은 오른쪽 그림에서 대각선 위에 있으므로 이 중에서 영화를 가장 많이 본 학생이 올해 본 영화의 수는 18편이다.

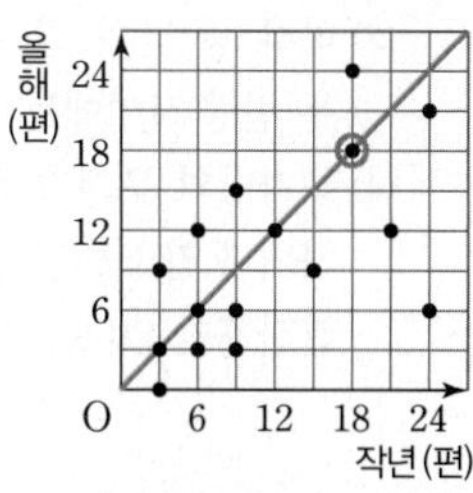

(4) 작년보다 올해 영화를 더 많이 본 학생은 오른쪽 그림에서 색칠한 부분(경계선 제외)에 속하므로 4명이다.
따라서 전체의

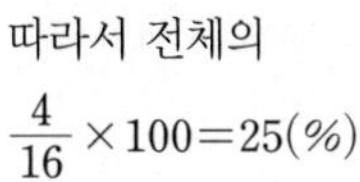

$\frac{4}{16}\times 100=25(\%)$

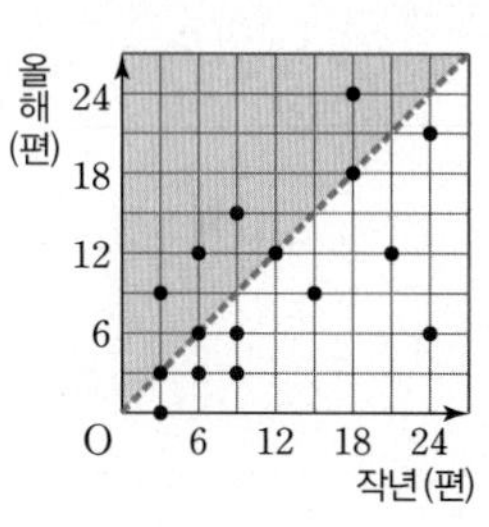

(5) 영화를 작년에는 18편 이상, 올해는 12편 이하로 본 학생은 오른쪽 그림에서 색칠한 부분(경계선 포함)에 속하므로 2명이다.
따라서 그 비율은

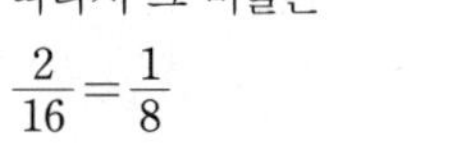

$\frac{2}{16}=\frac{1}{8}$

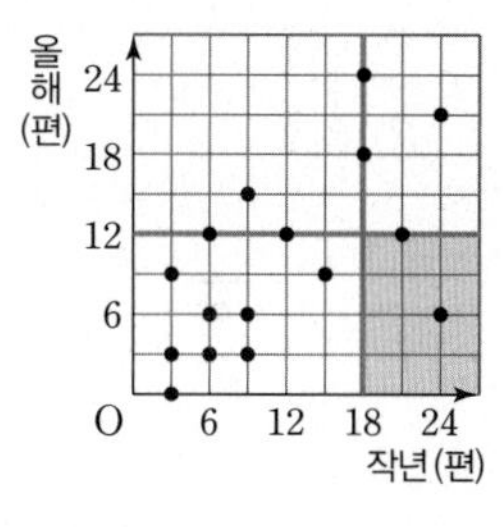

69쪽~70쪽

개념 익히기 **10. 상관관계**

1 (1) ㄱ (2) ㄷ, ㅁ (3) ㄱ (4) ㄴ, ㄹ, ㅂ (5) ㄷ
2 양의 상관관계
3 (1) 양 (2) 없다 (3) 음 (4) 없다 (5) 양 (6) 음
4 (1) ○ (2) × (3) × (4) ○ (5) ○ (6) × (7) ×
5 (1) 양의 상관관계 (2) C (3) A
6 (1) 양의 상관관계 (2) A (3) E

1 ㄱ. 음의 상관관계
ㄴ, ㄹ, ㅂ. 상관관계가 없다.
ㄷ, ㅁ. 양의 상관관계
(5) 상관관계가 강할수록 점들이 한 직선 가까이에 모여 있으므로 양의 상관관계가 가장 강한 것은 ㄷ이다.

2 풍속이 빠를수록 파도의 평균 높이도 대체로 높으므로 두 변량 사이에는 양의 상관관계가 있다.

3 (1) 연극의 관객 수가 많을수록 입장료 총액도 대체로 많으므로 두 변량 사이에는 양의 상관관계가 있다.
(2) 지능 지수가 높아짐에 따라 머리둘레가 대체로 증가하거나 감소하는 경향이 있지 않으므로 두 변량 사이에는 상관관계가 없다.
(3) 하루 중 낮의 길이가 길수록 밤의 길이는 대체로 짧으므로 두 변량 사이에는 음의 상관관계가 있다.
(4) 책가방의 무게가 무거워짐에 따라 학업 성적이 대체로 증가하거나 감소하는 경향이 있지 않으므로 두 변량 사이에는 상관관계가 없다.
(5) 에어컨 사용 시간이 많을수록 전기 요금도 대체로 많이 나가므로 두 변량 사이에는 양의 상관관계가 있다.
(6) 자동차의 속력이 빠를수록 목적지까지 걸리는 시간이 대체로 적게 걸리므로 두 변량 사이에는 음의 상관관계가 있다.

4 (2) 독서량이 많을수록 국어 성적도 대체로 높으므로 두 변량 사이에는 양의 상관관계가 있다.
(3) 주어진 산점도에서 A가 C보다 왼쪽에 있으므로 A가 C보다 한 학기 동안 책을 더 적게 읽었다.
(6) B와 D의 국어 성적은 다르다.
(7) B는 다른 학생들에 비해 독서량도 많고 국어 성적도 좋은 편이다.

5 (1) 용돈이 많을수록 지출액도 대체로 많으므로 두 변량 사이에는 양의 상관관계가 있다.

6 (1) 왼쪽 시력이 높을수록 오른쪽 시력도 대체로 높으므로 두 변량 사이에는 양의 상관관계가 있다.

익힘북 정답과 해설

I 삼각비 2쪽~12쪽

1 (1) ① $\frac{12}{13}$ ② $\frac{5}{13}$ ③ $\frac{12}{5}$
(2) ① $\frac{2}{3}$ ② $\frac{\sqrt{5}}{3}$ ③ $\frac{2\sqrt{5}}{5}$
(3) ① $\frac{5}{7}$ ② $\frac{2\sqrt{6}}{7}$ ③ $\frac{5\sqrt{6}}{12}$
(4) ① $\frac{\sqrt{6}}{4}$ ② $\frac{\sqrt{10}}{4}$ ③ $\frac{\sqrt{15}}{5}$

2 (1) ① $\frac{\sqrt{5}}{5}$ ② $\frac{2\sqrt{5}}{5}$ ③ $\frac{1}{2}$
(2) ① $\frac{\sqrt{5}}{3}$ ② $\frac{2}{3}$ ③ $\frac{\sqrt{5}}{2}$
(3) ① $\frac{\sqrt{6}}{3}$ ② $\frac{\sqrt{3}}{3}$ ③ $\sqrt{2}$
(4) ① $\frac{2\sqrt{3}}{5}$ ② $\frac{\sqrt{13}}{5}$ ③ $\frac{2\sqrt{39}}{13}$

3 (1) ① 15 ② $3\sqrt{21}$
(2) ① 4 ② $4\sqrt{2}$
(3) ① 6 ② $2\sqrt{13}$

4 $\frac{4}{5}$

5 (1) ① $\frac{7}{25}$ ② $\frac{24}{25}$
(2) ① $\frac{\sqrt{7}}{4}$ ② $\frac{3\sqrt{7}}{7}$
(3) ① $\frac{\sqrt{3}}{3}$ ② $\sqrt{2}$

6 $\frac{2\sqrt{10}}{9}$

7 (1) $\frac{3}{2}$ (2) $-\frac{\sqrt{3}}{6}$ (3) $\frac{3}{2}$ (4) $\sqrt{2}$
(5) 6 (6) 3 (7) $\frac{5\sqrt{2}}{2}$ (8) $\frac{3\sqrt{3}}{2}$

8 (1) ① $2\sqrt{2}$ ② $2\sqrt{2}$
(2) ① 10 ② 5
(3) ① $8\sqrt{3}$ ② $4\sqrt{3}$
(4) ① 6 ② $3\sqrt{2}$
(5) ① $2\sqrt{6}$ ② $3\sqrt{2}$

9 (1) ① $2\sqrt{3}$ ② 6
(2) ① $2\sqrt{3}$ ② $2\sqrt{6}$
(3) ① 10 ② $\frac{10\sqrt{3}}{3}$
(4) ① 4 ② $\frac{8\sqrt{3}}{3}$

10 (1) ㄱ, ㅁ, ㅂ (2) ㄴ, ㄹ (3) ㄷ

11 (1) 0.5878 (2) 0.8090 (3) 0.7265
(4) 0.8090 (5) 0.5878

12 (1) 0 (2) 2 (3) 1 (4) $\frac{1}{2}$ (5) 1 (6) 0 (7) $\frac{\sqrt{3}}{3}$ (8) $-\frac{\sqrt{6}}{6}$

13 (1) 0.4067 (2) 0.9336 (3) 0.9205 (4) 0.4040

14 (1) 69° (2) 71° (3) 68° (4) 70°

15 (1) ① $6\cos 42°$ ② $6\sin 42°$
(2) ① $\frac{9}{\tan 63°}$ ② $\frac{9}{\sin 63°}$
(3) ① $13\tan 37°$ ② $\frac{13}{\cos 37°}$

16 $6\sqrt{3}$ m

17 84 m

18 14.5 m

19 28.82 m

20 (1) $4\sqrt{7}$ (2) 5 (3) $2\sqrt{7}$ (4) $2\sqrt{14}$

21 $5\sqrt{5}$ m

22 $4\sqrt{7}$ km

23 (1) 6 (2) $3\sqrt{6}$ (3) $8\sqrt{2}$ (4) $4\sqrt{6}$

24 $200\sqrt{6}$ m

25 $2\sqrt{2}$ km

26 (1) $\sqrt{3}-1$ (2) $3\sqrt{3}$

27 $50(3-\sqrt{3})$m

28 (1) $4(3+\sqrt{3})$ (2) $7(\sqrt{3}+1)$

29 $2\sqrt{3}$ km

30 (1) 14 (2) $24\sqrt{3}$ (3) 60 (4) 9 (5) $36\sqrt{3}$

31 (1) $\frac{27}{2}$ (2) 15 (3) 9 (4) $\frac{15\sqrt{6}}{2}$ (5) $2\sqrt{3}$

32 (1) $16\sqrt{3}$ (2) $\frac{23}{2}$ (3) $14\sqrt{3}$ (4) $10+25\sqrt{3}$

33 (1) 54 (2) 48

34 (1) $32\sqrt{2}$ (2) 6

---

1 (1) ① $\sin A=\frac{\overline{BC}}{\overline{AC}}=\frac{12}{13}$

② $\cos A=\frac{\overline{AB}}{\overline{AC}}=\frac{5}{13}$

③ $\tan A=\frac{\overline{BC}}{\overline{AB}}=\frac{12}{5}$

(2) ① $\sin B=\frac{\overline{AC}}{\overline{BC}}=\frac{4}{6}=\frac{2}{3}$

② $\cos B=\frac{\overline{AB}}{\overline{BC}}=\frac{2\sqrt{5}}{6}=\frac{\sqrt{5}}{3}$

③ $\tan B=\frac{\overline{AC}}{\overline{AB}}=\frac{4}{2\sqrt{5}}=\frac{4\sqrt{5}}{10}=\frac{2\sqrt{5}}{5}$

(3) ① $\sin C=\frac{\overline{AB}}{\overline{BC}}=\frac{5}{7}$

② $\cos C=\frac{\overline{AC}}{\overline{BC}}=\frac{2\sqrt{6}}{7}$

③ $\tan C=\frac{\overline{AB}}{\overline{AC}}=\frac{5}{2\sqrt{6}}=\frac{5\sqrt{6}}{12}$

(4) ① $\sin A=\frac{\overline{BC}}{\overline{AB}}=\frac{2\sqrt{6}}{8}=\frac{\sqrt{6}}{4}$

② $\cos A=\frac{\overline{AC}}{\overline{AB}}=\frac{2\sqrt{10}}{8}=\frac{\sqrt{10}}{4}$

③ $\tan A=\frac{\overline{BC}}{\overline{AC}}=\frac{2\sqrt{6}}{2\sqrt{10}}=\frac{\sqrt{60}}{10}=\frac{2\sqrt{15}}{10}=\frac{\sqrt{15}}{5}$

2 (1) $\overline{AC}=\sqrt{2^2+1^2}=\sqrt{5}$

① $\sin A=\dfrac{\overline{BC}}{\overline{AC}}=\dfrac{1}{\sqrt{5}}=\dfrac{\sqrt{5}}{5}$

② $\cos A=\dfrac{\overline{AB}}{\overline{AC}}=\dfrac{2}{\sqrt{5}}=\dfrac{2\sqrt{5}}{5}$

③ $\tan A=\dfrac{\overline{BC}}{\overline{AB}}=\dfrac{1}{2}$

(2) $\overline{BC}=\sqrt{2^2+(\sqrt{5})^2}=\sqrt{9}=3$

① $\sin B=\dfrac{\overline{AC}}{\overline{BC}}=\dfrac{\sqrt{5}}{3}$

② $\cos B=\dfrac{\overline{AB}}{\overline{BC}}=\dfrac{2}{3}$

③ $\tan B=\dfrac{\overline{AC}}{\overline{AB}}=\dfrac{\sqrt{5}}{2}$

(3) $\overline{AB}=\sqrt{(3\sqrt{2})^2-(\sqrt{6})^2}=\sqrt{12}=2\sqrt{3}$

① $\sin C=\dfrac{\overline{AB}}{\overline{AC}}=\dfrac{2\sqrt{3}}{3\sqrt{2}}=\dfrac{2\sqrt{6}}{6}=\dfrac{\sqrt{6}}{3}$

② $\cos C=\dfrac{\overline{BC}}{\overline{AC}}=\dfrac{\sqrt{6}}{3\sqrt{2}}=\dfrac{\sqrt{12}}{6}=\dfrac{2\sqrt{3}}{6}=\dfrac{\sqrt{3}}{3}$

③ $\tan C=\dfrac{\overline{AB}}{\overline{BC}}=\dfrac{2\sqrt{3}}{\sqrt{6}}=\dfrac{2\sqrt{18}}{6}=\dfrac{6\sqrt{2}}{6}=\sqrt{2}$

(4) $\overline{BC}=\sqrt{5^2-(2\sqrt{3})^2}=\sqrt{13}$

① $\sin B=\dfrac{\overline{AC}}{\overline{AB}}=\dfrac{2\sqrt{3}}{5}$

② $\cos B=\dfrac{\overline{BC}}{\overline{AB}}=\dfrac{\sqrt{13}}{5}$

③ $\tan B=\dfrac{\overline{AC}}{\overline{BC}}=\dfrac{2\sqrt{3}}{\sqrt{13}}=\dfrac{2\sqrt{39}}{13}$

3 (1) ① $\sin A=\dfrac{6}{x}=\dfrac{2}{5}$이므로 $x=15$

② $y=\sqrt{x^2-6^2}=\sqrt{15^2-6^2}=\sqrt{189}=3\sqrt{21}$

(2) ① $\cos B=\dfrac{x}{4\sqrt{3}}=\dfrac{\sqrt{3}}{3}$이므로 $x=4$

② $y=\sqrt{(4\sqrt{3})^2-x^2}=\sqrt{(4\sqrt{3})^2-4^2}=\sqrt{32}=4\sqrt{2}$

(3) ① $\tan C=\dfrac{4}{x}=\dfrac{2}{3}$이므로 $x=6$

② $y=\sqrt{4^2+x^2}=\sqrt{4^2+6^2}=\sqrt{52}=2\sqrt{13}$

4 $\cos C=\dfrac{6}{\overline{AC}}=\dfrac{3}{5}$이므로 $\overline{AC}=10$

$\therefore\ \overline{AB}=\sqrt{\overline{AC}^2-6^2}=\sqrt{10^2-6^2}=\sqrt{64}=8$

$\therefore\ \sin C=\dfrac{\overline{AB}}{\overline{AC}}=\dfrac{8}{10}=\dfrac{4}{5}$

5 (1) $\tan A=\dfrac{7}{24}$이므로 오른쪽 그림과 같은 직각삼각형 ABC를 생각할 수 있다.

$\therefore\ \overline{AC}=\sqrt{24^2+7^2}=\sqrt{625}=25$

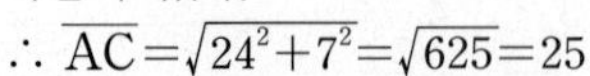

① $\sin A=\dfrac{\overline{BC}}{\overline{AC}}=\dfrac{7}{25}$

② $\cos A=\dfrac{\overline{AB}}{\overline{AC}}=\dfrac{24}{25}$

(2) $\sin A=\dfrac{3}{4}$이므로 오른쪽 그림과 같은 직각삼각형 ABC를 생각할 수 있다.

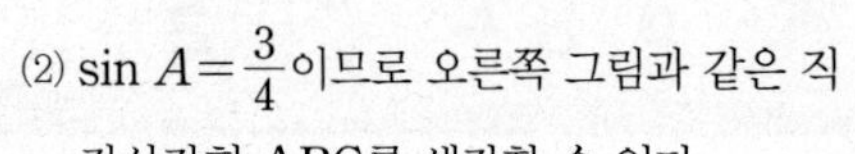

$\therefore\ \overline{AB}=\sqrt{4^2-3^2}=\sqrt{7}$

① $\cos A=\dfrac{\overline{AB}}{\overline{AC}}=\dfrac{\sqrt{7}}{4}$

② $\tan A=\dfrac{\overline{BC}}{\overline{AB}}=\dfrac{3}{\sqrt{7}}=\dfrac{3\sqrt{7}}{7}$

(3) $\cos A=\dfrac{\sqrt{6}}{3}$이므로 오른쪽 그림과 같은 직각삼각형 ABC를 생각할 수 있다.

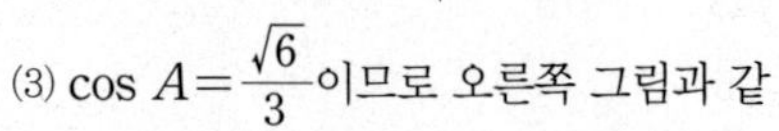

$\therefore\ \overline{BC}=\sqrt{3^2-(\sqrt{6})^2}=\sqrt{3}$

① $\cos C=\dfrac{\overline{BC}}{\overline{AC}}=\dfrac{\sqrt{3}}{3}$

② $\tan C=\dfrac{\overline{AB}}{\overline{BC}}=\dfrac{\sqrt{6}}{\sqrt{3}}=\sqrt{2}$

6 $\sin A=\dfrac{9}{11}$이므로 오른쪽 그림과 같은 직각삼각형 ABC를 생각할 수 있다.

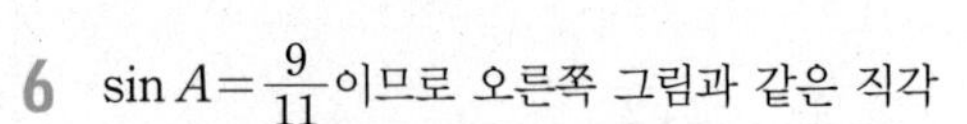

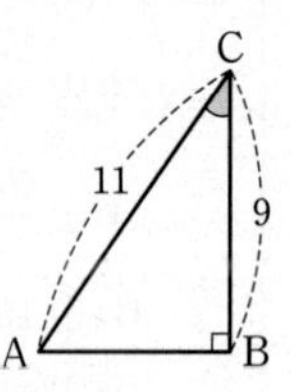

$\therefore\ \overline{AB}=\sqrt{11^2-9^2}=\sqrt{40}=2\sqrt{10}$

$\therefore\ \tan C=\dfrac{\overline{AB}}{\overline{BC}}=\dfrac{2\sqrt{10}}{9}$

7 (1) $\sin 30°+\tan 45°=\dfrac{1}{2}+1=\dfrac{3}{2}$

(2) $\tan 30°-\sin 60°=\dfrac{\sqrt{3}}{3}-\dfrac{\sqrt{3}}{2}=-\dfrac{\sqrt{3}}{6}$

(3) $\cos 30°\times\tan 60°=\dfrac{\sqrt{3}}{2}\times\sqrt{3}=\dfrac{3}{2}$

(4) $\sin 45°\div\cos 60°=\dfrac{\sqrt{2}}{2}\div\dfrac{1}{2}$

$=\dfrac{\sqrt{2}}{2}\times 2=\sqrt{2}$

(5) $4\sin 60°\div\tan 30°=4\times\dfrac{\sqrt{3}}{2}\div\dfrac{\sqrt{3}}{3}$

$=4\times\dfrac{\sqrt{3}}{2}\times\dfrac{3}{\sqrt{3}}=6$

(6) $\sin 60°-\cos 30°+\sqrt{3}\tan 60°$

$=\dfrac{\sqrt{3}}{2}-\dfrac{\sqrt{3}}{2}+\sqrt{3}\times\sqrt{3}=3$

(7) $\sin 30°\times 6\cos 45°+\tan 45°\div\sin 45°$

$=\dfrac{1}{2}\times 6\times\dfrac{\sqrt{2}}{2}+1\div\dfrac{\sqrt{2}}{2}$

$=\dfrac{1}{2}\times 6\times\dfrac{\sqrt{2}}{2}+1\times\dfrac{2}{\sqrt{2}}$

$=\dfrac{3\sqrt{2}}{2}+\sqrt{2}=\dfrac{5\sqrt{2}}{2}$

(8) $(\sin 30°+\tan 45°)(\sin 60°+\cos 30°)$

$=\left(\dfrac{1}{2}+1\right)\left(\dfrac{\sqrt{3}}{2}+\dfrac{\sqrt{3}}{2}\right)=\dfrac{3\sqrt{3}}{2}$

8 (1) ① $\sin 45°=\dfrac{x}{4}=\dfrac{\sqrt{2}}{2}$이므로 $x=2\sqrt{2}$

② $\cos 45°=\dfrac{y}{4}=\dfrac{\sqrt{2}}{2}$이므로 $y=2\sqrt{2}$

(2) ① $\sin 60^\circ=\frac{5\sqrt{3}}{x}=\frac{\sqrt{3}}{2}$이므로 $x=10$

② $\tan 60^\circ=\frac{5\sqrt{3}}{y}=\sqrt{3}$이므로 $y=5$

(3) ① $\cos 30^\circ=\frac{12}{x}=\frac{\sqrt{3}}{2}$이므로 $x=12\times\frac{2}{\sqrt{3}}=8\sqrt{3}$

② $\tan 30^\circ=\frac{y}{12}=\frac{\sqrt{3}}{3}$이므로 $y=4\sqrt{3}$

(4) ① $\sin 45^\circ=\frac{3\sqrt{2}}{x}=\frac{\sqrt{2}}{2}$이므로 $x=6$

② $\tan 45^\circ=\frac{3\sqrt{2}}{y}=1$이므로 $y=3\sqrt{2}$

(5) ① $\cos 60^\circ=\frac{\sqrt{6}}{x}=\frac{1}{2}$이므로 $x=2\sqrt{6}$

② $\tan 60^\circ=\frac{y}{\sqrt{6}}=\sqrt{3}$이므로 $y=3\sqrt{2}$

9 (1) ① △ABC에서 $\sin 60^\circ=\frac{x}{4}=\frac{\sqrt{3}}{2}$이므로 $x=2\sqrt{3}$

② △ACD에서 $\tan 30^\circ=\frac{2\sqrt{3}}{y}=\frac{\sqrt{3}}{3}$이므로 $y=6$

(2) ① △ABC에서 $\cos 30^\circ=\frac{3}{x}=\frac{\sqrt{3}}{2}$이므로 $x=2\sqrt{3}$

② △ACD에서 $\sin 45^\circ=\frac{2\sqrt{3}}{y}=\frac{\sqrt{2}}{2}$이므로

$y=2\sqrt{3}\times\frac{2}{\sqrt{2}}=2\sqrt{6}$

(3) ① △ABC에서 $\sin 45^\circ=\frac{x}{10\sqrt{2}}=\frac{\sqrt{2}}{2}$이므로 $x=10$

② △BCD에서 $\tan 60^\circ=\frac{10}{y}=\sqrt{3}$이므로

$y=\frac{10}{\sqrt{3}}=\frac{10\sqrt{3}}{3}$

(4) ① △ABC에서 $\sin 30^\circ=\frac{x}{8}=\frac{1}{2}$이므로 $x=4$

② △ADC에서 $\sin 60^\circ=\frac{4}{y}=\frac{\sqrt{3}}{2}$이므로

$y=4\times\frac{2}{\sqrt{3}}=\frac{8\sqrt{3}}{3}$

10 ㄱ. $\sin x=\frac{\overline{AB}}{\overline{OA}}=\frac{\overline{AB}}{1}=\overline{AB}$

ㄴ. $\cos x=\frac{\overline{OB}}{\overline{OA}}=\frac{\overline{OB}}{1}=\overline{OB}$

ㄷ. $\tan x=\frac{\overline{CD}}{\overline{OD}}=\frac{\overline{CD}}{1}=\overline{CD}$

ㄹ. $\sin y=\frac{\overline{OB}}{\overline{OA}}=\frac{\overline{OB}}{1}=\overline{OB}$

ㅁ. $\cos y=\frac{\overline{AB}}{\overline{OA}}=\frac{\overline{AB}}{1}=\overline{AB}$

ㅂ. $\overline{AB}\,/\!/\,\overline{CD}$이므로 $z=y$ (동위각)

$\therefore \cos z=\cos y=\overline{AB}$

$\therefore$ (1) ㄱ, ㅁ, ㅂ (2) ㄴ, ㄹ (3) ㄷ

11 (1) $\sin 36^\circ=\frac{\overline{AB}}{\overline{OA}}=\frac{0.5878}{1}=0.5878$

(2) $\cos 36^\circ=\frac{\overline{OB}}{\overline{OA}}=\frac{0.8090}{1}=0.8090$

(3) $\tan 36^\circ=\frac{\overline{CD}}{\overline{OD}}=\frac{0.7265}{1}=0.7265$

△AOB에서

$\angle OAB=180^\circ-(90^\circ+36^\circ)=54^\circ$

(4) $\sin 54^\circ=\frac{\overline{OB}}{\overline{OA}}=\frac{0.8090}{1}=0.8090$

(5) $\cos 54^\circ=\frac{\overline{AB}}{\overline{OA}}=\frac{0.5878}{1}=0.5878$

12 (1) $\sin 0^\circ+\cos 90^\circ=0+0=0$

(2) $\cos 0^\circ-\tan 0^\circ+\sin 90^\circ=1-0+1=2$

(3) $\tan 0^\circ+\sin 90^\circ\div\cos 0^\circ=0+1\div1=1$

(4) $\cos 60^\circ-\sin 90^\circ+\tan 45^\circ$

$=\frac{1}{2}-1+1=\frac{1}{2}$

(5) $\sqrt{2}\sin 45^\circ-\cos 0^\circ+\sqrt{3}\tan 30^\circ$

$=\sqrt{2}\times\frac{\sqrt{2}}{2}-1+\sqrt{3}\times\frac{\sqrt{3}}{3}$

$=1-1+1=1$

(6) $\sin 60^\circ\times\cos 90^\circ-\tan 0^\circ\div\cos 45^\circ$

$=\frac{\sqrt{3}}{2}\times0-0\div\frac{\sqrt{2}}{2}=0$

(7) $\sin 0^\circ\times\cos 45^\circ+2\sin 30^\circ\div\tan 60^\circ$

$=0\times\frac{\sqrt{2}}{2}+2\times\frac{1}{2}\div\sqrt{3}$

$=0\times\frac{\sqrt{2}}{2}+2\times\frac{1}{2}\times\frac{1}{\sqrt{3}}=\frac{\sqrt{3}}{3}$

(8) $\sin 45^\circ\div\tan 30^\circ\times\cos 0^\circ-\sqrt{2}\sin 90^\circ\div\cos 30^\circ$

$=\frac{\sqrt{2}}{2}\div\frac{\sqrt{3}}{3}\times1-\sqrt{2}\times1\div\frac{\sqrt{3}}{2}$

$=\frac{\sqrt{2}}{2}\times\frac{3}{\sqrt{3}}\times1-\sqrt{2}\times1\times\frac{2}{\sqrt{3}}$

$=\frac{\sqrt{6}}{2}-\frac{2\sqrt{6}}{3}=-\frac{\sqrt{6}}{6}$

16 △ABC에서

$\overline{BC}=12\sin 60^\circ=12\times\frac{\sqrt{3}}{2}=6\sqrt{3}\,(\text{m})$

17 △ABC에서

$\overline{AB}=100\cos 33^\circ=100\times0.84=84\,(\text{m})$

18 $\overline{AH}$=(의섭이의 눈높이)=1.7 m

$\overline{AB}$=10 m이므로 △ABC에서

$\overline{AC}=10\tan 52^\circ=10\times1.28=12.8\,(\text{m})$

$\therefore$ (건물의 높이)$=\overline{AH}+\overline{AC}=1.7+12.8=14.5\,(\text{m})$

19 △ABC에서

$\overline{AC}=18\tan 26^\circ=18\times0.49=8.82\,(\text{m})$

$\overline{AB}=\frac{18}{\cos 26^\circ}=\frac{18}{0.9}=20\,(\text{m})$

$\therefore$ (부러지기 전 나무의 높이)$=\overline{AC}+\overline{AB}$

$=8.82+20=28.82\,(\text{m})$

20 (1) 오른쪽 그림과 같이 꼭짓점 A에서 $\overline{BC}$에 내린 수선의 발을 H라 하자.

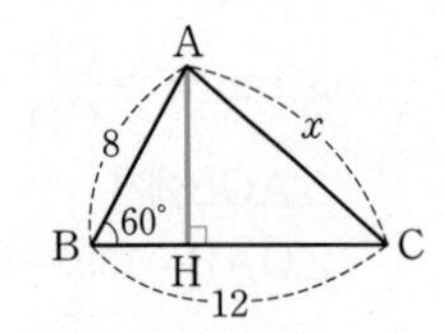

△ABH에서

$\overline{AH}=8\sin 60°=8\times\frac{\sqrt{3}}{2}=4\sqrt{3}$

$\overline{BH}=8\cos 60°=8\times\frac{1}{2}=4$

$\therefore \overline{CH}=\overline{BC}-\overline{BH}=12-4=8$

따라서 △AHC에서

$x=\sqrt{\overline{AH}^2+\overline{CH}^2}$

$=\sqrt{(4\sqrt{3})^2+8^2}=\sqrt{112}=4\sqrt{7}$

(2) 오른쪽 그림과 같이 꼭짓점 A에서 $\overline{BC}$에 내린 수선의 발을 H라 하자.

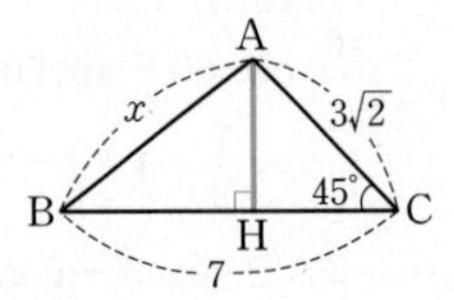

△AHC에서

$\overline{AH}=3\sqrt{2}\sin 45°=3\sqrt{2}\times\frac{\sqrt{2}}{2}=3$

$\overline{CH}=3\sqrt{2}\cos 45°=3\sqrt{2}\times\frac{\sqrt{2}}{2}=3$

$\therefore \overline{BH}=\overline{BC}-\overline{CH}=7-3=4$

따라서 △ABH에서

$x=\sqrt{\overline{AH}^2+\overline{BH}^2}$

$=\sqrt{3^2+4^2}=\sqrt{25}=5$

(3) 오른쪽 그림과 같이 꼭짓점 A에서 $\overline{BC}$에 내린 수선의 발을 H라 하자.

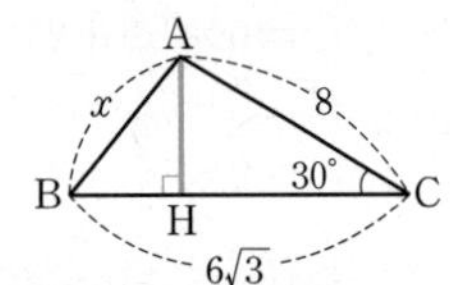

△AHC에서

$\overline{AH}=8\sin 30°=8\times\frac{1}{2}=4$

$\overline{CH}=8\cos 30°=8\times\frac{\sqrt{3}}{2}=4\sqrt{3}$

$\therefore \overline{BH}=\overline{BC}-\overline{CH}=6\sqrt{3}-4\sqrt{3}=2\sqrt{3}$

따라서 △ABH에서

$x=\sqrt{\overline{AH}^2+\overline{BH}^2}$

$=\sqrt{4^2+(2\sqrt{3})^2}=\sqrt{28}=2\sqrt{7}$

(4) 오른쪽 그림과 같이 꼭짓점 C에서 $\overline{AB}$에 내린 수선의 발을 H라 하자.

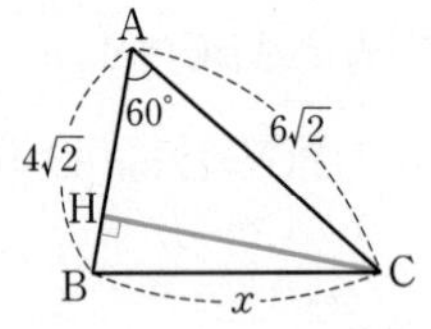

△AHC에서

$\overline{CH}=6\sqrt{2}\sin 60°$

$=6\sqrt{2}\times\frac{\sqrt{3}}{2}=3\sqrt{6}$

$\overline{AH}=6\sqrt{2}\cos 60°=6\sqrt{2}\times\frac{1}{2}=3\sqrt{2}$

$\therefore \overline{BH}=\overline{AB}-\overline{AH}=4\sqrt{2}-3\sqrt{2}=\sqrt{2}$

따라서 △BCH에서

$x=\sqrt{\overline{CH}^2+\overline{BH}^2}$

$=\sqrt{(3\sqrt{6})^2+(\sqrt{2})^2}=\sqrt{56}=2\sqrt{14}$

21 오른쪽 그림과 같이 꼭짓점 A에서 $\overline{BC}$에 내린 수선의 발을 H라 하자.

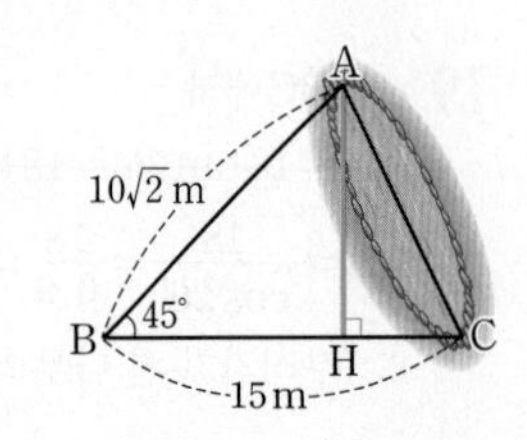

△ABH에서

$\overline{AH}=10\sqrt{2}\sin 45°$

$=10\sqrt{2}\times\frac{\sqrt{2}}{2}=10\,(\text{m})$

$\overline{BH}=10\sqrt{2}\cos 45°$

$=10\sqrt{2}\times\frac{\sqrt{2}}{2}=10\,(\text{m})$

$\therefore \overline{CH}=\overline{BC}-\overline{BH}=15-10=5\,(\text{m})$

즉, △AHC에서

$\overline{AC}=\sqrt{\overline{AH}^2+\overline{CH}^2}$

$=\sqrt{10^2+5^2}=\sqrt{125}=5\sqrt{5}\,(\text{m})$

따라서 두 지점 A, C 사이의 거리는 $5\sqrt{5}$ m이다.

22 오른쪽 그림과 같이 꼭짓점 A에서 $\overline{BC}$에 내린 수선의 발을 H라 하자.

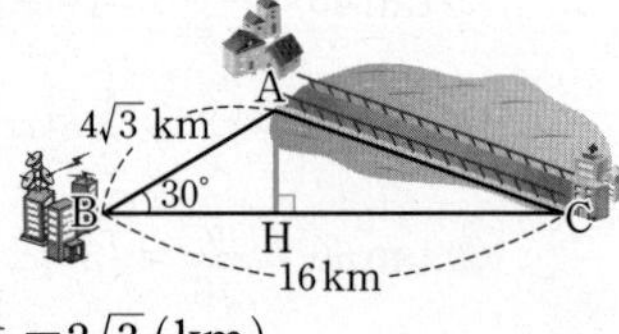

△ABH에서

$\overline{AH}=4\sqrt{3}\sin 30°=4\sqrt{3}\times\frac{1}{2}=2\sqrt{3}\,(\text{km})$

$\overline{BH}=4\sqrt{3}\cos 30°=4\sqrt{3}\times\frac{\sqrt{3}}{2}=6\,(\text{km})$

$\therefore \overline{CH}=\overline{BC}-\overline{BH}=16-6=10\,(\text{km})$

즉, △AHC에서

$\overline{AC}=\sqrt{\overline{AH}^2+\overline{CH}^2}$

$=\sqrt{(2\sqrt{3})^2+10^2}=\sqrt{112}=4\sqrt{7}\,(\text{km})$

따라서 건설하려는 다리의 길이는 $4\sqrt{7}$ km이다.

23 (1) 오른쪽 그림과 같이 꼭짓점 A에서 $\overline{BC}$에 내린 수선의 발을 H라 하자.

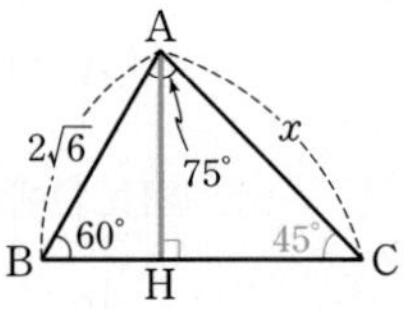

△ABH에서

$\overline{AH}=2\sqrt{6}\sin 60°$

$=2\sqrt{6}\times\frac{\sqrt{3}}{2}=3\sqrt{2}$

$\angle C=180°-(75°+60°)=45°$이므로

△AHC에서

$x=\frac{\overline{AH}}{\sin C}=\frac{3\sqrt{2}}{\sin 45°}$

$=3\sqrt{2}\div\frac{\sqrt{2}}{2}=3\sqrt{2}\times\frac{2}{\sqrt{2}}=6$

(2) 오른쪽 그림과 같이 꼭짓점 A에서 $\overline{BC}$에 내린 수선의 발을 H라 하자.

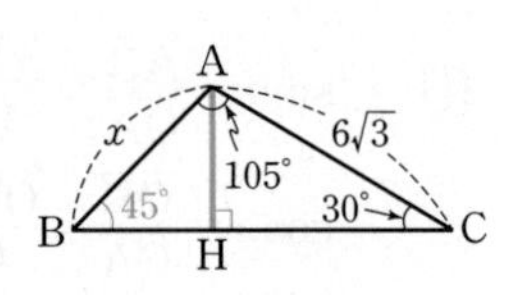

△AHC에서

$\overline{AH}=6\sqrt{3}\sin 30°=6\sqrt{3}\times\frac{1}{2}=3\sqrt{3}$

$\angle B=180°-(105°+30°)=45°$이므로

△ABH에서

$x=\frac{\overline{AH}}{\sin B}=\frac{3\sqrt{3}}{\sin 45°}$

$=3\sqrt{3}\div\frac{\sqrt{2}}{2}=3\sqrt{3}\times\frac{2}{\sqrt{2}}=3\sqrt{6}$

(3) 오른쪽 그림과 같이 꼭짓점 C에서 $\overline{AB}$에 내린 수선의 발을 H라 하자.

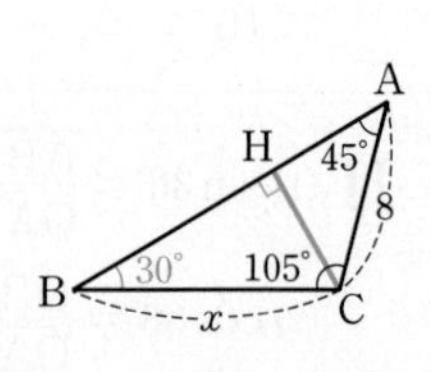

△AHC에서

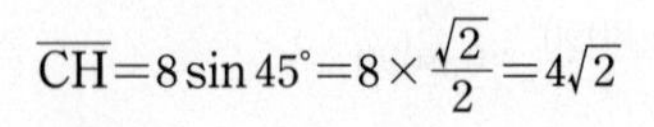

$\overline{CH}=8\sin 45°=8\times\frac{\sqrt{2}}{2}=4\sqrt{2}$

$\angle B=180^\circ-(105^\circ+45^\circ)=30^\circ$이므로

$\triangle BCH$에서

$x=\dfrac{\overline{CH}}{\sin B}=\dfrac{4\sqrt{2}}{\sin 30^\circ}$

$=4\sqrt{2}\div\dfrac{1}{2}=4\sqrt{2}\times 2=8\sqrt{2}$

(4) 오른쪽 그림과 같이 꼭짓점 B에서 $\overline{AC}$에 내린 수선의 발을 H라 하자.

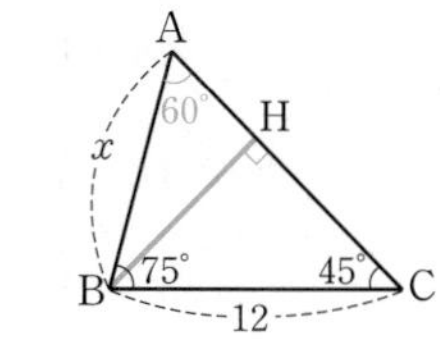

$\triangle BCH$에서

$\overline{BH}=12\sin 45^\circ=12\times\dfrac{\sqrt{2}}{2}=6\sqrt{2}$

$\angle A=180^\circ-(75^\circ+45^\circ)=60^\circ$이므로

$\triangle ABH$에서

$x=\dfrac{\overline{BH}}{\sin A}=\dfrac{6\sqrt{2}}{\sin 60^\circ}$

$=6\sqrt{2}\div\dfrac{\sqrt{3}}{2}=6\sqrt{2}\times\dfrac{2}{\sqrt{3}}=4\sqrt{6}$

24 오른쪽 그림과 같이 꼭짓점 A에서 $\overline{BC}$에 내린 수선의 발을 H라 하자.

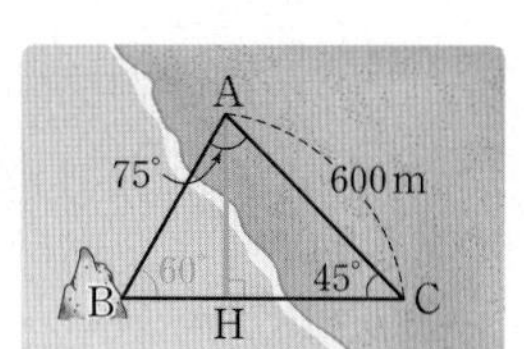

$\triangle AHC$에서

$\overline{AH}=600\sin 45^\circ$

$=600\times\dfrac{\sqrt{2}}{2}=300\sqrt{2}\,(\text{m})$

$\angle B=180^\circ-(75^\circ+45^\circ)=60^\circ$이므로

$\triangle ABH$에서

$\overline{AB}=\dfrac{\overline{AH}}{\sin B}=\dfrac{300\sqrt{2}}{\sin 60^\circ}$

$=300\sqrt{2}\div\dfrac{\sqrt{3}}{2}=300\sqrt{2}\times\dfrac{2}{\sqrt{3}}=200\sqrt{6}\,(\text{m})$

따라서 지점 A에서 바위 B까지의 거리는 $200\sqrt{6}$ m이다.

25 오른쪽 그림과 같이 꼭짓점 C에서 $\overline{AB}$에 내린 수선의 발을 H라 하자.

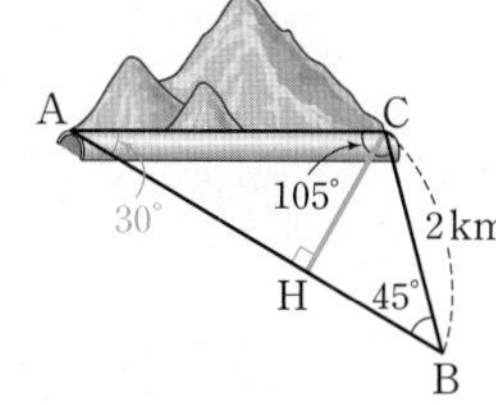

$\triangle BCH$에서

$\overline{CH}=2\sin 45^\circ$

$=2\times\dfrac{\sqrt{2}}{2}=\sqrt{2}\,(\text{km})$

$\angle A=180^\circ-(105^\circ+45^\circ)=30^\circ$이므로

$\triangle AHC$에서

$\overline{AC}=\dfrac{\overline{CH}}{\sin A}=\dfrac{\sqrt{2}}{\sin 30^\circ}$

$=\sqrt{2}\div\dfrac{1}{2}=\sqrt{2}\times 2=2\sqrt{2}\,(\text{km})$

따라서 만들려는 터널의 길이는 $2\sqrt{2}$ km이다.

26 (1) $\triangle ABH$에서 $\overline{BH}=\dfrac{h}{\tan 30^\circ}=h\times\dfrac{3}{\sqrt{3}}=\sqrt{3}h$

$\triangle AHC$에서 $\overline{CH}=\dfrac{h}{\tan 45^\circ}=h$

이때 $\overline{BC}=\overline{BH}+\overline{CH}$이므로

$\sqrt{3}h+h=2$에서 $(\sqrt{3}+1)h=2$

$\therefore h=\dfrac{2}{\sqrt{3}+1}=\sqrt{3}-1$

(2) $\triangle ABH$에서 $\overline{BH}=\dfrac{h}{\tan 60^\circ}=\dfrac{h}{\sqrt{3}}=\dfrac{\sqrt{3}}{3}h$

$\triangle AHC$에서 $\overline{CH}=\dfrac{h}{\tan 30^\circ}=h\times\dfrac{3}{\sqrt{3}}=\sqrt{3}h$

이때 $\overline{BC}=\overline{BH}+\overline{CH}$이므로

$\dfrac{\sqrt{3}}{3}h+\sqrt{3}h=12$에서 $\dfrac{4\sqrt{3}}{3}h=12$

$\therefore h=12\times\dfrac{3}{4\sqrt{3}}=3\sqrt{3}$

27 $\triangle ABH$에서 $\overline{BH}=\dfrac{h}{\tan 45^\circ}=h(\text{m})$

$\triangle AHC$에서 $\overline{CH}=\dfrac{h}{\tan 60^\circ}=\dfrac{h}{\sqrt{3}}=\dfrac{\sqrt{3}}{3}h(\text{m})$

이때 $\overline{BC}=\overline{BH}+\overline{CH}$이므로

$h+\dfrac{\sqrt{3}}{3}h=100$에서 $\dfrac{3+\sqrt{3}}{3}h=100$

$\therefore h=100\times\dfrac{3}{3+\sqrt{3}}=50(3-\sqrt{3})$

따라서 전망대의 높이 $\overline{AH}$는 $50(3-\sqrt{3})$ m이다.

28 (1) $\triangle ABH$에서 $\overline{BH}=\dfrac{h}{\tan 45^\circ}=h$

$\triangle ACH$에서 $\overline{CH}=\dfrac{h}{\tan 60^\circ}=\dfrac{h}{\sqrt{3}}=\dfrac{\sqrt{3}}{3}h$

이때 $\overline{BC}=\overline{BH}-\overline{CH}$이므로

$h-\dfrac{\sqrt{3}}{3}h=8$에서 $\dfrac{3-\sqrt{3}}{3}h=8$

$\therefore h=8\times\dfrac{3}{3-\sqrt{3}}=4(3+\sqrt{3})$

(2) $\triangle ABH$에서 $\overline{BH}=\dfrac{h}{\tan 30^\circ}=h\times\dfrac{3}{\sqrt{3}}=\sqrt{3}h$

$\angle ACH=180^\circ-135^\circ=45^\circ$이므로

$\triangle ACH$에서 $\overline{CH}=\dfrac{h}{\tan 45^\circ}=h$

이때 $\overline{BC}=\overline{BH}-\overline{CH}$이므로

$\sqrt{3}h-h=14$에서 $(\sqrt{3}-1)h=14$

$\therefore h=\dfrac{14}{\sqrt{3}-1}=7(\sqrt{3}+1)$

29 $\triangle ABH$에서 $\overline{BH}=\dfrac{h}{\tan 30^\circ}=h\times\dfrac{3}{\sqrt{3}}=\sqrt{3}h(\text{km})$

$\triangle ACH$에서 $\overline{CH}=\dfrac{h}{\tan 60^\circ}=\dfrac{h}{\sqrt{3}}=\dfrac{\sqrt{3}}{3}h(\text{km})$

이때 $\overline{BC}=\overline{BH}-\overline{CH}$이므로

$\sqrt{3}h-\dfrac{\sqrt{3}}{3}h=4$에서 $\dfrac{2\sqrt{3}}{3}h=4$

$\therefore h=4\times\dfrac{3}{2\sqrt{3}}=2\sqrt{3}$

따라서 비행기의 높이 $\overline{AH}$는 $2\sqrt{3}$ km이다.

[다른 풀이]

$\triangle ABC$에서 $\angle BAC=60^\circ-30^\circ=30^\circ$

즉, $\angle ABC=\angle BAC$이므로

$\triangle ABC$는 이등변삼각형이다.

$\therefore \overline{AC}=\overline{BC}=4$ km

따라서 $\triangle ACH$에서

$\overline{AH}=4\sin 60^\circ=4\times\dfrac{\sqrt{3}}{2}=2\sqrt{3}\,(\text{km})$

30 (1) $\triangle ABC=\frac{1}{2}\times 8\times 7\times \sin 30^\circ$

$=\frac{1}{2}\times 8\times 7\times \frac{1}{2}=14$

(2) $\triangle ABC=\frac{1}{2}\times 8\times 12\times \sin 60^\circ$

$=\frac{1}{2}\times 8\times 12\times \frac{\sqrt{3}}{2}=24\sqrt{3}$

(3) $\angle C=180^\circ-(100^\circ+35^\circ)=45^\circ$이므로

$\triangle ABC=\frac{1}{2}\times 12\sqrt{2}\times 10\times \sin 45^\circ$

$=\frac{1}{2}\times 12\sqrt{2}\times 10\times \frac{\sqrt{2}}{2}=60$

(4) $\angle B=\angle C$이므로 $\triangle ABC$는 이등변삼각형이다.

따라서 $\overline{AB}=\overline{AC}=6$이고

$\angle A=180^\circ-(75^\circ+75^\circ)=30^\circ$이므로

$\triangle ABC=\frac{1}{2}\times 6\times 6\times \sin 30^\circ$

$=\frac{1}{2}\times 6\times 6\times \frac{1}{2}=9$

(5) $\overline{AB}=\overline{BC}=\overline{CA}=12$이므로 $\triangle ABC$는 정삼각형이다.

따라서 $\angle B=60^\circ$이므로

$\triangle ABC=\frac{1}{2}\times 12\times 12\times \sin 60^\circ$

$=\frac{1}{2}\times 12\times 12\times \frac{\sqrt{3}}{2}=36\sqrt{3}$

31 (1) $\triangle ABC=\frac{1}{2}\times 6\times 9\times \sin(180^\circ-150^\circ)$

$=\frac{1}{2}\times 6\times 9\times \sin 30^\circ$

$=\frac{1}{2}\times 6\times 9\times \frac{1}{2}=\frac{27}{2}$

(2) $\triangle ABC=\frac{1}{2}\times 6\times 5\sqrt{2}\times \sin(180^\circ-135^\circ)$

$=\frac{1}{2}\times 6\times 5\sqrt{2}\times \sin 45^\circ$

$=\frac{1}{2}\times 6\times 5\sqrt{2}\times \frac{\sqrt{2}}{2}=15$

(3) $\triangle ABC=\frac{1}{2}\times 4\times 3\sqrt{3}\times \sin(180^\circ-120^\circ)$

$=\frac{1}{2}\times 4\times 3\sqrt{3}\times \sin 60^\circ$

$=\frac{1}{2}\times 4\times 3\sqrt{3}\times \frac{\sqrt{3}}{2}=9$

(4) $\angle C=180^\circ-(45^\circ+15^\circ)=120^\circ$이므로

$\triangle ABC=\frac{1}{2}\times 10\times 3\sqrt{2}\times \sin(180^\circ-120^\circ)$

$=\frac{1}{2}\times 10\times 3\sqrt{2}\times \sin 60^\circ$

$=\frac{1}{2}\times 10\times 3\sqrt{2}\times \frac{\sqrt{3}}{2}=\frac{15\sqrt{6}}{2}$

(5) $\overline{AB}=\overline{BC}=2\sqrt{2}$이므로 $\triangle ABC$는 이등변삼각형이다.

$\therefore\ \angle C=\angle A=30^\circ$

따라서 $\angle B=180^\circ-(30^\circ+30^\circ)=120^\circ$이므로

$\triangle ABC=\frac{1}{2}\times 2\sqrt{2}\times 2\sqrt{2}\times \sin(180^\circ-120^\circ)$

$=\frac{1}{2}\times 2\sqrt{2}\times 2\sqrt{2}\times \sin 60^\circ$

$=\frac{1}{2}\times 2\sqrt{2}\times 2\sqrt{2}\times \frac{\sqrt{3}}{2}=2\sqrt{3}$

32 (1) 오른쪽 그림과 같이 $\overline{AC}$를 그으면

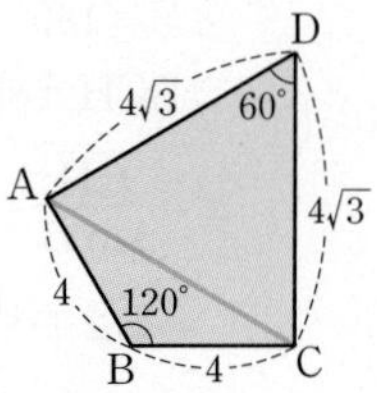

$\triangle ABC$

$=\frac{1}{2}\times 4\times 4\times \sin(180^\circ-120^\circ)$

$=\frac{1}{2}\times 4\times 4\times \sin 60^\circ$

$=\frac{1}{2}\times 4\times 4\times \frac{\sqrt{3}}{2}=4\sqrt{3}$

$\triangle ACD=\frac{1}{2}\times 4\sqrt{3}\times 4\sqrt{3}\times \sin 60^\circ$

$=\frac{1}{2}\times 4\sqrt{3}\times 4\sqrt{3}\times \frac{\sqrt{3}}{2}=12\sqrt{3}$

$\therefore\ \square ABCD=\triangle ABC+\triangle ACD$

$=4\sqrt{3}+12\sqrt{3}$

$=16\sqrt{3}$

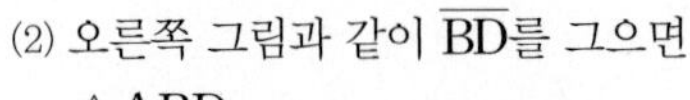

(2) 오른쪽 그림과 같이 $\overline{BD}$를 그으면

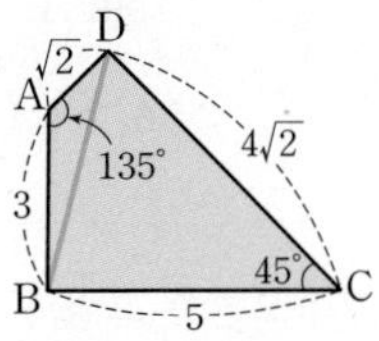

$\triangle ABD$

$=\frac{1}{2}\times 3\times \sqrt{2}\times \sin(180^\circ-135^\circ)$

$=\frac{1}{2}\times 3\times \sqrt{2}\times \sin 45^\circ$

$=\frac{1}{2}\times 3\times \sqrt{2}\times \frac{\sqrt{2}}{2}=\frac{3}{2}$

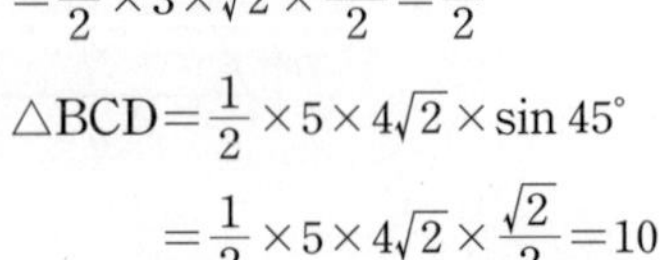

$\triangle BCD=\frac{1}{2}\times 5\times 4\sqrt{2}\times \sin 45^\circ$

$=\frac{1}{2}\times 5\times 4\sqrt{2}\times \frac{\sqrt{2}}{2}=10$

$\therefore\ \square ABCD=\triangle ABD+\triangle BCD$

$=\frac{3}{2}+10=\frac{23}{2}$

(3) 오른쪽 그림과 같이 $\overline{AC}$를 그으면

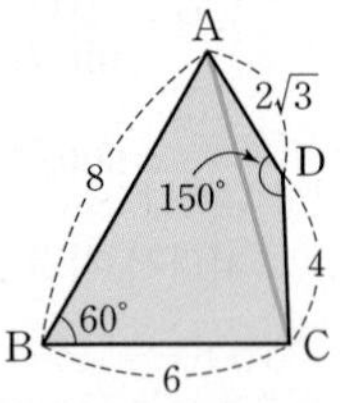

$\triangle ABC=\frac{1}{2}\times 6\times 8\times \sin 60^\circ$

$=\frac{1}{2}\times 6\times 8\times \frac{\sqrt{3}}{2}$

$=12\sqrt{3}$

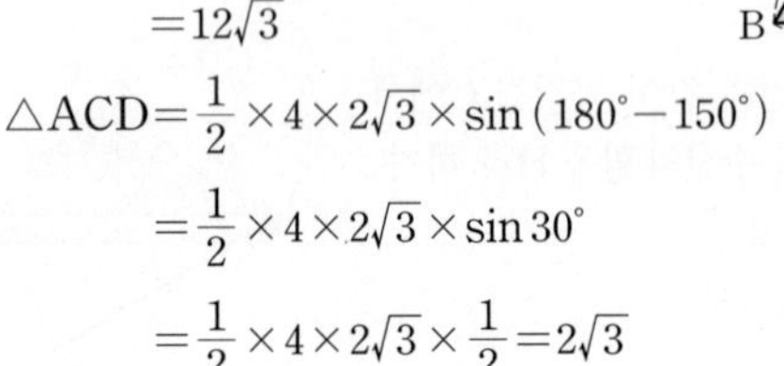

$\triangle ACD=\frac{1}{2}\times 4\times 2\sqrt{3}\times \sin(180^\circ-150^\circ)$

$=\frac{1}{2}\times 4\times 2\sqrt{3}\times \sin 30^\circ$

$=\frac{1}{2}\times 4\times 2\sqrt{3}\times \frac{1}{2}=2\sqrt{3}$

$\therefore\ \square ABCD=\triangle ABC+\triangle ACD$

$=12\sqrt{3}+2\sqrt{3}$

$=14\sqrt{3}$

(4) 오른쪽 그림과 같이 $\overline{BD}$를 그으면

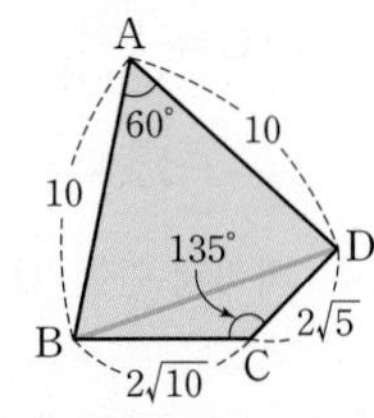

$\triangle ABD=\frac{1}{2}\times 10\times 10\times \sin 60^\circ$

$=\frac{1}{2}\times 10\times 10\times \frac{\sqrt{3}}{2}$

$=25\sqrt{3}$

$\triangle BCD=\frac{1}{2}\times 2\sqrt{10}\times 2\sqrt{5}\times \sin(180^\circ-135^\circ)$

$=\frac{1}{2}\times 2\sqrt{10}\times 2\sqrt{5}\times \sin 45^\circ$

$=\frac{1}{2}\times 2\sqrt{10}\times 2\sqrt{5}\times \frac{\sqrt{2}}{2}=10$

$\therefore\ \square ABCD=\triangle ABD+\triangle BCD$

$=10+25\sqrt{3}$

33 (1) $\square ABCD = 4\sqrt{3}\times 9\times \sin 60^\circ$

$= 4\sqrt{3}\times 9\times \frac{\sqrt{3}}{2}$

$= 54$

(2) $\square ABCD$가 평행사변형이므로

$\angle A = \angle C = 135^\circ$

$\therefore \square ABCD = 8\times 6\sqrt{2}\times \sin(180^\circ - 135^\circ)$

$= 8\times 6\sqrt{2}\times \sin 45^\circ$

$= 8\times 6\sqrt{2}\times \frac{\sqrt{2}}{2}$

$= 48$

34 (1) $\square ABCD$는 마름모이므로

$\overline{BC} = \overline{AB} = 8$

$\therefore \square ABCD = 8\times 8\times \sin 45^\circ$

$= 8\times 8\times \frac{\sqrt{2}}{2} = 32\sqrt{2}$

(2) $\square ABCD$는 마름모이므로

$\overline{AD} = \overline{AB} = 2\sqrt{3}$

$\therefore \square ABCD = 2\sqrt{3}\times 2\sqrt{3}\times \sin(180^\circ - 150^\circ)$

$= 2\sqrt{3}\times 2\sqrt{3}\times \sin 30^\circ$

$= 2\sqrt{3}\times 2\sqrt{3}\times \frac{1}{2} = 6$

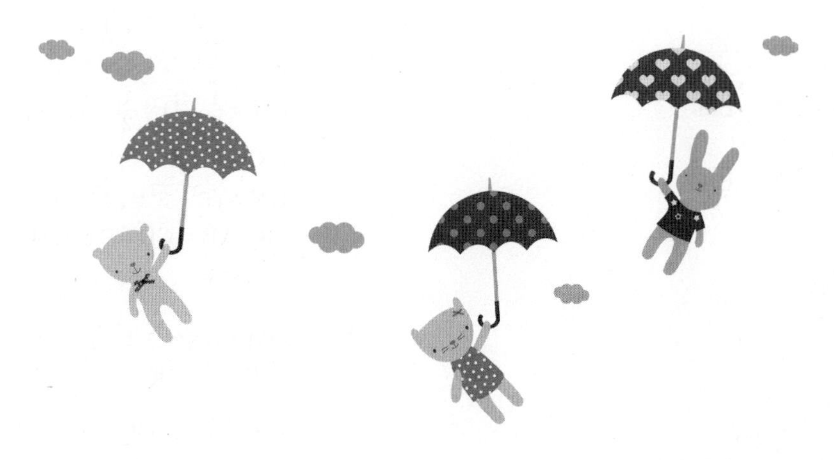

II 원의 성질 13쪽~24쪽

1 (1) 24 (2) 7
2 (1) $4\sqrt{7}$ (2) $6\sqrt{3}$ (3) $2\sqrt{13}$ (4) 6 (5) 6 (6) $\frac{25}{6}$
3 (1) 7 (2) 5 (3) 6 (4) 5
4 (1) $4\sqrt{3}$ (2) 4
5 (1) 63° (2) 40°
6 (1) 115° (2) 40°
7 (1) 7 (2) 5
8 (1) 66° (2) 58°
9 (1) 4 (2) 2 (3) $\frac{21}{2}$
10 (1) 38 (2) 34
11 (1) 10 (2) 7
12 (1) 4 (2) 9
13 (1) 2 (2) 4
14 (1) 6 (2) 4 (3) 2
15 52
16 (1) 54° (2) 120° (3) 80° (4) 210° (5) 130°
17 (1) 60° (2) 49° (3) 100° (4) 98° (5) 50° (6) 75° (7) 50° (8) 69°
18 (1) 25° (2) 54° (3) 65° (4) 55° (5) 66° (6) 38° (7) 27° (8) 47°
19 (1) 35° (2) 44° (3) 25° (4) 35°
20 (1) 4 (2) 13 (3) 8 (4) 15
21 (1) 40° (2) 36° (3) 50° (4) 40°
22 (1) 24 (2) 21 (3) 20 (4) 26
23 ㄱ, ㄹ, ㅂ
24 (1) 80° (2) 25° (3) 45°
25 (1) 95° (2) 120° (3) 40° (4) 115° (5) 118° (6) 70° (7) 105° (8) 220°
26 ㄱ, ㄹ, ㅁ
27 (1) 76° (2) 85° (3) 43°
28 (1) 110° (2) 55° (3) 88° (4) 50° (5) 37° (6) 55°
29 (1) 80° (2) 60°

1 (1) $\overline{AB}\perp\overline{OM}$이므로 $\overline{AM}=\overline{BM}$
$\therefore x=2\overline{AM}=2\times12=24$
(2) $\overline{AB}\perp\overline{OM}$이므로 $\overline{AM}=\overline{BM}$
$\therefore x=\frac{1}{2}\overline{AB}$
$=\frac{1}{2}\times14=7$

2 (1) △OAM에서
$\overline{AM}=\sqrt{8^2-6^2}=\sqrt{28}=2\sqrt{7}$
$\therefore x=2\overline{AM}=2\times2\sqrt{7}=4\sqrt{7}$
(2) △OAM에서
$\overline{AM}=\sqrt{6^2-3^2}=\sqrt{27}=3\sqrt{3}$
$\therefore x=2\overline{AM}=2\times3\sqrt{3}=6\sqrt{3}$
(3) $\overline{AM}=\frac{1}{2}\overline{AB}=\frac{1}{2}\times12=6$
따라서 △OAM에서
$x=\sqrt{4^2+6^2}=\sqrt{52}=2\sqrt{13}$
(4) $\overline{AM}=\frac{1}{2}\overline{AB}=\frac{1}{2}\times16=8$
따라서 △OAM에서
$x=\sqrt{10^2-8^2}=\sqrt{36}=6$
(5) $\overline{OC}=\overline{OA}=5$ (원 O의 반지름)이므로
$\overline{OM}=5-1=4$
△OAM에서
$\overline{AM}=\sqrt{5^2-4^2}=\sqrt{9}=3$
$\therefore x=2\overline{AM}=2\times3=6$
(6) $\overline{OC}=\overline{OB}=x$ (원 O의 반지름)이므로
$\overline{OM}=x-3$
$\overline{BM}=\frac{1}{2}\overline{AB}=\frac{1}{2}\times8=4$이므로
△OBM에서
$(x-3)^2+4^2=x^2$
$x^2-6x+9+16=x^2$
$6x=25\quad\therefore x=\frac{25}{6}$

3 (1) $\overline{OM}=\overline{ON}$이므로 $\overline{AB}=\overline{CD}$
$\therefore x=7$
(2) $\overline{OM}=\overline{ON}$이므로 $\overline{AB}=\overline{CD}$
$\therefore x=\frac{1}{2}\overline{AB}=\frac{1}{2}\overline{CD}$
$=\frac{1}{2}\times10=5$
(3) $\overline{AB}=\overline{CD}$이므로 $\overline{OM}=\overline{ON}$
$\therefore x=6$
(4) $\overline{AC}=2\overline{CN}=2\times12=24$
즉, $\overline{AB}=\overline{AC}$이므로 $\overline{OM}=\overline{ON}$
$\therefore x=5$

4 (1) △OMA에서
$\overline{AM}=\sqrt{4^2-2^2}=\sqrt{12}=2\sqrt{3}$
$\overline{OM}=\overline{ON}$이므로 $\overline{AB}=\overline{CD}$
$\therefore x=\overline{AB}=2\overline{AM}$
$=2\times2\sqrt{3}=4\sqrt{3}$
(2) $\overline{CN}=\frac{1}{2}\overline{CD}=\frac{1}{2}\times6=3$이므로
△OCN에서
$\overline{ON}=\sqrt{5^2-3^2}=\sqrt{16}=4$
이때 $\overline{AB}=\overline{CD}$이므로 $\overline{OM}=\overline{ON}$
$\therefore x=4$

5 (1) $\overline{OM}=\overline{ON}$이므로 $\overline{AB}=\overline{AC}$
따라서 △ABC는 이등변삼각형이므로
$\angle x=\frac{1}{2}\times(180°-54°)=63°$
(2) $\overline{OM}=\overline{ON}$이므로 $\overline{AB}=\overline{AC}$
따라서 △ABC는 이등변삼각형이므로
$\angle B=\angle C=70°$
$\therefore \angle x=180°-(70°+70°)=40°$

6 (1) $\angle PAO=\angle PBO=90°$이므로
□APBO에서
$\angle x=360°-(90°+65°+90°)=115°$
(2) $\angle PAO=\angle PBO=90°$이므로
□APBO에서
$\angle x=360°-(90°+140°+90°)=40°$

7 (1) $\overline{PA}=\overline{PB}$이므로 $x=7$
(2) $\overline{PB}=\overline{PA}=8$이므로
$\overline{QB}=\overline{PQ}-\overline{PB}$
$=13-8=5$
이때 $\overline{QB}=\overline{QC}$이므로 $x=5$

8 (1) $\overline{PA}=\overline{PB}$이므로 △PBA는 이등변삼각형이다.
$\therefore\ \angle x=\frac{1}{2}\times(180°-48°)=66°$
(2) $\overline{PA}=\overline{PB}$이므로 △PBA는 이등변삼각형이다.
따라서 $\angle B=\angle A=61°$이므로
$\angle x=180°-(61°+61°)=58°$

9 (1) $\angle PBO=90°$이므로
직각삼각형에서 PBO에서
$\overline{PB}=\sqrt{5^2-3^2}=\sqrt{16}=4$
$\therefore\ x=\overline{PB}=4$
(2) $\overline{PA}=\overline{PB}=6$이고
$\angle PAO=90°$이므로
직각삼각형 PAO에서
$x=\sqrt{(2\sqrt{10})^2-6^2}=\sqrt{4}=2$
(3) $\overline{OC}=\overline{OA}=x$ (원 O의 반지름)이므로
$\overline{OP}=x+4$
$\overline{PA}=\overline{PB}=10$이고
$\angle PAO=90°$이므로
직각삼각형 POA에서
$10^2+x^2=(x+4)^2$
$100+x^2=x^2+8x+16$
$8x=84 \qquad \therefore\ x=\frac{21}{2}$

10 (1) $\overline{AP}=\overline{AR}$, $\overline{BP}=\overline{BQ}$, $\overline{CQ}=\overline{CR}$이므로
(△ABC의 둘레의 길이)$=\overline{AB}+\overline{BC}+\overline{CA}$
$=2(\overline{AP}+\overline{BQ}+\overline{CR})$
$=2\times(4+9+6)$
$=2\times19$
$=38$
(2) $\overline{AP}=\overline{AR}$, $\overline{BP}=\overline{BQ}$, $\overline{CQ}=\overline{CR}$이므로
(△ABC의 둘레의 길이)$=\overline{AB}+\overline{BC}+\overline{CA}$
$=2(\overline{AR}+\overline{BP}+\overline{CQ})$
$=2\times(3+5+9)$
$=2\times17$
$=34$

11 (1) $\overline{AR}=\overline{AP}=7$이므로
$\overline{CQ}=\overline{CR}=17-7=10$
$\therefore\ x=\overline{BQ}=20-10=10$
(2) $\overline{BP}=\overline{BQ}=6$이므로
$\overline{AR}=\overline{AP}=9-6=3$
$\overline{CR}=\overline{CQ}=10-6=4$
$\therefore\ x=\overline{AR}+\overline{CR}$
$=3+4=7$

12 (1) $\overline{AR}=\overline{AP}=x$이므로
$\overline{BQ}=\overline{BP}=10-x$
$\overline{CQ}=\overline{CR}=9-x$
이때 $\overline{BC}=\overline{BQ}+\overline{CQ}$이므로
$11=(10-x)+(9-x)$
$2x=8 \qquad \therefore\ x=4$
(2) $\overline{BP}=\overline{BQ}=x$이므로
$\overline{AR}=\overline{AP}=12-x$
$\overline{CR}=\overline{CQ}=14-x$
이때 $\overline{AC}=\overline{AR}+\overline{CR}$이므로
$8=(12-x)+(14-x)$
$2x=18 \qquad \therefore\ x=9$

13 (1) △ABC에서
$\overline{AB}=\sqrt{6^2+8^2}=\sqrt{100}=10$
오른쪽 그림과 같이 $\overline{OR}$를 그으면
□OQCR는 정사각형이므로
$\overline{CQ}=\overline{CR}=\overline{OQ}=r$
$\overline{AP}=\overline{AR}=8-r$
$\overline{BP}=\overline{BQ}=6-r$
이때 $\overline{AB}=\overline{AP}+\overline{BP}$이므로
$10=(8-r)+(6-r)$
$2r=4 \qquad \therefore\ r=2$

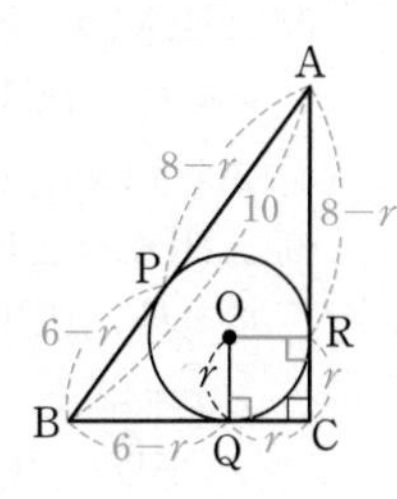

(2) △ABC에서
$\overline{AC}=\sqrt{20^2-16^2}=\sqrt{144}=12$
오른쪽 그림과 같이 $\overline{OQ}$를 그으면 □OQCR는 정사각형이므로
$\overline{CQ}=\overline{CR}=\overline{OR}=r$
$\overline{AP}=\overline{AR}=12-r$
$\overline{BP}=\overline{BQ}=16-r$
이때 $\overline{AB}=\overline{AP}+\overline{BP}$이므로
$20=(12-r)+(16-r)$
$2r=8 \qquad \therefore\ r=4$

14 $\overline{AB}+\overline{CD}=\overline{AD}+\overline{BC}$이므로
(1) $8+x=4+10$
$\therefore\ x=6$
(2) $7+9=x+12$
$\therefore\ x=4$
(3) $(x+5)+10=7+10$
$\therefore\ x=2$

15 $\overline{AB}+\overline{CD}=\overline{AD}+\overline{BC}$이므로

($\square$ABCD의 둘레의 길이)$=\overline{AB}+\overline{CD}+\overline{AD}+\overline{BC}$

$=2(\overline{AD}+\overline{BC})$

$=2\times(12+14)$

$=2\times26$

$=52$

16 (1) $\angle x=\frac{1}{2}\times108^\circ=54^\circ$

(2) $\angle x=\frac{1}{2}\times240^\circ=120^\circ$

(3) $\angle x=2\times40^\circ=80^\circ$

(4) $\angle x=2\times105^\circ=210^\circ$

(5) $\angle x=360^\circ-2\times115^\circ$

$=360^\circ-230^\circ=130^\circ$

17 (1) $\angle x=\angle BDC=60^\circ$($\widehat{BC}$에 대한 원주각)

(2) $\angle x=\angle CBD=49^\circ$($\widehat{CD}$에 대한 원주각)

(3) $\angle ACD=\angle ABD=35^\circ$($\widehat{AD}$에 대한 원주각)

따라서 $\triangle$PCD에서

$\angle x=180^\circ-(45^\circ+35^\circ)=100^\circ$

(4) $\angle ADB=\angle ACB=52^\circ$($\widehat{AB}$에 대한 원주각)

따라서 $\triangle$PDA에서

$\angle x=180^\circ-(30^\circ+52^\circ)=98^\circ$

(5) $\angle BDC=\angle BAC=\angle x$($\widehat{BC}$에 대한 원주각)

따라서 $\triangle$PCD에서

$\angle x=180^\circ-(102^\circ+28^\circ)=50^\circ$

(6) $\angle BDC=\angle BAC=33^\circ$($\widehat{BC}$에 대한 원주각)

따라서 $\triangle$PCD에서

$\angle x=42^\circ+\angle BDC=42^\circ+33^\circ=75^\circ$

(7) $\angle CBD=\angle CAD=20^\circ$($\widehat{CD}$에 대한 원주각)

따라서 $\triangle$PBC에서

$\angle x=70^\circ-\angle CBD=70^\circ-20^\circ=50^\circ$

(8) $\angle ACB=\angle ADB=31^\circ$($\widehat{AB}$에 대한 원주각)

따라서 $\triangle$PBC에서

$\angle x=100^\circ-\angle ACB=100^\circ-31^\circ=69^\circ$

18 (1) $\overline{AB}$가 원 O의 지름이므로 $\angle ACB=90^\circ$

따라서 $\triangle$ABC에서

$\angle x=180^\circ-(90^\circ+65^\circ)=25^\circ$

(2) $\overline{AB}$가 원 O의 지름이므로 $\angle ACB=90^\circ$

따라서 $\triangle$ACB에서

$\angle x=180^\circ-(90^\circ+36^\circ)=54^\circ$

(3) $\overline{AB}$가 원 O의 지름이므로 $\angle ACB=90^\circ$

$\angle ACD=\angle ABD=25^\circ$ ($\widehat{AD}$에 대한 원주각)

$\therefore\ \angle x=\angle ACB-\angle ACD$

$=90^\circ-25^\circ=65^\circ$

(4) $\overline{AB}$가 원 O의 지름이므로 $\angle ACB=90^\circ$

$\angle ACD=\angle ABD=\angle x$ ($\widehat{AD}$에 대한 원주각)

$\therefore\ \angle x=\angle ACB-\angle BCD$

$=90^\circ-35^\circ=55^\circ$

(5) $\overline{AB}$가 원 O의 지름이므로 $\angle ACB=90^\circ$

$\angle BCD=\angle BAD=\angle x$ ($\widehat{BD}$에 대한 원주각)

$\therefore\ \angle x=\angle ACB-\angle ACD$

$=90^\circ-24^\circ=66^\circ$

(6) $\overline{AB}$가 원 O의 지름이므로 $\angle ACB=90^\circ$

$\angle ABC=\angle ADC=52^\circ$ ($\widehat{AC}$에 대한 원주각)

$\triangle$ACB에서

$\angle x=180^\circ-(52^\circ+90^\circ)=38^\circ$

(7) $\overline{AB}$가 원 O의 지름이므로 $\angle ACB=90^\circ$

$\angle BAC=\angle BDC=\angle x$ ($\widehat{BC}$에 대한 원주각)

따라서 $\triangle$ACB에서

$\angle x=180^\circ-(90^\circ+63^\circ)=27^\circ$

(8) $\overline{AB}$가 원 O의 지름이므로 $\angle ADB=90^\circ$

$\angle ABD=\angle ACD=\angle x$ ($\widehat{AD}$에 대한 원주각)

따라서 $\triangle$ABD에서

$\angle x=180^\circ-(90^\circ+43^\circ)=47^\circ$

19 (1) $\widehat{AB}=\widehat{BC}$이므로 $\angle APB=\angle BPC$

$\therefore\ \angle x=35^\circ$

(2) $\widehat{AB}=\widehat{CD}$이므로 $\angle ACB=\angle CAD$

$\therefore\ \angle x=44^\circ$

(3) 오른쪽 그림과 같이 $\widehat{AB}$ 위에 있지 않은 원 위의 점을 Q라 하면

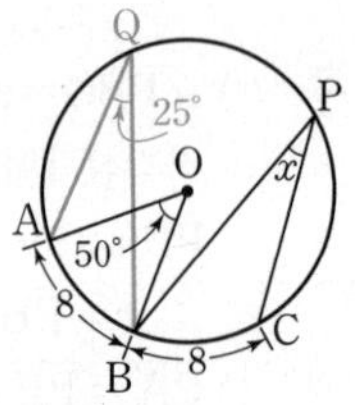

$\widehat{AB}$에 대한 원주각의 크기는

$\angle AQB=\frac{1}{2}\times50^\circ=25^\circ$

이때 $\widehat{AB}=\widehat{BC}$이므로

$\angle AQB=\angle BPC$ $\quad\therefore\ \angle x=25^\circ$

(4) 오른쪽 그림과 같이 $\widehat{AB}$ 위에 있지 않은 원 위의 점을 Q라 하면

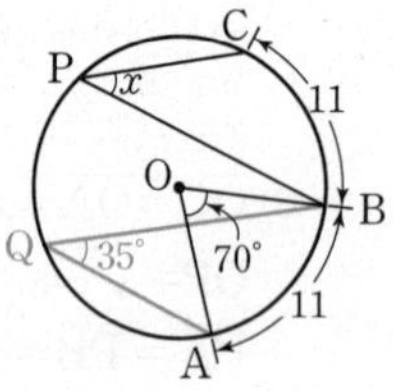

$\widehat{AB}$에 대한 원주각의 크기는

$\angle AQB=\frac{1}{2}\times70^\circ=35^\circ$

이때 $\widehat{AB}=\widehat{BC}$이므로

$\angle AQB=\angle BPC$ $\quad\therefore\ \angle x=35^\circ$

20 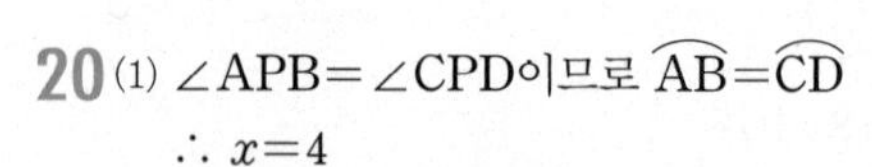
(1) $\angle APB=\angle CPD$이므로 $\widehat{AB}=\widehat{CD}$

$\therefore\ x=4$

(2) $\angle APB=\angle CQD$이므로 $\widehat{AB}=\widehat{CD}$

$\therefore\ x=13$

(3) 오른쪽 그림과 같이 $\widehat{AB}$ 위에 있지 않은 원 위의 점을 Q라 하면

$\widehat{AB}$에 대한 원주각의 크기는

$\angle AQB=\frac{1}{2}\times62^\circ=31^\circ$

따라서 $\angle AQB=\angle BPC$이므로

$\widehat{AB}=\widehat{BC}$ $\quad\therefore\ x=8$

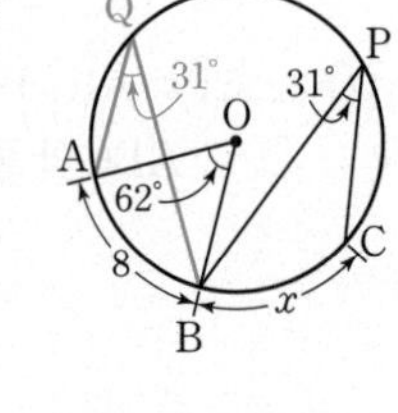

(4) $\overline{BD}$가 원 O의 지름이므로

$\angle BCD=90^\circ$

$\triangle$BCD에서

$\angle CBD=180^\circ-(90^\circ+35^\circ)=55^\circ$

따라서 $\angle ADB=\angle CBD$이므로

$\widehat{AB}=\widehat{CD}$ $\quad\therefore\ x=15$

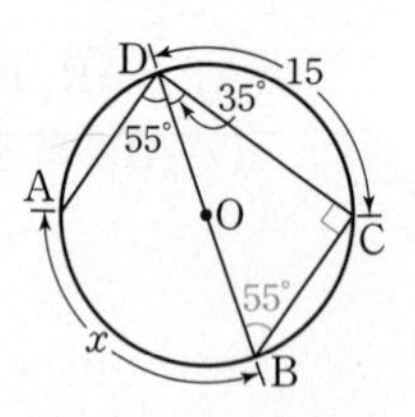

21 (1) $\angle APB : \angle CQD = \overset{\frown}{AB} : \overset{\frown}{CD}$이므로

$20° : \angle x = 5 : 10$

$20° : \angle x = 1 : 2 \quad \therefore \angle x = 40°$

(2) $\angle APB : \angle BPC = \overset{\frown}{AB} : \overset{\frown}{BC}$이므로

$27° : \angle x = 6 : 8$

$27° : \angle x = 3 : 4 \quad \therefore \angle x = 36°$

(3) $\angle APB : \angle AQC = \overset{\frown}{AB} : \overset{\frown}{AC}$이므로

$20° : \angle x = 10 : (10+15)$

$20° : \angle x = 2 : 5 \quad \therefore \angle x = 50°$

(4) 오른쪽 그림과 같이 $\overset{\frown}{CD}$ 위에 있지 않은 원 위의 점을 Q라 하면

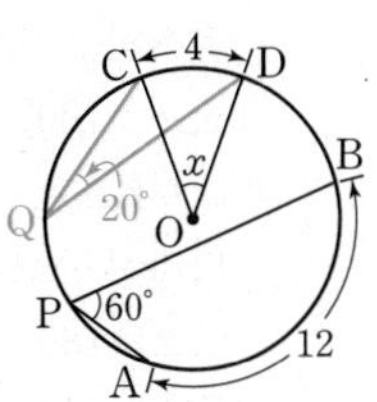

$\angle APB : \angle CQD = \overset{\frown}{AB} : \overset{\frown}{CD}$이므로

$60° : \angle CQD = 12 : 4$

$60° : \angle CQD = 3 : 1$

$\therefore \angle CQD = 20°$

$\therefore \angle x = 2\angle CQD = 2 \times 20° = 40°$

22 (1) $\overset{\frown}{AB} : \overset{\frown}{BC} = \angle APB : \angle BPC$이므로

$6 : x = 20° : 80°$

$6 : x = 1 : 4 \quad \therefore x = 24$

(2) $\overset{\frown}{AB} : \overset{\frown}{CD} = \angle ACB : \angle CBD$이므로

$14 : x = 40° : 60°$

$14 : x = 2 : 3 \quad \therefore x = 21$

(3) $\overline{AB}$가 원 O의 지름이므로 $\angle ACB = 90°$

$\triangle ABC$에서

$\angle BAC = 180° - (90° + 50°) = 40°$

$\overset{\frown}{AC} : \overset{\frown}{BC} = \angle ABC : \angle BAC$이므로

$x : 16 = 50° : 40°$

$x : 16 = 5 : 4 \quad \therefore x = 20$

(4) 오른쪽 그림과 같이 $\overset{\frown}{AB}$ 위에 있지 않은 원 위의 점을 Q라 하면

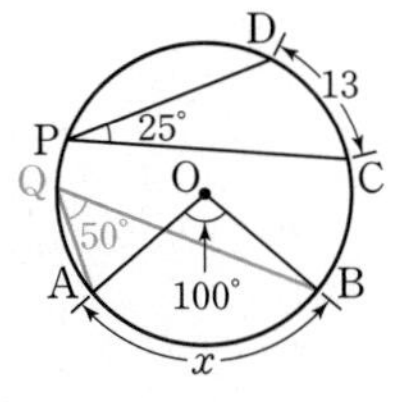

$\angle AQB = \frac{1}{2} \times 100° = 50°$

$\overset{\frown}{AB} : \overset{\frown}{CD} = \angle AQB : \angle CPD$

이므로

$x : 13 = 50° : 25°$

$x : 13 = 2 : 1 \quad \therefore x = 26$

23 ㄱ. $\overline{AB}$에 대하여 $\angle ADB = \angle ACB$이므로

네 점 A, B, C, D는 한 원 위에 있다.

ㄴ. $\overline{BC}$에 대하여 $\angle BAC \neq \angle BDC$이므로

네 점 A, B, C, D는 한 원 위에 있지 않다.

ㄷ. $\triangle BCD$에서

$\angle BDC = 180° - (90° + 40°) = 50°$

즉, $\overline{BC}$에 대하여 $\angle BAC \neq \angle BDC$이므로

네 점 A, B, C, D는 한 원 위에 있지 않다.

ㄹ. $\triangle PCD$에서

$\angle BDC = 180° - (90° + 40°) = 50°$

즉, $\overline{BC}$에 대하여 $\angle BAC = \angle BDC$이므로

네 점 A, B, C, D는 한 원 위에 있다.

ㅁ. $\triangle ACD$에서

$\angle ACD = 180° - (58° + 82°) = 40°$

즉, $\overline{AD}$에 대하여 $\angle ABD \neq \angle ACD$이므로

네 점 A, B, C, D는 한 원 위에 있지 않다.

ㅂ. $\triangle PBD$에서

$\angle CBD = 35° + 25° = 60°$

즉, $\overline{CD}$에 대하여 $\angle CAD = \angle CBD$이므로

네 점 A, B, C, D는 한 원 위에 있다.

따라서 네 점 A, B, C, D가 한 원 위에 있는 것은 ㄱ, ㄹ, ㅂ이다.

24 (1) 네 점 A, B, C, D가 한 원 위에 있으므로

$\angle ACB = \angle ADB = 25°$

따라서 $\triangle PBC$에서

$\angle x = 55° + \angle ACB$

$= 55° + 25° = 80°$

(2) 네 점 A, B, C, D가 한 원 위에 있으므로

$\angle ACD = \angle ABD = 65°$

따라서 $\triangle PCD$에서

$\angle x = 90° - \angle ACD$

$= 90° - 65° = 25°$

(3) $\angle BDC = \angle BAC = 65°$

이때 $\triangle DBC$에서

$\angle BDC + 40° + (30° + \angle x) = 180°$

$\therefore \angle x = 180° - (65° + 40° + 30°) = 45°$

25 (1) $\angle x + 85° = 180° \quad \therefore \angle x = 95°$

(2) $\angle x = \angle DCE = 120°$

(3) $52° + \angle x = 92° \quad \therefore \angle x = 40°$

(4) $\triangle BCD$에서

$\angle C = 180° - (80° + 35°) = 65°$

$\square ABCD$가 원 O에 내접하므로

$\angle x + \angle C = 180°$에서

$\angle x + 65° = 180° \quad \therefore \angle x = 115°$

(5) $\overline{AD}$가 원 O의 지름이므로 $\angle ACD = 90°$

$\triangle ACD$에서

$\angle D = 180° - (28° + 90°) = 62°$

$\square ABCD$가 원 O에 내접하므로

$\angle x + \angle D = 180°$에서

$\angle x + 62° = 180° \quad \therefore \angle x = 118°$

(6) $\triangle ABD$에서

$\angle A = 180° - (45° + 65°) = 70°$

$\square ABCD$가 원 O에 내접하므로

$\angle x = \angle A = 70°$

(7) $\angle BAD = \frac{1}{2} \times 150° = 75°$

$\square ABCD$가 원 O에 내접하므로

$\angle BAD + \angle x = 180°$에서

$75° + \angle x = 180° \quad \therefore \angle x = 105°$

(8) $\square ABCD$가 원 O에 내접하므로

$\angle A = \angle DCE = 110°$

$\therefore \angle x = 2\angle A = 2 \times 110° = 220°$

26 ㄱ. $\angle A+\angle C=115^\circ+65^\circ=180^\circ$이므로

□ABCD는 원에 내접한다.

ㄴ. $\angle BAE \neq \angle C$이므로

□ABCD는 원에 내접하지 않는다.

ㄷ. △ACD에서

$\angle D=180^\circ-(50^\circ+20^\circ)=110^\circ$

즉, $\angle B+\angle D=80^\circ+110^\circ=190^\circ \neq 180^\circ$이므로

□ABCD는 원에 내접하지 않는다.

ㄹ. △ABC에서

$\angle B=180^\circ-(55^\circ+45^\circ)=80^\circ$

즉, $\angle B=\angle CDE=80^\circ$이므로

□ABCD는 원에 내접한다.

ㅁ. $\overline{AB}$에 대하여

$\angle ADB=\angle ACB=35^\circ$이므로

□ABCD는 원에 내접한다.

ㅂ. △PCD에서

$\angle BDC=180^\circ-(85^\circ+40^\circ)=55^\circ$

즉, $\overline{BC}$에 대하여 $\angle BAC \neq \angle BDC$이므로

□ABCD는 원에 내접하지 않는다.

따라서 □ABCD가 원에 내접하는 것은 ㄱ, ㄹ, ㅁ이다.

27 (1) □ABCD가 원에 내접하므로

$\angle x+104^\circ=180^\circ \quad \therefore \angle x=76^\circ$

(2) △ABC에서

$\angle B=180^\circ-(45^\circ+40^\circ)=95^\circ$

□ABCD가 원에 내접하므로

$\angle x+\angle B=180^\circ$에서

$\angle x+95^\circ=180^\circ \quad \therefore \angle x=85^\circ$

(3) △PCD에서

$\angle BDC=180^\circ-(100^\circ+37^\circ)=43^\circ$

□ABCD가 원에 내접하므로

$\angle x=\angle BDC=43^\circ$

28 (1) $\angle x=\angle BCA=110^\circ$

(2) $\angle x=\angle CAT=55^\circ$

(3) $\angle BCA=\angle BAT=50^\circ$

따라서 △ABC에서

$\angle x=180^\circ-(50^\circ+42^\circ)=88^\circ$

(4) $\angle CBA=\angle CAT=\angle x$

따라서 △ABC에서

$\angle x=180^\circ-(70^\circ+60^\circ)=50^\circ$

(5) $\overline{BC}$가 원 O의 지름이므로 $\angle BAC=90^\circ$

$\angle CBA=\angle CAT=53^\circ$

따라서 △ABC에서

$\angle x=180^\circ-(90^\circ+53^\circ)=37^\circ$

(6) $\overline{BC}$가 원 O의 지름이므로 $\angle BAC=90^\circ$

$\angle BCA=\angle BAT=\angle x$

따라서 △ABC에서

$\angle x=180^\circ-(90^\circ+35^\circ)=55^\circ$

29 (1) $\angle BCA=\angle BAT=40^\circ$

$\therefore \angle x=2\angle BCA=2\times 40^\circ=80^\circ$

(2) $\angle CBA=\frac{1}{2}\angle COA=\frac{1}{2}\times 120^\circ=60^\circ$

$\therefore \angle x=\angle CBA=60^\circ$

III 통계 25쪽~32쪽

1 (1) 11 (2) 12 (3) 88
2 (1) 9 (2) 18 (3) 84
3 (1) 20 (2) 9 (3) 26 (4) 54.5
4 (1) 15 (2) 11
5 (1) 1 (2) 10, 35 (3) 170
6 바이올린
7 3급, 6급
8 (1) 17회 (2) 19회 (3) 27회
9 (1) 23.5분 (2) 22분 (3) 12분, 24분
10 (1) 41개 (2) 45개 (3) 43개 (4) 중앙값
11 (1) 9.25파운드 (2) 9.5파운드 (3) 10파운드 (4) 최빈값
12 (1) -2, -4, 9, -9, 6
(2) 85, 80, 60, 68, 35, 62
13 (1) 평균: 20 / -4, 2, -1, 5, -2
(2) 평균: 40 / -7, -2, 5, -11, 6, 9
(3) 평균: 81 / -10, -1, -4, 14, 4, -3
14 (1) -12 (2) -4 (3) 7
15 14일
16 31회
17 분산: 9.2, 표준편차: $\sqrt{9.2}$ 분
18 분산: $\frac{64}{3}$, 표준편차: $\frac{8\sqrt{3}}{3}$ 시간
19 분산: 6, 표준편차: $\sqrt{6}$ ℃
20 분산: 32, 표준편차: $4\sqrt{2}$ g
21 분산: 8, 표준편차: $2\sqrt{2}$ 회
22 분산: 10, 표준편차: $\sqrt{10}$ 점
23 (1) 지호 (2) 민철 (3) 덕환
24 (1) 3반 (2) 1반
25 (1) × (2) × (3) ○ (4) ○ (5) × (6) ○ (7) × (8) ×
26 풀이 참조
27 (1) 60 kg (2) 60 cm (3) 55 kg
28 (1) 2명 (2) $\frac{1}{3}$
29 (1) 3명 (2) 25 %
30 (1) 15점 (2) 3명 (3) $\frac{2}{5}$ (4) 65점 (5) 35 % (6) 66점
31 (1) ㄷ (2) ㄱ, ㅁ (3) ㄴ
32 (1) 없다 (2) 음 (3) 양 (4) 음 (5) 없다 (6) 양
33 (1) × (2) ○ (3) ○
34 (1) 양의 상관관계 (2) A (3) E

1 (1) $(\text{평균})=\frac{6+9+11+18}{4}$
$=\frac{44}{4}=11$

(2) $(\text{평균})=\frac{4+16+10+13+17}{5}$
$=\frac{60}{5}=12$

(3) $(\text{평균})=\frac{82+89+90+87+92+88}{6}$
$=\frac{528}{6}=88$

2 (1) $(\text{평균})=\frac{x+12+10+13}{4}=11$이므로
$x+12+10+13=44$
$\therefore x=9$

(2) $(\text{평균})=\frac{7+19+20+x+11}{5}=15$이므로
$7+19+20+x+11=75$
$\therefore x=18$

(3) $(\text{평균})=\frac{71+66+x+84+88+57}{6}=75$이므로
$71+66+x+84+88+57=450$
$\therefore x=84$

3 (1) 변량을 작은 값부터 크기순으로 나열하면
5, 15, 20, 22, 36
변량의 개수가 홀수이므로 중앙값은 20이다.
(2) 변량을 작은 값부터 크기순으로 나열하면
4, 7, 8, 10, 14, 17
변량의 개수가 짝수이므로 중앙값은 8과 10의 평균인
$\frac{8+10}{2}=9$이다.
(3) 변량을 작은 값부터 크기순으로 나열하면
19, 21, 24, 26, 27, 27, 30
변량의 개수가 홀수이므로 중앙값은 26이다.
(4) 변량을 작은 값부터 크기순으로 나열하면
53, 54, 54, 54, 55, 58, 59, 60
변량의 개수가 짝수이므로 중앙값은 54와 55의 평균인
$\frac{54+55}{2}=54.5$이다.

4 (1) $(\text{중앙값})=\frac{10+x}{2}=12.5$이므로
$10+x=25$ $\therefore x=15$
(2) $(\text{중앙값})=\frac{x+17}{2}=14$이므로
$x+17=28$ $\therefore x=11$

5 (1) 2, 1, 7, 3, 1, 7, 6, 1, 5
1이 세 번으로 가장 많이 나타나므로 최빈값은 1이다.
(2) 10, 30, 35, 40, 35, 10, 45, 25
10, 35가 각각 두 번씩 가장 많이 나타나므로 최빈값은 10, 35이다.
(3) 155, 150, 165, 145, 170, 160, 170
170이 두 번으로 가장 많이 나타나므로 최빈값은 170이다.

6 바이올린이 17명으로 가장 많이 나타나므로 최빈값은 바이올린이다.

7 3급, 6급이 각각 8명씩 가장 많이 나타나므로 최빈값은 3급, 6급이다.

8 줄기와 잎 그림에서 주어진 자료는 다음과 같다.

(단위: 회)

1, 3, 9, 12, 14, 19, 19, 27, 27, 27, 29

(1) $(평균)=\frac{1+3+9+12+14+19+19+27+27+27+29}{11}$

$=\frac{187}{11}=17(회)$

(2) 변량의 개수가 홀수이므로 중앙값은 19회이다.

(3) 27회가 세 번으로 가장 많이 나타나므로 최빈값은 27회이다.

9 줄기와 잎 그림에서 주어진 자료는 다음과 같다.

(단위: 분)

12, 12, 13, 16, 20, 24, 24, 33, 40, 41

(1) $(평균)=\frac{12+12+13+16+20+24+24+33+40+41}{10}$

$=\frac{235}{10}=23.5(분)$

(2) 변량의 개수가 짝수이므로 중앙값은 20과 24의 평균인

$\frac{20+24}{2}=22(분)$이다.

(3) 12분, 24분이 각각 두 번씩 가장 많이 나타나므로 최빈값은 12분, 24분이다.

10 (1) $(평균)=\frac{50+43+39+4+46+51+43+45+48}{9}$

$=\frac{369}{9}=41(개)$

(2) 변량을 작은 값부터 크기순으로 나열하면

4, 39, 43, 43, 45, 46, 48, 50, 51

변량의 개수가 홀수이므로 중앙값은 45개이다.

(3) 4, 39, 43, 43, 45, 46, 48, 50, 51

43개가 두 번으로 가장 많이 나타나므로 최빈값은 43개이다.

(4) 4개가 다른 변량에 비해 매우 작으므로 극단적인 값에 영향을 받지 않는 중앙값이 이 자료의 대푯값으로 적절하다.

11 (1) $(평균)=\frac{7+9+10+6+8+13+10+9+8+10+11+10}{12}$

$=\frac{111}{12}=9.25(파운드)$

(2) 변량을 작은 값부터 크기순으로 나열하면

6, 7, 8, 8, 9, 9, 10, 10, 10, 10, 11, 13

변량의 개수가 짝수이므로 중앙값은 9와 10의 평균인

$\frac{9+10}{2}=9.5(파운드)$이다.

(3) 6, 7, 8, 8, 9, 9, 10, 10, 10, 10, 11, 13

10파운드가 네 번으로 가장 많이 나타나므로 최빈값은 10파운드이다.

(4) 가장 많이 준비해야 할 볼링공의 무게를 정할 때는 그 운동용품점에서 가장 많이 판매한 것을 선택해야 하므로 최빈값이 이 자료의 대푯값으로 적절하다.

12 (1) (편차)=(변량)−(평균)=(변량)−11이므로

변량	9	7	20	2	17
편차	−2	−4	9	−9	6

(2) (변량)=(평균)+(편차)=65+(편차)이므로

변량	85	80	60	68	35	62
편차	20	15	−5	3	−30	−3

13 (1) $(평균)=\frac{16+22+19+25+18}{5}=\frac{100}{5}=20$이므로

변량	16	22	19	25	18
편차	−4	2	−1	5	−2

(2) $(평균)=\frac{33+38+45+29+46+49}{6}=\frac{240}{6}=40$이므로

변량	33	38	45	29	46	49
편차	−7	−2	5	−11	6	9

(3) $(평균)=\frac{71+80+77+95+85+78}{6}=\frac{486}{6}=81$이므로

변량	71	80	77	95	85	78
편차	−10	−1	−4	14	4	−3

14 (1) 편차의 총합은 0이므로

$x+11+(-7)+8=0$

$\therefore x=-12$

(2) 편차의 총합은 0이므로

$9+5+(-12)+x+(-1)+3=0$

$\therefore x=-4$

(3) 편차의 총합은 0이므로

$2+x+10+(-2)+4+(-21)=0$

$\therefore x=7$

15 11월에 비가 온 날수의 편차를 x일이라 하면

편차의 총합은 0이므로

$1+(-3)+0+2+x+(-4)=0$

$\therefore x=4$

∴ (11월에 비가 온 날수)=(평균)+(편차)

$=10+4=14(일)$

16 해준이의 팔굽혀펴기 기록의 편차를 x회라 하면

편차의 총합은 0이므로

$7+13+(-8)+(-11)+x=0$

$\therefore x=-1$

∴ (해준이의 팔굽혀펴기 기록)=(평균)+(편차)

$=32+(-1)=31(회)$

17 $(편차)^2$의 총합을 구하면

$(-1)^2+2^2+(-5)^2+4^2+0^2=46$

$\therefore (분산)=\frac{46}{5}=9.2$

$(표준편차)=\sqrt{9.2}$ 분

18 (편차)^{2}의 총합을 구하면

$1^2+(-4)^2+1^2+(-2)^2+(-5)^2+9^2=128$

$\therefore$ (분산)$=\frac{128}{6}=\frac{64}{3}$

(표준편차)$=\sqrt{\frac{64}{3}}=\frac{8\sqrt{3}}{3}$(시간)

19 편차의 총합은 0이므로

$2+x+(-1)+0+(-4)=0$

$\therefore x=3$

(편차)^{2}의 총합을 구하면

$2^2+3^2+(-1)^2+0^2+(-4)^2=30$

$\therefore$ (분산)$=\frac{30}{5}=6$

(표준편차)$=\sqrt{6}$ °C

20 편차의 총합은 0이므로

$3+(-6)+2+5+x+(-10)+(-1)=0$

$\therefore x=7$

(편차)^{2}의 총합을 구하면

$3^2+(-6)^2+2^2+5^2+7^2+(-10)^2+(-1)^2=224$

$\therefore$ (분산)$=\frac{224}{7}=32$

(표준편차)$=\sqrt{32}=4\sqrt{2}$(g)

21 (평균)$=\frac{32+26+30+34+28}{5}=\frac{150}{5}=30$(회)

각 변량의 편차를 구하면

2회, -4회, 0회, 4회, -2회

(편차)^{2}의 총합을 구하면

$2^2+(-4)^2+0^2+4^2+(-2)^2=40$

$\therefore$ (분산)$=\frac{40}{5}=8$

(표준편차)$=\sqrt{8}=2\sqrt{2}$(회)

22 (평균)$=\frac{11+16+19+20+13+17}{6}=\frac{96}{6}=16$(점)

각 변량의 편차를 구하면

-5점, 0점, 3점, 4점, -3점, 1점

(편차)^{2}의 총합을 구하면

$(-5)^2+0^2+3^2+4^2+(-3)^2+1^2=60$

$\therefore$ (분산)$=\frac{60}{6}=10$

(표준편차)$=\sqrt{10}$점

23 (1) 평균이 클수록 성적이 우수하므로 성적이 가장 우수한 학생은 지호이다.

(2) 표준편차가 작을수록 성적이 고르므로 성적이 가장 고른 학생은 민철이다.

(3) 표준편차가 클수록 성적이 고르지 않으므로 성적이 가장 고르지 않은 학생은 덕환이다.

24 (1) 평균 3회 가까이에 있는 변량이 많을수록 분포 상태가 고르게 나타나므로 분포 상태가 가장 고르게 나타난 반은 3반이다.

(2) 평균 3회를 중심으로 멀리 있는 변량이 많을수록 표준편차가 크므로 표준편차가 가장 큰 반은 1반이다.

25 (1) 최빈값은 반드시 주어진 변량 중에서 정해지지만 평균과 중앙값은 주어진 변량 중에 없을 수도 있다.

(2) 중앙값은 대푯값의 하나이다.

(5) 산포도의 크기는 평균의 크기와 상관없다.

(7) 분산은 각 편차의 제곱의 평균이다.

(8) 표준편차는 자료의 변량이 흩어져 있는 정도를 나타낸 값이므로 평균이 서로 달라도 표준편차는 같을 수 있다.

26

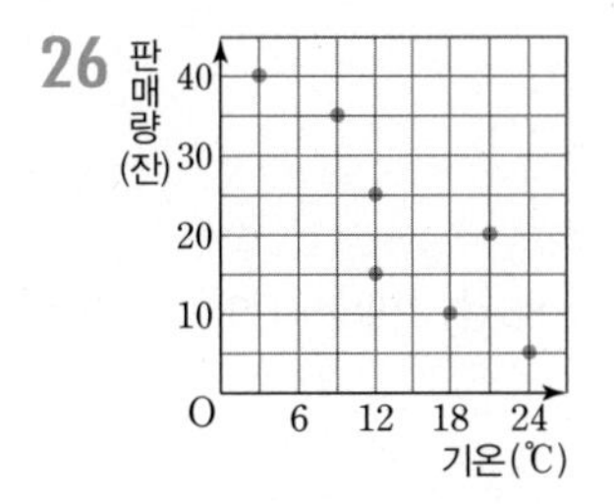

27

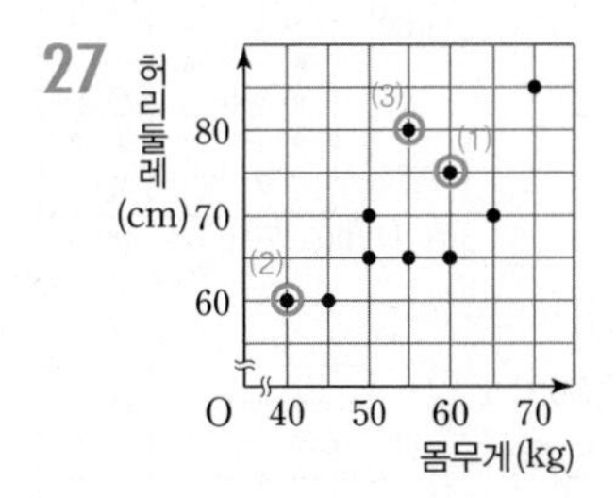

(2) 몸무게가 가장 적게 나가는 학생의 몸무게는 40 kg이고, 이 학생의 허리둘레는 60 cm이다.

(3) 허리둘레가 두 번째로 긴 학생의 허리둘레는 80 cm이고, 이 학생의 몸무게는 55 kg이다.

28 (1) 3점 슛을 25개보다 많이 넣은 학생은 오른쪽 그림에서 색칠한 부분(경계선 제외)에 속하므로 2명이다.

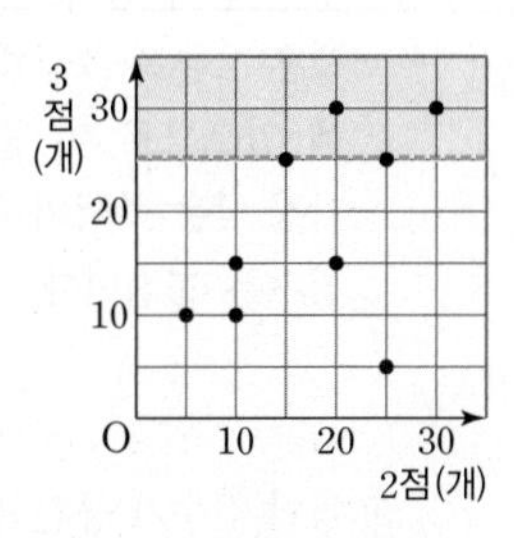

(2) 2점 슛과 3점 슛의 개수가 같은 학생은 오른쪽 그림에서 대각선 위에 있으므로 3명이다.

따라서 그 비율은

$\frac{3}{9}=\frac{1}{3}$

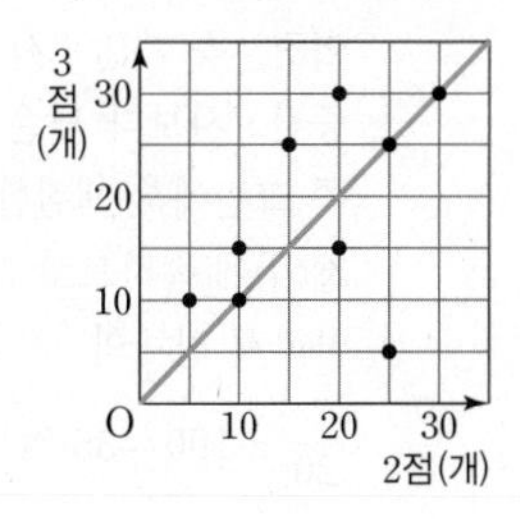

29 (1) 민규와 몸무게가 같은 회원은 오른쪽 그림에서 가로선 위에 있으므로 3명이다.

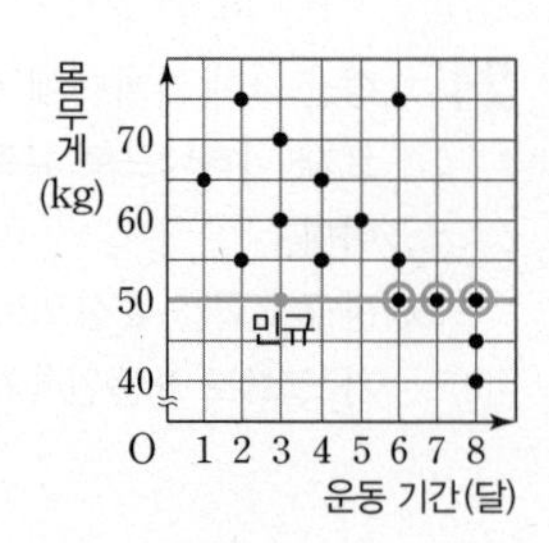

(2) 운동 기간이 4달 미만인 회원 중에서 몸무게가 55 kg 초과인 회원은 오른쪽 그림에서 색칠한 부분(경계선 제외)에 속하므로 4명이다. 따라서 전체의

$\frac{4}{16}\times100=25(\%)$

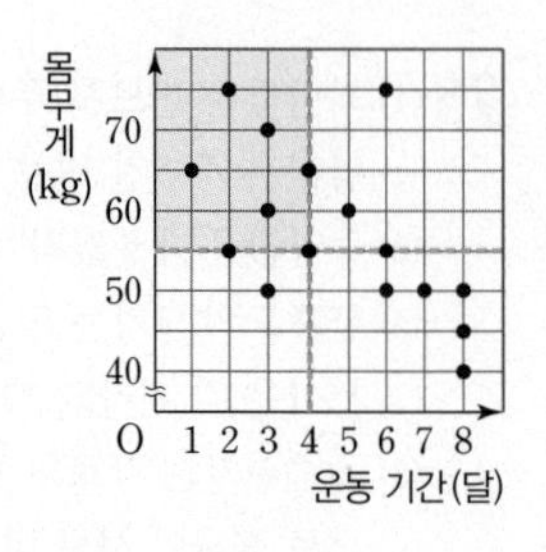

30 (1) 은경이의 중간고사 영어 점수는 85점, 기말고사 영어 점수는 70점이므로 그 차는

$85-70=15$(점)

(2) 은경이보다 중간고사 영어 점수가 높은 학생은 오른쪽 그림에서 색칠한 부분(경계선 제외)에 속하므로 3명이다.

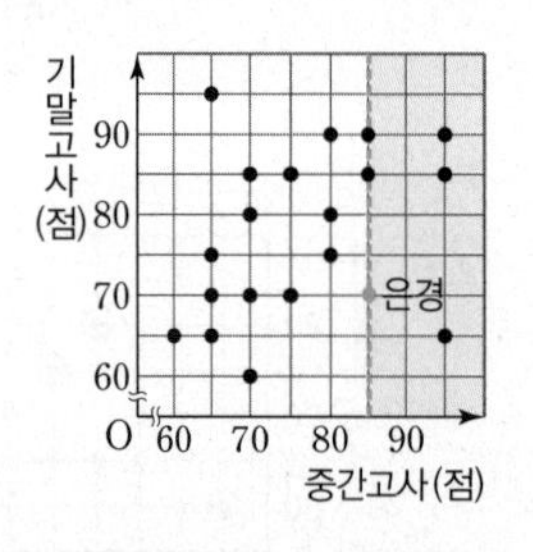

(3) 기말고사 영어 점수가 85점 이상 95점 이하인 학생은 오른쪽 그림에서 색칠한 부분(경계선 포함)에 속하므로 8명이다.

따라서 그 비율은

$\frac{8}{20}=\frac{2}{5}$

(4) 두 시험의 영어 점수가 같은 학생은 오른쪽 그림에서 대각선 위에 있으므로 이 중에서 점수가 가장 낮은 학생의 기말고사 영어 점수는 65점이다.

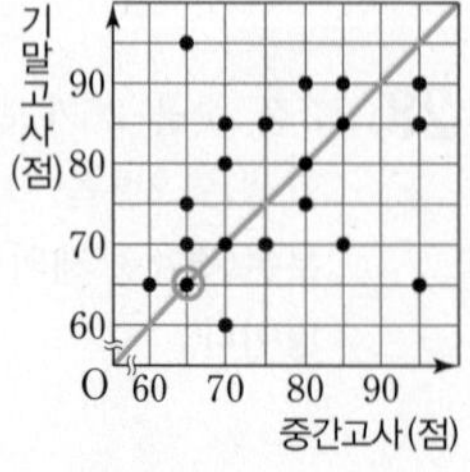

(5) 영어 점수가 중간고사에 비해 떨어진, 즉 기말고사 영어 점수가 중간고사보다 낮은 학생은 오른쪽 그림에서 색칠한 부분(경계선 제외)에 속하므로 7명이다.

따라서 전체의

$\frac{7}{20}\times100=35(\%)$

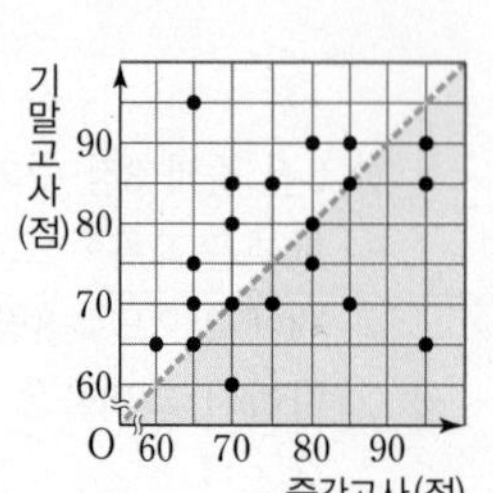
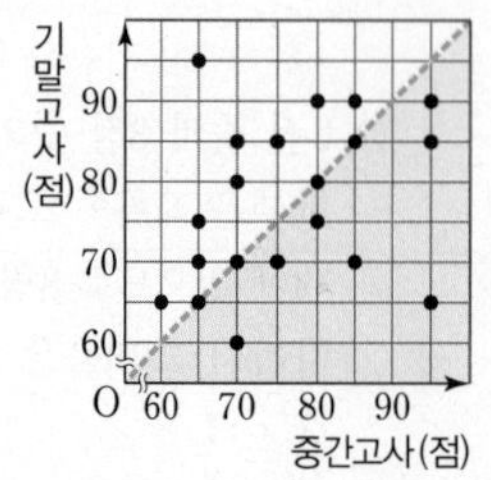

(6) 중간고사와 기말고사 영어 점수가 모두 70점 이하인 학생은 오른쪽 그림에서 색칠한 부분(경계선 포함)에 속하므로 이 학생들의 중간고사 영어 점수는 각각 60점, 65점, 65점, 70점, 70점이다.

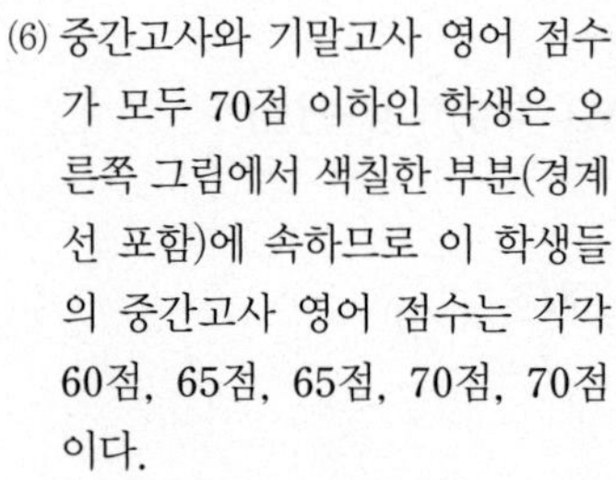
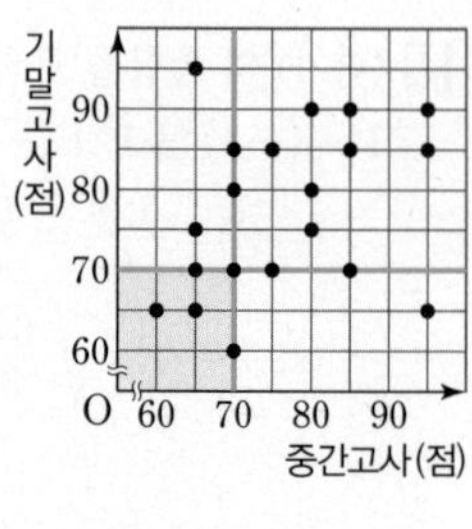

$\therefore$ (평균)$=\frac{60+65+65+70+70}{5}=\frac{330}{5}=66$(점)

31 ㄱ, ㅁ. 상관관계가 없다.

ㄴ, ㄹ, ㅂ. 음의 상관관계

ㄷ. 양의 상관관계

(3) 상관관계가 강할수록 점들이 한 직선 가까이에 모여 있으므로 음의 상관관계가 가장 강한 것은 ㄴ이다.

32 (1) 통학 거리가 길어짐에 따라 영어 성적이 대체로 증가하거나 감소하는 경향이 있지 않으므로 두 변량 사이에는 상관관계가 없다.

(2) 자동차가 움직인 거리가 길수록 남은 연료의 양은 대체로 적으므로 두 변량 사이에는 음의 상관관계가 있다.

(3) 어느 지역에 인구가 많을수록 중학교 수도 대체로 많으므로 두 변량 사이에는 양의 상관관계가 있다.

(4) 산의 높이가 높을수록 그 산 정상에서의 기온은 대체로 낮으므로 두 변량 사이에는 음의 상관관계가 있다.

(5) 티셔츠의 치수가 커짐에 따라 그 가격이 대체로 증가하거나 감소하는 경향이 있지 않으므로 두 변량 사이에는 상관관계가 없다.

(6) 계산대에 줄지어 서 있는 사람의 수가 많을수록 대기 시간도 대체로 길므로 두 변량 사이에는 양의 상관관계가 있다.

33 (1) 사회 점수가 낮은 학생이 전 과목 평균 점수도 대체로 낮은 편이다.

(2) 주어진 산점도에서 C가 D보다 왼쪽에 있으므로 C의 사회 점수가 더 낮다.

34 (1) 지난 학기 봉사 시간이 많을수록 이번 학기 봉사 시간도 대체로 많으므로 두 변량 사이에는 양의 상관관계가 있다.

개념+연산

연산 능력 강화로 기본기를 탄탄하게!

- 유형별 연산 문제를 반복 연습하여 개념 완벽 이해
- 단원별 핵심 문제를 한 번 더 풀어봄으로써 자신의 실력 확인
- 응용력을 더한 내신 시험 문제로 실전 감각 UP

중학 수학 1~3학년

교과서 개념잡기 빠르고 쉽게 익히는 교과서 개념 완성 프로젝트

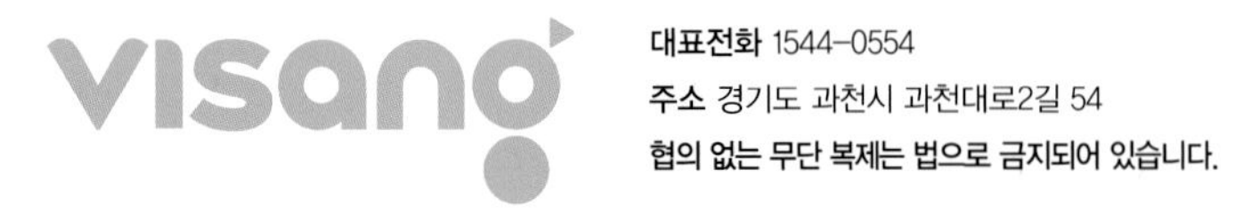

대표전화 1544-0554
주소 경기도 과천시 과천대로2길 54
협의 없는 무단 복제는 법으로 금지되어 있습니다.

비상 누리집에서 더 많은 정보를 확인해 보세요.

http://book.visang.com/

교과서 개념잡기

개념익히기와 1:1 매칭되는

익힘북

중등**수학**

3·2

책 속의 가접 별책 (특허 제 0557442호)
'익힘북'은 본책에서 쉽게 분리할 수 있도록 제작되었으므로
유통 과정에서 분리될 수 있으나 파본이 아닌 정상제품입니다.

visang

ABOVE IMAGINATION

우리는 남다른 상상과 혁신으로
교육 문화의 새로운 전형을 만들어
모든 이의 행복한 경험과 성장에 기여한다

교과서 개념 잡기

개념 익히기와 1:1 매칭되는

익힘북

중등수학

3·2

I 삼각비

정답과 해설 25쪽

I·1 삼각비

❶ 삼각비의 값 구하기

1 아래 그림의 직각삼각형 ABC에서 다음 삼각비의 값을 구하시오.

(1) $\overline{AC}=13$, $\overline{BC}=12$, $\overline{AB}=5$

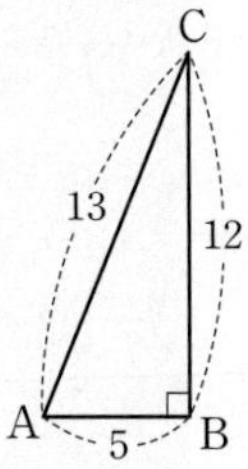

① $\sin A=$________

② $\cos A=$________

③ $\tan A=$________

(2) $\overline{AC}=4$, $\overline{BC}=6$, $\overline{AB}=2\sqrt{5}$

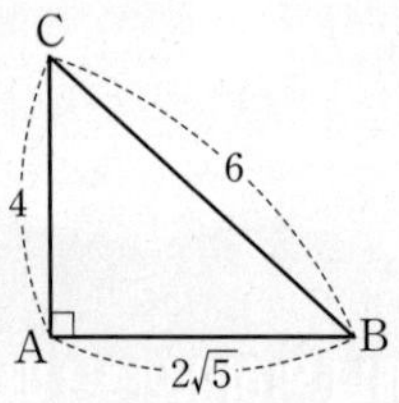

① $\sin B=$________

② $\cos B=$________

③ $\tan B=$________

(3) $\overline{AC}=2\sqrt{6}$, $\overline{BC}=7$, $\overline{AB}=5$

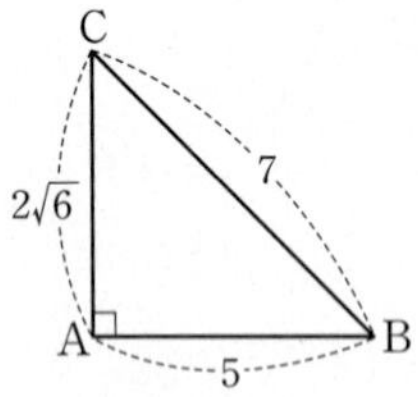

① $\sin C=$________

② $\cos C=$________

③ $\tan C=$________

(4) $\overline{AC}=2\sqrt{10}$, $\overline{BC}=2\sqrt{6}$, $\overline{AB}=8$

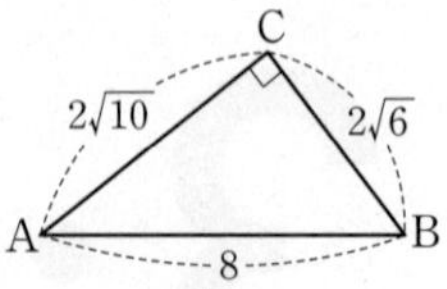

① $\sin A=$________

② $\cos A=$________

③ $\tan A=$________

2 아래 그림의 직각삼각형 ABC에서 다음 삼각비의 값을 구하시오.

(1)

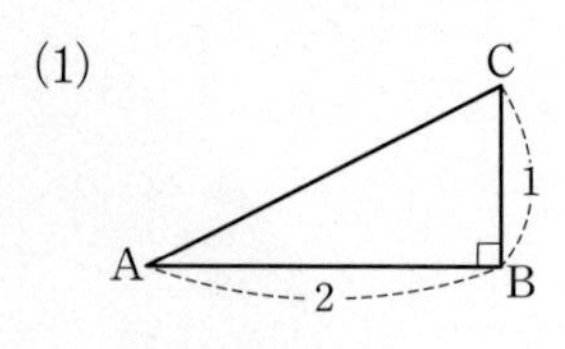

① $\sin A=$________

② $\cos A=$________

③ $\tan A=$________

(2) $\overline{AC}=\sqrt{5}$, $\overline{AB}=2$

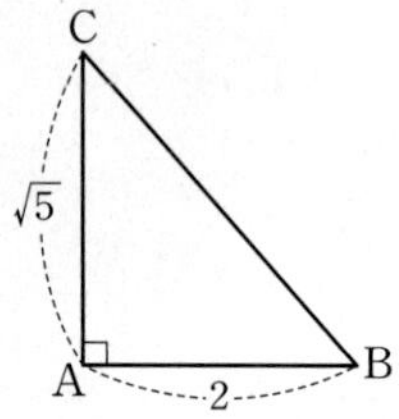

① $\sin B=$________

② $\cos B=$________

③ $\tan B=$________

(3) $\overline{AC}=3\sqrt{2}$, $\overline{BC}=\sqrt{6}$

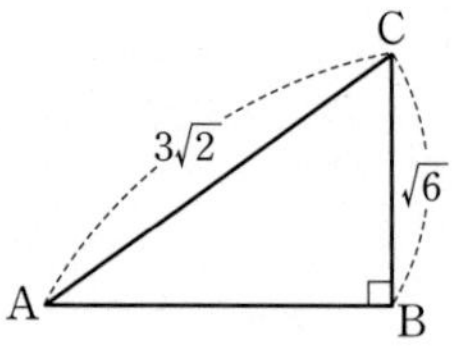

① $\sin C=$________

② $\cos C=$________

③ $\tan C=$________

(4) $\overline{AC}=2\sqrt{3}$, $\overline{AB}=5$

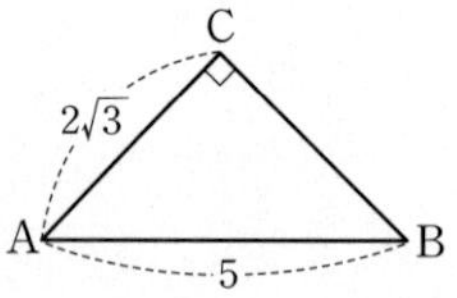

① $\sin B=$________

② $\cos B=$________

③ $\tan B=$________

❷ 한 변의 길이와 삼각비의 값이 주어질 때, 다른 변의 길이 구하기

3 다음 그림의 직각삼각형 ABC에서 주어진 변의 길이와 삼각비의 값을 이용하여 x, y의 값을 각각 구하시오.

(1) $\sin A=\frac{2}{5}$일 때

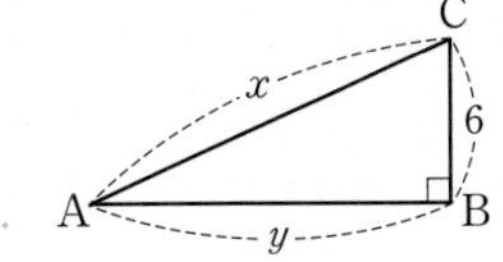

① $x=$________

② $y=$________

(2) $\cos B=\frac{\sqrt{3}}{3}$일 때

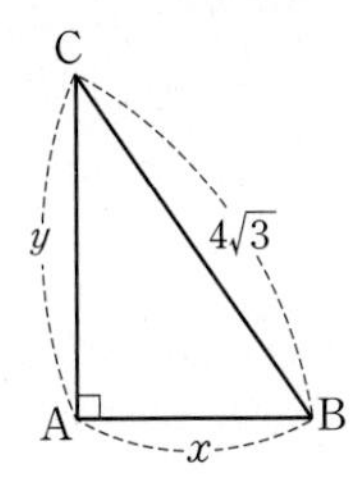

① $x=$________

② $y=$________

(3) $\tan C=\frac{2}{3}$일 때

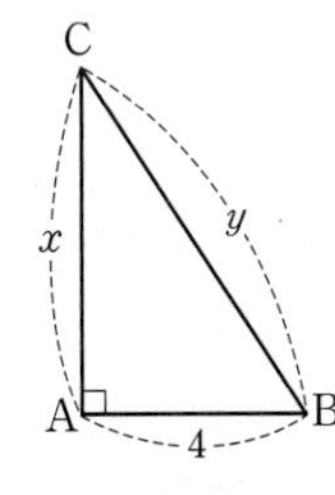

① $x=$________

② $y=$________

4 오른쪽 그림과 같이 $\angle B=90^\circ$인 직각삼각형 ABC에서 $\overline{BC}=6$이고 $\cos C=\frac{3}{5}$일 때, $\sin C$의 값을 구하시오.

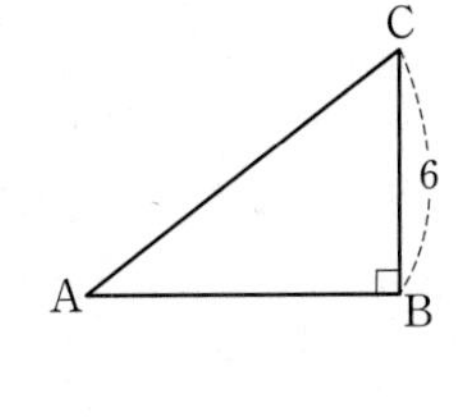

____

❸ 한 삼각비의 값이 주어질 때, 다른 삼각비의 값 구하기

5 $\angle B=90^\circ$인 직각삼각형 ABC가 주어진 삼각비의 값을 만족시킬 때, 다음 삼각비의 값을 구하시오.

(1) $\tan A=\frac{7}{24}$일 때

① $\sin A=$________

② $\cos A=$________

(2) $\sin A=\frac{3}{4}$일 때

① $\cos A=$________

② $\tan A=$________

(3) $\cos A=\frac{\sqrt{6}}{3}$일 때

① $\cos C=$________

② $\tan C=$________

6 $\angle B=90^\circ$인 직각삼각형 ABC에서 $\sin A=\frac{9}{11}$일 때, $\tan C$의 값을 구하시오.

____

❹ 30°, 45°, 60°의 삼각비의 값

7 다음을 계산하시오.

(1) $\sin 30° + \tan 45°$ ______

(2) $\tan 30° - \sin 60°$ ______

(3) $\cos 30° \times \tan 60°$ ______

(4) $\sin 45° \div \cos 60°$ ______

(5) $4\sin 60° \div \tan 30°$ ______

(6) $\sin 60° - \cos 30° + \sqrt{3}\tan 60°$ ______

(7) $\sin 30° \times 6\cos 45° + \tan 45° \div \sin 45°$

______

(8) $(\sin 30° + \tan 45°)(\sin 60° + \cos 30°)$

______

❺ 30°, 45°, 60°의 삼각비를 이용하여 변의 길이 구하기

8 다음 그림의 직각삼각형에서 x, y의 값을 각각 구하시오.

(1)

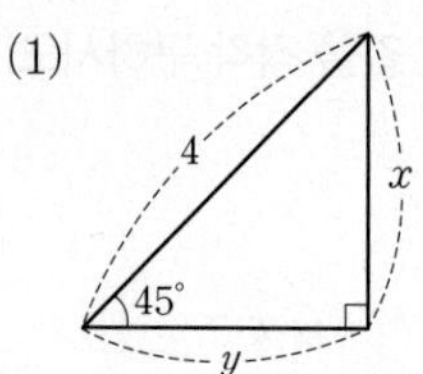

① $x=$______

② $y=$______

(2)

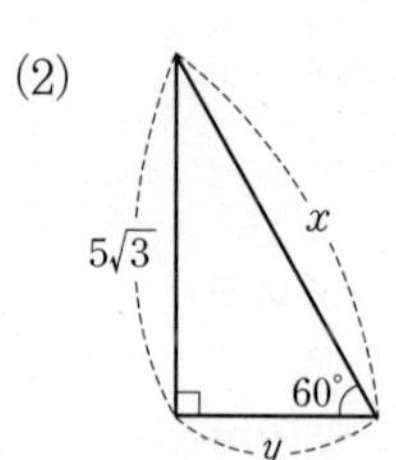

① $x=$______

② $y=$______

(3)

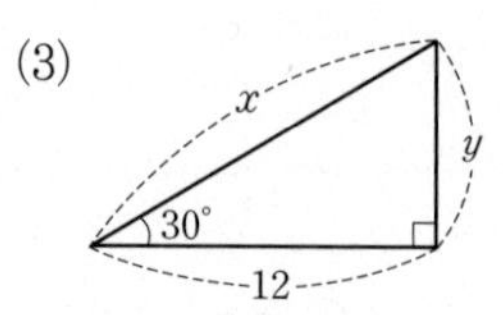

① $x=$______

② $y=$______

(4)

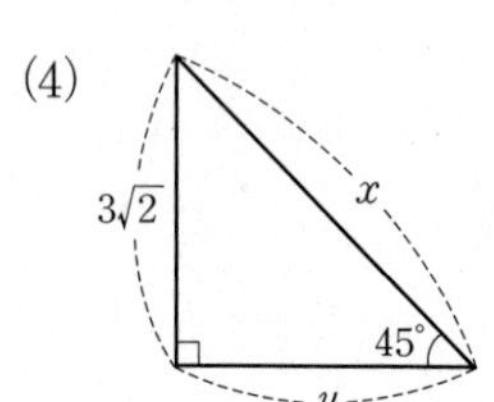

① $x=$______

② $y=$______

(5)

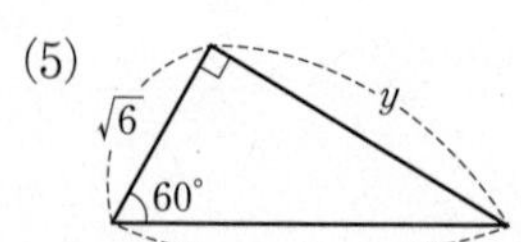

① $x=$______

② $y=$______

9 다음 그림의 두 직각삼각형에서 x, y의 값을 각각 구하시오.

(1)

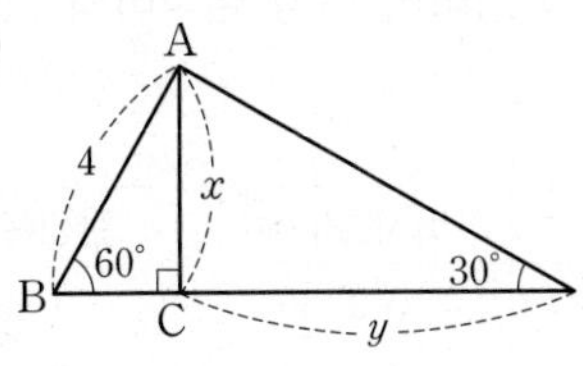

① $x=$ ________

② $y=$ ________

(2)

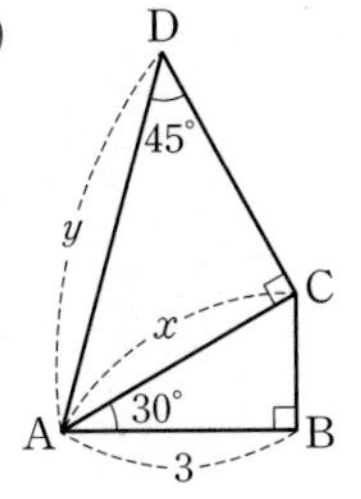

① $x=$ ________

② $y=$ ________

(3)

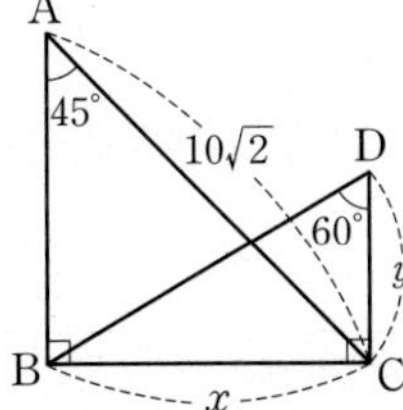

① $x=$ ________

② $y=$ ________

(4)

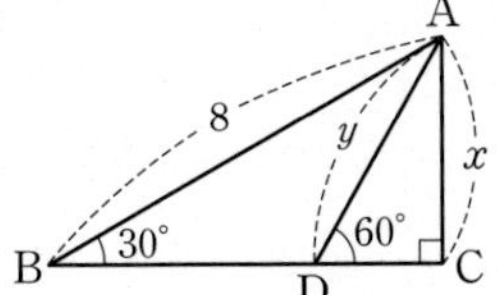

① $x=$ ________

② $y=$ ________

⑥ 예각에 대한 삼각비의 값

10 아래 그림과 같이 반지름의 길이가 1인 사분원을 이용하여 다음 선분의 길이와 같은 삼각비의 값을 보기에서 모두 고르시오.

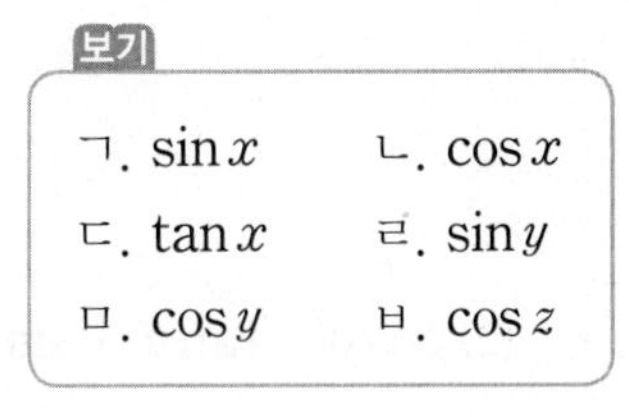

보기

ㄱ. $\sin x$　　ㄴ. $\cos x$

ㄷ. $\tan x$　　ㄹ. $\sin y$

ㅁ. $\cos y$　　ㅂ. $\cos z$

(1) $\overline{AB}$ ________

(2) $\overline{OB}$ ________

(3) $\overline{CD}$ ________

11 아래 그림과 같이 반지름의 길이가 1인 사분원을 이용하여 다음 삼각비의 값을 구하시오.

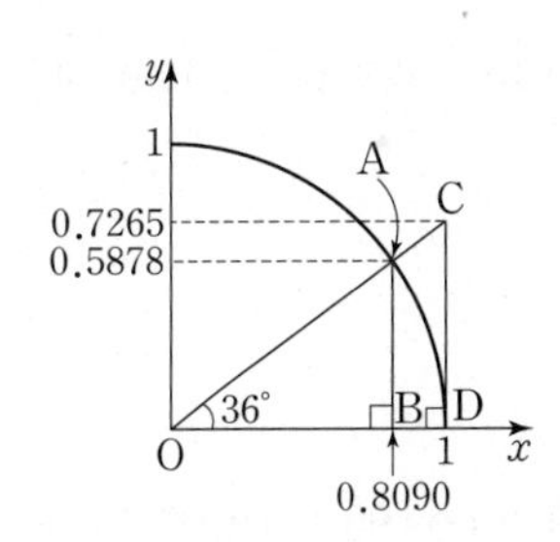

(1) $\sin 36°$ ________

(2) $\cos 36°$ ________

(3) $\tan 36°$ ________

(4) $\sin 54°$ ________

(5) $\cos 54°$ ________

7 0°, 90°의 삼각비의 값

12 다음을 계산하시오.

(1) $\sin 0^\circ + \cos 90^\circ$

(2) $\cos 0^\circ - \tan 0^\circ + \sin 90^\circ$

(3) $\tan 0^\circ + \sin 90^\circ \div \cos 0^\circ$

(4) $\cos 60^\circ - \sin 90^\circ + \tan 45^\circ$

(5) $\sqrt{2}\sin 45^\circ - \cos 0^\circ + \sqrt{3}\tan 30^\circ$

(6) $\sin 60^\circ \times \cos 90^\circ - \tan 0^\circ \div \cos 45^\circ$

(7) $\sin 0^\circ \times \cos 45^\circ + 2\sin 30^\circ \div \tan 60^\circ$

(8) $\sin 45^\circ \div \tan 30^\circ \times \cos 0^\circ - \sqrt{2}\sin 90^\circ \div \cos 30^\circ$

8 삼각비의 표

13 아래 삼각비의 표를 이용하여 다음 삼각비의 값을 구하시오.

각도	사인(sin)	코사인(cos)	탄젠트(tan)
21°	0.3584	0.9336	0.3839
22°	0.3746	0.9272	0.4040
23°	0.3907	0.9205	0.4245
24°	0.4067	0.9135	0.4452

(1) $\sin 24^\circ$

(2) $\cos 21^\circ$

(3) $\cos 23^\circ$

(4) $\tan 22^\circ$

14 아래 삼각비의 표를 이용하여 다음을 만족시키는 x의 크기를 구하시오.

각도	사인(sin)	코사인(cos)	탄젠트(tan)
68°	0.9272	0.3746	2.4751
69°	0.9336	0.3584	2.6051
70°	0.9397	0.3420	2.7475
71°	0.9455	0.3256	2.9042

(1) $\sin x = 0.9336$

(2) $\sin x = 0.9455$

(3) $\cos x = 0.3746$

(4) $\tan x = 2.7475$

I·2 삼각비의 활용

9 직각삼각형의 변의 길이 구하기

15 다음 그림의 직각삼각형 ABC에서 x, y의 값을 각각 $\angle B$의 삼각비를 이용하여 나타내시오.

(1)

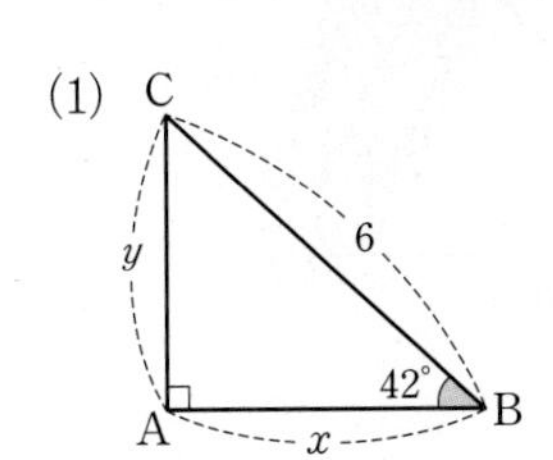

① $x=$ ______

② $y=$ ______

(2)

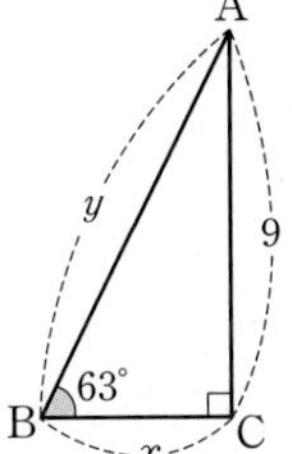

① $x=$ ______

② $y=$ ______

(3)

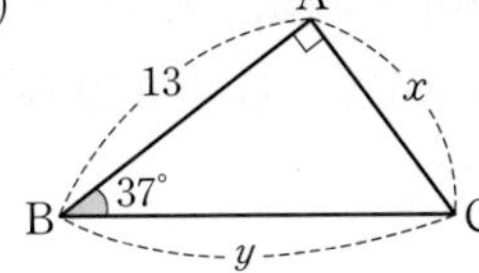

① $x=$ ______

② $y=$ ______

16 다음 그림과 같이 길이가 12 m인 사다리를 건물의 꼭대기에 걸쳐 놓았다. $\angle A=60°$일 때, 건물의 높이 $\overline{BC}$를 구하시오.

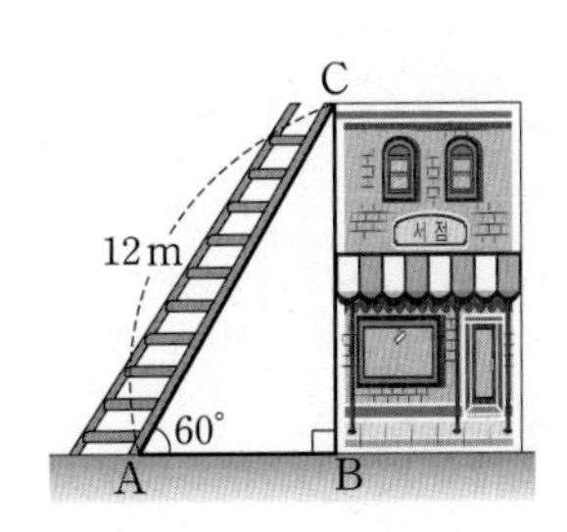

______

17 다음 그림과 같이 연못의 두 지점 A, B 사이의 거리를 구하기 위해 $\angle A=90°$, $\overline{BC}=100$ m가 되도록 지점 C를 잡았다. $\angle B=33°$일 때, 두 지점 A, B 사이의 거리를 구하시오. (단, $\cos 33°=0.84$로 계산한다.)

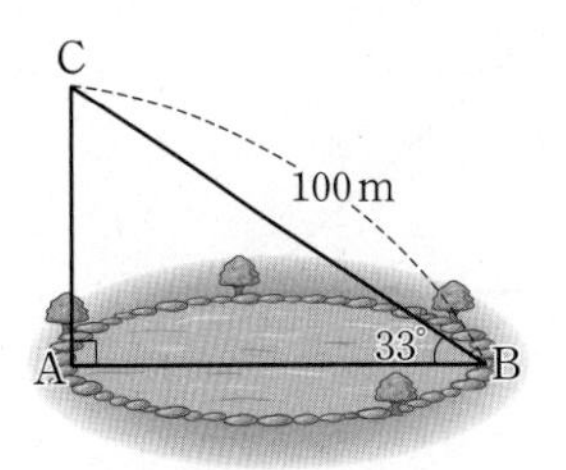

______

18 다음 그림과 같이 건물에서 10 m 떨어진 지점에서 의섭이가 건물의 꼭대기를 올려다본 각의 크기가 52°이었다. 의섭이의 눈높이가 1.7 m일 때, 건물의 높이를 구하시오.

(단, $\tan 52°=1.28$로 계산한다.)

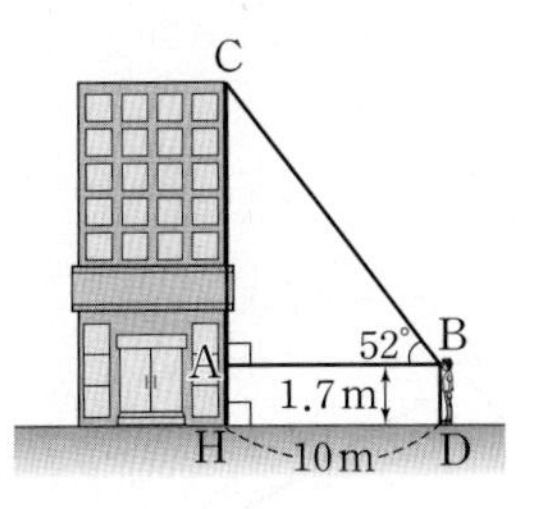

______

19 지면에 수직으로 서 있던 나무가 바람에 부러져서 다음 그림과 같이 꼭대기 부분이 지면에 닿아 있다. $\overline{BC}=18$ m, $\angle B=26°$일 때, 부러지기 전 나무의 높이를 구하시오.

(단, $\cos 26°=0.9$, $\tan 26°=0.49$로 계산한다.)

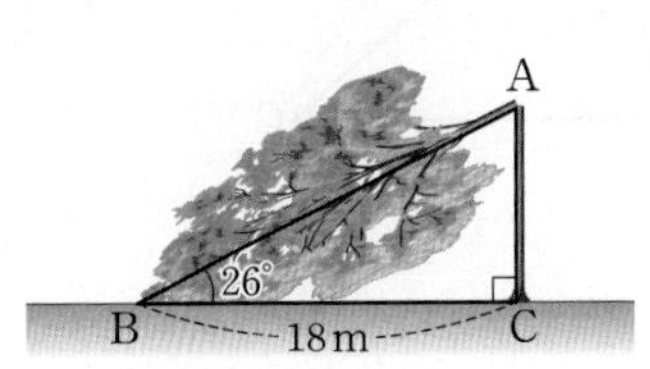

______

10 일반 삼각형의 변의 길이 구하기 (1)
- 두 변의 길이와 그 끼인각의 크기를 알 때

20 다음 그림의 $\triangle ABC$에서 x의 값을 구하시오.

(1)

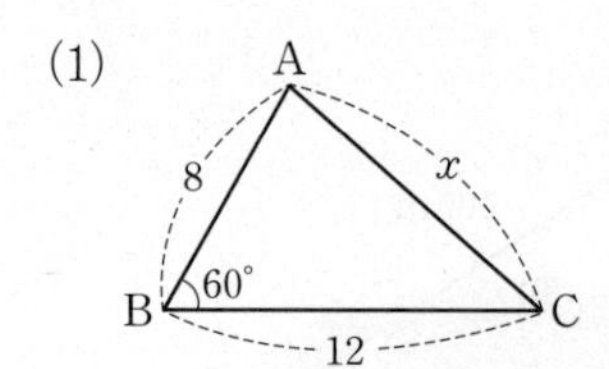

(2)

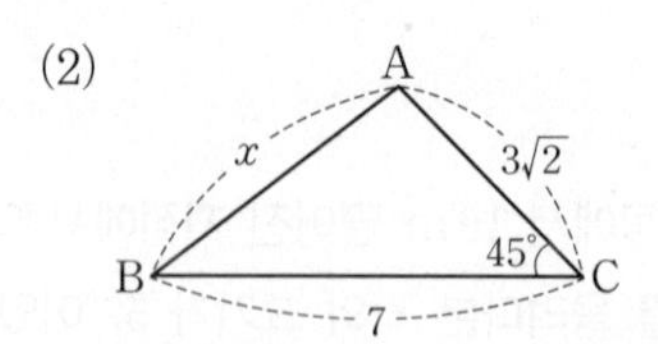

(3)

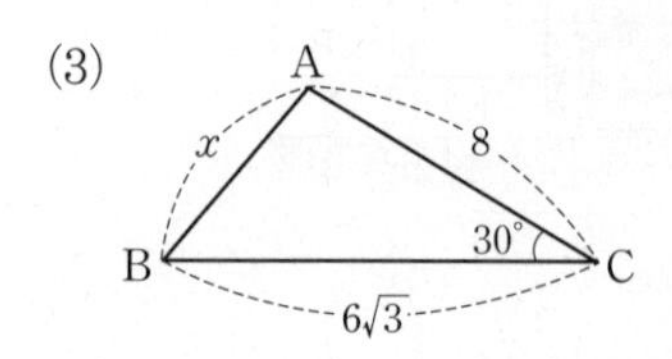

(4)

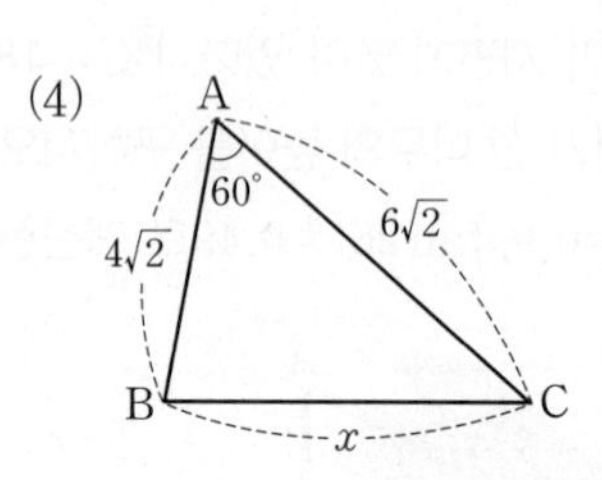

21 다음 그림과 같이 연못의 두 지점 A, C 사이의 거리를 구하기 위해 $\overline{AB}=10\sqrt{2}\,\text{m}$, $\overline{BC}=15\,\text{m}$가 되도록 지점 B를 잡았다. $\angle B=45°$일 때, 두 지점 A, C 사이의 거리를 구하시오.

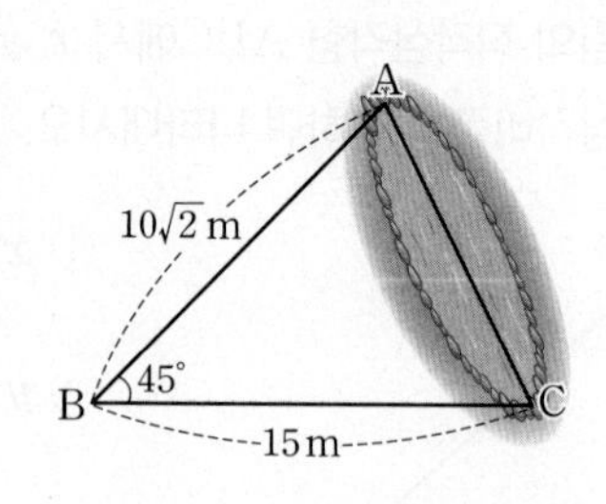

22 다음 그림과 같이 두 지점 A, C 사이에 다리를 건설하려고 한다. 두 지점 A, B 사이의 거리는 $4\sqrt{3}\,\text{km}$, 두 지점 B, C 사이의 거리는 $16\,\text{km}$이고 $\angle B=30°$일 때, 건설하려는 다리의 길이를 구하시오.

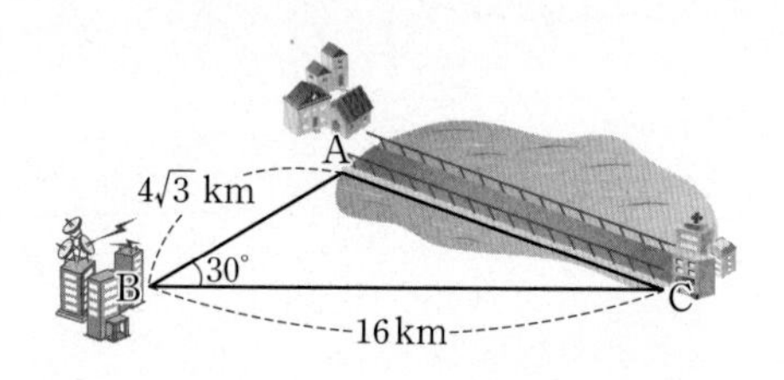

일반 삼각형의 변의 길이 구하기 (2)
- 한 변의 길이와 그 양 끝 각의 크기를 알 때

23 다음 그림의 $\triangle ABC$에서 x의 값을 구하시오.

(1)
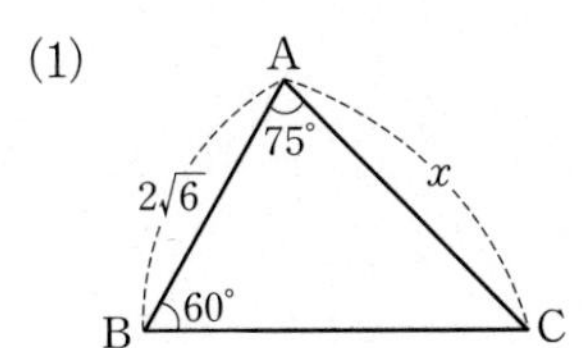

(2)
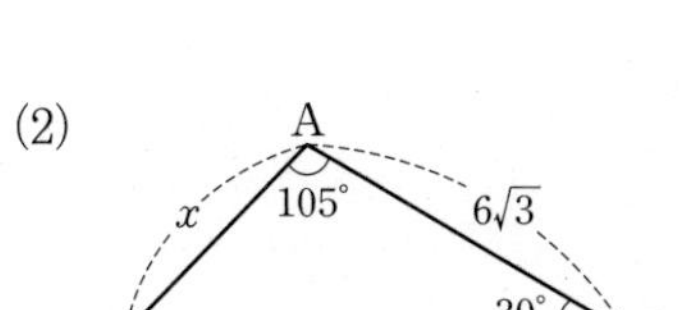

(3)
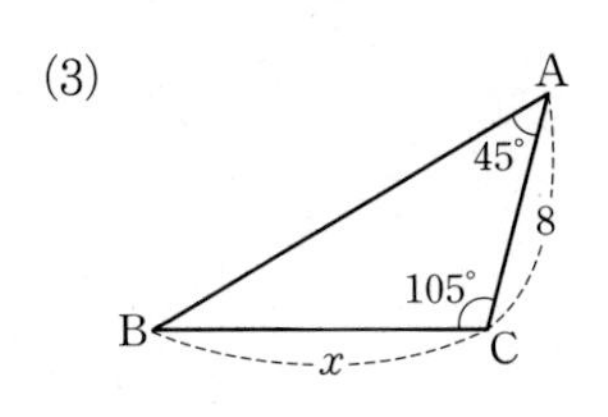

(4)
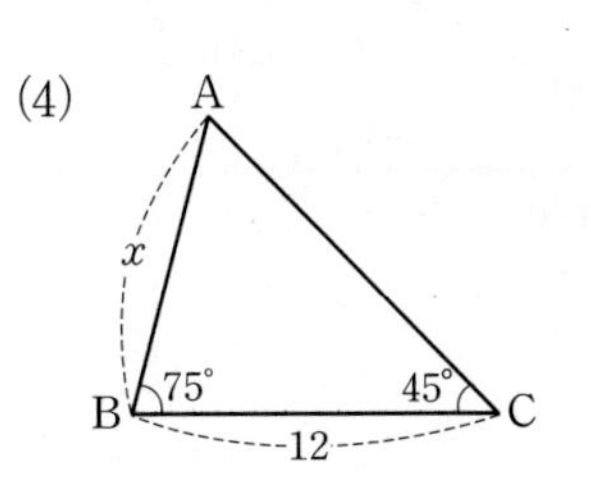

24 다음 그림과 같이 바닷가의 두 지점 A, C 사이의 거리는 600 m이다. 두 지점 A, C에서 바다 위에 있는 바위 B를 바라본 각의 크기가 각각 75°, 45°일 때, 지점 A에서 바위 B까지의 거리를 구하시오.

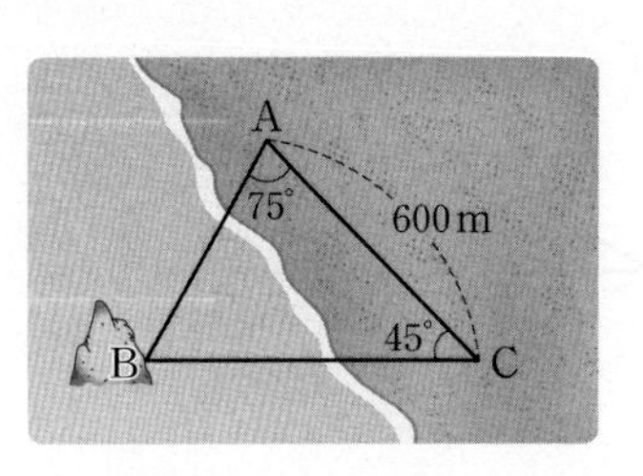

25 다음 그림과 같이 두 지점 A, C를 직선으로 연결하는 터널을 만들려고 한다. $\overline{BC}=2\,\text{km}$이고 $\angle B=45^\circ$, $\angle C=105^\circ$일 때, 만들려는 터널의 길이를 구하시오.

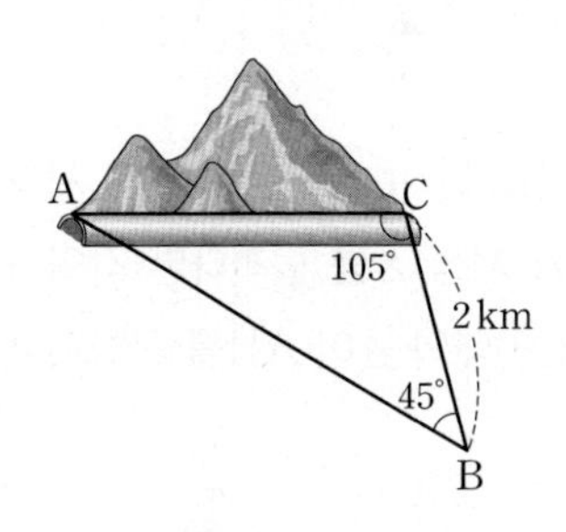

12 삼각형의 높이 (1)
- 밑변의 양 끝 각이 모두 예각일 때

26 다음 그림의 $\triangle ABC$에서 h의 값을 구하시오.

(1)

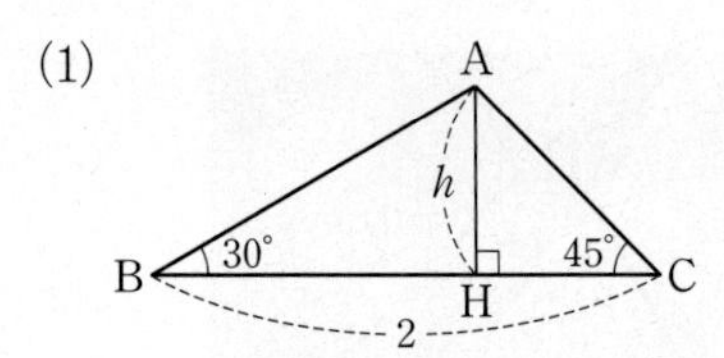

(2)

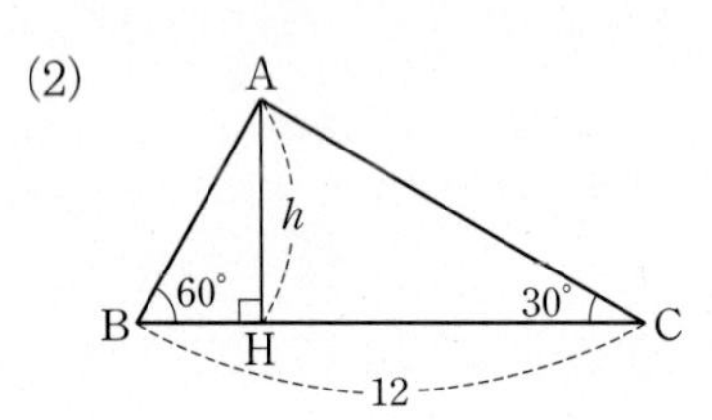

27 다음 그림과 같이 100 m 떨어진 두 지점 B, C에서 전망대의 꼭대기 지점 A를 올려다본 각의 크기가 각각 45°, 60°일 때, 전망대의 높이 $\overline{AH}$를 구하시오.

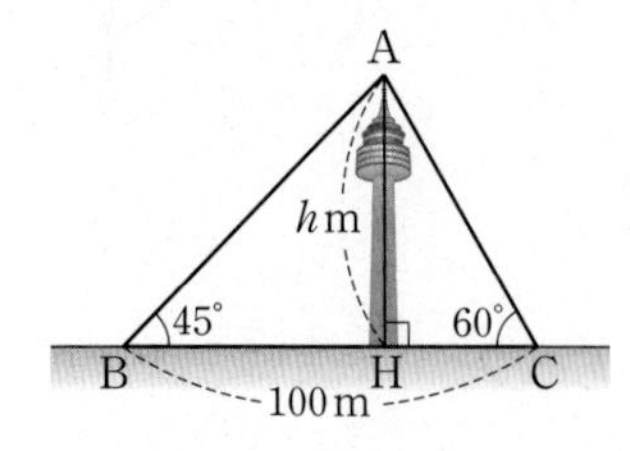

13 삼각형의 높이 (2)
- 밑변의 양 끝 각 중 한 각이 둔각일 때

28 다음 그림의 $\triangle ABC$에서 h의 값을 구하시오.

(1)

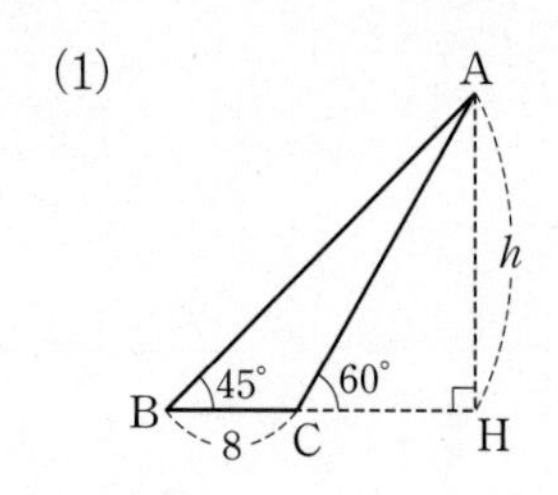

(2)

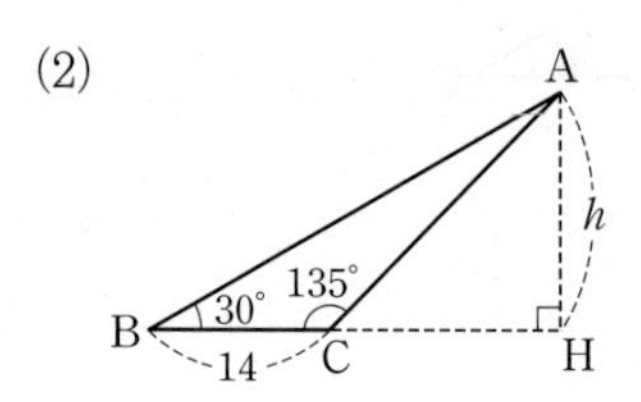

29 다음 그림과 같이 4 km 떨어진 두 지점 B, C에서 비행기 A를 올려다본 각의 크기가 각각 30°, 60°일 때, 지면으로부터 비행기의 높이 $\overline{AH}$를 구하시오.

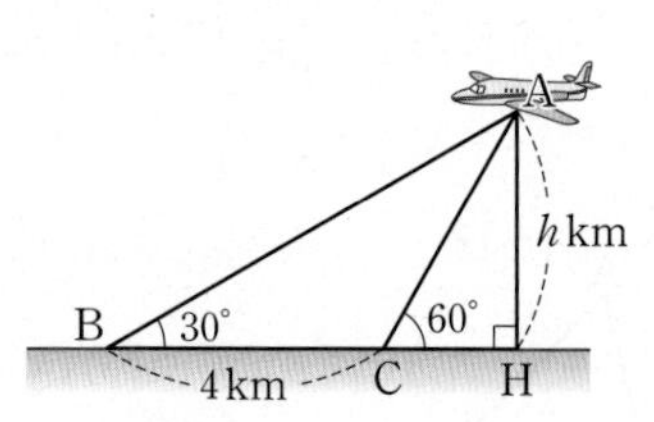

14 삼각형의 넓이 (1) - 끼인각이 예각일 때

30 다음 그림과 같은 △ABC의 넓이를 구하시오.

(1)

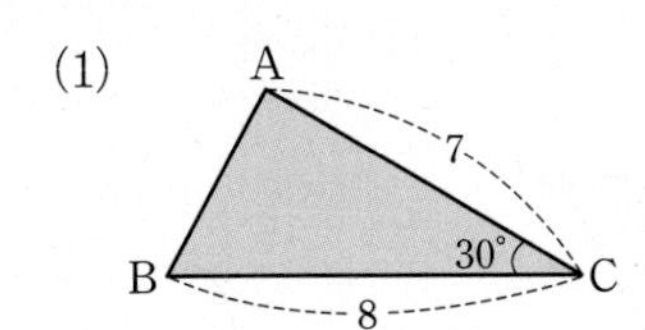

(2)

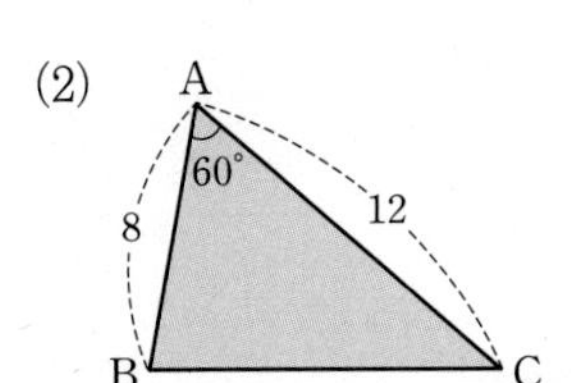

(3)

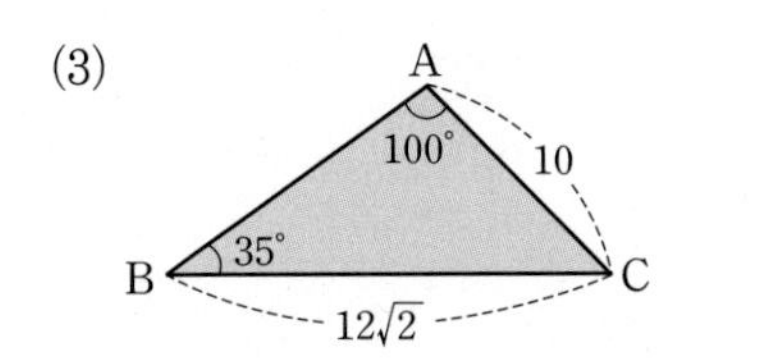

(4)

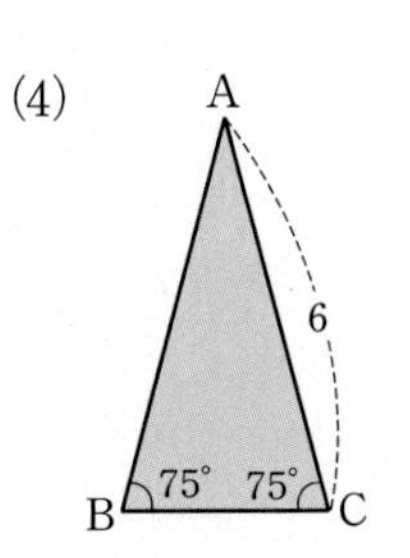

(5)

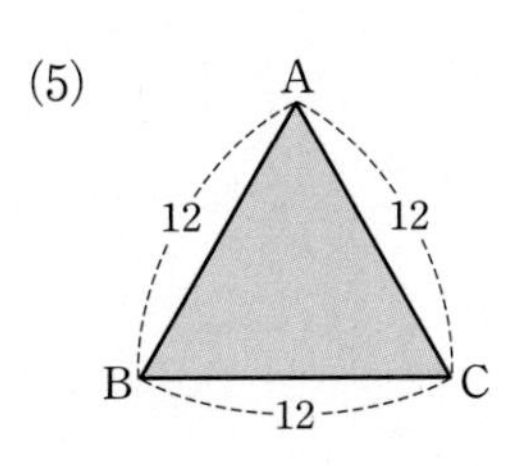

15 삼각형의 넓이 (2) - 끼인각이 둔각일 때

31 다음 그림과 같은 △ABC의 넓이를 구하시오.

(1)

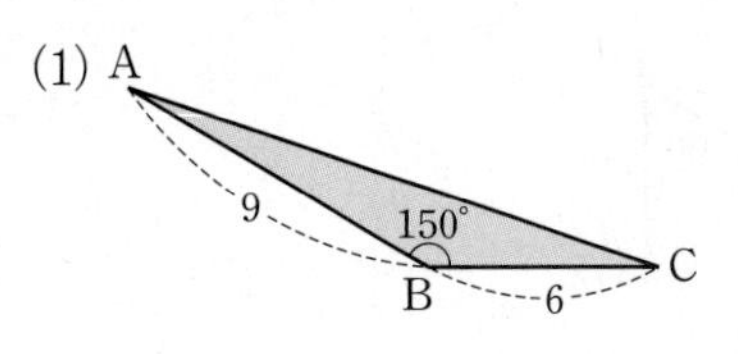

(2)

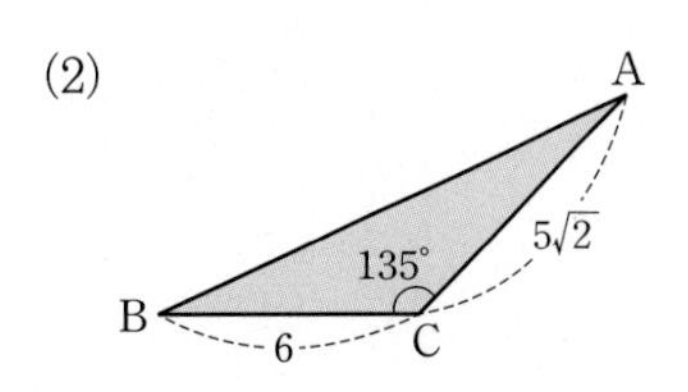

(3)

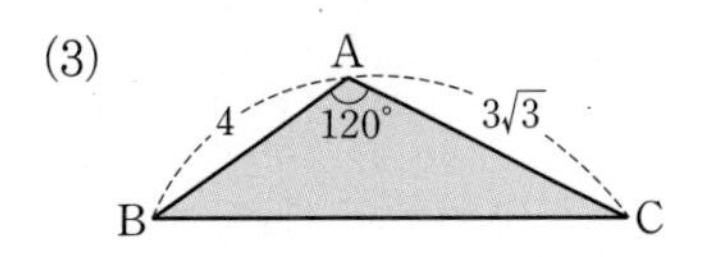

(4)

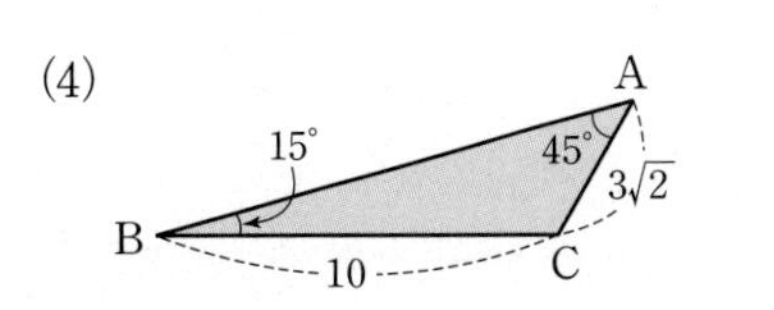

(5)

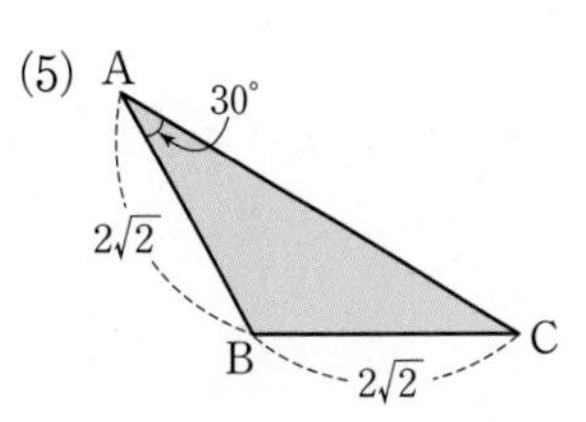

⑯ 다각형의 넓이

32 다음 그림과 같은 □ABCD의 넓이를 구하시오.

(1)

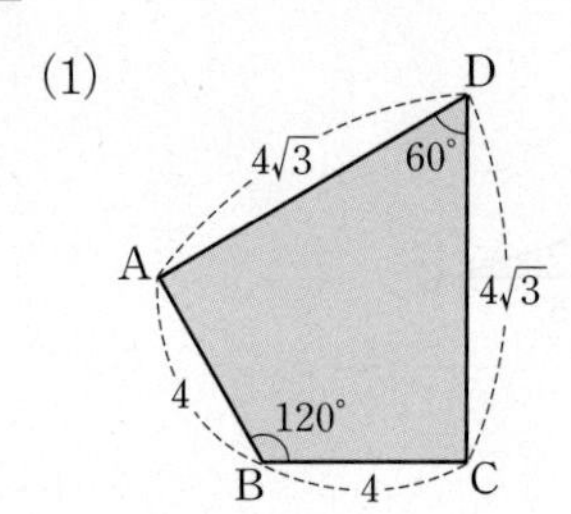

(2)

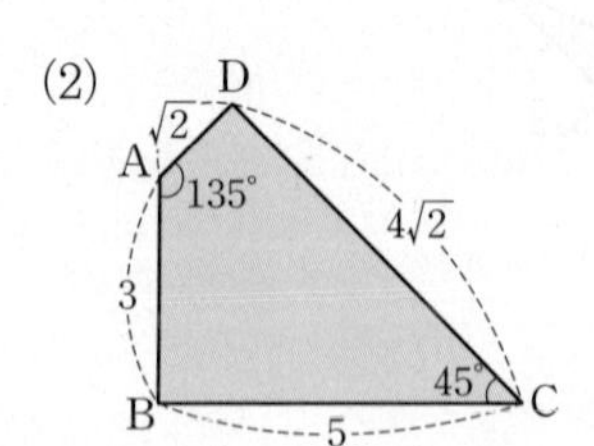

(3)

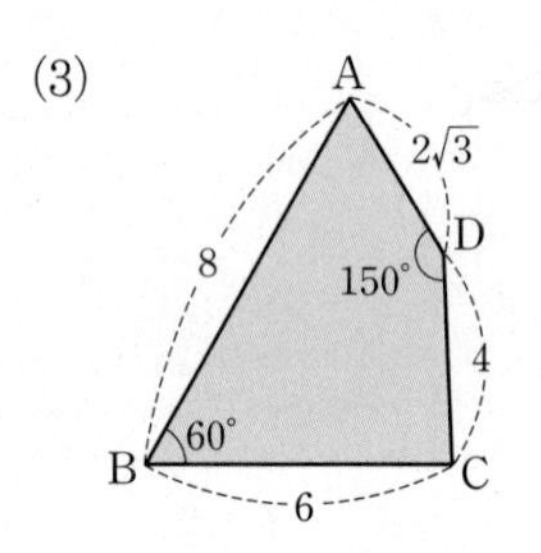

(4)

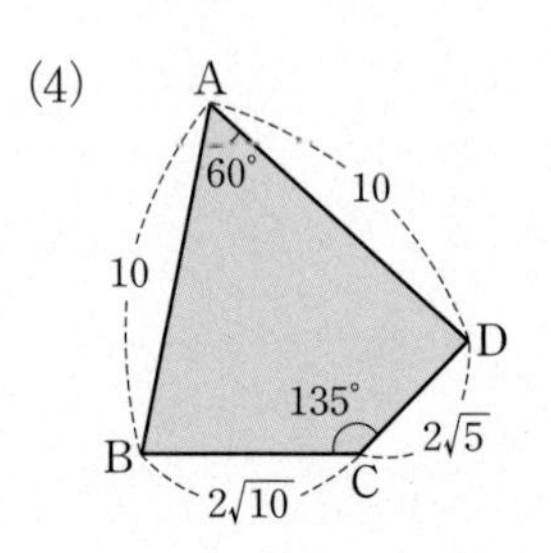

⑰ 평행사변형의 넓이

33 다음 그림과 같은 평행사변형 ABCD의 넓이를 구하시오.

(1)

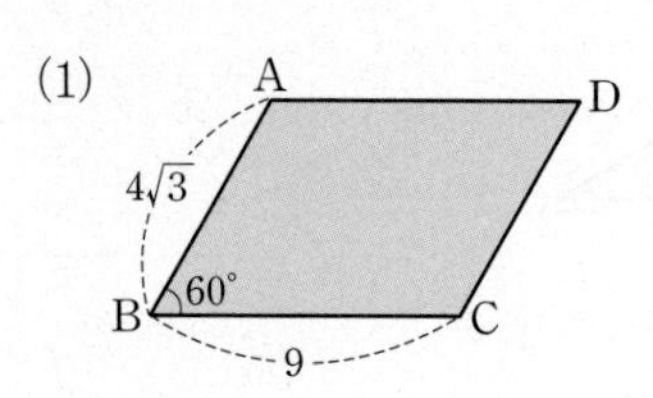

(2)

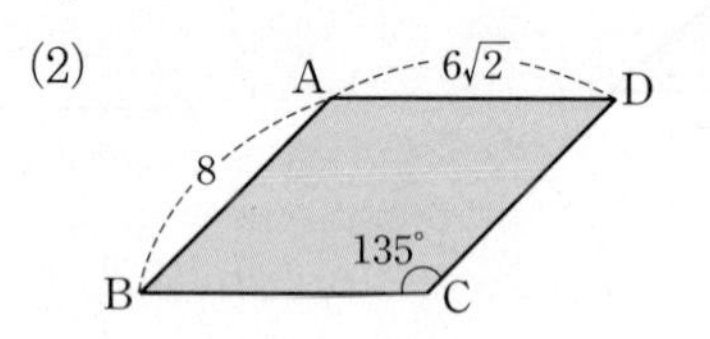

34 다음 그림과 같은 마름모 ABCD의 넓이를 구하시오.

(1)

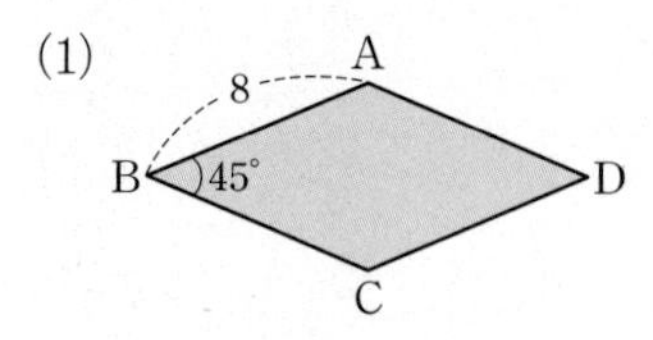

(2)

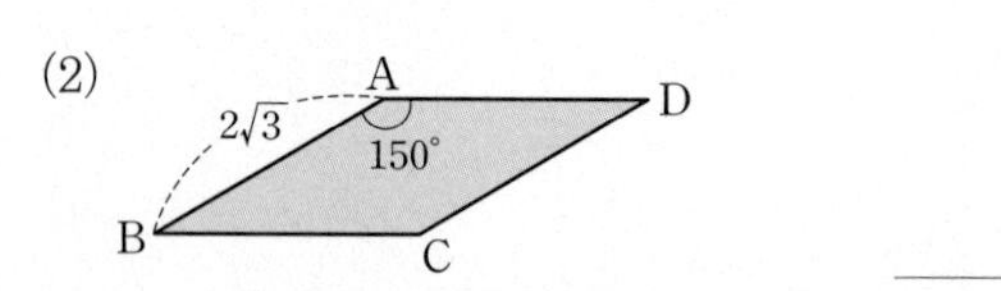

Ⅱ 원의 성질

정답과 해설 32쪽

Ⅱ-1 원과 직선

1 현의 수직이등분선

1 다음 그림의 원 O에서 x의 값을 구하시오.

(1)

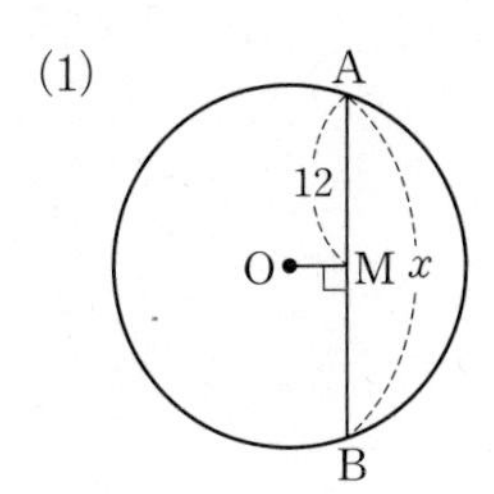

(2)

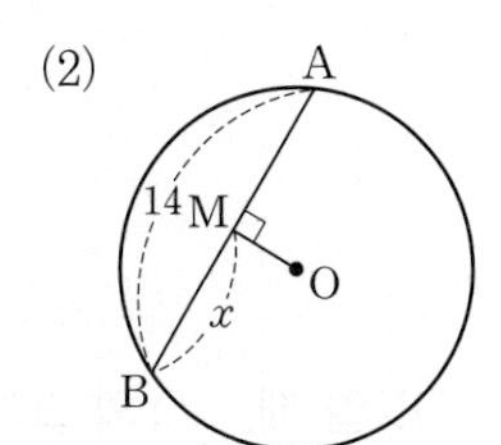

2 다음 그림의 원 O에서 x의 값을 구하시오.

(1)

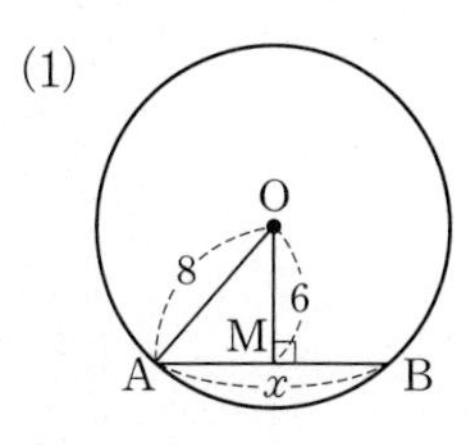

(2)

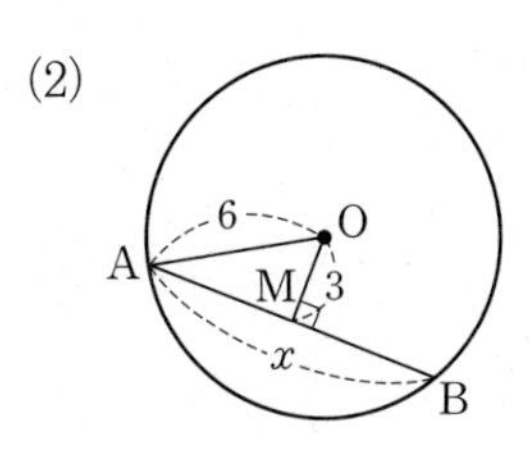

(3)

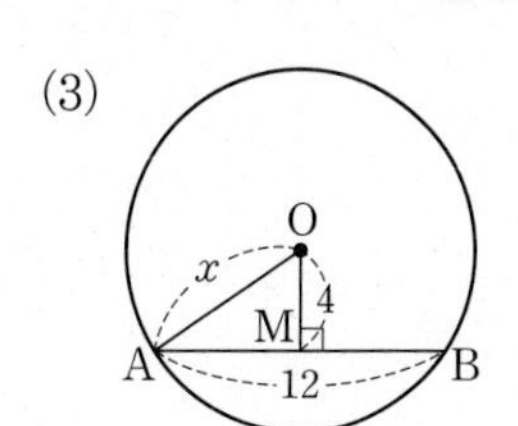

(4)

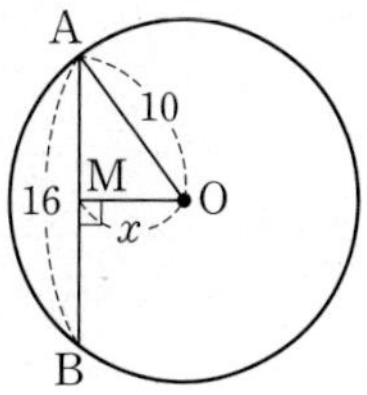

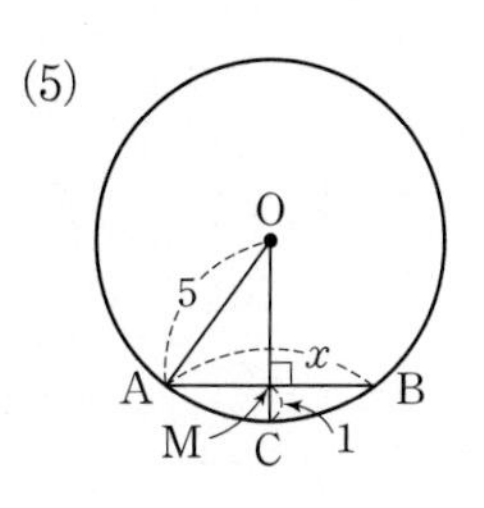

(5)

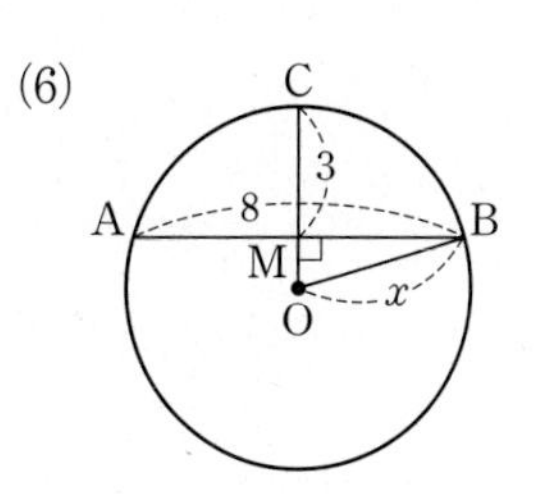

(6)

② 현의 길이

3 다음 그림의 원 O에서 x의 값을 구하시오.

(1)

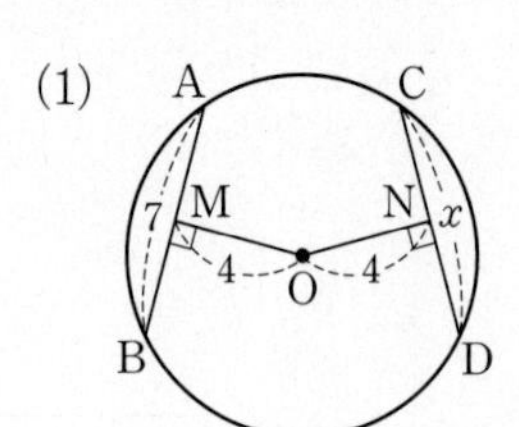

(2)

(3)

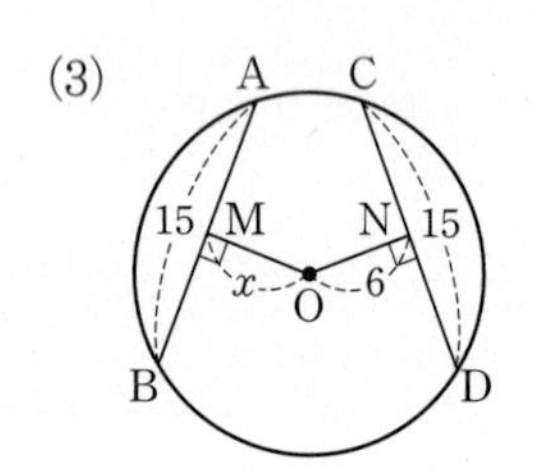

(4)

4 다음 그림의 원 O에서 x의 값을 구하시오.

(1)

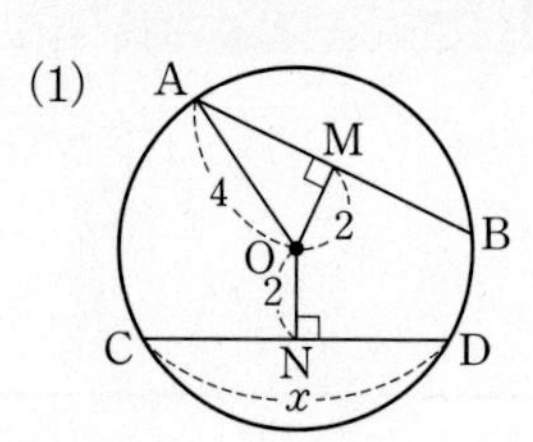

(2)

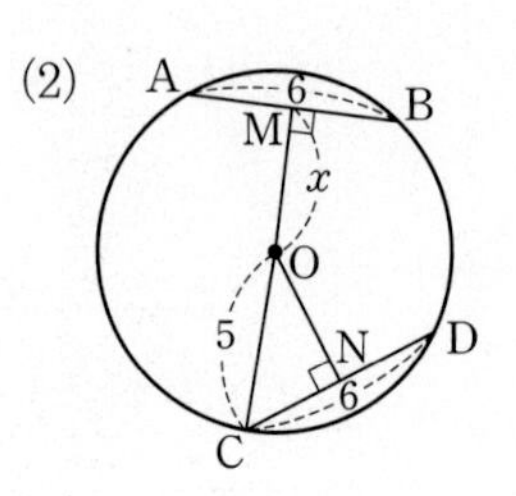

5 다음 그림의 원 O에서 $\overline{OM}=\overline{ON}$일 때, $\angle x$의 크기를 구하시오.

(1)

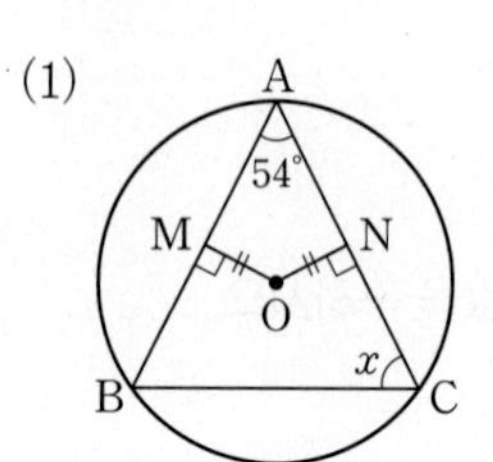

(2)

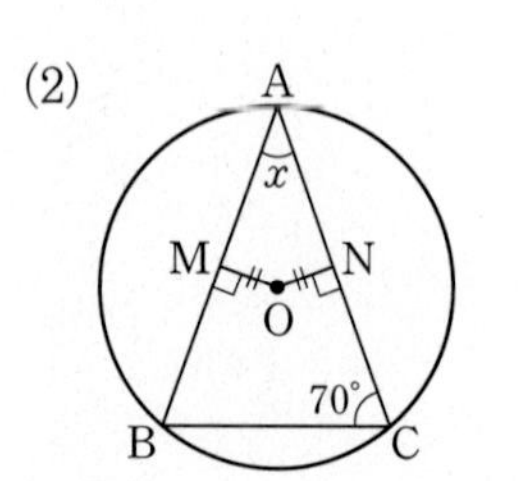

③ 접선의 길이

6 다음 그림에서 두 점 A, B는 점 P에서 원 O에 그은 두 접선의 접점일 때, $\angle x$의 크기를 구하시오.

(1)

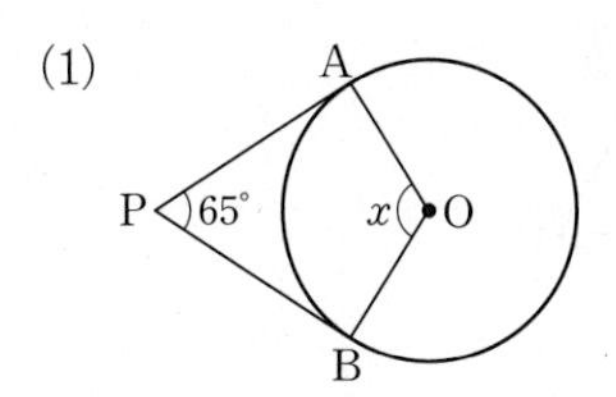

(2)

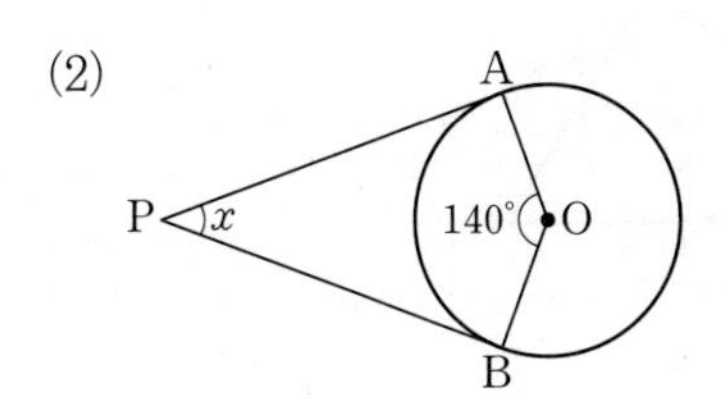

7 다음 그림에서 세 점 A, B, C는 원 O의 접점일 때, x의 값을 구하시오.

(1)

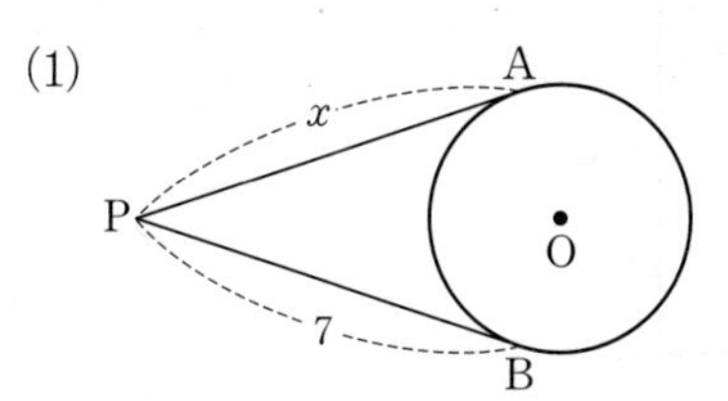

(2)

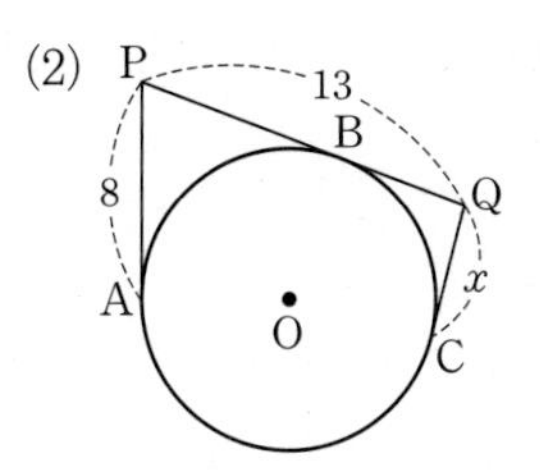

8 다음 그림에서 두 점 A, B는 점 P에서 원 O에 그은 두 접선의 접점일 때, $\angle x$의 크기를 구하시오.

(1)

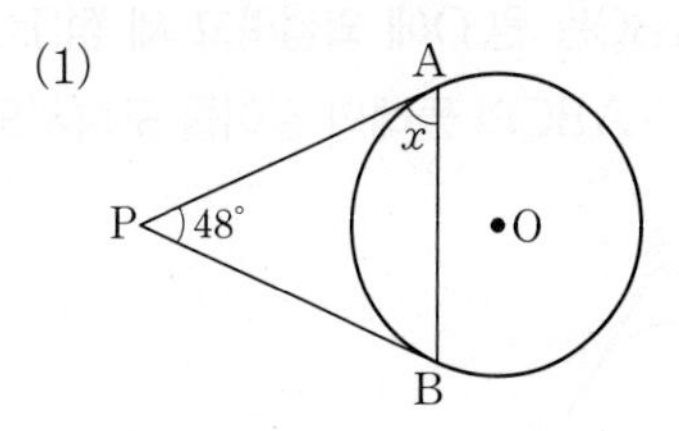

(2)

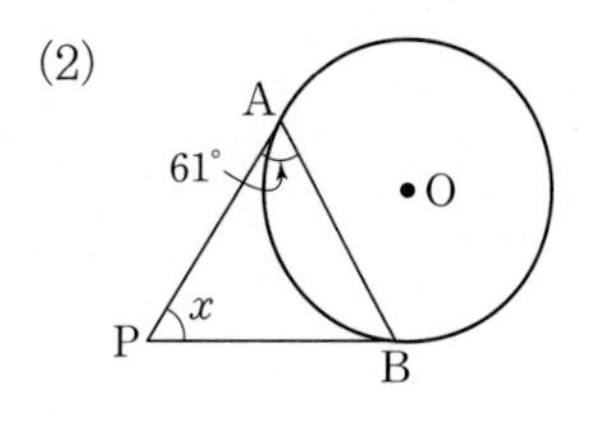

9 다음 그림에서 두 점 A, B는 점 P에서 원 O에 그은 두 접선의 접점일 때, x의 값을 구하시오.

(1)

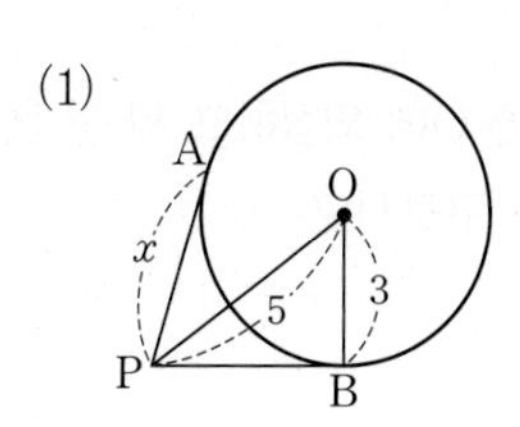

(2)

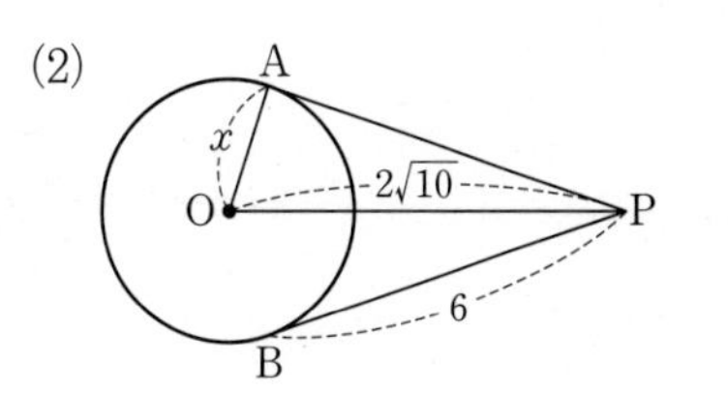

(3)

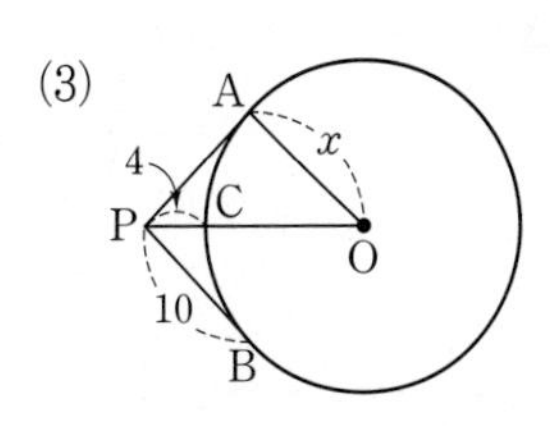

④ 삼각형의 내접원

10 다음 그림에서 △ABC는 원 O에 외접하고 세 점 P, Q, R는 그 접점일 때, △ABC의 둘레의 길이를 구하시오.

(1)

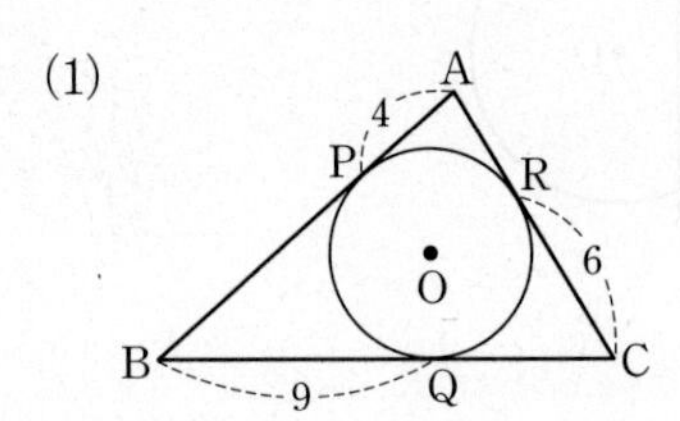

(2)

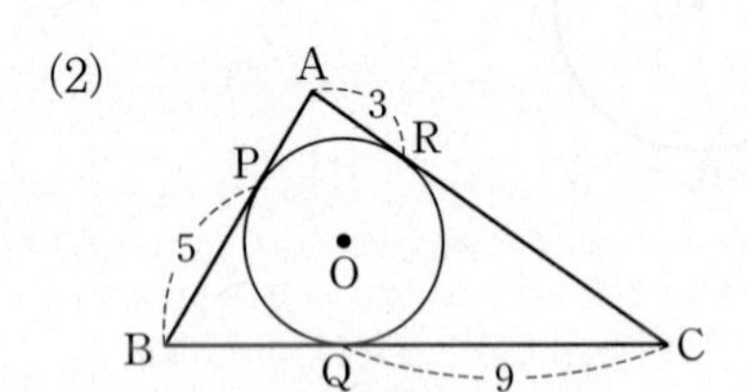

11 다음 그림에서 △ABC는 원 O에 외접하고 세 점 P, Q, R는 그 접점일 때, x의 값을 구하시오.

(1)

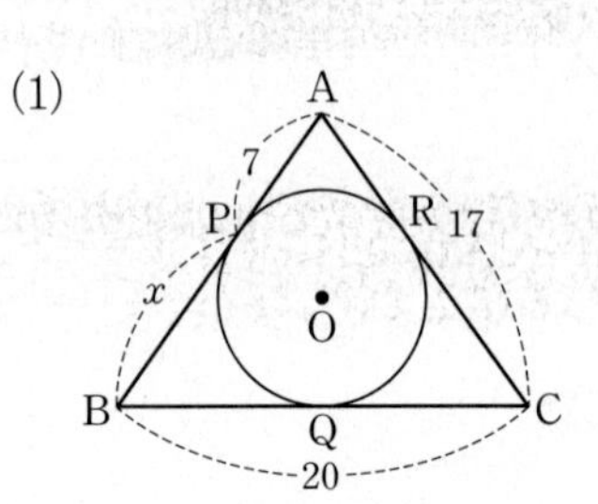

(2)

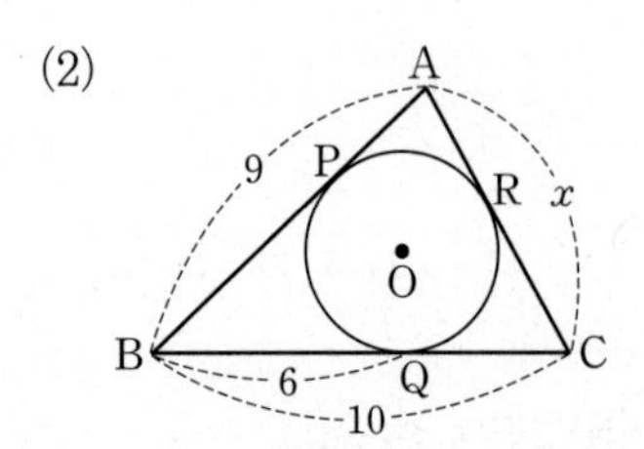

12 다음 그림에서 △ABC는 원 O에 외접하고 세 점 P, Q, R는 그 접점일 때, x의 값을 구하시오.

(1)

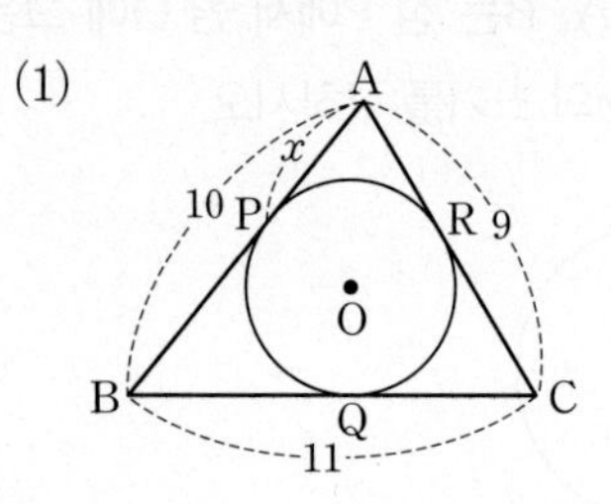

(2)

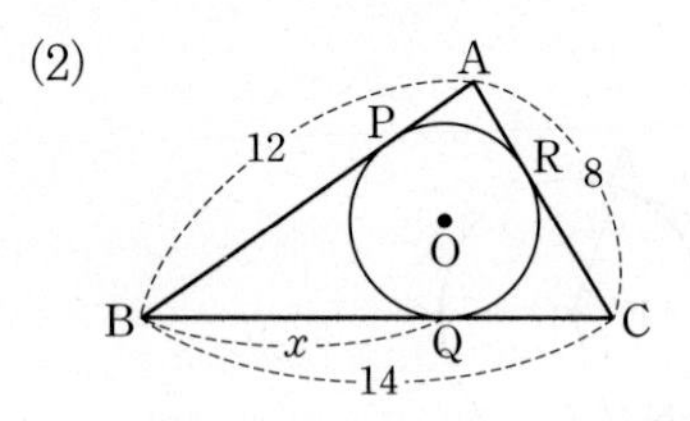

13 다음 그림에서 직각삼각형 ABC는 원 O에 외접하고 세 점 P, Q, R는 그 접점일 때, r의 값을 구하시오.

(1)

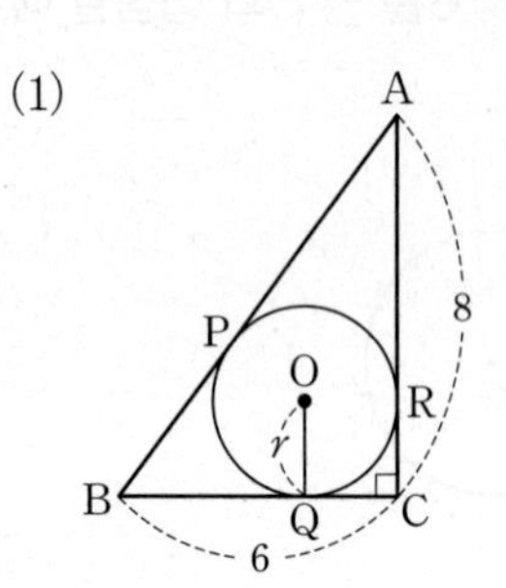

(2)

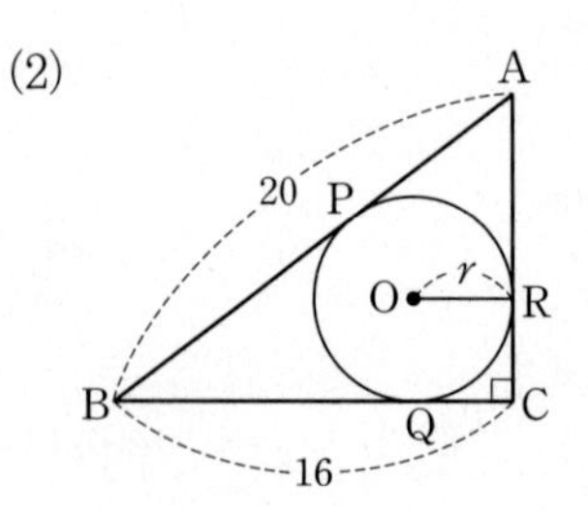

원에 외접하는 사각형의 성질

14 다음 그림에서 □ABCD는 원 O에 외접하고 네 점 P, Q, R, S는 그 접점일 때, x의 값을 구하시오.

(1)

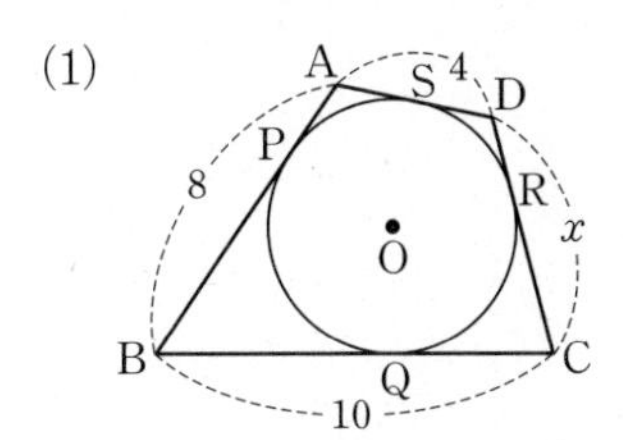

(2)

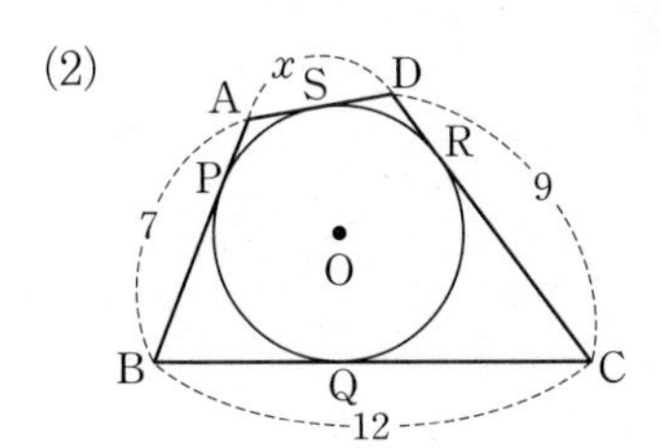

(3)

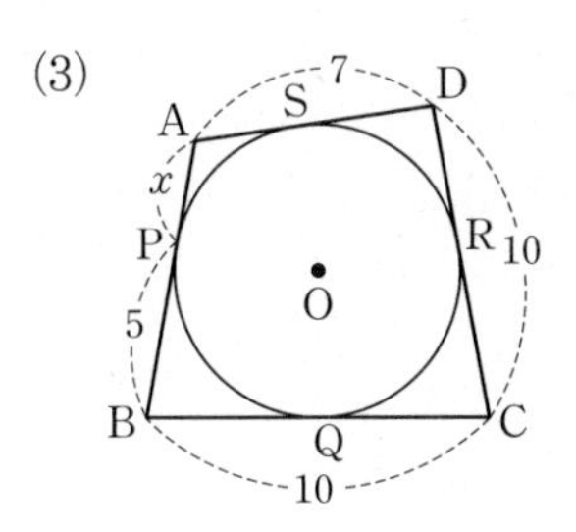

15 다음 그림에서 □ABCD가 원 O에 외접할 때, □ABCD의 둘레의 길이를 구하시오.

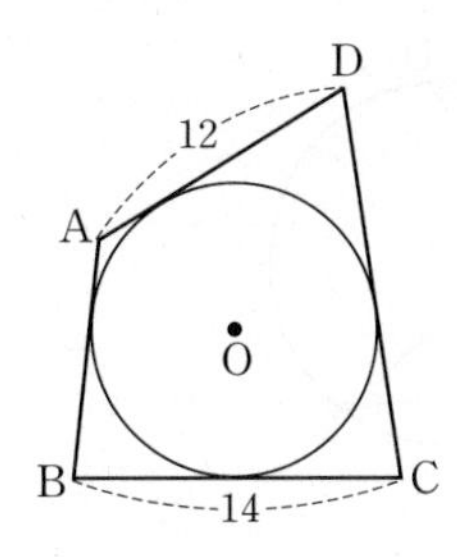

II·2 원주각

원주각과 중심각의 크기

16 다음 그림의 원 O에서 $\angle x$의 크기를 구하시오.

(1)

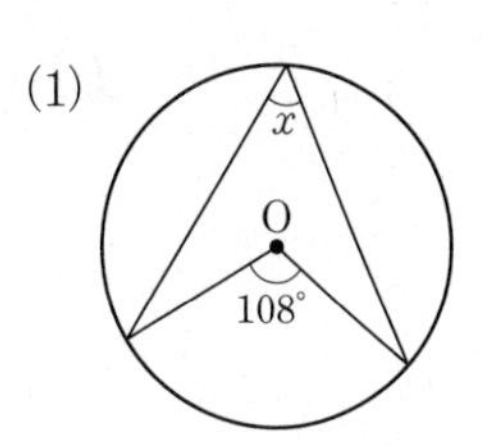

(2)

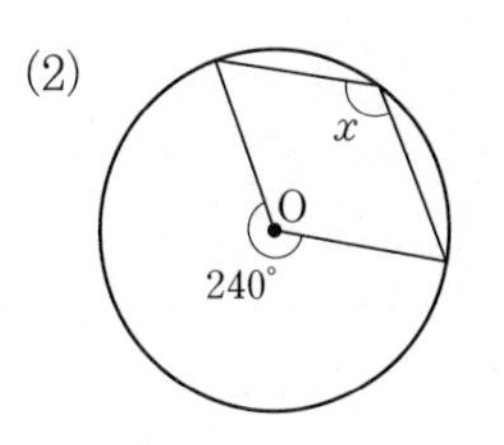

(3)

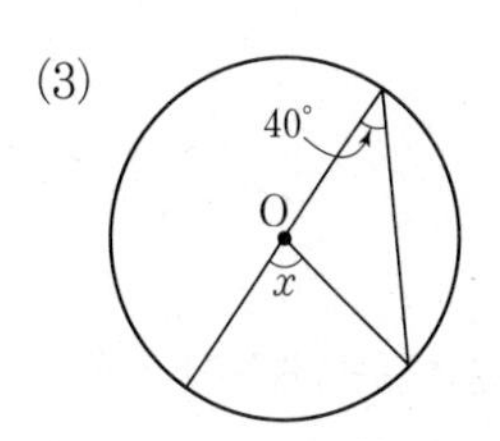

(4)

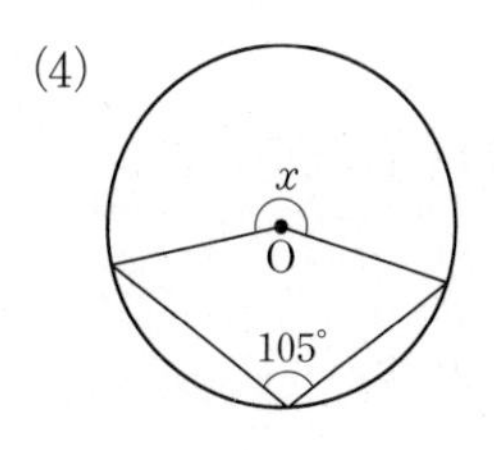

(5)

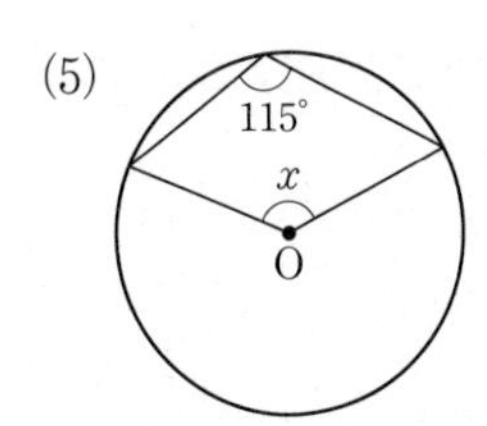

원주각의 성질 (1)

17 다음 그림에서 $\angle x$의 크기를 구하시오.

(1)

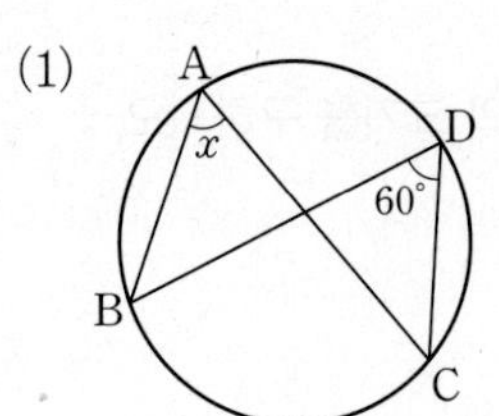

(2)

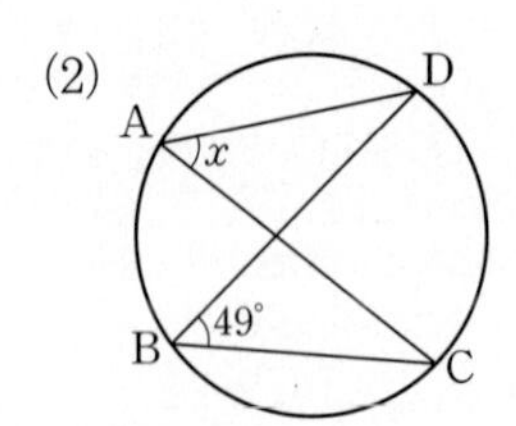

(3)

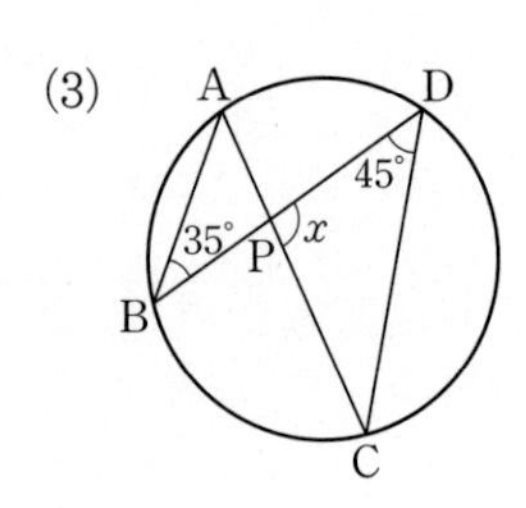

(4)

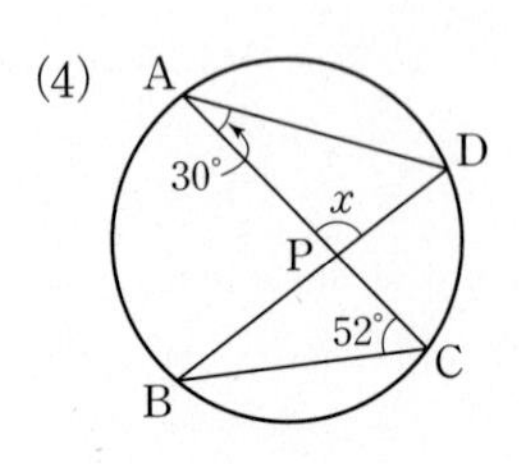

(5)

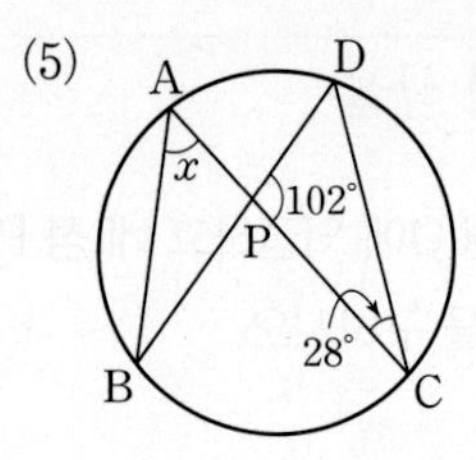

(6)

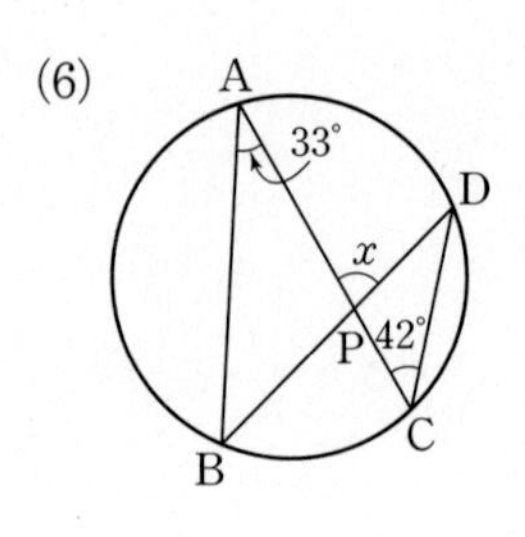

(7)

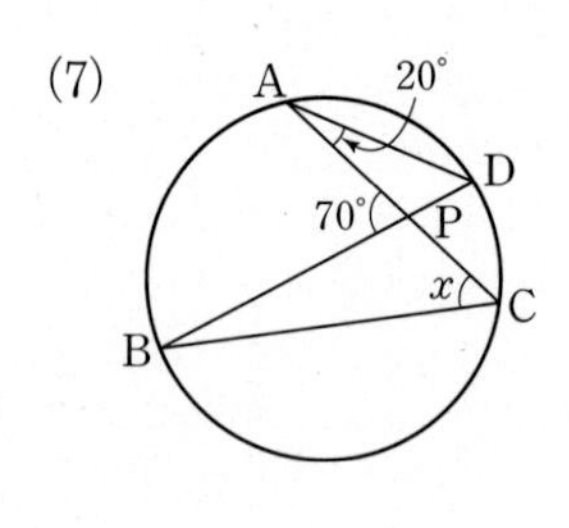

(8)

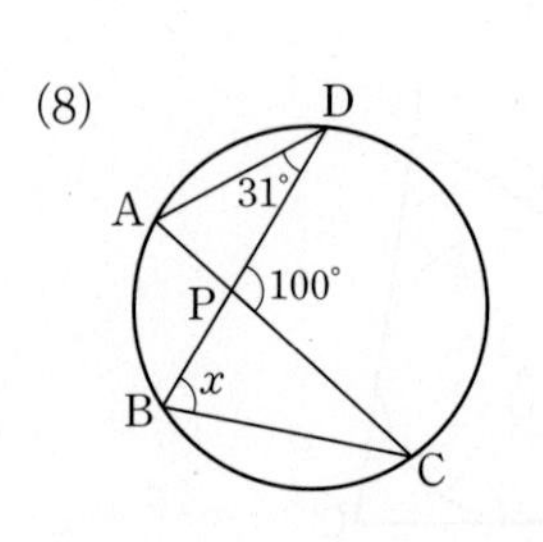

❽ 원주각의 성질 (2)

18 다음 그림에서 $\overline{AB}$는 원 O의 지름일 때, $\angle x$의 크기를 구하시오.

(1)

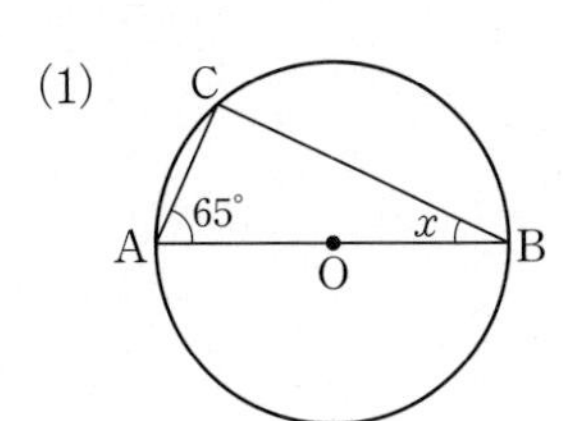

(2)

(3)

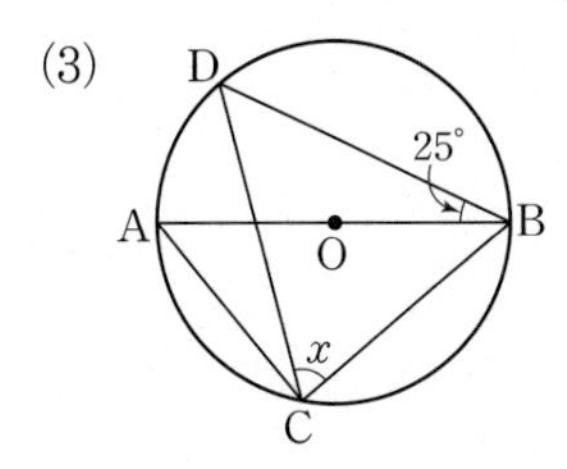

(4)

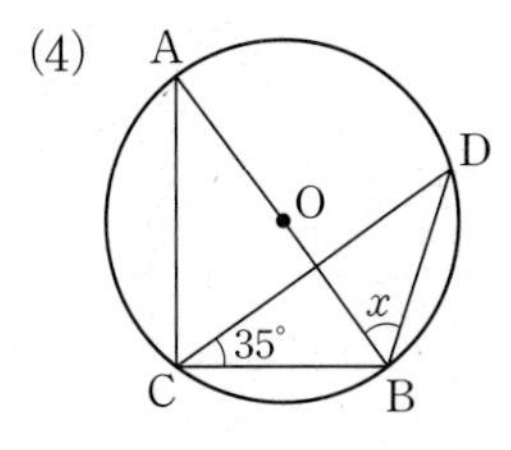

(5)

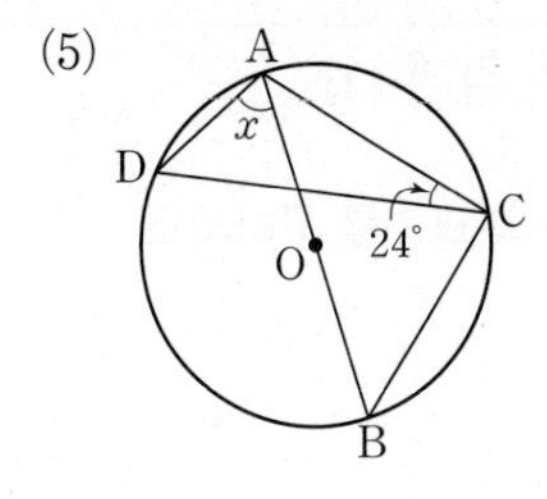

(6)

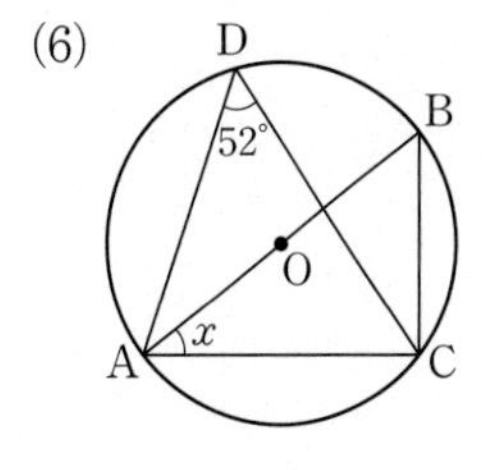

(7)

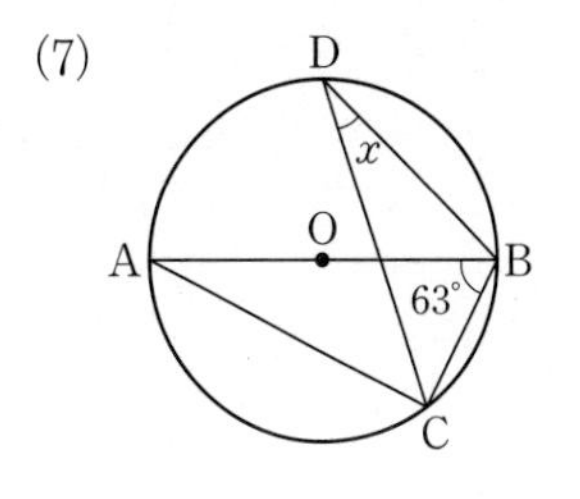

(8)

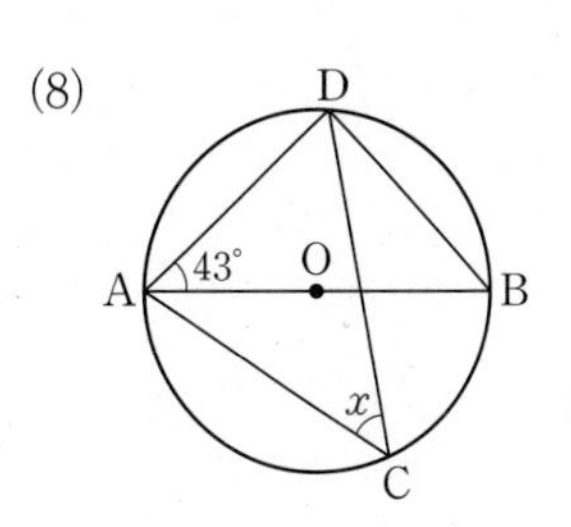

9 원주각의 크기와 호의 길이 (1)

19 다음 그림의 원 O에서 $\angle x$의 크기를 구하시오.

(1)

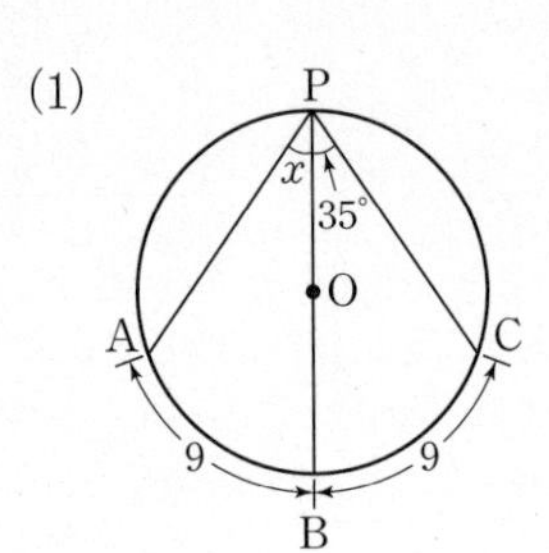

(2)

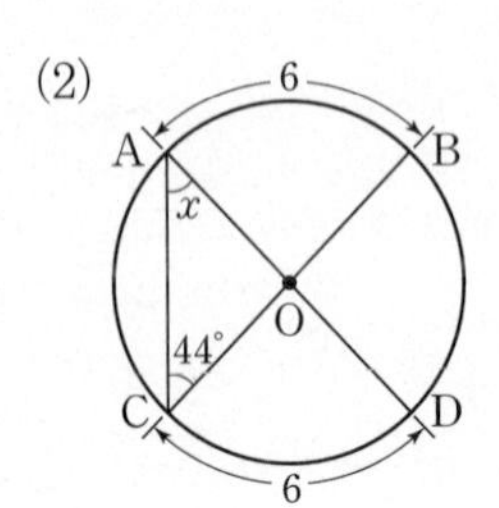

(3)

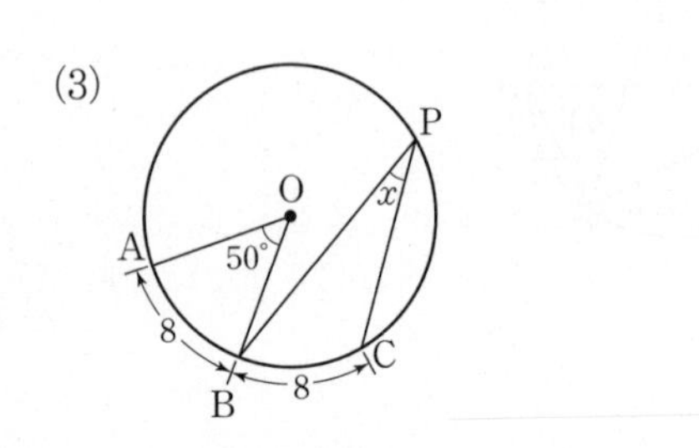

(4)

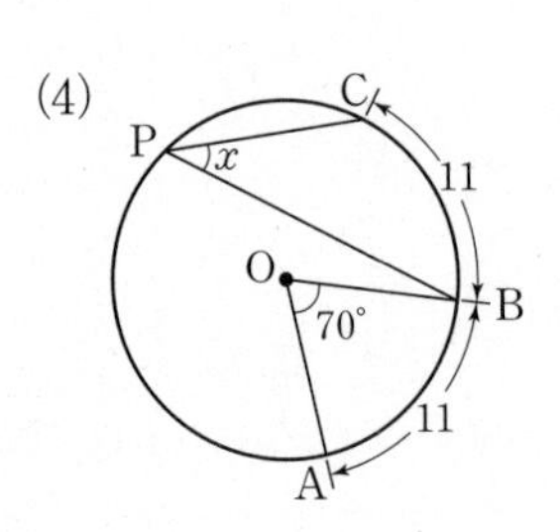

20 다음 그림의 원 O에서 x의 값을 구하시오.

(1)

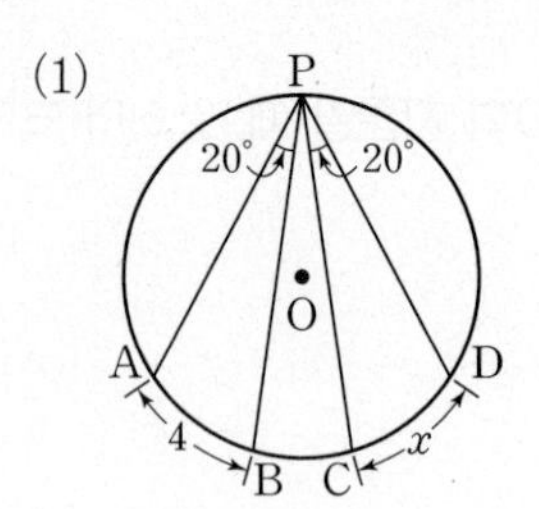

(2)

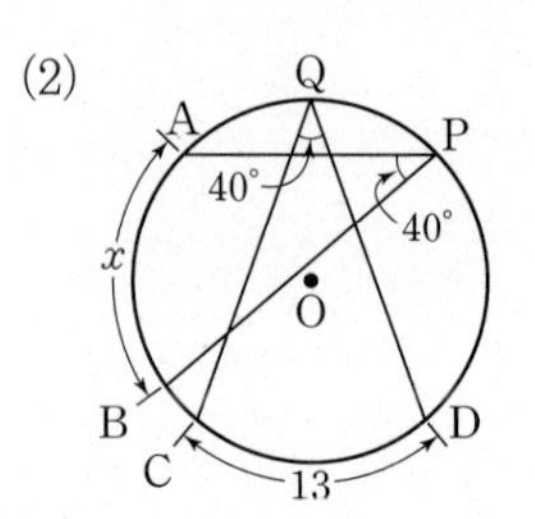

(3)

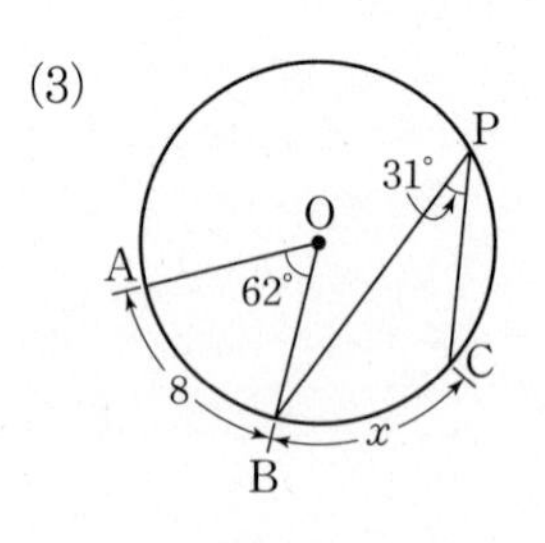

(4)

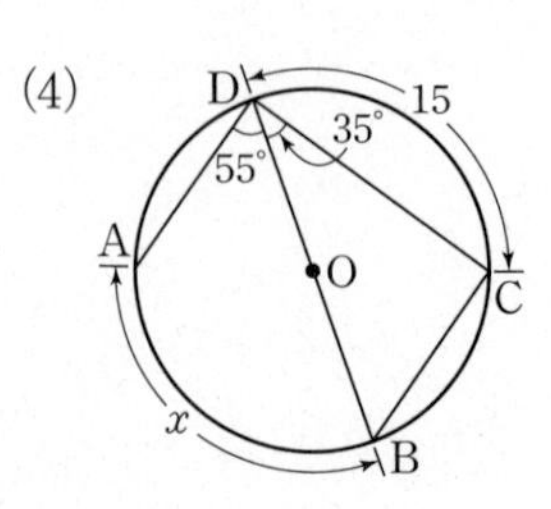

원주각의 크기와 호의 길이 (2)

21 다음 그림의 원 O에서 $\angle x$의 크기를 구하시오.

(1)

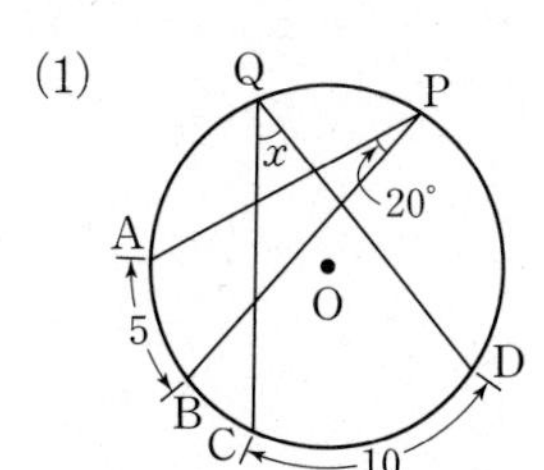

(2)

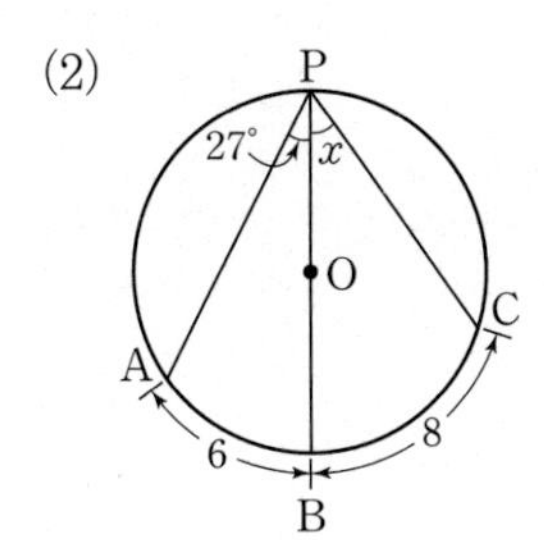

(3)

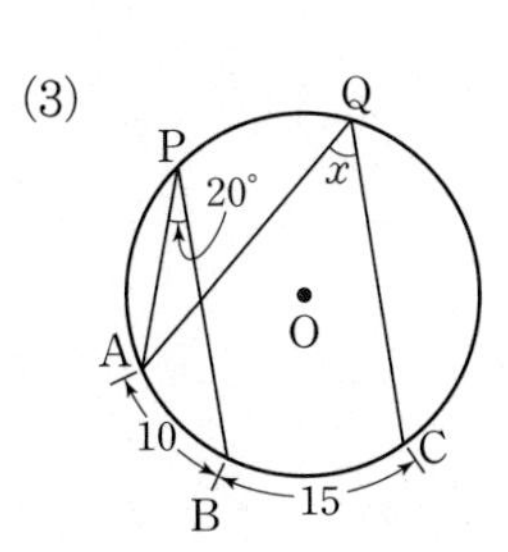

(4)

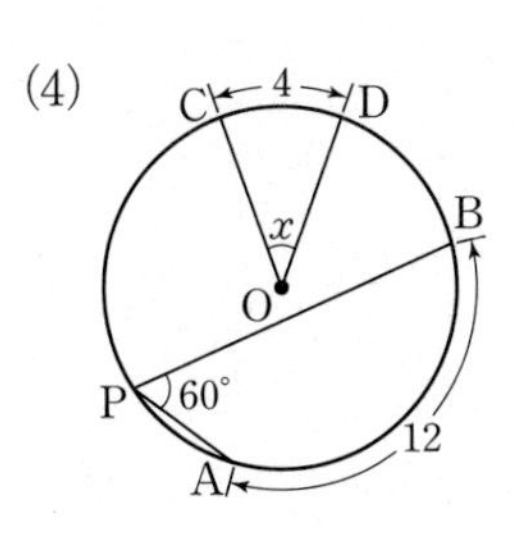

22 다음 그림의 원 O에서 x의 값을 구하시오.

(1)

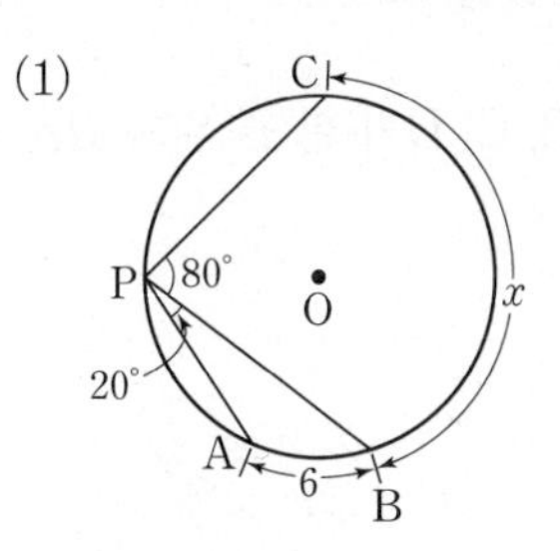

(2)

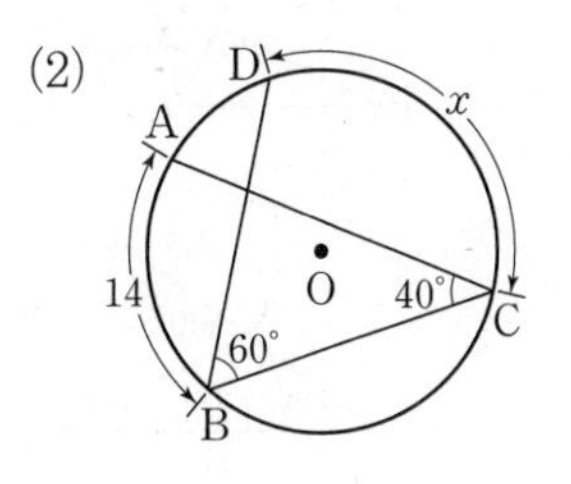

(3)

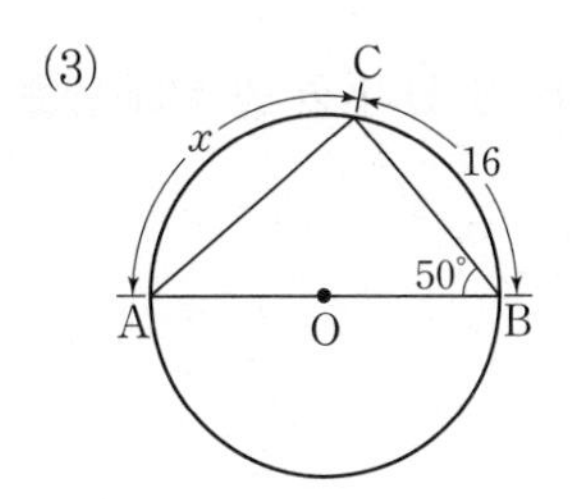

(4)

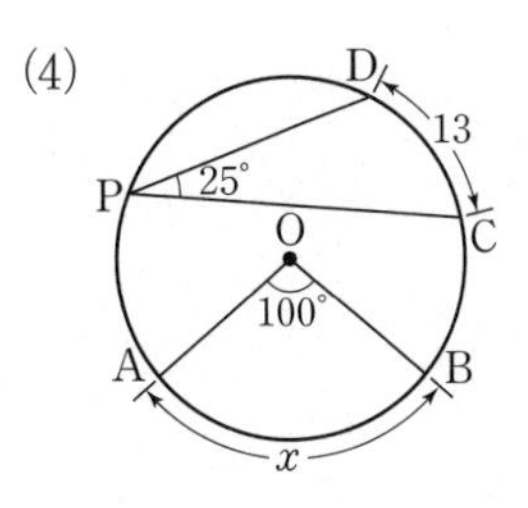

11 네 점이 한 원 위에 있을 조건

23 다음 보기 중 네 점 A, B, C, D가 한 원 위에 있는 것을 모두 고르시오.

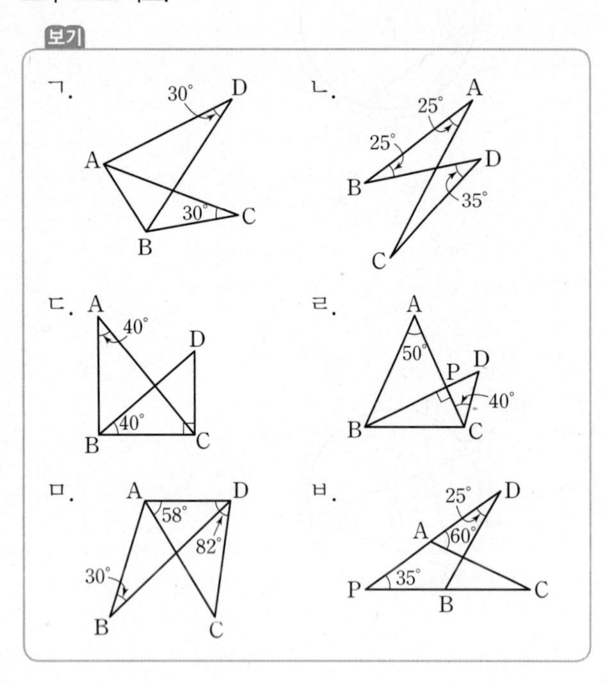

24 다음 그림에서 네 점 A, B, C, D가 한 원 위에 있을 때, $\angle x$의 크기를 구하시오.

(1)
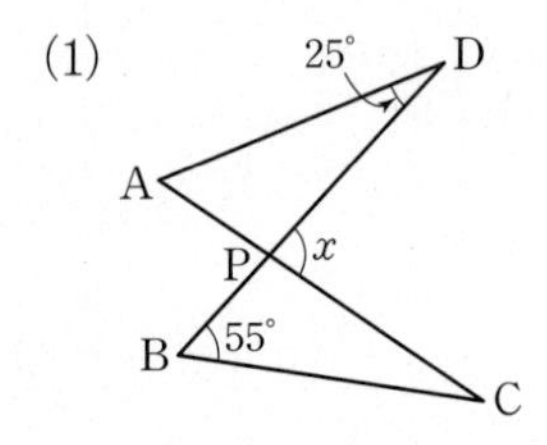

(2)
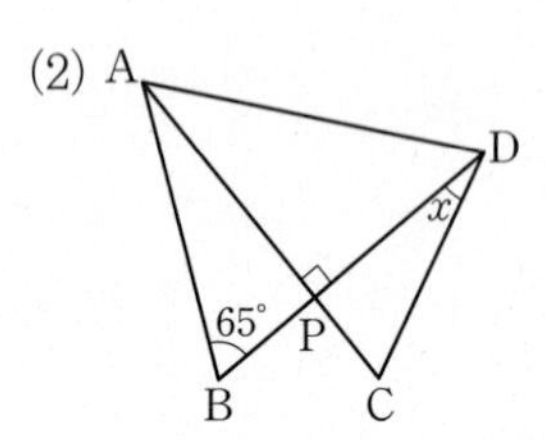

(3)
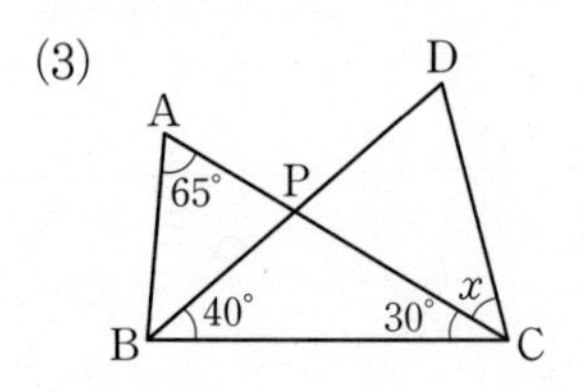

12 원에 내접하는 사각형의 성질

25 다음 그림에서 □ABCD가 원 O에 내접할 때, $\angle x$의 크기를 구하시오.

(1)
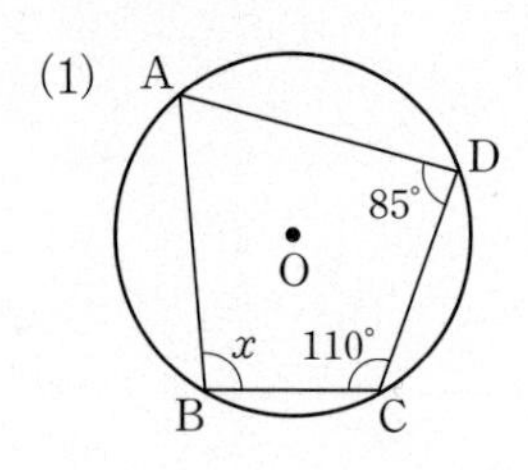

(2)
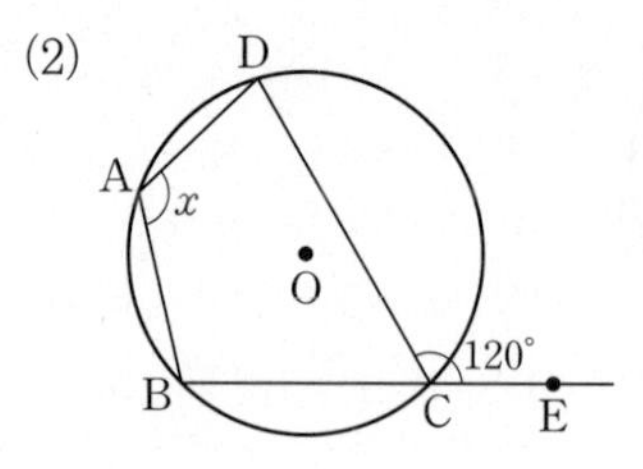

(3)
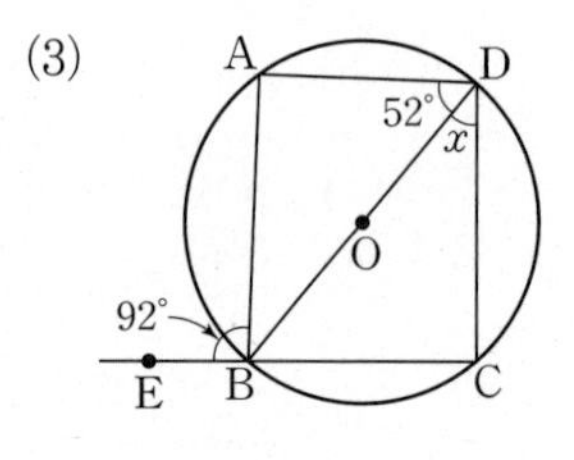

(4)
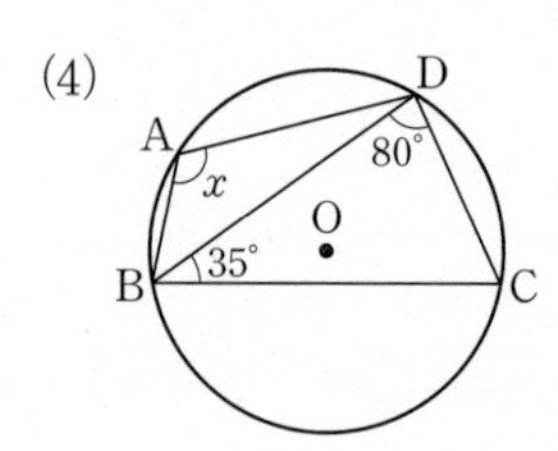

(5)

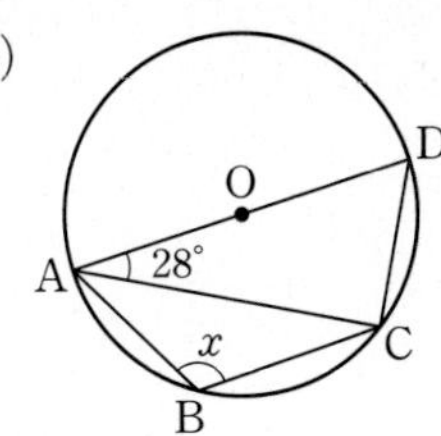

(6)

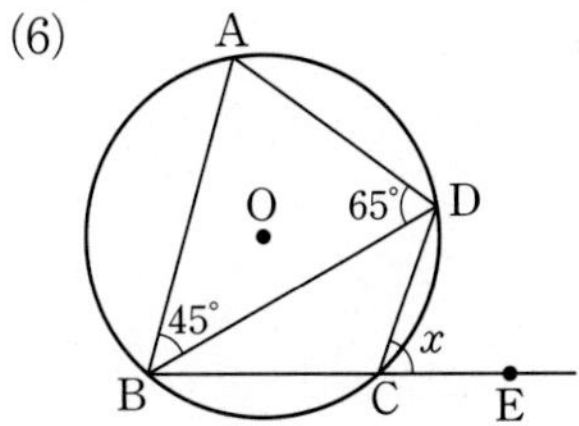

(7)

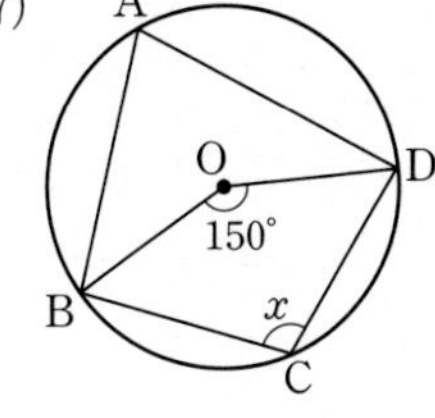

(8)

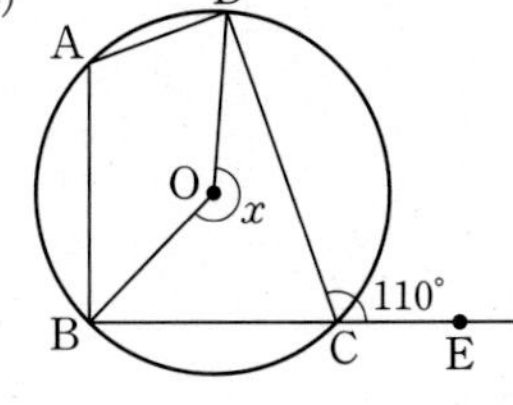

13 사각형이 원에 내접하기 위한 조건

26 다음 보기 중 □ABCD가 원에 내접하는 것을 모두 고르시오.

보기

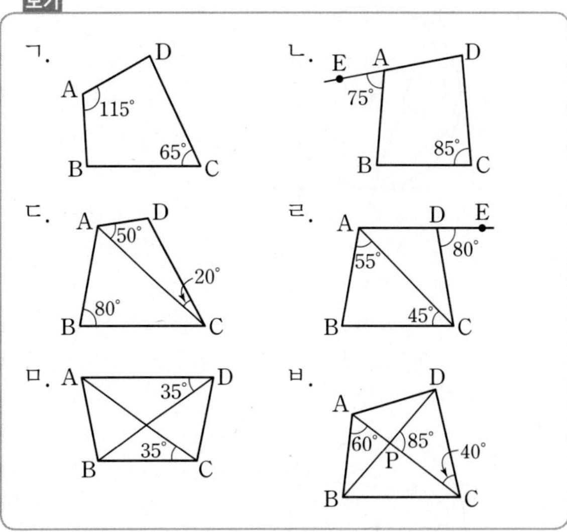

27 다음 그림에서 □ABCD가 원에 내접할 때, $\angle x$의 크기를 구하시오.

(1)

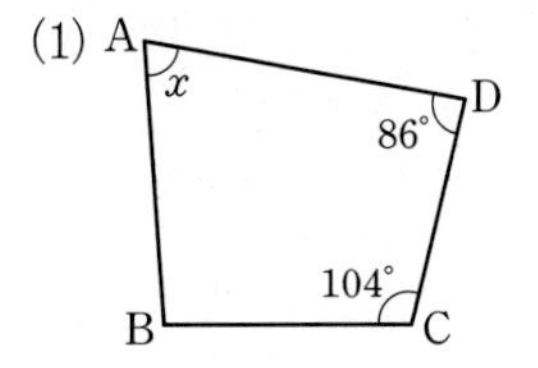

(2)

(3)

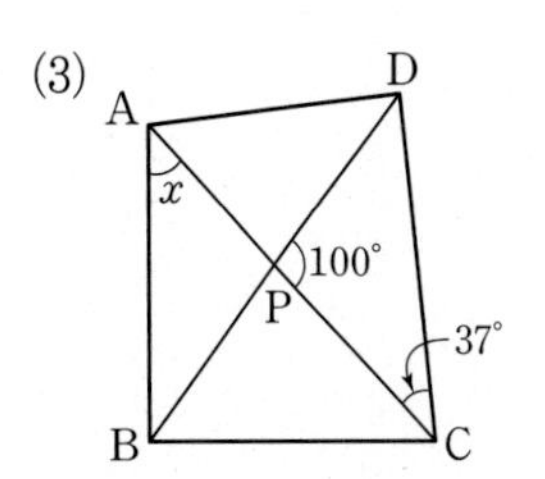

14 접선과 현이 이루는 각

28 다음 그림에서 $\overleftrightarrow{AT}$는 원 O의 접선이고 점 A는 그 접점일 때, $\angle x$의 크기를 구하시오.

(1)

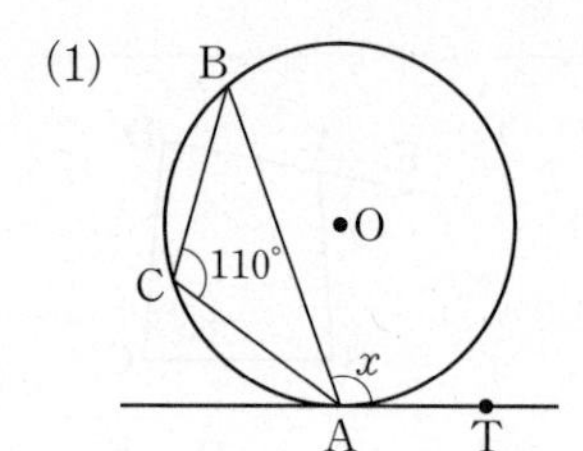

(2)

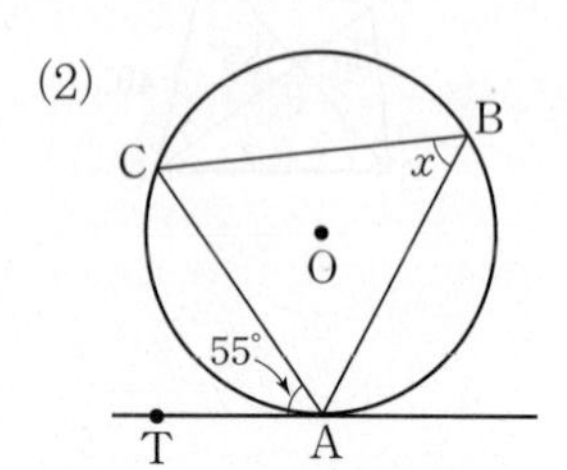

(3)

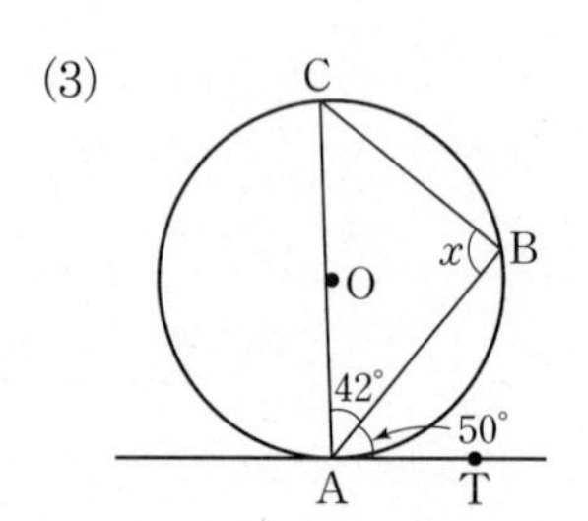

(4)

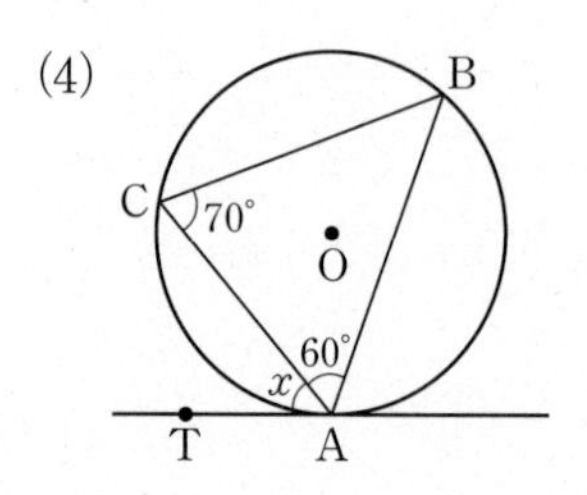

(5)

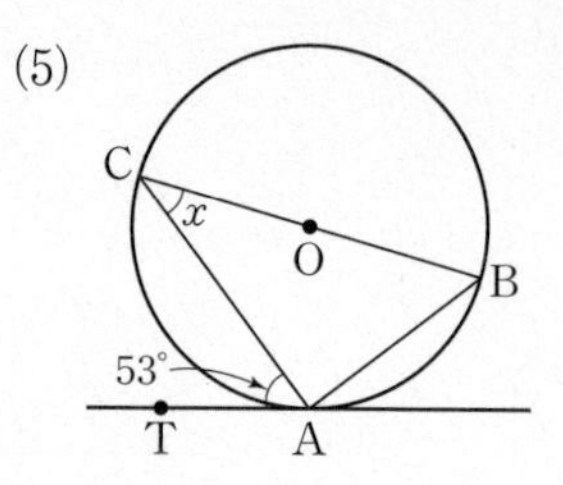

(6)

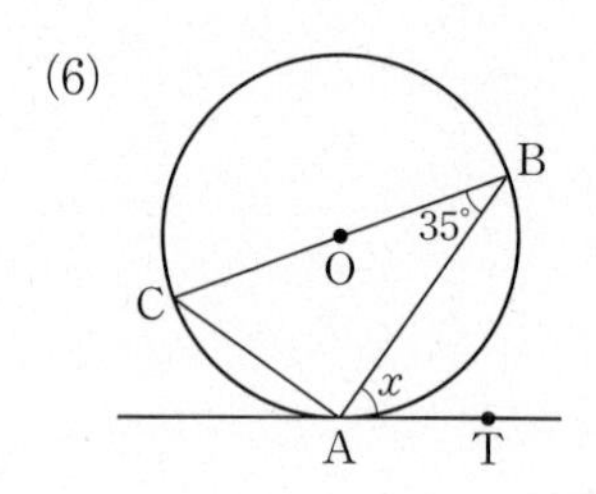

29 다음 그림에서 $\overleftrightarrow{AT}$는 원 O의 접선이고 점 A는 그 접점일 때, $\angle x$의 크기를 구하시오.

(1)

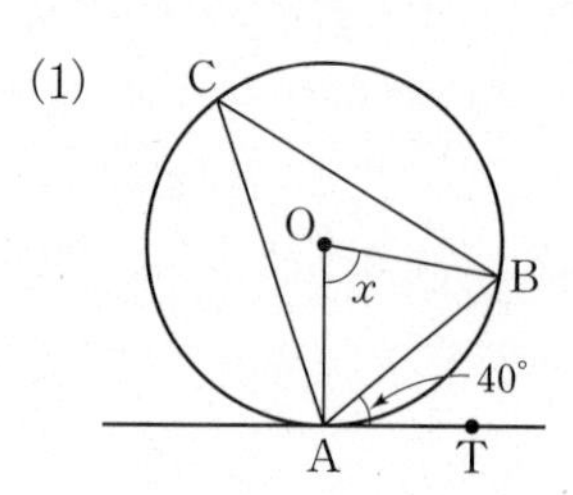

(2)

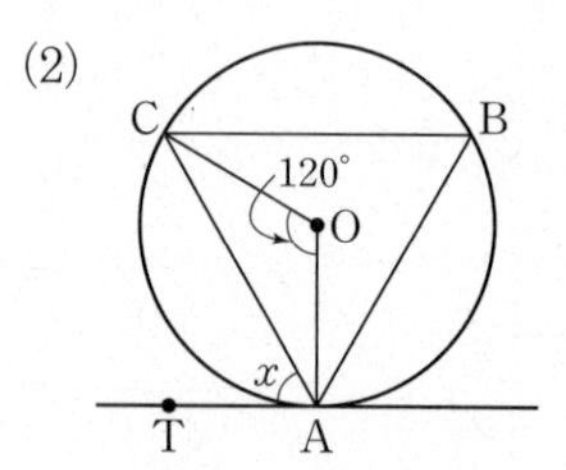

III 통계

정답과 해설 37쪽

III-1 대푯값과 산포도

1 평균

1 다음 자료의 평균을 구하시오.

(1) 6, 9, 11, 18

(2) 4, 16, 10, 13, 17

(3) 82, 89, 90, 87, 92, 88

2 다음 자료의 평균이 [ ] 안의 수와 같을 때, x의 값을 구하시오.

(1) x, 12, 10, 13 [11]

(2) 7, 19, 20, x, 11 [15]

(3) 71, 66, x, 84, 88, 57 [75]

2 중앙값

3 다음 자료의 중앙값을 구하시오.

(1) 22, 36, 5, 15, 20

(2) 8, 14, 7, 10, 17, 4

(3) 27, 27, 30, 24, 19, 21, 26

(4) 55, 54, 58, 60, 54, 53, 54, 59

4 다음은 자료의 변량을 작은 값부터 크기순으로 나열한 것이다. 이 자료의 중앙값이 [ ] 안의 수와 같을 때, x의 값을 구하시오.

(1) 7, 10, x, 19 [12.5]

(2) 5, 8, x, 17, 20, 23 [14]

3 최빈값

5 다음 자료의 최빈값을 구하시오.

(1) 2, 1, 7, 3, 1, 7, 6, 1, 5

(2) 10, 30, 35, 40, 35, 10, 45, 25

(3) 155, 150, 165, 145, 170, 160, 170

6 다음 표는 새별이네 학교 학생 60명이 연주할 수 있는 악기를 하나씩 조사하여 나타낸 것이다. 이 자료의 최빈값을 구하시오.

악기	피아노	플루트	클라리넷	바이올린	첼로
학생 수(명)	15	12	7	17	9

7 다음 표는 현우네 반 학생 33명이 한국사능력검정시험에서 얻은 급수를 조사하여 나타낸 것이다. 이 자료의 최빈값을 구하시오.

급수(급)	1	2	3	4	5	6
학생 수(명)	4	3	8	6	4	8

8 아래 줄기와 잎 그림은 민석이네 반 학생 11명이 한 달 동안 어느 SNS 앱에 접속한 횟수를 조사하여 그린 것이다. 다음을 구하시오.

SNS 접속 횟수 (0|1은 1회)

줄기	잎
0	1 3 9
1	2 4 9 9
2	7 7 7 9

(1) 평균

(2) 중앙값

(3) 최빈값

9 아래 줄기와 잎 그림은 혜원이네 반 학생 10명이 어느 날 통학하는 데 걸린 시간을 조사하여 그린 것이다. 다음을 구하시오.

통학 시간 (1|2는 12분)

줄기	잎
1	2 2 3 6
2	0 4 4
3	3
4	0 1

(1) 평균

(2) 중앙값

(3) 최빈값

10 다음 자료는 어느 제과점에서 만드는 9종류의 빵의 하루 판매량을 조사한 것이다. 물음에 답하시오.

(단위: 개)

50, 43, 39, 4, 46, 51, 43, 45, 48

(1) 평균을 구하시오. ________

(2) 중앙값을 구하시오. ________

(3) 최빈값을 구하시오. ________

(4) 평균, 중앙값 중에서 이 자료의 대푯값으로 적절한 것을 말하시오.

____

11 다음 자료는 어느 운동용품점에서 하루 동안 판매한 볼링공 12개의 무게를 조사한 것이다. 이 운동용품점에서 가장 많이 준비해야 할 볼링공의 무게를 정하려고 할 때, 물음에 답하시오.

(단위: 파운드)

7, 9, 10, 6, 8, 13, 10, 9, 8, 10, 11, 10

(1) 평균을 구하시오. ________

(2) 중앙값을 구하시오. ________

(3) 최빈값을 구하시오. ________

(4) 평균, 중앙값, 최빈값 중에서 이 자료의 대푯값으로 적절한 것을 말하시오.

____

4 편차

12 다음 자료의 평균이 아래와 같을 때, 표를 완성하시오.

(1) 평균: 11

변량	9	7	20	2	17
편차					

(2) 평균: 65

변량						
편차	20	15	−5	3	−30	−3

13 다음 자료의 평균을 구하고, 표를 완성하시오.

(1) 평균: ________

변량	16	22	19	25	18
편차					

(2) 평균: ________

변량	33	38	45	29	46	49
편차						

(3) 평균: ________

변량	71	80	77	95	85	78
편차						

14 어떤 자료의 편차가 다음과 같을 때, x의 값을 구하시오.

(1) x, 11, -7, 8

(2) 9, 5, -12, x, -1, 3

(3) 2, x, 10, -2, 4, -21

15 다음 표는 7월부터 12월까지 어느 지역에 비가 온 날수의 편차를 나타낸 것이다. 비가 온 날수의 평균이 10일일 때, 11월에 비가 온 날수를 구하시오.

월	7	8	9	10	11	12
편차(일)	1	-3	0	2		-4

16 다음 표는 학생 5명의 1분 동안의 팔굽혀펴기 기록의 편차를 나타낸 것이다. 팔굽혀펴기 기록의 평균이 32회일 때, 해준이의 팔굽혀펴기 기록을 구하시오.

학생	은영	마리	주완	미영	해준
편차(회)	7	13	-8	-11	

5 분산과 표준편차

17 다음은 어느 버스 정류장을 지나는 버스 노선 5개의 배차 간격의 편차를 나타낸 것이다. 배차 간격의 분산과 표준편차를 각각 구하시오.

(단위: 분)

-1, 2, -5, 4, 0

분산: ____

표준편차: ____

18 다음은 노트북 6개의 최대 사용 시간의 편차를 나타낸 것이다. 최대 사용 시간의 분산과 표준편차를 각각 구하시오.

(단위: 시간)

1, -4, 1, -2, -5, 9

분산: ____

표준편차: ____

19 다음은 어느 지역의 5일 동안 최저 기온의 편차를 나타낸 것이다. 최저 기온의 분산과 표준편차를 각각 구하시오.

(단위: °C)

2, x, -1, 0, -4

분산: ____

표준편차: ____

20 다음은 은지네 농장에서 수확한 사과 7개의 무게의 편차를 나타낸 것이다. 사과 무게의 분산과 표준편차를 각각 구하시오.

(단위: g)

3, -6, 2, 5, x, -10, -1

분산: ________

표준편차: ________

21 다음 자료는 일권이네 반 학생 5명의 1분 동안의 윗몸일으키기 기록을 조사한 것이다. 윗몸일으키기 기록의 분산과 표준편차를 각각 구하시오.

(단위: 회)

32, 26, 30, 34, 28

분산: ________

표준편차: ________

22 다음 자료는 희성이네 반 학생 6명의 영어 듣기 평가 점수를 조사한 것이다. 영어 듣기 평가 점수의 분산과 표준편차를 각각 구하시오.

(단위: 점)

11, 16, 19, 20, 13, 17

분산: ________

표준편차: ________

6 자료의 분석

23 아래 표는 어느 반 학생 5명의 기말고사 성적의 평균과 표준편차를 나타낸 것이다. 다음을 구하시오.

학생	민철	영수	지호	덕환	형래
평균(점)	87	92	96	89	88
표준편차(점)	2.9	4.2	3	5.4	4

(1) 성적이 가장 우수한 학생 ________

(2) 성적이 가장 고른 학생 ________

(3) 성적이 가장 고르지 않은 학생 ________

24 아래 막대그래프는 예지네 학교 3개 반 학생들이 일주일 동안 대중교통을 이용한 횟수를 조사하여 각각 나타낸 것이다. 3개 반의 대중교통 이용 횟수의 평균이 3회로 모두 같을 때, 다음을 구하시오.

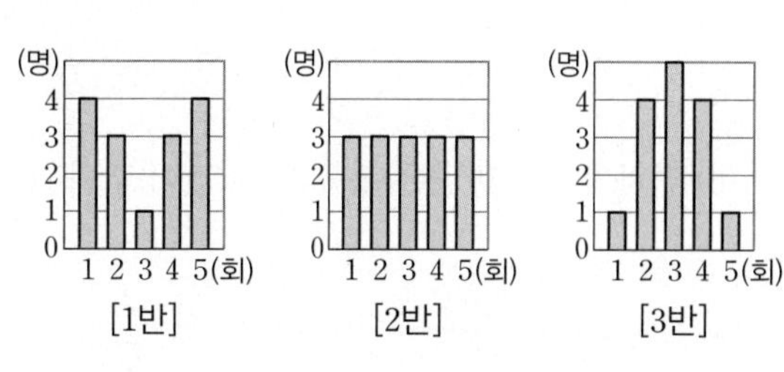

(1) 분포 상태가 가장 고르게 나타난 반 ________

(2) 표준편차가 가장 큰 반 ________

⑦ 대푯값과 산포도의 이해

25 다음 중 대푯값과 산포도에 대한 설명으로 옳은 것은 ○표, 옳지 않은 것은 ×표를 ( ) 안에 쓰시오.

(1) 대푯값은 반드시 주어진 변량 중에서 정해진다. ( )

(2) 중앙값은 산포도의 하나이다. ( )

(3) 최빈값은 3개일 수도 있다. ( )

(4) 자료에 극단적인 값이 있을 때 대푯값으로 평균을 사용하는 것은 적절하지 않다. ( )

(5) 평균이 클수록 산포도도 크다. ( )

(6) 편차가 0인 변량은 평균과 그 값이 같다. ( )

(7) 분산은 각 편차의 제곱의 합이다. ( )

(8) 두 집단의 평균이 서로 다르면 표준편차도 다르다. ( )

III-2 상관관계

⑧ 산점도

26 다음 표는 어느 카페에서 하루 최고 기온과 따뜻한 음료의 판매량을 조사하여 나타낸 것이다. 하루 최고 기온과 따뜻한 음료의 판매량에 대한 산점도를 주어진 좌표평면 위에 그리시오.

기온(℃)	12	21	9	18	12	3	24
판매량(잔)	25	20	35	10	15	40	5

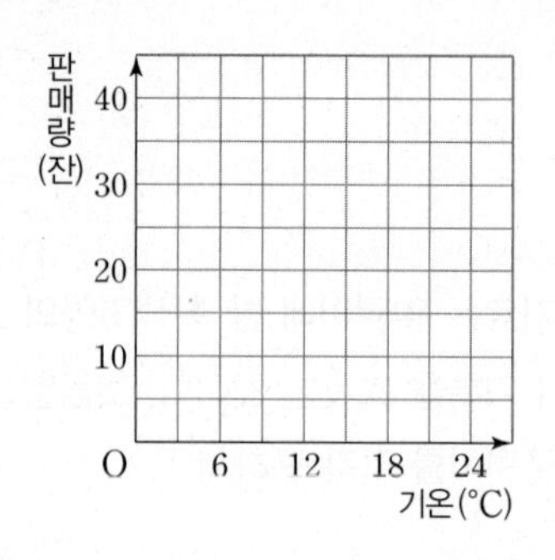

27 오른쪽 그림은 보검이네 반 학생 10명의 몸무게와 허리둘레에 대한 산점도이다. 다음을 구하시오.

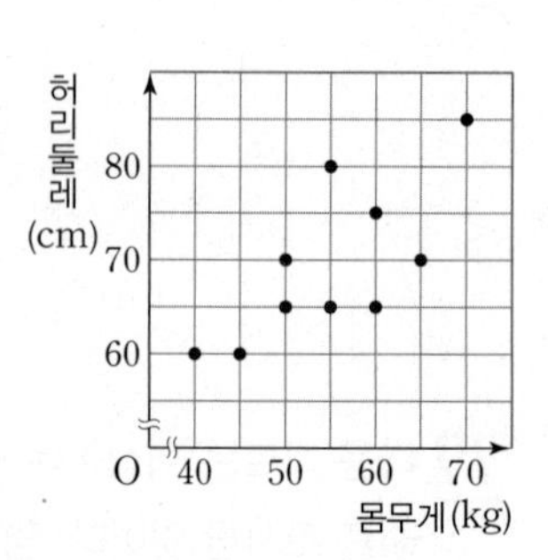

(1) 허리둘레가 75 cm인 학생의 몸무게

(2) 몸무게가 가장 적게 나가는 학생의 허리둘레

(3) 허리둘레가 두 번째로 긴 학생의 몸무게

9 산점도의 분석

28 다음 그림은 어느 학교 농구부 선수 9명이 세 달 동안 경기에서 넣은 2점 슛과 3점 슛의 개수에 대한 산점도이다. 물음에 답하시오.

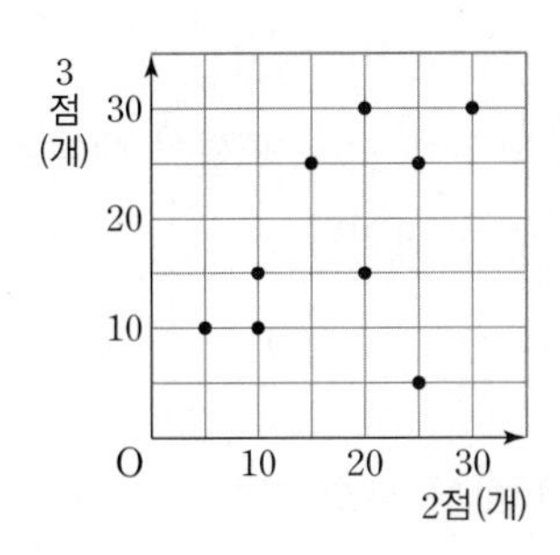

(1) 3점 슛을 25개보다 많이 넣은 학생 수를 구하시오.

(2) 2점 슛과 3점 슛의 개수가 같은 학생의 비율을 구하시오.

29 다음 그림은 어느 체육관 회원 16명의 운동 기간과 몸무게에 대한 산점도이다. 물음에 답하시오.

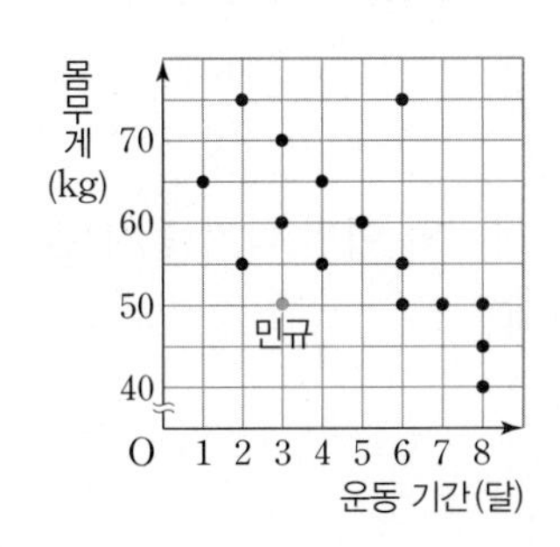

(1) 민규와 몸무게가 같은 회원 수를 구하시오.

(2) 운동 기간이 4달 미만인 회원 중에서 몸무게가 55 kg 초과인 회원은 전체의 몇 %인지 구하시오.

30 다음 그림은 은경이네 반 학생 20명의 중간고사와 기말고사 영어 점수에 대한 산점도이다. 물음에 답하시오.

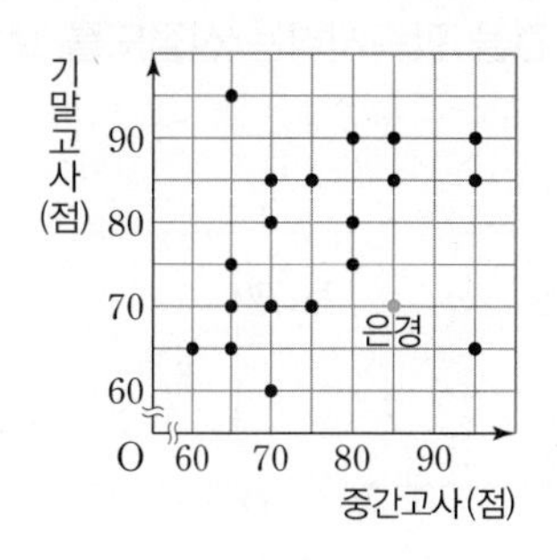

(1) 은경이의 중간고사와 기말고사 영어 점수의 차를 구하시오.

(2) 은경이보다 중간고사 영어 점수가 높은 학생 수를 구하시오.

(3) 기말고사 영어 점수가 85점 이상 95점 이하인 학생의 비율을 구하시오.

(4) 두 시험의 영어 점수가 같은 학생 중에서 점수가 가장 낮은 학생의 기말고사 영어 점수를 구하시오.

(5) 영어 점수가 중간고사에 비해 떨어진 학생은 전체의 몇 %인지 구하시오.

(6) 중간고사와 기말고사 영어 점수가 모두 70점 이하인 학생들의 중간고사 영어 점수의 평균을 구하시오.

⑩ 상관관계

31 다음 조건을 만족시키는 산점도를 보기에서 모두 고르시오.

보기

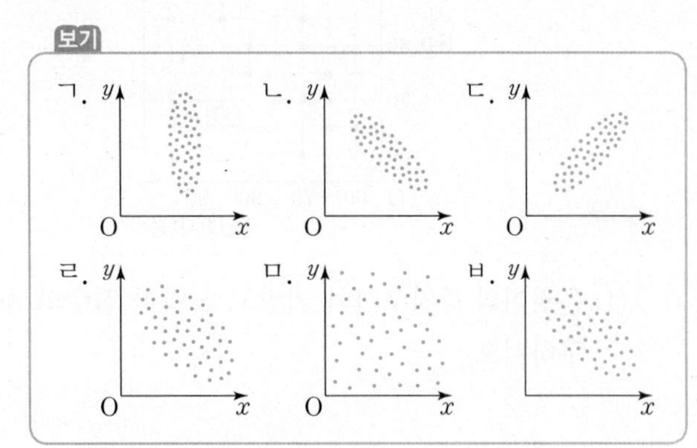

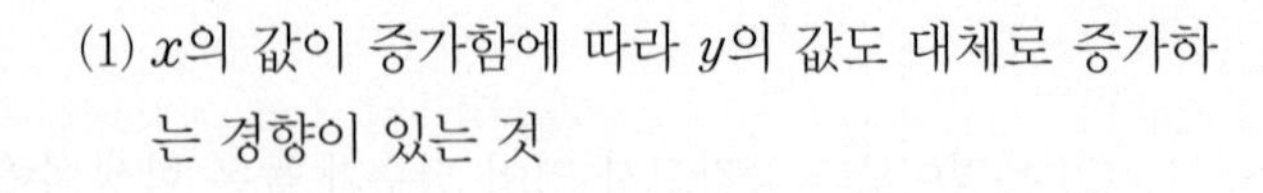

(1) x의 값이 증가함에 따라 y의 값도 대체로 증가하는 경향이 있는 것 ________

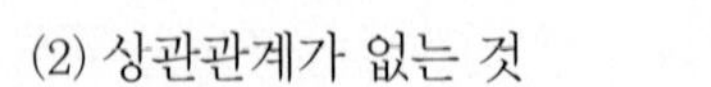

(2) 상관관계가 없는 것 ________

(3) 음의 상관관계가 가장 강한 것 ________

32 다음 두 변량 사이에 대체로 양의 상관관계가 있으면 '양', 음의 상관관계가 있으면 '음', 상관관계가 없으면 '없다'를 ( ) 안에 쓰시오.

(1) 통학 거리와 영어 성적 ( )

(2) 자동차가 움직인 거리와 남은 연료의 양 ( )

(3) 어느 지역의 인구와 중학교 수 ( )

(4) 산의 높이와 그 산 정상에서의 기온 ( )

(5) 티셔츠의 치수와 그 티셔츠의 가격 ( )

(6) 계산대에 줄지어 서 있는 사람의 수와 대기 시간 ( )

33 오른쪽 그림은 진아네 학교 학생들의 사회 점수와 전 과목 평균 점수에 대한 산점도이다. 다음 중 옳은 것은 ○표, 옳지 않은 것은 ×표를 ( ) 안에 쓰시오.

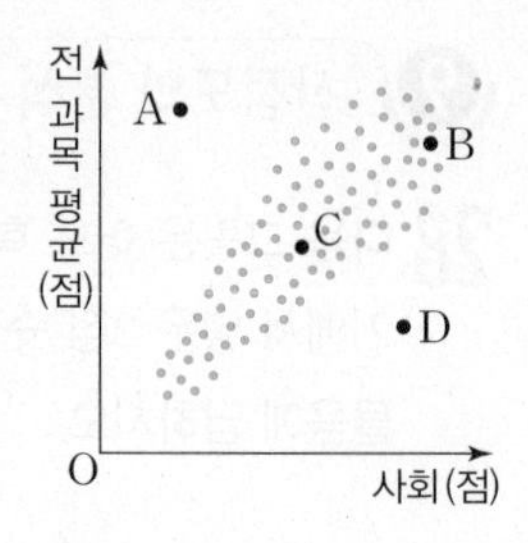

(1) 사회 점수가 낮은 학생이 대체로 전 과목 평균 점수는 높은 편이다. ( )

(2) C는 D보다 사회 점수가 낮다. ( )

(3) A는 사회 점수에 비해 전 과목 평균 점수가 높은 편이다. ( )

34 오른쪽 그림은 민주네 학교 학생들의 지난 학기와 이번 학기 봉사 활동 시간에 대한 산점도이다. 다음을 구하시오.

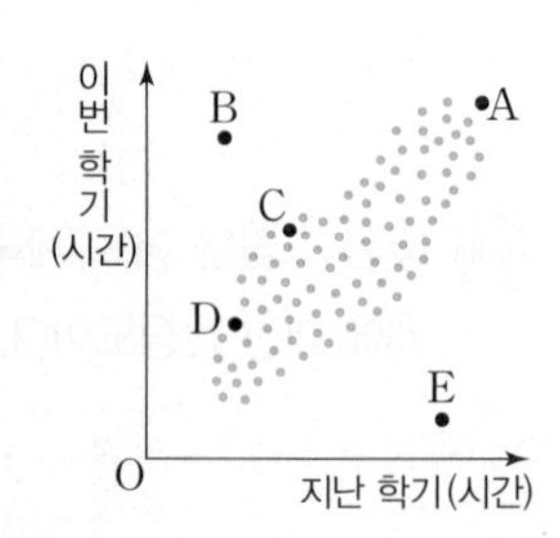

(1) 지난 학기와 이번 학기 봉사 활동 시간 사이의 상관관계 ________

(2) A, B, C, D, E 5명의 학생 중에서 지난 학기와 이번 학기 봉사 활동 시간이 모두 많은 학생 ________

(3) A, B, C, D, E 5명의 학생 중에서 지난 학기에 비해 이번 학기 봉사 활동 시간이 가장 적은 학생 ________